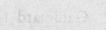

Michel de Montaigne

Essais

LIVRE SECOND

Édition présentée,
établie et annotée
par Pierre Michel
Préface d'Albert Thibaudet

Gallimard

PLACE DES « ESSAIS »

La littérature française semblait, avec Rabelais, avec Ronsard et son école, partir pour devenir une grande littérature poétique, pour rencontrer son Shakespeare et son Spenser. Mais telle n'était point sa vocation. L'élan fantaisiste et poétique et frénétique tourne court. Si Rabelais reste lu au XVIIᵉ siècle, c'est comme diseur de sornettes et maître du gros rire. Et l'histoire de Ronsard et de son école après Malherbe sera l'histoire de leur chute et de deux siècles de disparition.

Dira-t-on que la littérature française allait vers la raison, la célèbre raison du XVIIᵉ et du XVIIIᵉ siècle, dont Nisard a fait son Acropole, et dont Descartes et Boileau auraient été les prophètes ? C'est là une fortune excessive donnée au distique de Boileau qu'on n'ose plus transcrire : Aimez donc... distique d'ailleurs très mal compris, et où il est absurde de voir une profession de foi cartésienne. Le XVIIᵉ siècle, à commencer par Boileau lui-même, a discuté les droits de la raison au moins autant qu'il l'a aimée.

Quels que soient le rôle et le contrôle de la raison, la vocation de la littérature française après la génération de Ronsard, c'est de devenir une littérature d'idées. Qui dit littérature d'idées dit conflit d'idées, dialogue sur les grands partis, lorsqu'on met l'accent sur idées. Quand on le met sur littérature, il faut entendre effort pour donner à la langue et au style les qualités nécessaires pour exprimer les idées : lumière, intelligibilité, précision.

On a vu à bon droit en Calvin un auteur qui a déjà rendu la langue française capable d'exprimer des idées. Mais en matière d'idées la question de fond importe autant et plus que la question de la forme. Le fond de l'Institution chrétienne est théologique, la théologie calvinienne n'a pas réussi en France. Et l'Institution n'a jamais eu de quoi se faire lire par ce qu'on appellera plus tard les honnêtes gens. Son rôle purement littéraire est bien moindre que celui de la Fréquente Communion.

C'est avec les Essais de Montaigne que la littérature française prend la conscience et assume le rôle d'une littérature d'idées. La littérature française est une littérature où l'Institution chrétienne ne trouve pas la voie libre, et où non seulement les Essais la trouvent, mais où un appel d'air, une conspiration de toutes les puissances intellectuelles et littéraires les prédestinent à la fonction et à l'efficace d'un livre clé.

Les idées entrent dans la réalité littéraire moins par leur force logique que par leur humanité, par les vitamines qu'elles tiennent de la chaleur propre et du soleil intérieur d'un individu. Pour donner à la littérature d'idées le choc initial, il fallait non le livre d'un idéologue, d'un penseur, mais le livre d'un homme, qui n'eût pas d'autre but que de se dire, de se peindre. « C'est ici purement l'essai de mes facultés naturelles, et nullement des acquises... Qui sera en cherche de science, si la pêche où elle se loge : il n'est rien de quoi je fasse moins de profession. Ce sont ici mes fantaisies, par lesquelles je ne tâche point à donner à connaître les choses, mais moi. » (II, X.) Seulement il s'est trouvé que ce moi était un lieu d'idées.

Un lieu d'idées, comme les jardins d'Académus, ou le mail avec son orme. La seule influence à laquelle on puisse comparer l'influence des Essais est celle d'un homme qui n'a rien écrit, et qui a donné le choc initial au plus vaste monde d'idées de l'Occident, Socrate. Le « Je ne tasche point à donner à connoistre les choses, mais moy » c'est la devise de Socrate, sauf le donner à, qui indique que Montaigne est un faiseur de livre, non un causeur de la rue, et un homme du temps où l'imprimerie existe. Le dialogue socratique est un dialogue avec les hommes, le dialogue de Montaigne est d'abord ce dialogue à l'intérieur d'un homme que permet l'écriture, et il devient ensuite ce dialogue avec les autres hommes auquel l'imprimerie du XVIe siècle garde encore une fraîcheur native. La littérature française en tant que littérature d'idées c'est une littérature qui, à son principe, a eu un Socrate, comme la philosophie grecque. Rien de plus important.

La tradition de Socrate à Montaigne répond d'ailleurs à une transmission historique réelle. Montaigne relève du Plutarque d'Amyot. Il a dit de la traduction des Œuvres morales : « Nous étions perdus, si ce livre ne nous eût relevés du bourbier. » (II, IV.) Par Chéronée autant que de son fond propre le Bordelais retrouve l'héritage attique. Montaigne c'est la Renaissance dans l'ordre des idées comme Rabelais c'était la Renaissance dans l'ordre de l'enthousiasme.

Le moi de Montaigne est un moi vivant en tant qu'il fait de l'individu Montaigne le premier homme moderne que nous connaissions par le détail. Ce moi a réussi, dans les Essais, parce qu'il est tout le contraire d'un moi solitaire et incommunicable, qu'il est apporté et formé par l'esprit du dialogue, c'est-à-dire qu'il est surtout un moi humain, où, par une destinée extraordinaire, les lecteurs les plus différents, les tempéraments les plus contraires, ont pu se reconnaître. « Chaque homme porte la forme entière de l'humaine condition. » (III, II.) Au sens large d'humaine condition, c'est vrai. Mais au sens plein peu d'hommes portent la forme entière de l'humaine condition, et la raison de l'étonnante fortune des Essais, c'est qu'ils restent en France le livre qui l'a le mieux portée, d'abord par ce qu'il porte réellement et ensuite par le besoin qu'il a fait naître d'exprimer et de lui opposer ce qu'il ne portait pas. L'importance et la grandeur du dialogue de Montaigne tiennent à ce que ses deux dimensions en appellent une troisième, celle de Pascal.

Non seulement les Essais ont donné à la France le terrain d'une littérature d'idées, mais sur ce terrain ont poussé un certain nombre d'idées propres à Montaigne, et dont la destinée va très loin, religieuses, philosophiques, sociales.

A qui pose le grand problème de savoir pourquoi, dans
le grand débat des confessions religieuses au XVIe siècle,
la France est restée catholique, il faudra répondre : Lisez
Montaigne. On en trouve chez lui non les raisons logiques
et théologiques, mais les motifs de sensibilité, les raisons
de ce que Pascal appelle le cœur. La voix de Montaigne
dans le dialogue religieux est tournée, du côté du passé, vers
le calvinisme, du côté de l'avenir vers le jansénisme. Qui ne
met pas au premier plan des problèmes de Montaigne le
problème religieux ne comprend pas Montaigne.

Étranger à la philosophie scolastique, étranger même
en tant que philosophe à tout ce qui est théologie chrétienne,
Montaigne a repris le problème philosophique directement
des mains et du point de vue des Anciens. Trois doctrines
l'ont intéressé : le stoïcisme, l'épicurisme, le pyrrhonisme. Il a
admiré le premier, pratiqué le deuxième, adopté le troisième,
et ces trois attitudes forment le jeu harmonieux d'une pensée
unique. Mais son pyrrhonisme seul a fait école. Il a fourni à
Descartes et à Pascal le tremplin d'une philosophie à dépasser.

S'il a dit sur un grand nombre de questions philosophiques le mot d'un disciple des Anciens, Montaigne a dit sur
les principaux problèmes sociaux le mot d'un moderne.
Il n'a pensé jamais en retard, mais toujours cent, deux cents
ou trois cents ans à l'avance. Cent ans quand il s'agit de la
sorcellerie, deux cents quand il s'agit des lois, trois cents
quand il s'agit de l'éducation. Et, en politique, ce qui vaut
encore mieux que ces longues échéances, vingt ans, soit l'édit
de Nantes et la politique d'Henri IV.

Montaigne n'avait pas grande confiance dans l'avenir
de son livre. Il croyait que l'évolution de la langue le rendrait
bientôt illisible et gothique. C'est une de ses rares erreurs.
Mais que d'utilité dans cette erreur ! C'est au bout de deux
siècles qu'on s'est aperçu que Montaigne était unique et
inimitable. Bien au contraire, et dès son vivant, Montaigne
a été pour le XVIe siècle, et il sera pour le XVIIe siècle,
ce qu'il faut utiliser, dépasser, déclasser. La grandeur du
rôle de Montaigne est faite en bonne partie de tout ce qu'on
a pensé au-dessus de lui et contre lui.

On ne peut dire que son disciple et ami Pierre Charron l'ait combattu, moins encore qu'il l'ait dépassé; mais enfin il s'est efforcé, dans le traité De la Sagesse, de mettre les Essais en livre, et les réflexions en doctrine. Si médiocre que nous paraisse le résultat, c'est déjà le XVIIe siècle qui s'avance, et qui tente sur la matière de Montaigne son effort de rhétorique et de logique.

Peut-être Montaigne se fût-il déjà proposé un but de cet ordre si La Boétie eût survécu, et s'il eût suivi l'impulsion de ce jeune homme de génie, qui, dans leur amitié, représentait l'élément mâle. A vrai dire le Contr'un est plus célèbre que lu, et la littérature n'a guère plus à retenir de la production de La Boétie qu'elle n'aurait à retenir de celle de Montaigne, s'il fût mort au même âge. Mais le dialogue Montaigne-La Boétie eût donné probablement une grande œuvre, fort différente du dialogue Montaigne-Montaigne que sont les Essais. Sans doute les directions de la littérature française eussent-elles été un peu autres, et eût-elle fait plus tôt ses remontes de sérieux.

Albert Thibaudet.

LIVRE SECOND

CHAPITRE PREMIER

DE L'INCONSTANCE
DE NOS ACTIONS

Ceux qui s'exercent à contrôler les actions humaines ne se trouvent en aucune partie si empêchés, qu'à les rapiécer et mettre à même lustre [a]; car elles se contredisent communément de si étrange façon qu'il semble impossible qu'elles soient parties de même boutique. Le jeune Marius se trouve tantôt fils de Mars, tantôt fils de Vénus [1]. Le pape Boniface huitième entra, dit-on, en sa charge comme un renard, s'y porta [b] comme un lion et mourut comme un chien [2]. Et qui croirait que ce fût Néron, cette vraie image de la cruauté, comme on lui présenta à signer, suivant le style [c], la sentence d'un criminel condamné qui eût répondu : « Plût à Dieu que je n'eusse jamais su écrire! » tant le cœur lui serrait de condamner un homme à mort [3]? Tout est si plein de tels exemples, voire chacun en peut tant fournir à soi-même, que je trouve étrange de voir quelquefois des gens d'entendement se mettre en peine d'assortir ces pièces; vu que l'irrésolution me semble le plus commun et apparent vice de notre nature, témoin ce fameux verset de Publius le farceur,

Malum consilium est, quod mutari non potest *.

a. Présenter sous le même jour. — *b.* Comporta. — *c.* L'usage.
* Citation de Publius Syrus rapportée par Aulu-Gelle, *Nuits attiques,* livre XVII, chap. xiv. Montaigne, dans l'édition de 1580, en donnait la traduction suivante : « C'est un mauvais conseil qui [celle qui] ne se peut changer. »

Il y a quelque apparence de faire jugement d'un homme par les plus communs traits de sa vie; mais, vu la naturelle instabilité de nos mœurs et opinions, il m'a semblé souvent que les bons auteurs mêmes ont tort de s'opiniâtrer à former de nous une constante et solide contexture. Ils choisissent un air universel et, suivant cette image, vont rangeant et interprétant toutes les actions d'un personnage, et, s'ils ne les peuvent assez tordre *a*, les vont renvoyant à la dissimulation *b*. Auguste leur est échappé; car il se trouve en cet homme une variété d'actions si apparente, soudaine et continuelle, tout le cours de sa vie, qu'il s'est fait lâcher, entier et indécis, aux plus hardis juges. Je crois des hommes plus mal aisément la constance, que toute autre chose, et rien plus aisément que l'inconstance. Qui en jugerait en détail et distinctement pièce à pièce, rencontrerait plus souvent à dire vrai.

En toute l'ancienneté, il est malaisé de choisir une douzaine d'hommes qui aient dressé leur vie à un certain et assuré train, qui est le principal but de la sagesse. Car, pour la comprendre toute en un mot, dit un ancien [4], et pour embrasser en une toutes les règles de notre vie, « c'est vouloir et ne vouloir pas toujours même chose; je ne daignerais, dit-il, ajouter : pourvu que la volonté soit juste; car, si elle n'est juste, il est impossible qu'elle soit toujours une ». De vrai, j'ai autrefois appris que le vice, ce n'est que dérèglement et faute de mesure, et par conséquent il est impossible d'y attacher la constance. C'est un mot de Démosthène, dit-on, que le commencement de toute vertu, c'est consultation et délibération; et la fin et perfection, constance [5]. Si par discours nous entreprenions certaine voie *c*, nous la prendrions la plus belle; mais nul n'y a pensé,

> *Quod petiit, spernit; repetit quod nuper omisit;*
> *Æstuat, et vitæ disconvenit ordine toto* *.

a. Déformer à leur profit. — *b.* Les accusent de mensonge. — *c.* Une voie déterminée.

* Horace, *Épître 1* du livre I : « Ce qu'il a demandé, il le dédaigne; il redemande ce que naguère il a laissé de côté; il flotte, et sa vie est une continuelle contradiction. »

Notre façon ordinaire, c'est d'aller après les inclinations de notre appétit, à gauche, à dextre, contremont,
contrebas *a*, selon que le vent des occasions nous emporte.
Nous ne pensons ce que nous voulons, qu'à l'instant
que nous le voulons, et changeons comme cet animal
qui prend la couleur du lieu où on le couche [6]. Ce que
nous avons à cette heure proposé *b*, nous le changeons
tantôt, et tantôt encore retournons sur nos pas; ce n'est
que branle et inconstance,

> *Ducimur ut nervis alienis mobile lignum* *.

Nous n'allons pas; on nous emporte, comme les choses
qui flottent, ores *c* doucement, ores avec violence, selon
que l'eau est ireuse *d* ou bonasse [7] :

> *nonne videmus*
> *Quid sibi quisque velit nescire, et quærere semper,*
> *Commutare locum, quasi onus deponere possit* ** ?

Chaque jour nouvelle fantaisie, et se meuvent nos
humeurs avec les mouvements du temps,

> *Tales sunt hominum mentes, quali pater ipse*
> *Jupiter auctifero lustravit lumine terras* ***.

Nous flottons entre divers avis; nous ne voulons rien
librement, rien absolument, rien constamment [8].

A qui aurait prescrit et établi certaines lois et certaine
police en sa tête, nous verrions tout par tout en sa vie
reluire une égalité de mœurs, un ordre et une relation
infaillible des unes choses aux autres.

---

a. En haut, en bas. — *b*. Projeté. — *c*. Tantôt... tantôt. —
d. En colère (cf. *Ire* : colère).

* Horace, *Satire VII*, du livre II : « Nous sommes menés comme
la marionnette de bois par des muscles étrangers. »

** Lucrèce, *De Natura Rerum*, chant III : « Ne voyons-nous pas
que l'homme ne sait pas ce qu'il veut, qu'il est toujours en quête,
qu'il change de lieu comme s'il pouvait se décharger de son fardeau ? »

*** Pensée commune aux sages antiques. Ce vers 135 du
chant XVIII de l'*Odyssée* a été traduit par Cicéron et cité par saint
Augustin dans *la Cité de Dieu*, livre V, chap. XXVIII : « Les pensées
des hommes varient au gré des rayons fécondants que le divin
Jupiter répand sur la terre. »

Empédocle remarquait cette difformité aux Agrigentins, qu'ils s'abandonnaient aux délices comme s'ils
avaient l'endemain à mourir, et bâtissaient comme si
jamais ils ne devaient mourir [9].

Le discours en serait bien aisé à faire, comme il se
voit du jeune Caton, qui en a touché une marche [10], a
tout touché; c'est une harmonie de sons très accordants,
qui ne se peut démentir. A nous, au rebours, autant
d'actions, autant faut-il de jugements particuliers. Le
plus sûr, à mon opinion, serait de les rapporter aux
circonstances voisines, sans entrer en plus longue recherche et sans en conclure autre conséquence.

Pendant les débauches de notre pauvre État, on me
rapporta qu'une fille, bien près de là où j'étais, s'était
précipitée du haut d'une fenêtre pour éviter la force
d'un bélître de soldat, son hôte; elle ne s'était pas tuée
à la chute, et, pour redoubler son entreprise, s'était
voulu donner d'un couteau par la gorge, mais on l'en
avait empêchée, toutefois après s'y être bien fort blessée.
Elle-même confessait que le soldat ne l'avait encore
pressée que de requêtes, sollicitations et présents, mais
qu'elle avait eu peur qu'enfin il en vînt à la contrainte.
Et là-dessus les paroles, la contenance et ce sang témoin
de sa vertu, à la vraie façon d'une autre Lucrèce. Or
j'ai su, à la vérité, qu'avant et depuis elle avait été
garce de non si difficile composition. Comme dit le
conte [11] : Tout beau et honnête que vous êtes, quand
vous aurez failli *a* votre pointe, n'en concluez pas incontinent une chasteté inviolable en votre maîtresse; ce n'est
pas à dire que le muletier n'y trouve son heure.

Antigone, ayant pris en affection un de ses soldats
pour sa vertu et vaillance, commanda à ses médecins
de le panser d'une maladie longue et intérieure qui
l'avait tourmenté longtemps; et, s'apercevant après sa
guérison qu'il allait beaucoup plus froidement aux affaires, lui demanda qui l'avait ainsi changé et encouardi :
« Vous-même, Sire, lui répondit-il, m'ayant déchargé des
maux pour lesquels je ne tenais compte de ma vie [12]. »
Le soldat de Lucullus, ayant été dévalisé par les ennemis,
fit sur eux, pour se revancher, une belle entreprise. Quand

---

a. Manqué dans votre entreprise amoureuse.

il se fut remplumé de sa perte, Lucullus, l'ayant pris
en bonne opinion, l'employait à quelque exploit hasardeux par toutes les plus belles remontrances de quoi
il se pouvait aviser,

> *Verbis quæ timido quoque possent addere mentem* *

« Employez-y, répondit-il, quelque misérable soldat
dévalisé »,

> *quantumvis rusticus ibit,*
> *Ibit eo, quo vis, qui zonam perdidit, inquit ** ,*

et refusa résolument d'y aller.

Quand nous lisons [13] que Mechmet [a] ayant outrageu-
sement rudoyé Chasan, chef de ses janissaires, de ce
qu'il voyait sa troupe enfoncée par les Hongres, et lui
se porter lâchement au combat, Chasan alla, pour toute
réponse, se ruer furieusement, seul, en l'état qu'il était,
les armes au poing, dans le premier corps des ennemis
qui se présenta, où il fut soudain englouti; ce n'est à
l'aventure pas tant justification que ravisement, ni tant
sa prouesse naturelle qu'un nouveau dépit.

Celui que vous vîtes hier si aventureux, ne trouvez
pas étrange de le voir aussi poltron le lendemain : ou
la colère, ou la nécessité, ou la compagnie, ou le vin,
ou le son d'une trompette lui avait mis le cœur au ventre;
ce n'est un cœur ainsi formé par discours [b]; ces circonstances le lui ont fermi; ce n'est pas merveille si le voilà
devenu autre par autres circonstances contraires.

Cette variation et contradiction qui se voit en nous,
si souple, a fait qu'aucuns [14] nous songent deux âmes,
d'autres deux puissances qui nous accompagnent et
agitent, chacune à sa mode, vers le bien l'une, l'autre
vers le mal, une si brusque diversité ne se pouvant bien
assortir à un sujet simple.

---

a. Mahomet II. — *b.* Réflexion.

* Horace, *Épître II* du livre II : « En termes capables de donner
du courage même à un lâche. »

** Suite de la précédente citation : « Tout grossier qu'il était, il
répondit : Ira là où tu veux, qui a perdu sa bourse. »

Non seulement le vent des accidents me remue selon
son inclination, mais en outre je me remue et trouble
moi-même par l'instabilité de ma posture; et qui y
regarde primement ne se trouve guère deux fois en
même état. Je donne à mon âme tantôt un visage, tantôt
un autre, selon le côté où je la couche. Si je parle diversement de moi, c'est que je me regarde diversement.
Toutes les contrariétés [a] s'y trouvent selon quelque tour
et en quelque façon. Honteux, insolent; chaste, luxu-
rieux; bavard, taciturne; laborieux, délicat; ingénieux,
hébété, chagrin, débonnaire [b]; menteur, véritable; savant,
ignorant, et libéral, et avare, et prodigue, tout cela, je le
vois en moi aucunement, selon que je me vire; et quiconque s'étudie bien attentivement trouve en soi, voire
et en son jugement même, cette volubilité et discordance. Je n'ai rien à dire de moi, entièrement, simplement
et solidement, sans confusion et sans mélange, ni en
un mot. *Distingo* est le plus universel membre [c] de ma
logique.

Encore que je sois toujours d'avis de dire du bien
le bien, et d'interpréter plutôt en bonne part les choses
qui le peuvent être, si est-ce que [d] l'étrangeté de notre
condition porte que nous soyons souvent par le vice
même poussés à bien faire, si le bien faire ne se jugeait
par la seule intention. Par quoi un fait courageux ne doit
pas conclure un homme vaillant; celui qui le ferait bien
à point, il le ferait toujours, et à toutes occasions. Si
c'était une habitude de vertu, et non une saillie, elle
rendrait un homme pareillement résolu à tous accidents,
tel seul qu'en compagnie, tel en camp clos qu'en une
bataille; car, quoi qu'on die, il n'y a pas autre vaillance
sur le pavé [e] et autre au camp. Aussi courageusement
porterait-il [f] une maladie en son lit, qu'une blessure au
camp, et ne craindrait non plus la mort en sa maison
qu'en un assaut. Nous ne verrions pas un même homme
donner dans la brèche d'une brave assurance, et se
tourmenter après, comme une femme, de la perte d'un
procès ou d'un fils.

Quand, étant lâche à l'infamie, il est ferme à la pau-

---

a. Contraires. — b. De bonne humeur. — c. Article. —
d. Toujours est-il. — e. Dans la rue. — f. Supporterait-il.

vreté; quand, étant mol entre les rasoirs des barbiers, il se trouve roide contre les épées des adversaires, l'action est louable, non pas l'homme.

Plusieurs Grecs, dit Cicéron, ne peuvent voir les ennemis et se trouvent constants aux maladies; les Cimbres et Celtibériens tout le rebours : « *nihil enim potest esse æquabile, quod non a certa ratione proficiscatur* *. »

Il n'est point de vaillance plus extrême en son espèce que celle d'Alexandre; mais elle n'est qu'en espèce, ni assez pleine partout, et universelle. Tout incomparable qu'elle est, si *ᵃ* a-t-elle encore ses taches; qui fait que nous le voyons se troubler si éperdument aux plus légers soupçons qu'il prend des machinations des siens contre sa vie, et se porter en cette recherche d'une si véhémente et indiscrète injustice et d'une crainte qui subvertit sa raison naturelle. La superstition aussi, de quoi il était si fort atteint, porte quelque image de pusillanimité. Et l'excès de la pénitence qu'il fit du meurtre de Clytus est aussi témoignage de l'inégalité de son courage.

Notre fait, ce ne sont que pièces rapportées, « *voluptatem contemnunt, in dolore sunt molliores; gloriam negligunt, franguntur infamia* ** », et voulons acquérir un honneur à fausses enseignes. La vertu ne veut être suivie que pour elle-même; et, si on emprunte parfois son masque pour autre occasion, elle nous l'arrache aussitôt du visage. C'est une vive et forte teinture, quand l'âme en est une fois abreuvée, et qui ne s'en va qu'elle n'emporte la pièce. Voilà pourquoi, pour juger d'un homme, il faut suivre longuement et curieusement sa trace; si la constance ne s'y maintient de son seul fondement, « *cui vivendi via considerata atque provisa est* *** », si la variété des occurrences lui fait changer de pas (je dis de voie, car le pas s'en peut ou hâter ou appesantir),

---

a. Pourtant.

* Cicéron, *Tusculanes,* livre II, chap. XXVII : « Rien ne peut être stable, qui ne procède d'un principe déterminé. »

** Cicéron, *De Officiis,* livre I, chap. XXI : « Ils méprisent le plaisir, mais ils sont lâches dans la souffrance; ils dédaignent la gloire, mais ils sont abattus par la mauvaise réputation. »

*** Cicéron, *Paradoxes des Stoïciens,* livre V, chap. 1 : « Pour celui qui a examiné et choisi la route qu'il veut suivre. »

laissez-le courir; celui-là s'en va à vau le vent *a*, comme dit la devise de notre Talbot [15].

Ce n'est pas merveille, dit un Ancien [16], que le hasard puisse tant sur nous, puisque nous vivons par hasard. À qui n'a dressé en gros sa vie à une certaine fin, il est impossible de disposer les actions particulières. Il est impossible de ranger les pièces, à qui n'a une forme du total en sa tête. A quoi faire la provision des couleurs, à qui ne sait ce qu'il a à peindre? Aucun ne fait certain dessein de sa vie, et n'en délibérons qu'à parcelles. L'archer doit premièrement savoir où il vise, et puis y accommoder la main, l'arc, la corde, la flèche et les mouvements. Nos conseils fourvoient, parce qu'ils n'ont pas d'adresse et de but. Nul vent fait *b* pour celui qui n'a point de port destiné. Je ne suis pas d'avis de ce jugement qu'on fit pour Sophocle, de l'avoir argumenté suffisant au maniement des choses domestiques, contre l'accusation de son fils, pour avoir vu l'une de ses tragédies [17].

Ni ne trouve la conjecture des Pariens [18], envoyés pour réformer les Milésiens, suffisante à la conséquence qu'ils en tirèrent. Visitant l'île, ils remarquaient les terres mieux cultivées et maisons champêtres mieux gouvernées; et, ayant enregistré le nom des maîtres d'icelles, comme ils eurent fait l'assemblée des citoyens en la ville, ils nommèrent ces maîtres-là pour nouveaux gouverneurs et magistrats; jugeant que, soigneux de leurs affaires privées, ils le seraient des publiques.

Nous sommes tous de lopins et d'une contexture si informe et diverse, que chaque pièce, chaque moment, fait son jeu. Et se trouve autant de différence de nous à nous-mêmes, que de nous à autrui. « *Magnam rem puta unum hominem agere* *. » Puisque l'ambition peut apprendre aux hommes et la vaillance, et la tempérance, et la libéralité, voire *c* et la justice; puisque l'avarice peut planter au courage d'un garçon de boutique, nourri à l'ombre et à l'oisiveté, l'assurance de se jeter si loin

---

a. Terme de chasse : la queue au vent (pour un faucon). — *b.* N'agit. *c.* Même.

* Sénèque, *Lettre 120* : « Pense que c'est une grande chose d'être toujours le même homme. »

du foyer domestique, à la merci des vagues et de Neptune courroucé, dans un frêle bateau, et qu'elle apprend encore la discrétion et la prudence; et que Vénus même fournit de résolution et de hardiesse la jeunesse encore sous la discipline et la verge, et gendarme le tendre cœur des pucelles au giron de leurs mères,

> *Hac duce, custodes furtim transgressa jacentes,*
> *Ad Juvenem tenebris sola puella venit* * :

ce n'est pas tour de rassis entendement de nous juger simplement par nos actions de dehors; il faut sonder jusqu'au-dedans, et voir par quels ressorts se donne le branle [a], mais, d'autant que c'est une hasardeuse et haute entreprise, je voudrais que moins de gens s'en mêlassent.

[a]. Mouvement.
* Tibulle, *Élégie I* du livre II, : « Conduite par Vénus, la jeune fille passe furtivement parmi ses gardiens endormis, et seule, dans les ténèbres, va trouver le jeune homme. »

CHAPITRE II

DE L'IVROGNERIE

Le monde n'est que variété et dissemblance. Les vices sont tous pareils en ce qu'ils sont tous vices, et de cette façon l'entendent à l'aventure les Stoïciens. Mais, encore qu'ils soient également vices, ils ne sont pas égaux vices. Et que celui qui a franchi de cent pas les limites,

Quos ultra citraque nequit consistere rectum *,

ne soit de pire condition que celui qui n'en est qu'à dix pas, il n'est pas croyable; et que le sacrilège ne soit pire que le larcin d'un chou de notre jardin;

Nec vincet ratio, tantumdem ut peccet indemque
Qui teneros caules alieni fregerit horti,
Et qui nocturnus divum sacra legerit **.

Il y a autant en cela de diversité qu'en aucune autre chose.

La confusion de l'ordre et mesure des péchés est dangereuse. Les meurtriers, les traîtres, les tyrans y ont trop d'acquêt *a*. Ce n'est pas raison que leur conscience se soulage sur ce que tel autre ou est oisif, ou est lascif,

a. Avantage.
* Horace, *Satire 1* du livre I : « Au-delà et en deçà desquelles ne peut se trouver le bien. »
** ID., *Satire 3* du livre I : « La raison n'arrivera pas à persuader qu'arracher de jeunes choux dans le jardin d'autrui soit une aussi grande faute que de piller la nuit le sanctuaire des dieux. »

ou moins assidu à la dévotion. Chacun pèse sur le péché de son compagnon, et élève *a* le sien. Les instructeurs mêmes les rangent souvent mal à mon gré.

Comme Socrate disait que le principal office de la sagesse était distinguer les biens et les maux, nous autres, à qui le meilleur est toujours en vice, devons dire de même de la science de distinguer les vices ; sans laquelle bien exacte le vertueux et le méchant demeurent mêlés et inconnus.

Or l'ivrognerie, entre les autres, me semble un vice grossier et brutal. L'esprit a plus de part ailleurs ; et il y a des vices qui ont je ne sais quoi de généreux, s'il le faut ainsi dire. Il y en a où la science se mêle, la diligence, la vaillance, la prudence, l'adresse et la finesse ; celui-ci est tout corporel et terrestre. Aussi la plus grossière nation de celles qui sont aujourd'hui [1], est celle-là seule qui le tient en crédit. Les autres vices altèrent l'entendement ; celui-ci le renverse, et étonne le corps :

> *cum vini vis penetravit,*
> *Consequitur gravitas membrorum præpediuntur*
> *Crura vacillanti, tardescit lingua, madet mens,*
> *Nant oculi ; clamor, singultus, jurgia gliscunt *.*

Le pire état de l'homme, c'est quand il perd la connaissance et gouvernement de soi.

Et en dit-on, entre autres choses, que comme le moût bouillant dans un vaisseau *b* pousse à mont *c* tout ce qu'il y a dans le fond, aussi le vin fait débonder les plus intimes secrets à ceux qui en ont pris outre mesure [2],

> *tu sapientium*
> *Curas et arcanum jocoso*
> *Consilium retegis Liæo **.*

a. Rend léger. — b. Vase. — c. En haut.
* Lucrèce, *De Natura Rerum,* chant III : « Quand la force du vin nous a pénétrés, il en résulte une lourdeur des membres, les jambes sont enchaînées et vacillantes, la langue est embarrassée, l'esprit est amolli, les regards sont incertains ; ce sont des cris, des hoquets, des disputes. »
** Horace, *Ode 21,* du livre III : « Toi, tu découvres par le joyeux Bacchus, les soucis des sages et les desseins secrets. »

Josèphe [3] conte qu'il tira le ver du nez à un certain
ambassadeur que les ennemis lui avaient envoyé, l'ayant
fait boire d'autant. Toutefois Auguste, s'étant fié à
Lucius Pison, qui conquit la Thrace, des plus privées
affaires qu'il eût, ne s'en trouva jamais méconté; ni
Tibère de Cossus, à qui il se déchargeait de tous ses
conseils, quoique nous les sachions avoir été si fort
sujets au vin, qu'il en a fallu rapporter souvent du sénat
et l'un et l'autre ivre [4],

> *Externo inflatum venas de more Lyæo* *.

Et commit-on aussi fidèlement qu'à Cassius, buveur
d'eau, à Cimber le dessein de tuer César, quoi qu'il
s'enivrât souvent [5]. D'où il répondit plaisamment :
« Que je portasse un tyran, moi qui ne puis porter le vin ! »
Nous voyons nos Allemands, noyés dans le vin, se souvenir de leur quartier, du mot et de leur rang,

> *nec facilis victoria de madidis, et*
> *Blæsis, atque mero titubantibus* **.

Je n'eusse pas cru d'ivresse si profonde, étouffée et
ensevelie, si je n'eusse lu ceci dans les histoires : qu'Attale
ayant convié à souper, pour lui faire une notable indi-
gnité, ce Pausanias qui, sur ce même sujet, tua depuis
Philippe, roi de Macédoine — Roi portant par ses belles
qualités témoignage de la nourriture [a] qu'il avait prise
en la maison et compagnie d'Épaminondas, — il le fit
tant boire qu'il put abandonner sa beauté insensiblement, comme le corps d'une putain buissonnière, aux
muletiers et nombre d'abjects serviteurs de sa maison [6].

---

a. Instruction.
* Virgile, *Sixième Bucolique;* le texte des éditions modernes est
différent de celui de Montaigne : *Inflatum hesterno venas, ut semper,
Iaccho.* Le sens n'est cependant guère modifié : « Les veines gonflées,
comme de coutume, par le vin absorbé » dit le texte de Montaigne
au lieu de : « Les veines gonflées, comme toujours, par le vin de la
veille. »
** Juvénal, *Satire XV* : « La victoire n'est pas facile à remporter
sur eux, bien qu'ils soient gorgés de vin, bégayants et titubants
par l'effet de l'ivresse. »

Et ce que m'apprit une dame [7] que j'honore et prise singulièrement, que près de Bordeaux, vers Castres où est sa maison, une femme de village, veuve, de chaste réputation, sentant les premiers ombrages de grossesse, disait à ses voisines qu'elle penserait être enceinte si elle avait un mari. Mais, du jour à la journée croissant l'occasion de ce soupçon et enfin jusques à l'évidence, elle en vint là de faire déclarer au prône de son église que, qui serait consent de ce fait, en l'avouant, elle promettait de le lui pardonner, et, s'il le trouvait bon, de l'épouser. Un sien jeune valet de labourage, enhardi de cette proclamation, déclara l'avoir trouvée, un jour de fête, ayant bien largement pris son vin, si profondément endormie près de son foyer, et si indécemment, qu'il s'en était pu servir sans l'éveiller. Ils vivent encore mariés ensemble.

Il est certain que l'Antiquité n'a pas fort décrié ce vice. Les écrits mêmes de plusieurs philosophes en parlent bien mollement; et jusques aux Stoïciens, il y en a qui conseillent de se dispenser quelquefois à boire d'autant, et de s'enivrer pour relâcher l'âme :

> *Hoc quoque virtutum quondam certamine, magnum*
> *Socratem palmam promeruisse ferunt* *.

Ce censeur et correcteur des autres [8], Caton, a été reproché de bien boire

> *Narratur et prisci Catonis*
> *Sæpe mero caluisse virtus* **.

Cyrus, roi tant renommé, allègue entre ses autres louanges, pour se préférer à son frère Artaxerxès, qu'il savait beaucoup mieux boire que lui [9]. Et ès nations les mieux réglées et policées, cet essai de boire d'autant

---

* Maximianus, première élégie. Les élégies de cet auteur, publiées souvent dans le même recueil que celles de Catulle, de Tibulle et de Properce, étaient attribuées au xvie siècle à Cornelius Gallus : « Dans ce noble combat aussi, jadis, rapporte la tradition, le grand Socrate remporta la palme. »

** Horace, *Ode 21* du livre III, vers 11 : « On raconte aussi que le vieux Caton réchauffait souvent sa vertu dans le vin. »

était fort en usage. J'ai ouï dire à Silvius [10], excellent
médecin de Paris, que, pour garder que les forces de
notre estomac ne s'apparessent *a*, il est bon, une fois le
mois, les éveiller par cet excès, et les piquer pour les
garder de s'engourdir.

Et écrit-on [11] que les Perses, après le vin, consultaient
de leurs principales affaires.

Mon goût et ma complexion est plus ennemie de ce
vice que mon discours. Car outre ce que je captive aisément mes créances sous l'autorité des opinions anciennes,
je le trouve bien un vice lâche et stupide mais moins
malicieux et dommageable que les autres, qui choquent
quasi tous de plus droit fil la société publique. Et si *b*
nous ne pouvons nous donner du plaisir, qu'il ne nous
coûte quelque chose, comme ils tiennent, je trouve que
ce vice coûte moins à notre conscience que les autres;
outre ce qu'il n'est point de difficile apprêt, et malaisé
à trouver, considération non méprisable.

Un homme avancé en dignité et en âge, entre trois
principales commodités qu'il me disait lui rester en la
vie, comptait celle-ci. Mais il la prenait mal. La délicatesse y est à fuir et le soigneux triage du vin. Si vous
fondez votre volupté à le boire agréable, vous vous
obligez à la douleur de le boire parfois désagréable. Il
faut avoir le goût plus lâche et plus libre. Pour être bon
buveur, il ne faut le palais si tendre. Les Allemands
boivent quasi également de tout vin avec plaisir. Leur
fin, c'est l'avaler plus que le goûter. Ils en ont bien
meilleur marché. Leur volupté est bien plus plantureuse
et plus en main. Secondement, boire à la française à
deux repas et modérément, en crainte de sa santé, c'est
trop restreindre les faveurs de ce Dieu. Il y faut plus
de temps et de constance. Les Anciens franchissaient
des nuits entières à cet exercice, et y attachaient souvent
les jours. Et si, faut dresser son ordinaire plus large et
plus ferme. J'ai vu un grand seigneur de mon temps,
personnage de hautes entreprises et fameux succès, qui
sans effort et au train de ses repas communs, ne buvait
guère moins de cinq lots [12] de vin; et ne se montrait, au
partir de là, que trop sage et avisé aux dépens de nos

---

a. Deviennent paresseuses. — *b*. Et pourtant.

affaires. Le plaisir, duquel nous voulons tenir compte au cours de notre vie, doit en employer plus d'espace. Il faudrait, comme des garçons de boutique et gens de travail, ne refuser nulle occasion de boire, et avoir ce désir toujours en tête. Il semble que, tous les jours, nous raccourcissons l'usage de celui-ci; et qu'en nos maisons, comme j'ai vu en mon enfance, les déjeuners, les reciners *a* et les collations fussent bien plus fréquentes et ordinaires qu'à présent. Serait-ce qu'en quelque chose nous allassions vers l'amendement? Vraiment non. Mais c'est que nous nous sommes beaucoup plus jetés à la paillardise que nos pères. Ce sont deux occupations qui s'entr'empêchent en leur vigueur. Elle a affaibli notre estomac d'une part, et, d'autre part, la sobriété sert à nous rendre plus coints *b*, plus damerets pour l'exercice de l'amour.

C'est merveille des contes que j'ai ouï faire à mon père de la chasteté de son siècle. C'était à lui d'en dire, étant très avenant, et par art et par nature, à l'usage des dames. Il parlait peu et bien; et si *c*, mêlait son langage de quelque ornement des livres vulgaires, surtout espagnols; et, entre les espagnols, lui était ordinaire celui qu'ils nomment Marc-Aurèle [13]. La contenance, il l'avait d'une gravité douce, humble et très modeste. Singulier soin de l'honnêteté et décence de sa personne et de ses habits, soit à pied, soit à cheval. Monstrueuse foi *d* en ses paroles, et une conscience et religion en général penchant plutôt vers la superstition que vers l'autre bout. Pour un homme de petite taille, plein de vigueur et d'une stature droite et bien proportionnée. D'un visage agréable, tirant sur le brun. Adroit et exquis en tous nobles exercices. J'ai vu encore des cannes farcies de plomb, desquelles on dit qu'il exerçait ses bras pour se préparer à ruer la barre ou la pierre, ou à l'escrime, et des souliers aux semelles plombées pour s'alléger au courir et à sauter. Du prime-saut *e*, il a laissé en mémoire des petits miracles. Je l'ai vu, par-delà soixante ans, se moquer de nos allégresses, se jeter avec sa robe fourrée sur un cheval, faire le tour de la table sur son pouce [14],

---

a. Soupers. — *b*. Galants. — *c*. Et pourtant. — *d*. Prodigieuse, extraordinaire loyauté. — *e*. Saut d'un seul élan.

ne monter guère en sa chambre sans s'élancer trois ou
quatre degrés à la fois. Sur mon propos, il disait qu'en
toute une province à peine y avait-il une femme de qualité qui fût mal nommée ; récitait *a* des étranges privautés,
nommément siennes, avec des honnêtes femmes sans
soupçon quelconque. Et, de soi, jurait saintement être
venu vierge à son mariage ; et si, avait eu fort longue part
aux guerres delà les monts, desquelles il nous a laissé,
de sa main, un papier journal suivant point par point ce
qui s'y passa, et pour le public et pour son privé.

Aussi se maria-t-il bien avant en âge, l'an 1528, — qui
était son trente-troisième, — retournant d'Italie. Reve-
nons à nos bouteilles.

Les incommodités de la vieillesse, qui ont besoin de
quelque appui et rafraîchissement, pourraient m'engendrer avec raison désir de cette faculté ; car c'est quasi le
dernier plaisir que le cours des ans nous dérobe. La chaleur naturelle, disent les bons compagnons, se prend
premièrement aux pieds ; celle-là touche l'enfance. De
là elle monte à la moyenne région, où elle se plante
longtemps et y produit, selon moi, les seuls vrais plaisirs
de la vie corporelle ; les autres voluptés dorment au prix.
Sur la fin, à la mode d'une vapeur qui va montant et
s'exhalant, elle arrive au gosier, où elle fait sa dernière
pose.

Je ne puis pourtant entendre comment on vienne à
allonger le plaisir de boire outre la soif, et se forger en
l'imagination un appétit artificiel et contre nature. Mon
estomac n'irait pas jusque-là ; il est assez empêché à
venir à bout de ce qu'il prend pour son besoin. Ma constitution est de ne faire cas de boire que pour la suite
du manger ; et bois à cette cause le dernier coup quasi
toujours le plus grand [15]. Anacharsis s'étonnait que les
Grecs bussent sur la fin du repas en plus grands verres
qu'au commencement [16]. C'était, comme je pense, pour
la même raison que les Allemands le font, qui commencent lors le combat à boire d'autant *b*. Platon [17] défend
aux enfants de boire vin avant dix-huit ans, et avant quarante de s'enivrer ; mais, à ceux qui ont passé les quarante, il ordonne de s'y plaire ; et mêler largement en leurs

---

a. Racontait. — *b.* A qui mieux mieux.

convives l'influence de Dionysius, ce bon dieu qui redonne aux hommes la gaieté, et la jeunesse aux vieillards, qui adoucit et amollit les passions de l'âme, comme le fer s'amollit par le feu. Et en ses lois trouve telles assemblées à boire (pourvu qu'il y ait un chef de bande à les contenir et régler) utiles, l'ivresse étant une bonne épreuve et certaine de la nature d'un chacun, et quand et quand propre à donner aux personnes d'âge le courage de s'ébaudir en danses et en la musique, choses utiles et qu'ils n'osent entreprendre en sens rassis. Que le vin est capable de fournir à l'âme de la tempérance, au corps de la santé, toutefois ces restrictions, en partie empruntées des Carthaginois, lui plaisent : Qu'on s'en épargne en expédition de guerre; que tout magistrat et tout juge s'en abstiennent sur le point d'exécuter sa charge et de consulter des affaires publiques; qu'on n'y emploie le jour, temps dû à d'autres occupations, ni cette nuit qu'on destine à faire des enfants.

Ils disent [18] que le philosophe Stilpon, aggravé *a* de vieillesse, hâta sa fin à escient par le breuvage de vin pur. Pareille cause, mais non du propre dessein, suffoqua aussi les forces abattues par l'âge du philosophe Arcesilaüs.

Mais c'est une vieille et plaisante question, si l'âme du sage serait pour se rendre à la force du vin.

Si munite uilibet vim sapientiæ *.

A combien de vanité nous pousse cette bonne opinion que nous avons de nous! La plus réglée âme du monde n'a que trop affaire à se tenir en pieds et à se garder de ne s'emporter par terre de sa propre faiblesse. De mille, il n'en est pas une qui soit droite et rassise un instant de sa vie; et se pourrait mettre en doute si, selon sa naturelle condition, elle y pût jamais être. Mais d'y joindre la constance, c'est sa dernière perfection; je dis quand rien ne la choquerait, ce que mille accidents peuvent faire. Lucrèce, ce grand poète, a beau philosopher et se bander, le voilà rendu insensé par un breuvage amou-

---

a. Alourdi.

* Horace, *Ode 28* du livre III : « Si le vin peut faire violence à une sagesse bien fortifiée. »

reux. Pensent-ils qu'une apoplexie n'étourdisse aussi bien Socrate qu'un portefaix? Les uns ont oublié leur nom même par la force d'une maladie, et une légère blessure a renversé le jugement à d'autres. Tant sage qu'il voudra, mais enfin c'est un homme : qu'est-il plus caduc, plus misérable et plus de néant? La sagesse ne force pas nos conditions naturelles :

> *Sudores itaque et pallorem existere toto*
> *Corpore, et infringi linguam, vocemque aboriri,*
> *Caligare oculos, sonore aures, succidere artus,*
> *Denique concidere ex animi terrore videmus* *.

Il faut qu'il cille les yeux au coup qui le menace; il faut qu'il frémisse, planté au bord d'un précipice, comme un enfant; Nature ayant voulu se réserver ces légères marques de son autorité, inexpugnables à notre raison et à la vertu stoïque, pour lui apprendre sa mortalité et notre fadaise. Il pâlit à la peur, il rougit à la honte [19], il se plaint à l'estrette *a* d'une verte colique, sinon d'une voix désespérée et éclatante, au moins d'une voix casse *b* et enrouée,

> *Humani a se nihil alienum putet* **.

Les poètes, qui feignent tout à leur poste, n'osent pas décharger seulement des larmes leurs héros :

> *Sic fatur lachrymans, classique immittit habenas* ***.

Lui suffise de brider et modérer ses inclinations, car, de les emporter, il n'est pas en lui. Celui même notre Plutarque [20], si parfait et excellent juge des actions

---

a. Attaque. — *b.* Cassée.

* Lucrèce, chant III : « Sous l'effet de la terreur, la sueur et la pâleur se répandent sur tout le corps, la langue s'embarrasse, la voix s'éteint, la vue s'obscurcit, les oreilles tintent, les membres fléchissent, bref tout s'effondre. »

** Térence, *Heautontimoroumenos*, acte I, scène 1 : « Qu'il pense que rien d'humain ne lui est étranger. »

*** Virgile, *Énéide*, chant VI : « Il parle ainsi, en pleurant, et lâche la bride à sa flotte. »

humaines, à voir Brutus et Torquatus tuer leurs enfants, est entré en doute si la vertu pouvait donner jusque-là, et si ces personnages n'avaient pas été plutôt agités par quelque autre passion. Toutes actions hors les bornes ordinaires sont sujettes à sinistre interprétation, d'autant que notre goût n'advient non plus à ce qui est au-dessus de lui, qu'à ce qui est au-dessous.

Laissons cette autre secte faisant expresse profession de fierté. Mais quand, en la secte même estimée la plus molle, nous oyons ces vantances de Metrodore : « *Occupavi te, Fortuna, atque cepi ; omnesque aditus tuos interclusi, ut ad me aspirare non posses* * » ; quand Anaxarchus, par l'ordonnance de Nicocreon, tyran de Chypre, couché dans un vaisseau de pierre et assommé à coups de mail de fer, ne cesse de dire : « Frappez, rompez, ce n'est pas Anaxarchus, c'est son étui que vous pilez [21] » ; quand nous oyons nos martyrs crier au tyran au milieu de la flamme : « C'est assez rôti de ce côté-là, hache-le, mange-le, il est cuit, recommence de l'autre [22] » ; quand nous oyons en Josèphe [23] cet enfant tout déchiré des tenailles mordantes et percé des alênes d'Antiochus, le défier encore, criant d'une voix ferme et assurée : « Tyran, tu perds temps, me voici toujours à mon aise ; où est cette douleur, où sont ces tourments, de quoi tu me menaçais ? n'y sais tu que ceci ? ma constance te donne plus de peine que je n'en sens de ta cruauté ; ô lâche belître, tu te rends, et je me renforce ; fais-moi plaindre, fais-moi fléchir, fais-moi rendre, si tu peux ; donne courage à tes satellites et à tes bourreaux ; les voilà défaillis de cœur, ils n'en peuvent plus ; arme-les, acharne-les » ; — certes, il faut confesser qu'en ces âmes-là il y a quelque altération et quelque fureur, tant sainte soit-elle. Quand nous arrivons à ces saillies stoïques : « J'aime mieux être furieux que voluptueux », mot d'Antisthène, Μανειεῖν μᾶλλον ἢ ἡθείειν** ; quand Sextius nous dit qu'il aime mieux être enferré de la douleur que de la volupté ;

---

* Cicéron, *Tusculanes*, livre V, chap. ix : « Je t'ai devancée, ô Fortune, et je te tiens ; j'ai coupé toutes tes voies d'accès de sorte que tu ne puisses arriver jusqu'à moi. »

** Mot cité par Diogène Laërce, *Vie d'Antisthène*, livre VI, chap. iii.

quand Épicure entreprend de se faire mignarder à ª la
goutte [24], et, refusant le repos et la santé, que de gaieté
de cœur il défie les maux, et, méprisant les douleurs
moins âpres, dédaignant les lutter et les combattre,
qu'il en appelle et désire des fortes, poignantes et dignes
de lui,

> *Spumantemque dari pecora inter inertia votis*
> *Optat aprum, aut fulvum descendere monte leonem ***,

qui ne juge que ce sont boutées d'un courage élancé
hors de son gîte? Notre âme ne saurait de son siège
atteindre si haut [25]. Il faut qu'elle le quitte et s'élève,
et, prenant le frein aux dents, qu'elle emporte et ravisse
son homme si loin, qu'après il s'étonne lui-même de
son fait; comme aux exploits de la guerre, la chaleur du
combat pousse les soldats généreux souvent à franchir
des pas si hasardeux, qu'étant revenus à eux ils en transissent d'étonnement les premiers; comme aussi les
poètes sont épris souvent d'admiration de leurs propres
ouvrages et ne reconnaissent plus la trace par où ils ont
passé une si belle carrière. C'est ce qu'on appelle aussi en
eux ardeur et manie. Et comme Platon [26] dit que pour
néant heurte à la porte de la poésie un homme rassis, aussi
dit Aristote qu'aucune âme excellente n'est exempte
de mélange de folie. Et a raison d'appeler folie tout
élancement, tant louable soit-il, qui surpasse notre
propre jugement et discours. D'autant que la sagesse,
c'est un maniement réglé de notre âme, et qu'elle conduit
avec mesure et proportion, et s'en répond.

Platon argumente ainsi, que la faculté de prophé-
tiser est au-dessus de nous; qu'il nous faut être hors
de nous quand nous la traitons; il faut que notre prudence soit offusquée ou par le sommeil ou par quelque
maladie, ou enlevée de sa place par un ravissement
céleste [27].

---

a. Caresser par.
* Virgile, *Énéide*, chant IV : « Méprisant ce vil gibier, il appelle
de ses vœux un sanglier écumant, ou un lion fauve, qui descende
des montagnes. »

CHAPITRE III

COUTUME
DE L'ILE DE CEA

Si philosopher c'est douter, comme ils disent [a], à plus forte raison niaiser et fantastiquer, comme je fais, doit être douter. Car c'est aux apprentis à enquérir et à débattre, et au cathédrant [1] de résoudre. Mon cathédrant, c'est l'autorité de la volonté divine, qui nous règle sans contredit et qui a son rang au-dessus de ces humaines et vaines contestations.

Philippe [2] étant entré à main armée au Péloponnèse, quelqu'un disait à Damidas que les Lacédémoniens auraient beaucoup à souffrir, s'ils ne se remettaient en sa grâce : « Eh, poltron, répondit-il, que peuvent souffrir ceux qui ne craignent point la mort ? » On demandait aussi à Agis comment un homme pourrait vivre libre : « Méprisant, dit-il, le mourir. » Ces propositions et mille pareilles qui se rencontrent à ce propos, sonnent évidemment quelque chose au-delà d'attendre patiemment la mort quand elle nous vient. Car il y a en la vie plusieurs accidents pires à souffrir que la mort même. Témoin cet enfant lacédémonien pris par Antigone et vendu pour serf, lequel, pressé par son maître de s'employer à quelque service abject : « Tu verras, dit-il, qui tu as acheté ; ce me serait honte de servir, ayant la liberté si à main. » Et ce disant, se précipita du haut de la maison. Antipater menaçant âprement les Lacédémoniens pour les ranger à certaine sienne demande : « Si tu nous menaces de pis que la mort, répondirent-ils, nous mour-

a. Comme on dit.

rons plus volontiers. » Et à Philippe leur ayant écrit qu'il
empêcherait toutes leurs entreprises : « Quoi! nous
empêcheras-tu aussi de mourir [3]? » C'est ce qu'on dit,
que le sage vit tant qu'il doit, non pas tant qu'il peut;
et que le présent que nature nous ait fait le plus favorable,
et qui nous ôte tout moyen de nous plaindre de notre
condition, c'est de nous avoir laissé la clef des champs.
Elle n'a ordonné qu'une entrée à la vie, et cent mille
issues [4]. Nous pouvons avoir faute de terre pour y vivre,
mais de terre pour y mourir, nous n'en pouvons avoir
faute, comme répondit Boiocatus aux Romains [5]. Pourquoi te plains-tu de ce monde? il ne te tient pas : si tu vis
en peine, ta lâcheté en est cause; à mourir il ne reste
que le vouloir :

> *Ubique mors est : optime hoc cavit Deus*
> *Eripere vitam nemo non homini potest;*
> *At nemo mortem : mille ad hanc aditus patent* *.

Et ce n'est pas la recette à une seule maladie : la mort
est la recette à tous maux. C'est un port très assuré,
qui n'est jamais à craindre, et souvent à rechercher.
Tout revient à un, que l'homme se donne sa fin, ou qu'il
la souffre; qu'il coure au-devant de son jour, ou qu'il
l'attende : d'où qu'il vienne, c'est toujours le sien; en
quelque lieu que le filet [a] se rompe, il y est tout, c'est le
bout de la fusée. La plus volontaire mort, c'est la plus
belle. La vie dépend de la volonté d'autrui; la mort,
de la nôtre. En aucune chose nous ne devons tant nous
accommoder à nos humeurs, qu'en celle-là. La réputation
ne touche pas une telle entreprise, c'est folie d'en avoir
respect. Le vivre, c'est servir, si la liberté de mourir en
est à dire. Le commun train de la guérison se conduit aux
dépens de la vie; on nous incise, on nous cautérise, on
nous détranche les membres, on nous soustrait l'aliment
et le sang; un pas plus outre, nous voilà guéris tout à fait [6].
Pourquoi n'est la veine du gosier autant à notre comman-

a. Fil.
* Sénèque, *La Thébaïde*, acte I, scène I : « La mort est partout :
c'est une faveur de la divinité. Tout le monde peut enlever la vie
à un homme, mais personne la mort : mille chemins sont ouverts
vers elle. »

dement que la médiane [7]? Aux plus fortes maladies les plus forts remèdes. Servius le Grammairien [8], ayant la goutte, n'y trouva meilleur conseil que de s'appliquer du poison et de tuer ses jambes [9]. Qu'elles fussent podagriques [a] à leur poste [b], pourvu que ce fût sans sentiment! Dieu nous donne assez de congé, quand il nous met en tel état que le vivre nous est pire que le mourir.

C'est faiblesse de céder aux maux, mais c'est folie de les nourrir.

Les Stoïciens disent [10] que c'est vivre convenablement à nature, pour le sage, de se départir de la vie, encore qu'il soit en plein heur, s'il le fait opportunément; et au fol de maintenir sa vie, encore qu'il soit misérable, pourvu qu'il soit en la plus grande part des choses qu'ils disent être selon nature.

Comme je n'offense les lois qui sont faites contre les larrons, quand j'emporte le mien, et que je me coupe ma bourse; ni des boute-feu [c], quand je brûle mon bois : aussi ne suis-je tenu aux lois faites contre les meurtriers pour m'avoir ôté ma vie.

Hégésias disait que, comme la condition de la vie, aussi la condition de la mort devait dépendre de notre élection [11].

Et Diogène, rencontrant le philosophe Speusippe, affligé de longue hydropisie, se faisant porter en litière, qui lui cria : « Le bon salut! Diogène. — A toi, point de salut, répondit-il, qui souffres le vivre, étant en tel état. »

De vrai, quelque temps après, Speusippe se fit mourir, ennuyé d'une si pénible condition de vie.

Mais ceci ne s'en va pas sans contraste. Car plusieurs tiennent [11 bis] que nous ne pouvons abandonner cette garnison du monde sans le commandement exprès de celui qui nous y a mis, et que c'est à Dieu, qui nous a ici envoyés, non pour nous seulement, ains [d] pour sa gloire et service d'autrui, de nous donner congé quand il lui plaira, non à nous de le prendre [12]; que nous ne sommes pas nés pour nous, ains aussi pour notre pays; les lois nous redemandent compte de nous pour leur intérêt, et ont action d'homicide contre nous; autrement, comme

<hr>

a. Goutteuses. — b. A leur guise. — c. Incendiaires. — d. Mais.

déserteurs de notre charge, nous sommes punis et en celui-ci et en l'autre monde :

> *Proxima deinde tenent mæsti loca, qui sibi lætum*
> *Insontes peperere manu, lucemque perosi*
> *Projecere animas* *.

Il y a bien plus de constance à user la chaîne qui nous tient qu'à la rompre, et plus d'épreuve de fermeté en Régulus qu'en Caton. C'est l'indiscrétion et l'impatience qui nous hâte le pas. Nuls accidents ne font tourner le dos à la vive vertu; elle cherche les maux et la douleur comme son aliment. Les menaces des tyrans, les géhennes et les bourreaux l'animent et la vivifient :

> *Duris ut ilex tonsa bipennibus*
> *Nigræ feraci frondis in Algido*
> *Per damna, per cædes, ab ipso*
> *Ducit opes animumque ferra* **.

Et comme dit l'autre :

> *Non est, ut putas, virtus, pater,*
> *Timere vitam, sed malis ingentibus*
> *Obstare, nec se vertere ac retro dare* ***.

> *Rebus in adversis facile est contemnere mortem :*
> *Fortius ille facit qui miser esse potest* ****.

* Virgile, *Énéide*, chant IV : « Ensuite occupent les lieux les plus proches, ceux qui, pleins de tristesse, se sont donné la mort à eux-mêmes bien qu'innocents, et qui par haine du jour, ont précipité leurs âmes aux enfers. »

** Horace, *Ode 4* du livre IV: « Telle l'yeuse qu'émonde la dure hache dans la sombre forêt du fertile Algide : ses pertes, ses blessures, le fer même lui donnent une vigueur et un courage nouveaux. »

*** Sénèque, *La Thébaïde*, acte I : « La vertu ne consiste pas, comme tu le penses, mon père, à craindre la vie, mais à faire front aux pires maux et à ne jamais tourner le dos. »

**** Citation, modifiée par Montaigne, de Martial, *Épigrammes*, livre XI, LVI : « Dans l'adversité, il est facile de mépriser la mort, celui-là agit plus courageusement, qui sait être malheureux. » Les éditions courantes donnent : *Rebus in angustis* au lieu de *in adversis*.

C'est le rôle de la couardise, non de la vertu, de s'aller tapir dans un creux, sous une tombe massive, pour éviter les coups de la fortune. Elle ne rompt son chemin et son train pour orage qu'il fasse,

> *Si fractus illabatur orbis,*
> *Inpavidam ferient ruinæ* *.

Le plus communément, la fuite d'autres inconvénients nous pousse à celui-ci; voire quelquefois la fuite de la mort fait que nous y courons,

> *Hic, rogo, non furor est, ne moriare, mori* ** ?

comme ceux qui, de peur du précipice, s'y lancent eux-mêmes :

> *multos in summa pericula misit*
> *Venturi timor ipse mali; fortissimus ille est,*
> *Qui promptus metuenda pati, si cominus instent,*
> *Et differre potest* ***.

> *Usque adeo, mortis formidine, vitæ*
> *Percipit humanos odium, lucisque videndæ,*
> *Ut sibi consciscant mærenti pectore lethum,*
> *Obliti fontem curarum hunc esse timorem* ****.

Platon, en ses *Lois* [13], ordonne sépulture ignominieuse à celui qui a privé son plus proche et plus ami, savoir

* Horace, *Ode 3* du livre III : « Que l'univers s'écroule en morceaux, ses ruines la frapperont sans l'effrayer. » Le texte d'Horace porte *impavidum* et non *impavidam* : l'adjectif se rapporte au sage et non à la vertu.

** Martial, *Épigrammes*, livre II, LXXX : « Je le demande, mourir de peur de mourir, n'est-ce pas de la folie furieuse ? »

*** Lucain, *La Pharsale*, chant VII : « La crainte même du malheur à venir a précipité bien des gens dans les plus grands périls : l'homme le plus courageux est celui qui, prêt à affronter les dangers quand ils le pressent, sait aussi les éviter. »

**** Lucrèce, *De Natura Rerum*, chant III : « La crainte de la mort inspire aux hommes un tel dégout de la vie et de la lumière qu'ils se donnent la mort à eux-mêmes dans un accès de désespoir, oubliant que la source de leurs peines est cette peur de mourir. »

est soi-même, de la vie et du cours des destinées, non contraint par jugement public, ni par quelque triste et inévitable accident de la fortune, ni par une honte insupportable, mais par lâcheté et faiblesse d'une âme craintive. Et l'opinion qui dédaigne notre vie, elle est ridicule. Car enfin c'est notre être, c'est notre tout. Les choses qui ont un être plus noble et plus riche peuvent accuser le nôtre; mais c'est contre nature que nous nous méprisons et mettons nous-mêmes à nonchaloir *ᵃ*; c'est une maladie particulière, et qui ne se voit en aucune autre créature, de se haïr et dédaigner. C'est de pareille vanité que nous désirons être autre chose que ce que nous sommes. Le fruit d'un tel désir ne nous touche pas, d'autant qu'il se contredit et s'empêche en soi. Celui qui désire d'être fait d'un homme ange, il ne fait rien pour lui, il n'en vaudrait de rien mieux. Car, n'étant plus, qui se réjouira et ressentira de cet amendement pour lui ?

Debet enim, misere cui forte ægreque futurum est,
Ipse quoque esse in eo tum tempore, cum male possit
*Accidere ** *.

La sécurité, l'indolence, l'impassibilité, la privation des maux de cette vie, que nous achetons au prix de la mort, ne nous apporte aucune commodité. Pour néant évite la guerre celui qui ne peut jouir de la paix; et pour néant fuit la peine, qui n'a de quoi savourer le repos.

Entre ceux du premier avis, il y a eu grand doute sur ce : Quelles occasions sont assez justes pour faire entrer un homme en ce parti de se tuer ? Ils appellent cela εὔλογον ἐξαγωγήν**. Car, quoiqu'ils disent qu'il faut souvent mourir pour causes légères, puisque celles qui nous tiennent en vie ne sont guère fortes, si y faut-il quelque mesure. Il y a des humeurs fantastiques et sans discours qui ont poussé non des hommes particuliers seulement, mais des peuples, à se défaire. J'en ai allégué par ci-devant des exemples; et nous lisons en outre, des vierges Milé-

---

a. Nous nous négligeons nous-mêmes.

* Lucrèce, *De Natura Rerum,* chant III : « Celui qui doit éprouver du malheur et de la souffrance dans l'avenir, doit aussi exister à l'époque où ce malheur pourra se produire. »

** Maxime stoïcienne : « Sortie raisonnable. »

siennes, que, par une conspiration furieuse, elles se pen-
daient les unes après les autres, jusques à ce que le magistrat y pourvût, ordonnant que celles qui se trouveraient
ainsi pendues, fussent traînées du même licol, toutes
nues, par la ville [14]. Quand Thréicion prêche Cléomène [15]
de se tuer, pour le mauvais état de ses affaires, et, ayant
fui la mort plus honorable en la bataille qu'il venait de
perdre, d'accepter cette autre qui lui est seconde en
honneur, et ne donner point loisir au victorieux de lui
faire souffrir ou une mort ou une vie honteuse, Cléomène, d'un courage lacédémonien et stoïque, refuse ce
conseil comme lâche et efféminé : « C'est une recette,
dit-il, qui ne me peut jamais manquer, et de laquelle il ne
se faut servir tant qu'il y a un doigt d'espérance de
reste ; que le vivre est quelquefois constance et vaillance ;
qu'il veut que sa mort même serve à son pays et en veut
faire acte d'honneur et de vertu. » Thréicion se crut dès
lors et se tua. Cléomène en fit aussi autant depuis ; mais
ce fut après avoir essayé le dernier point de la fortune.
Tous les inconvénients ne valent pas qu'on veuille mourir
pour les éviter.

Et puis, y ayant tant de soudains changements aux
choses humaines, il est malaisé à juger à quel point nous
sommes justement au bout de notre espérance.

Sperat et in sæva victus gladiator arena,
Sit licet infesto pollice turba minax *.*

Toutes choses, dit un mot ancien [16], sont espérables à
un homme pendant qu'il vit. « Oui mais, répond Sénèque,
pourquoi aurai-je plutôt en la tête cela, que la fortune
peut toutes choses pour celui qui est vivant, que ceci,
que fortune ne peut rien sur celui qui sait mourir ? » On
voit Josèphe [17] engagé en un si apparent danger et si prochain, tout un peuple s'étant élevé contre lui, que, par
discours, il n'y pouvait avoir aucune ressource ; toutefois, étant, comme il dit, conseillé sur ce point par un de

---

* Vers attribués à Pentadius que Montaigne a trouvés cités par
Juste Lipse dans ses *Saturnalium sermonum libri*. « Même étendu
dans l'arène cruelle, le gladiateur vaincu espère encore, bien que
la foule menaçante le condamne en renversant le pouce. »

ses amis de se défaire, bien lui servit de s'opiniâtrer
encore en l'espérance; car la fortune contourna, outre
toute raison humaine, cet accident, si qu'il s'en vit délivré
sans aucun inconvénient. Et Cassius et Brutus, au contraire, achevèrent de perdre les reliques de la romaine
liberté, de laquelle ils étaient protecteurs, par la précipitation et témérité de quoi ils se tuèrent avant le temps et
l'occasion. J'ai vu cent lièvres se sauver sous les dents des
lévriers. « *Aliquis carnifici suo superstes fuit* *. »

> *Multa dies variusque labor mutabilis ævi*
> *Rettulit in melius; multos alterna revisens*
> *Lusit, et in solido rursus fortuna locavit* **.

Pline dit [18] qu'il n'y a que trois sortes de maladies
pour lesquelles éviter on ait droit de se tuer : la plus âpre
de toutes, c'est la pierre à la vessie quand l'urine en est
retenue; Sénèque, celles seulement qui ébranlent pour
longtemps les offices [19] de l'âme.

Pour éviter une pire mort, il y en a qui sont d'avis de
la prendre à leur poste. Damocrite, chef des Étoliens,
mené prisonnier à Rome, trouva moyen de nuit d'échapper. Mais, suivi par ses gardes, avant que se laisser
reprendre, il se donna de l'épée au travers le corps [20].

Antinoüs et Théodotus, leur ville d'Épire réduite à
l'extrémité par les Romains, furent d'avis au peuple
de se tuer tous; mais le conseil de se rendre plutôt ayant
gagné, ils allèrent chercher la mort, se ruant sur les
ennemis, en intention de frapper, non de se couvrir [21].
L'île de Goze [22] forcée par les Turcs, il y a quelques
années, un Sicilien qui avait deux belles filles prêtes à
marier, les tua de sa main, et leur mère après qui accourut à leur mort. Cela fait, sortant en rue avec une arba-
lète et une arquebuse, de deux coups il en tua les deux
premiers Turcs qui s'approchèrent de sa porte, et puis,
mettant l'épée au poing, s'alla mêler furieusement, où il

---

* Sénèque, *Lettre 13* : « Tel a survécu à son bourreau. »
** Virgile, *Énéide*, chant XI : « Les jours nombreux et les
épreuves variées du temps inconstant ont rétabli souvent des
destinées; souvent la fortune, revenant à ceux qu'elle a abattus, les
remet par jeu en lieu sûr. »

fut soudain enveloppé et mis en pièces, se sauvant ainsi du servage après en avoir délivré les siens.

Les femmes juives, après avoir fait circoncire leurs enfants, s'allaient précipiter quant et eux, fuyant la cruauté d'Antiochus [23]. On m'a conté qu'un prisonnier de qualité étant en nos conciergeries, ses parents, avertis qu'il serait certainement condamné, pour éviter la honte de telle mort, apostèrent un prêtre pour lui dire que le souverain remède de sa délivrance était qu'il se recommandât à tel saint, avec tel et tel vœu, et qu'il fût huit jours sans prendre aucun aliment, quelque défaillance et faiblesse qu'il sentît en soi. Il l'en crut, et par ce moyen se défit, sans y penser, de sa vie et du danger. Scribonia, conseillant Libo, son neveu, de se tuer plutôt que d'attendre la main de la justice, lui disait que c'était proprement faire l'affaire d'autrui que de conserver sa vie pour la remettre entre les mains de ceux qui la viendraient chercher trois ou quatre jours après, et que c'était servir ses ennemis de garder son sang pour leur en faire curée [24].

Il se lit dans la Bible [25] que Nicanor, persécuteur de la Loi de Dieu, ayant envoyé ses satellites pour saisir le bon vieillard Rasias, surnommé pour l'honneur de sa vertu le père aux Juifs, comme ce bonhomme n'y vit plus d'ordre, sa porte brûlée, ses ennemis prêts à le saisir, choisissant de mourir généreusement plutôt que de venir entre les mains des méchants, et de se laisser mâtiner contre l'honneur de son rang, qu'il se frappa de son épée; mais le coup, pour la hâte [a], n'ayant pas été bien assené, il courut se précipiter du haut d'un mur au travers de la troupe, laquelle s'écartant et lui faisant place, il chut droitement sur la tête. Ce néanmoins, se sentant encore quelque reste de vie, il ralluma son courage, et, s'élevant en pieds, tout ensanglanté et chargé de coups, et faussant la presse [b], donna jusques à certain rocher coupé et précipiteux, où, n'en pouvant plus, il prit, par l'une de ses plaies à deux mains ses entrailles, les déchirant et froissant, et les jeta à travers les poursuivants, appelant sur eux et attestant la vengeance divine.

Des violences qui se font à la conscience, la plus à

a. A cause de. — b. Perçant la foule.

éviter, à mon avis, c'est celle qui se fait à la chasteté des femmes, d'autant qu'il y a quelque plaisir corporel naturellement mêlé parmi; et, à cette cause, le dissentiment [a] n'y peut être assez entier, et semble que la force soit mêlée à quelque volonté. Pélagie et Sophronie toutes deux canonisées, celle-là se précipita dans la rivière avec sa mère et ses sœurs pour éviter la force de quelques soldats, et celle-ci se tua aussi pour éviter la force de Maxence l'empereur [26]. L'histoire ecclésiastique a en révérence plusieurs tels exemples de personnes dévotes qui appelèrent la mort à garant contre les outrages que les tyrans préparaient à leur conscience.

Il nous sera à l'aventure honorable aux siècles à venir qu'un savant auteur de ce temps, et notamment parisien [27], se met en peine de persuader aux dames de notre siècle de prendre plutôt tout autre parti que d'entrer en l'horrible conseil d'un tel désespoir. Je suis marri qu'il n'ait su, pour mêler à ses contes, le bon mot que j'ai appris à Toulouse, d'une femme passée par les mains de quelques soldats : « Dieu soit loué, disait-elle, qu'au moins une fois en ma vie je m'en suis saoulée sans péché! »

A la vérité, ces cruautés ne sont pas dignes de la douceur française; aussi, Dieu merci, notre air s'en voit infiniment purgé depuis ce bon avertissement; suffit qu'elles disent *nenny* en le faisant, suivant la règle du bon Marot [28].

L'Histoire est toute pleine de ceux qui, en mille façons, ont changé à la mort une vie peineuse [b].

Lucius Aruntius se tua pour, disait-il, fuir et l'avenir et le passé.

Granius Silvanus et Statius Proximus, après être pardonnés par Néron, se tuèrent, ou pour ne vivre de la grâce d'un si méchant homme, ou pour n'être en peine une autre fois d'un second pardon, vu sa facilité aux soupçons et accusations à l'encontre des gens de bien [29].

Spargapizés, fils de la reine Tomyris, prisonnier de guerre de Cyrus, employa à se tuer la première faveur que Cyrus lui fit de le faire détacher, n'ayant prétendu

---

a. Refus (de la femme). — *b.* Douloureuse.

autre fruit de sa liberté que de venger sur soi la honte de sa prise [30].

Bogez, gouverneur en Eion de la part du roi Xerxès [31]. assiégé par l'armée des Athéniens sous la conduite de Cimon, refusa la composition de s'en retourner sûrement en Asie à toute sa chevance [a], impatient de survivre à la perte de ce que son maître lui avait donné en garde; et, après avoir défendu jusques à l'extrémité sa ville, n'y restant plus que manger, jeta premièrement en la rivière Strymon tout l'or et tout ce de quoi il lui sembla l'ennemi pouvoir faire plus de butin. Et puis, ayant ordonné allumer un grand bûcher, et égosiller [b] femmes, enfants, concubines et serviteurs, les mit dans le feu, et puis soi-même.

Ninachetuen [32], seigneur Indois, ayant senti le premier vent de la délibération du vice-roi portugais de le déposséder, sans aucune cause apparente, de la charge qu'il avait en Malacca, pour la donner au roi de Campar, prit à part soi cette résolution. Il fit dresser un échafaud plus long que large, appuyé sur des colonnes, royalement tapissé et orné de fleurs et de parfums en abondance. Et puis, s'étant vêtu d'une robe de drap d'or chargé de quantité de pierreries de haut prix, sortit en rue, et par des degrés monta sur l'échafaud, en un coin duquel il y avait un bucher de bois aromatiques allumé. Le monde accourut voir à quelle fin ces préparatifs inaccoutumés. Ninachetuen remontra, d'un visage hardi et mal content, l'obligation que la nation portugaise lui avait; combien fidèlement il avait versé [c] en sa charge; qu'ayant si souvent témoigné pour autrui, les armes en main, que l'honneur lui était de beaucoup plus cher que la vie, il n'était pas pour en abandonner le soin pour soi-même; que, sa fortune lui refusant tout moyen de s'opposer à l'injure qu'on lui voulait faire, son courage au moins lui ordonnait de s'en ôter le sentiment et de servir de fable au peuple et de triomphe à des personnes qui valaient moins que lui. Ce disant, il se jeta dans le feu.

Sextilia, femme de Scaurus, et Paxea, femme de Labeo, pour encourager leurs maris à éviter les dangers

---

a. Avec tous ses biens. — *b.* Égorger. — *c.* Il s'était comporté.

qui les pressaient, auxquels elles n'avaient part que par l'intérêt de l'affection conjugale, engagèrent volontairement la vie pour leur servir, en cette extrême nécessité, d'exemple et de compagnie. Ce qu'elles firent pour leurs maris, Cocceius Nerva [33] le fit pour sa patrie, moins utilement, mais de pareil amour. Ce grand jurisconsulte, fleurissant en santé, en richesses, en réputation, en crédit près de l'empereur, n'eut autre cause de se tuer que la compassion du misérable état de la chose publique romaine. Il ne se peut rien ajouter à la délicatesse de la mort de la femme de Fulvius, familier d'Auguste. Auguste, ayant découvert qu'il avait éventé un secret important qu'il lui avait fié un matin qu'il le vint voir, lui en fit une maigre mine. Il s'en retourna au logis, plein de désespoir; et dit tout piteusement à sa femme qu'étant tombé en ce malheur, il était résolu de se tuer. Elle tout franchement : « Tu ne feras que raison vu qu'ayant assez souvent expérimenté l'incontinence de ma langue, tu ne t'en es point donné de garde. Mais laisse, que je me tue la première. » Et, sans autrement marchander, se donna d'une épée dans le corps[34].

Vibius Virius [35], désespéré [a] du salut de sa ville assiégée par les Romains, et de leur miséricorde, en la dernière délibération de leur sénat, après plusieurs remontrances employées à cette fin, conclut que le plus beau était d'échapper à la fortune par leurs propres mains. Les ennemis les en auraient en honneur et Annibal sentirait combien fidèles amis il aurait abandonnés. Conviant ceux qui approuveraient son avis d'aller prendre un bon souper qu'on avait dressé chez lui, où, après avoir fait bonne chère, ils boiraient ensemble de ce qu'on lui présenterait : « Breuvage qui délivrera nos corps des tourments, nos âmes des injures, nos yeux et nos oreilles du sentiment de tant de vilains maux que les vaincus ont à souffrir des vainqueurs très cruels, et offensés. J'ai, disait-il, mis ordre qu'il y aura personnes propres à nous jeter dans un bûcher au-devant de mon huis, quand nous serons expirés. » Assez approuvèrent cette haute résolution, peu l'imitèrent. Vingt-sept sénateurs le suivirent et, après avoir essayé d'étouffer

---

a. **Désespérant.**

dans le vin cette fâcheuse pensée, finirent leur repas par
ce mortel mets; et, s'entre-embrassant après avoir en
commun déploré le malheur de leur pays, les uns se
retirèrent en leurs maisons, les autres s'arrêtèrent pour
être enterrés dans le feu de Vibius avec lui. Et eurent
tous la mort si longue, la vapeur du vin ayant occupé
les veines et retardant l'effet du poison, qu'aucuns furent
à une heure près de voir les ennemis dans Capoue, qui
fut emportée le lendemain, et d'encourir les misères
qu'ils avaient si chèrement fuies. Taurea Jubellius, un
autre citoyen de là, le consul Fulvius retournant de cette
honteuse boucherie qu'il avait faite de deux cent vingt-
cinq sénateurs, le rappela fièrement par son nom, et
l'ayant arrêté : « Commande, fit-il, qu'on me massacre
aussi, après tant d'autres, afin que tu te puisses vanter
d'avoir tué un beaucoup plus vaillant homme que toi. »
Fulvius le dédaignant comme insensé (aussi que sur
l'heure il venait de recevoir lettres de Rome contraires à
l'inhumanité de son exécution, qui lui liaient les mains),
Jubellius continua : « Puisque mon pays pris, mes amis
morts, et ayant de ma main occis ma femme et mes
enfants pour les soustraire à la désolation de cette ruine,
il m'est interdit de mourir de la mort de mes concitoyens,
empruntons de la vertu la vengeance de cette vie odieu-
se. » Et, tirant un glaive qu'il avait caché, s'en donna au
travers la poitrine, tombant renversé mourant aux pieds
du consul.

Alexandre assiégeait une ville aux Indes [36]; ceux de
dedans, se trouvant pressés, se résolurent vigoureusement
à le priver du plaisir de cette victoire, et s'embrasèrent
universellement tous, quant et leur ville, en dépit de son
humanité. Nouvelle guerre : les ennemis combattaient
pour les sauver, eux pour se perdre; et faisaient pour
garantir leur mort toutes les choses qu'on fait pour
garantir sa vie.

Astapa [37], ville d'Espagne, se trouvant faible de murs
et de défenses, pour soutenir les Romains, les habitants
firent un amas de leurs richesses et meubles en la place,
et ayant rangé au-dessus de ce monceau les femmes et
les enfants, et l'ayant entouré de bois et matière propre
à prendre feu soudainement et laissé cinquante jeunes
hommes d'entre eux pour l'exécution de leur résolution,

firent une sortie où, suivant leur vœu à faute de pouvoir vaincre, ils se firent tous tuer. Les cinquante, après avoir massacré toute âme vivante éparse par leur ville, et mis le feu en ce monceau, s'y lancèrent aussi, finissant leur généreuse liberté en un état insensible plutôt que douloureux et honteux, et montrant aux ennemis que, si fortune l'eût voulu, ils eussent eu aussi bien le courage de leur ôter la victoire, comme ils avaient eu de la leur rendre et frustratoire et hideuse, voire et mortelle à ceux qui, amorcés par la lueur de l'or coulant dans cette flamme, s'en étant approchés en bon nombre, y furent suffoqués et brûlés, le reculer leur étant interdit par la foule qui les suivait. Les Abydéens [38], pressés par Philippe, se résolurent de même. Mais, étant pris de trop court, le roi, ayant horreur de voir la précipitation téméraire de cette exécution (les trésors et les meubles qu'ils avaient diversement condamnés au feu et au naufrage, saisis), retirant ses soldats, leur concéda trois jours à se tuer à l'aise; lesquels ils remplirent de sang et de meurtre au-delà de toute hostile cruauté; et ne s'en sauva une seule personne qui eût pouvoir sur soi. Il y a infinis exemples de pareilles conclusions populaires, qui semblent plus âpres d'autant que l'effet en est plus universel. Elles le sont moins que séparées. Ce que le discours [a] ne ferait en chacun, il le fait en tous; l'ardeur de la société ravissant les particuliers jugements.

Les condamnés qui attendaient l'exécution, du temps de Tibère, perdaient leurs biens et étaient privés de sépulture; ceux qui l'anticipaient en se tuant eux-mêmes [39], étaient enterrés et pouvaient faire testament.

Mais on désire quelquefois la mort pour l'espérance d'un plus grand bien. « Je désire, dit saint Paul [40], être dissous pour être avec Jésus-Christ »; et : « Qui me dépendra de ces liens [41] ? » Cleombrotus Ambraciota, ayant lu le *Phédon* de Platon, entra en si grand appétit de la vie à venir que, sans autre occasion, il s'alla précipiter en la mer [42]. Par où il appert combien improprement nous appelons désespoir cette dissolution volontaire à laquelle la chaleur de l'espoir nous porte souvent, et souvent une tranquille et rassise inclination de jugement. Jacques

a. La raison.

du Chastel [43], évêque de Soissons, au voyage d'outremer que fit saint Louis, voyant le roi et toute l'armée en train de revenir en France laissant les affaires de la religion imparfaites, prit résolution de s'en aller plutôt en paradis. Et, ayant dit adieu à ses amis, donna seul, à la vue d'un chacun, dans l'armée des ennemis, où il fut mis en pièces.

En certain royaume de ces nouvelles terres [44], au jour d'une solemne [a] procession, auquel l'idole qu'ils adorent est promenée en public sur un char de merveilleuse grandeur, outre ce qu'il se voit plusieurs se détaillant les morceaux de leur chair vive à lui offrir, il s'en voit nombre d'autres se prosternant emmi la place, qui se font moudre et briser sous les roues, pour en acquérir après leur mort vénération de sainteté, qui leur est rendue.

La mort de cet évêque [45], les armes au poing , a de la générosité plus, et moins de sentiment; l'ardeur du combat en amusant une partie.

Il y a des polices [b] qui se sont mêlées de régler la justice et opportunité des morts volontaires. En notre Marseille [46], il se gardait, au temps passé, du venin préparé à tout [c] de la ciguë, aux dépens publics [d], pour ceux qui voudraient hâter leurs jours, ayant premièrement approuvé aux six cents, qui était leur sénat, les raisons de leur entreprise; et n'était loisible autrement que par congé du magistrat et par occasions légitimes de mettre la main sur soi.

Cette loi était encore ailleurs. Sextus Pompée, allant en Asie, passa par l'île de Cea [47] de Negrepont. Il advint de fortune, pendant qu'il y était, comme nous l'apprend l'un de ceux de sa compagnie, qu'une femme de grande autorité, ayant rendu compte à ses citoyens pourquoi elle était résolue de finir sa vie, pria Pompée d'assister à sa mort pour la rendre plus honorable : ce qu'il fit; et, ayant longtemps essayé pour néant [e], à force d'éloquence qui lui était merveilleusement à main, et de persuasion, de la détourner de ce dessein, souffrit enfin qu'elle se contentât. Elle avait passé quatre vingts et

a. Solennelle. — *b*. Gouvernements. — *c*. Avec. — *d*. Aux frais de l'État. — *e*. Inutilement.

dix ans en très heureux état d'esprit et de corps; mais
lors, couchée sur son lit mieux paré que de coutume et
appuyée sur le coude : « Les dieux, dit-elle, ô Sextus
Pompée, et plutôt ceux que je laisse que ceux que je vais
trouver, te sachent gré de quoi tu n'as dédaigné d'être
et conseiller de ma vie et témoin de ma mort! De ma
part, ayant toujours essayé le favorable visage de fortune,
de peur que l'envie de trop vivre ne m'en fasse voir un
contraire, je m'en vais d'une heureuse fin donner congé
aux restes de mon âme, laissant de moi deux filles et une
légion de neveux. » Cela fait, ayant prêché et enhorté ᵃ les
siens à l'union et à la paix, leur ayant départi ᵇ ses biens
et recommandé les dieux domestiques à sa fille aînée,
elle prit d'une main assurée la coupe où était le venin ᶜ;
et, ayant fait ses vœux à Mercure et les prières de la
conduire en quelque heureux siège en l'autre monde,
avala brusquement ce mortel breuvage. Or entretint-elle
la compagnie du progrès de son opération et comme les
parties de son corps se sentaient saisies de froid l'une après
l'autre, jusques à ce qu'ayant dit enfin qu'il arrivait au
cœur et aux entrailles, elle appelât ses filles pour lui faire
le dernier office et lui clore les yeux.

Pline récite ⁴⁸ de certaine nation hyperborée, qu'en
icelle, pour la douce température de l'air, les vies ne se
finissent communément que par la propre volonté des
habitants; mais, qu'étant las et saouls de vivre, ils ont
en coutume, au bout d'un long âge, après avoir fait
bonne chère, se précipiter en la mer du haut d'un certain
rocher destiné à ce service.

La douleur insupportable et une pire mort me semblent
les plus excusables incitations.

---

a. Exhorté. — *b*. Partagé. — *c*. Poison.

CHAPITRE IV

A DEMAIN
LES AFFAIRES [1]

Je donne avec raison, ce me semble, la palme à Jacques
Amyot sur tous nos écrivains français [2], non seulement
pour la naïveté et pureté du langage, en quoi il surpasse
tous autres, ni pour la constance d'un si long travail, ni
pour la profondeur de son savoir, ayant pu développer
si heureusement un auteur si épineux et ferré (car on m'en
dira ce qu'on voudra : je n'entends rien au grec, mais je
vois un sens si beau, si bien joint et entretenu partout
en sa traduction, que, ou il a certainement entendu
l'imagination vraie de l'auteur, ou, ayant par longue
conversation planté vivement dans son âme une générale
idée de celle de Plutarque, il ne lui a au moins rien prêté
qui le démente ou qui le dédie); mais surtout je lui sais
bon gré d'avoir su trier et choisir un livre si digne et si à
propos, pour en faire présent à son pays. Nous autres
ignorants étions perdus, si ce livre ne nous eût relevés
du bourbier; sa merci [a], nous osons à cette heure et parler
et écrire; les dames en régentent les maîtres d'école;
c'est notre bréviaire. Si ce bonhomme vit, je lui résigne
Xénophon [3] pour en faire autant; c'est une occupation
plus aisée, et d'autant plus propre à sa vieillesse; et puis je
ne sais comment, il me semble, quoi qu'il se démêle [b]
bien brusquement et nettement d'un mauvais pas, que
toutefois son style est plus chez soi, quand il n'est pas
pressé et qu'il roule à son aise.

J'étais à cette heure sur ce passage où Plutarque

_a._ Grâce à lui. — _b._ Retire.

dit [4] de soi-même que Rusticus, assistant à une sienne
déclamation à Rome, y reçut un paquet de la part de
l'empereur et temporisa de l'ouvrir jusques à ce que tout
fût fait : en quoi (dit-il) toute l'assistance loua singulièrement la gravité de ce personnage. De vrai, étant sur le
propos de la curiosité, et de cette passion avide et gourmande de nouvelles, qui nous fait avec tant d'indiscrétion
et d'impatience abandonner toutes choses pour entretenir un nouveau venu, et perdre tout respect et contenance pour crocheter soudain, où que nous soyons, les
lettres qu'on nous apporte, il a eu raison de louer la
gravité de Rusticus ; et pouvait encore y joindre la louange
de sa civilité et courtoisie de n'avoir voulu interrompre
le cours de sa déclamation. Mais je fais doute qu'on le
peut louer de prudence ; car, recevant à l'imprévu lettres
et notamment d'un empereur, il pouvait bien advenir
que le différer à les lire eût été d'un grand préjudice.

Le vice contraire à la curiosité, c'est la nonchalance,
vers laquelle je penche évidemment de ma complexion,
et en laquelle j'ai vu plusieurs hommes si extrêmes,
que trois ou quatre jours après on retrouvait encore en
leur pochette les lettres toutes closes qu'on leur avait
envoyées.

Je n'en ouvris jamais, non seulement de celles qu'on
m'eut commises, mais de celles mêmes que la fortune
m'eut fait passer par les mains ; et fait conscience si mes
yeux dérobent par mégarde quelque connaissance des
lettres d'importance qu'il lit, quand je suis à côté d'un
grand. Jamais homme ne s'enquit moins et ne fureta
moins ès affaires d'autrui.

Du temps de nos pères, M. de Boutières [5] cuida perdre
Turin pour, étant en bonne compagnie à souper, avoir
remis à lire un avertissement qu'on lui donnait des trahisons qui se dressaient contre cette ville, où il commandait ; et ce même Plutarque m'a appris [6] que Jules César
se fût sauvé, si, allant au Sénat le jour qu'il y fut tué par
les conjurés, il eût lu un mémoire qu'on lui présenta.
Et fait aussi [7] le conte d'Archias, tyran de Thèbes, que
le soir, avant l'exécution de l'entreprise que Pélopidas
avait faite de le tuer pour remettre son pays en liberté,
il lui fut écrit par un autre Archias, Athénien, de point
en point ce qu'on lui préparait ; et que, ce paquet lui

ayant été rendu pendant son souper, il remit à l'ouvrir,
disant ce mot qui depuis, passa en proverbe en Grèce :
« A demain les affaires. »

Un sage homme peut, à mon opinion, pour l'intérêt
d'autrui, comme pour ne rompre indécemment compagnie, ainsi que Rusticus, ou pour ne discontinuer une
autre affaire d'importance, remettre à entendre ce qu'on
lui apporte de nouveau ; mais, pour son intérêt ou plaisir
particulier, même s'il est homme ayant charge publique,
pour ne rompre son dîner, voire ni son sommeil, il est
inexcusable de le faire. Et anciennement était à Rome la
place consulaire, qu'ils appelaient, la plus honorable à
table, pour être plus à délivre *a* et plus accessible à ceux
qui surviendraient pour entretenir celui qui y serait
assis [8]. Témoignage que, pour être à table, ils ne se dépar-
taient pas de l'entremise d'autres affaires et survenances.

Mais, quand tout est dit, il est malaisé ès actions
humaines de donner règle si juste par discours de raison,
que la fortune n'y maintienne son droit.

a. Plus à portée.

CHAPITRE V

DE LA CONSCIENCE

Voyageant un jour, mon frère sieur de la Brousse[1] et moi, durant nos guerres civiles, nous rencontrâmes un gentilhomme de bonne façon; il était du parti contraire au nôtre, mais je n'en savais rien, car il se contrefaisait autre; et le pis de ces guerres, c'est que les cartes sont si mêlées, votre ennemi n'étant distingué d'avec vous d'aucune marque apparente, ni de langage, ni de port, nourri en mêmes lois, mœurs et même air, qu'il est malaisé d'y éviter confusion et désordre. Cela me faisait craindre à moi-même de rencontrer nos troupes en lieu où je ne fusse connu, pour n'être en peine de dire mon nom, et de pis à l'aventure. Comme il m'était autrefois advenu : car en un tel mécompte je perdis et hommes et chevaux, et l'on m'y tua misérablement entre autres un page gentil-homme Italien, que je nourrissais soigneusement, et fut éteinte en lui une très belle enfance et pleine de grande espérance. Mais celui-ci en avait une frayeur si éperdue, et je le voyais si mort à chaque rencontre d'hommes à cheval et passage de villes qui tenaient pour le roi, que je devinai enfin que c'étaient alarmes que sa conscience lui donnait. Il semblait à ce pauvre homme qu'au travers de son masque et des croix de sa casaque on irait lire jusque dans son cœur ses secrètes intentions. Tant est merveil-leux l'effort de la conscience! Elle nous fait trahir, accuser et combattre nous-mêmes, et, à faute de témoins étrangers, elle nous produit, contre nous :

Occultum quatiens animo tortore flagellum *.

Ce conte est en la bouche des enfants, Bessus, Péonien, reproché d'avoir de gaieté de cœur abattu un nid de moineaux et les avoir tués, disait avoir eu raison, parce que ces oisillons ne cessaient de l'accuser faussement du meurtre de son père. Ce parricide jusque lors avait été occulte et inconnu; mais les furies vengeresses de la conscience le firent mettre hors à celui même qui en devait porter la pénitence [2].

Hésiode [3] corrige le dire de Platon, que la peine suit de bien près le péché : car il dit qu'elle naît en l'instant et quant et quant *a* le péché. Quiconque attend la peine il la souffre [4]; et quiconque l'a méritée, l'attend. La méchanceté fabrique des tourments contre soi,

> *Malum consilium consultori pessimum* **,

comme la mouche guêpe pique et offense autrui, mais plus soi-même, car elle y perd son aiguillon et sa force pour jamais,

> *vitasque in vulnere ponunt* ***.

Les cantharides [5] ont en elles quelque partie qui sert contre leur poison de contre-poison, par une contrariété de la nature. Aussi, à même qu'on prend le plaisir au vice, il s'engendre un déplaisir contraire en la conscience, qui nous tourmente de plusieurs imaginations pénibles, veillant et dormant,

> *Quippe ubi se multi, per somnia sæpe loquentes,*
> *Aut morbo delirantes, protraxe ferantur,*

a. Avec.

* Juvénal, *Satire XIII* : « Nous frappant d'un fouet invisible et nous servant elle-même de bourreau. » Montaigne a légèrement modifié le texte pour mieux l'adapter à sa phrase.

** Proverbe cité par Aulu-Gelle, *Nuits attiques*, livre IV, chap. v: « Le mauvais dessein est surtout mauvais pour celui qui l'a suivi. »

*** Virgile, *Géorgiques*, chant IV : « Elles laissent la vie en blessant. »

Et celata diu in medium peccata dedisse *.

Apollodore[6] songeait qu'il se voyait écorcher par les
Scythes, et puis bouillir dedans une marmite, et que
son cœur murmurait en disant : « Je te suis cause de tous
ces maux. » Aucune cachette ne sert aux méchants,
disait Épicure[7], parce qu'ils ne se peuvent assurer d'être
cachés, la conscience les découvrant à eux-mêmes,

> *prima est hæc ultio quod se*
> *Judice nemo nocens absolvitur* **.

Comme elle nous remplit de crainte, aussi fait-elle
d'assurance et de confiance. Et je puis dire avoir marché
en plusieurs hasards d'un pas bien plus ferme, en considération de la secrète science que j'avais de ma volonté
et innocence de mes desseins.

> *Conscia mens ut cuique sua est, ita concipit intra*
> *Pectora pro facto spemque metumque suo* ***.

Il y en a mille exemples ; il suffira d'en alléguer trois de
même personnage.

Scipion, étant un jour accusé devant le peuple romain
d'une accusation importante, au lieu de s'excuser ou de
flatter ses juges : « Il vous siéra bien, leur dit-il, de vouloir
entreprendre de juger de la tête de celui par le moyen
duquel vous avez l'autorité de juger de tout le monde[8]. »
Et, une autre fois[9], pour toute réponse aux imputations
que lui mettait sus un tribun du peuple, au lieu de plaider
sa cause : « Allons, dit-il, mes citoyens, allons rendre
grâce aux dieux de la victoire qu'ils me donnèrent contre
les Carthaginois en pareil jour que celui-ci. » Et, se

---

* Lucrèce, *De Natura Rerum*, chant V : « Nombreux sont les
coupables qui parlant dans leur sommeil ou dans le délire de la
maladie s'accusent eux-mêmes et révèlent des fautes cachées depuis
longtemps. »
** Juvénal, *Satire XIII* : « La première punition, c'est qu'aucun
coupable ne peut s'absoudre à son propre tribunal. »
*** Ovide, *Fastes*, chant I : « Selon le jugement que la conscience
se rend à elle-même, on a intérieurement le cœur rempli de crainte
ou d'espérance. »

mettant à marcher devant vers le temple, voilà toute
l'assemblée et son accusateur même à sa suite. Et Petilius
ayant été suscité par Caton pour lui demander compte de
l'argent manié en la province d'Antioche, Scipion,
étant venu au sénat pour cet effet, produisit le livre des
raisons *a* qu'il avait dessous sa robe, et dit que ce livre
en contenait au vrai la recette et la mise; mais, comme
on le lui demanda pour le mettre au greffe, il le refusa,
disant ne se vouloir pas faire cette honte à soi-même; et,
de ses mains, en la présence du sénat, le déchira et mit en
pièces. Je ne crois pas qu'une âme cautérisée sût contrefaire une telle assurance. Il avait le cœur trop gros de
nature et accoutumé à trop haute fortune, dit Tite-Live [10],
pour qu'il sût être criminel et se démettre à la bassesse
de défendre son innocence.

C'est une dangereuse invention que celle des
géhennes *b*, et semble que ce soit plutôt un essai de
patience que de vérité. Et celui qui les peut souffrir
cache la vérité, et celui qui ne les peut souffrir. Car
pourquoi la douleur me fera-t-elle plutôt confesser ce
qui en est, qu'elle ne me forcera de dire ce qui n'est
pas? Et, au rebours, si celui qui n'a pas fait ce de quoi
on l'accuse, est assez patient pour supporter ces tourments, pourquoi ne le sera celui qui l'a fait, un si beau
guerdon *c* que de la vie lui étant proposé? Je pense
que le fondement de cette invention est appuyé sur
la considération de l'effort de la conscience. Car, au
coupable, il semble qu'elle aide à la torture pour lui
faire confesser sa faute, et qu'elle l'affaiblisse; et, de
l'autre part, qu'elle fortifie l'innocent contre la torture.
Pour dire vrai, c'est un moyen plein d'incertitude et de
danger.

Que ne dirait-on, que ne ferait-on pour fuir à si
grièves douleurs?

Etiam innocentes cogit mentiri dolor *.

---

a. Le livre de comptes — *b.* Torture. — *c.* Récompense.
* Sentence de Publius Syrus, citée par Vivès dans son *Commen-
taire de la Cité de Dieu,* de saint Augustin, livre XIX, chap. VI :
« La souffrance force à mentir même des innocents. »

D'où il advient que celui que le juge a géhenné pour ne le faire mourir innocent, il le fasse mourir et innocent et géhenné. Mille et mille en ont chargé leur tête de fausses confessions. Entre lesquels je loge Philotas, considérant les circonstances du procès qu'Alexandre lui fit et le progrès de sa gêne [11]. Mais tant y a que c'est, dit-on, le moins mal que l'humaine faiblesse ait pu inventer.

Bien inhumainement pourtant et bien inutilement, à mon avis! Plusieurs nations, moins barbares en cela que la grecque et la romaine qui les en appellent, estiment horrible et cruel de tourmenter et desrompre [a] un homme de la faute duquel vous êtes encore en doute. Que peut-il mais de votre ignorance? Êtes-vous pas injustes, qui, pour ne le tuer sans occasion [b], lui faites pis que le tuer [12]? Qu'il soit ainsi : voyez combien de fois il aime mieux mourir sans raison que de passer par cette information plus pénible que le supplice et qui souvent, par son âpreté, devance le supplice, et l'exécute. Je ne sais d'où je tiens ce conte [13], mais il rapporte exactement la conscience de notre justice. Une femme de village accusait devant un général d'armée, grand justicier, un soldat pour avoir arraché à ses petits enfants ce peu de bouillie qui lui restait à les sustanter, cette armée ayant ravagé tous les villages à l'environ. De preuve, il n'y en avait point. Le général après avoir sommé la femme de regarder bien à ce qu'elle disait, d'autant qu'elle serait coupable de son accusation si elle mentait, et elle persistant, il fit ouvrir le ventre au soldat pour s'éclaircir de la vérité du fait. Et la femme se trouva avoir raison. Condamnation instructive [c].

a. Mettre en pièces. — b. Sans motif. — c. Servant à l'instruction du procès.

CHAPITRE VI

DE L'EXERCITATION

Il est malaisé que le discours [a] et l'instruction, encore que notre créance s'y applique volontiers, soient assez puissants pour nous acheminer jusques à l'action, si outre cela nous n'exerçons et formons notre âme par expérience au train auquel nous la voulons ranger : autrement, quand elle sera au propre des effets [b], elle s'y trouvera sans doute empêchée [c]. Voilà pourquoi, parmi les philosophes, ceux qui ont voulu atteindre à quelque plus grande excellence, ne se sont pas contentés d'attendre à couvert et en repos les rigueurs de la fortune, de peur qu'elle ne les surprît inexpérimentés et nouveaux au combat; ains [d] ils lui sont allés au-devant, et se sont jetés à escient [e] à la preuve [f] des difficultés. Les uns en ont abandonné les richesses, pour s'exercer à une pauvreté volontaire; les autres ont recherché le labeur et une austérité de vie pénible, pour se durcir au mal et au travail; d'autres se sont privés des parties du corps les plus chères, comme de la vue et des membres propres à la génération, de peur que leur service, trop plaisant et trop mol [1], ne relachât et n'attendrît la fermeté de leur âme. Mais à mourir, qui est la plus grande besogne que nous ayons à faire, l'exercitation ne nous y peut aider. On se peut, par usage et par expérience, fortifier contre les douleurs, la honte, l'indigence et tels autres accidents; mais, quant à la mort, nous ne la

a. Raisonnement. — b. Actions. — c. Embarrassée. — d. Au contraire. — e. Sciemment. — f. Épreuve.

pouvons essayer qu'une fois ; nous y sommes tous
apprentis quand nous y venons.

Il s'est trouvé anciennement des hommes si excellents
ménagers du temps, qu'ils ont essayé en la mort même de
la goûter et savourer, et ont bandé leur esprit pour voir
que c'était de ce passage ; mais ils ne sont pas revenus
nous en dire les nouvelles :

> *nemo expergitus extat*
> *Frigida quem semel est vitai pausa sequuta* *.

Canius Julius, noble homme romain, de vertu et fermeté
singulière, ayant été condamné à la mort par ce maraud
de Caligula, outre plusieurs merveilleuses preuves qu'il
donna de sa résolution, comme il était sur le point de
souffrir la main du bourreau, un philosophe, son ami, lui
demanda : « Eh bien, Canius, en quelle démarche est à
cette heure votre âme ? que fait-elle ? en quels pensements êtes-vous ? — Je pensais, lui répondit-il, à me
tenir prêt et bandé de toute ma force, pour voir si, en
cet instant de la mort, si court et si bref, je pourrai
apercevoir quelque délogement de l'âme, et si elle aura
quelque ressentiment *a* de son issue, pour, si j'en apprends
quelque chose, en revenir donner après, si je puis,
avertissement à mes amis [2]. » Celui-ci philosophe non
seulement jusques à la mort, mais en la mort même.
Quelle assurance était-ce, et quelle fierté de courage, de
vouloir que sa mort lui servît de leçon, et avoir loisir de
penser ailleurs en une si grande affaire !

> *Jus hoc animi morientis habebat* **.

Il me semble toutefois qu'il y a quelque façon de nous
apprivoiser à elle et de l'essayer aucunement. Nous en
pouvons avoir expérience, sinon entière et parfaite, au
moins telle qu'elle ne soit pas inutile, et qui nous rende

---

a. Sentiment.

* Lucrèce, *De Natura Rerum*, chant III : « Personne ne se réveille
après avoir été atteint par le froid repos de la mort. »

** Lucain, *La Pharsale*, chant VIII : « Il avait encore cet empire
sur son âme au moment d'expirer. »

plus fortifiés et assurés. Si nous ne la pouvons joindre, nous la pouvons approcher, nous la pouvons reconnaître; et, si nous ne donnons jusques à son fort, au moins verrons-nous et en pratiquerons les avenues. Ce n'est pas sans raison qu'on nous fait regarder à notre sommeil même, pour la ressemblance qu'il a de la mort.

Combien facilement nous passons du veiller au dormir! Avec combien peu d'intérêt nous perdons la connaissance de la lumière et de nous!

A l'aventure pourrait sembler inutile et contre nature la faculté du sommeil qui nous prive de toute action et de tout sentiment, n'était que, par icelui, nature nous instruit qu'elle nous a pareillement faits pour mourir que pour vivre, et, dès la vie, nous présente l'éternel état qu'elle nous garde après icelle, pour nous y accoutumer et nous en ôter la crainte.

Mais ceux qui sont tombés par quelque violent accident en défaillance de cœur et qui y ont perdu tous sentiments, ceux-là, à mon avis, ont été bien près de voir son vrai et naturel visage; car, quant à l'instant et au point du passage, il n'est pas à craindre qu'il porte avec soi aucun travail ou déplaisir, d'autant que nous ne pouvons avoir nul sentiment sans loisir. Nos souffrances ont besoin de temps, qui est si court et si précipité en la mort qu'il faut nécessairement qu'elle soit insensible. Ce sont les approches que nous avons à craindre; et celles-là peuvent tomber en expérience.

Plusieurs choses nous semblent plus grandes par imagination que par effet. J'ai passé une bonne partie de mon âge en une parfaite et entière santé : je dis non seulement entière, mais encore allègre et bouillante. Cet état, plein de verdeur et de fête, me faisait trouver si horrible la considération des maladies, que, quand je suis venu à les expérimenter, j'ai trouvé leurs pointures *a* molles et lâches au prix de ma crainte.

Voici que *b* j'éprouve tous les jours : suis-je à couvert chaudement dans une bonne salle, pendant qu'il se passe une nuit orageuse et tempêteuse, je m'étonne et m'afflige pour ceux qui sont lors en la campagne; y suis-je moi-même, je ne désire pas seulement d'être ailleurs.

a. Douleurs poignantes. — *b.* Ce que.

Cela seul, d'être toujours enfermé dans une chambre, me semblait insupportable; je fus incontinent dressé à y être une semaine, et un mois, plein d'émotion *a*, d'altération et de faiblesse; et ai trouvé que, lors de ma santé, je plaignais les malades beaucoup plus que je ne me trouve à plaindre moi-même quand j'en suis, et que la force de mon appréhension enchérissait près de moitié l'essence et la vérité de la chose. J'espère qu'il m'en adviendra de même de la mort, et qu'elle ne vaut pas la peine que je prends à tant d'apprêts que je dresse et tant de secours que j'appelle et assemble pour en soutenir l'effort; mais, à toutes aventures, nous ne pouvons nous donner trop d'avantage.

Pendant nos troisièmes troubles ou deuxièmes [3] (il ne me souvient pas bien de cela), m'étant allé un jour promener à une lieue de chez moi, qui suis assis dans le moiau [4] de tout le trouble des guerres civiles de France, estimant être en toute sûreté et si voisin de ma retraite que je n'avais point besoin de meilleur équipage, j'avais pris un cheval bien aisé, mais non guère ferme. A mon retour, une occasion soudaine s'étant présentée de m'aider de ce cheval à un service qui n'était pas bien de son usage, un de mes gens, grand et fort, monté sur un puissant roussin qui avait une bouche désespérée *b*, frais au demeurant et vigoureux, pour faire le hardi et devancer ses compagnons vint à le pousser à toute bride droit dans ma route, et fondre comme un colosse sur le petit homme et petit cheval, et le foudroyer de sa roideur et de sa pesanteur, nous envoyant l'un et l'autre les pieds contre mont *c* : si que voilà le cheval abattu et couché tout étourdi, moi dix ou douze pas au-delà, mort, étendu à la renverse, le visage tout meurtri et tout écorché, mon épée que j'avais à la main, à plus de dix pas au-delà, ma ceinture en pièces, n'ayant ni mouvement ni sentiment, non plus qu'une souche. C'est le seul évanouissement que j'aie senti jusques à cette heure. Ceux qui étaient avec moi, après avoir essayé par tous les moyens qu'ils purent de me faire revenir, me tenant pour mort, me prirent entre leurs bras et m'emportaient avec beaucoup de difficulté en ma maison, qui était loin

a. Inquiétude. — *b.* N'obéissant pas au mors. — *c.* En l'air.

de là environ une demi-lieue française. Sur le chemin, et après avoir été plus de deux grosses heures tenu pour trépassé, je commençai à me mouvoir et respirer; car il était tombé si grande abondance de sang dans mon estomac, que, pour l'en décharger, nature eut besoin de ressusciter ses forces. On me dressa sur mes pieds, où je rendis un plein seau de bouillons de sang pur, et plusieurs fois par le chemin, il m'en fallut faire de même. Par là je commençai à reprendre un peu de vie, mais ce fut par les menus *a* et par un si long trait de temps que mes premiers sentiments étaient beaucoup plus approchant de la mort que de la vie,

> *Perche, dubbiosa anchor del suo ritorno,*
> *Non s'assecura attonita la mente*.*

Cette récordation *b* que j'en ai fort empreinte en mon âme, me représentant son visage et son idée si près du naturel, me concilie aucunement à elle. Quand je commençai à y voir, ce fut d'une vue si trouble, si faible et si morte, que je ne discernais encore rien que la lumière,

> *como quel ch'or apre or chiude*
> *Gli occhi mezzo tra'l sonno è l'esser desto**.*

Quant aux fonctions de l'âme, elles naissaient avec même progrès que celles du corps. Je me vis tout sanglant, car mon pourpoint était taché partout du sang que j'avais rendu. La première pensée qui me vint, ce fut que j'avais une arquebusade en la tête; de vrai, en même temps, il s'en tirait plusieurs autour de nous. Il me semblait que ma vie ne me tenait plus qu'au bout des lèvres; je fermais les yeux pour aider, ce me semblait, à la pousser hors, et prenais plaisir à m'alanguir et à me laisser aller. C'était une imagination qui ne faisait que

a. Peu à peu. — *b.* Souvenir.

* Le Tasse, *Jérusalem délivrée*, chant XII : « Car encore incertaine de son retour, l'âme frappée de stupeur ne peut s'affermir. »

** *Ibid.*, chant VIII : « Comme celui qui tantôt entrouvre les yeux et tantôt les referme, à mi-chemin entre le sommeil et le réveil. »

nager superficiellement en mon âme, aussi tendre et aussi faible que tout le reste, mais à la vérité non seulement exempte de déplaisir, ains *a* mêlée à cette douceur que sentent ceux qui se laissent glisser au sommeil.

Je crois que c'est ce même état où se trouvent ceux qu'on voit défaillants de faiblesse en l'agonie de la mort; et tiens que nous les plaignons sans cause, estimant qu'ils soient agités de grièves douleurs, ou avoir l'âme pressée de cogitations pénibles. Ç'a été toujours mon avis, contre l'opinion de plusieurs, et même d'Étienne de la Boétie, que ceux que nous voyons ainsi renversés et assoupis aux approches de leur fin, ou accablés de la longueur du mal, ou par l'accident d'une apoplexie, ou mal caduc,

> *vi morbi sæpe coactus*
> *Ante oculos aliquis nostros, ut fulminis ictu,*
> *Concidit, et spumas agit; ingemit, et fremit artus;*
> *Desipit, extentat nervos, torquetur, anhelat,*
> *Inconstanter et in jactando membra fatigat* *,

ou blessés en la tête, que nous oyons grommeler *b* et rendre parfois des soupirs tranchants, quoique nous en tirions aucuns signes par où il semble qu'il leur reste encore de la connaissance, et quelques mouvements que nous leur voyons faire du corps; j'ai toujours pensé, dis-je, qu'ils avaient et l'âme et le corps ensevelis et endormis :

> *Vivit, et est vitæ nescius ipse suæ* **.

Et ne pouvais croire que, à un si grand étonnement *c* de membres et si grande défaillance des sens, l'âme peut maintenir aucune force au-dedans pour se reconnaître; et que, par ainsi, ils n'avaient aucun discours qui les

---

a. Mais. — *b.* Geindre. — *c.* Ébranlement.

* Lucrèce, *De Natura Rerum*, chant IV : « Souvent un malade, dompté par la violence de la maladie, comme frappé par la foudre, s'affaisse sous nos yeux : il écume, il gémit, ses membres frémissent, il délire, roidit ses muscles, se débat, halète et épuise son corps en mouvements désordonnés. »

** Ovide, *Tristes*, livre I, chant III : « Il vit, mais il n'a pas lui-même conscience qu'il vit. »

tourmentât et qui leur pût faire juger et sentir la misère de leur condition, et que, par conséquent, ils n'étaient pas fort à plaindre.

Je n'imagine aucun état pour moi si insupportable et horrible que d'avoir l'âme vive et affligée, sans moyen de se déclarer; comme je dirais de ceux qu'on envoie au supplice, leur ayant coupé la langue, si ce n'était qu'en cette sorte de mort la plus muette me semble la mieux séante, si elle est accompagnée d'un ferme visage et grave; et comme ces misérables *a* prisonniers qui tombent ès mains des vilains bourreaux soldats de ce temps, desquels ils sont tourmentés *b* de toute espèce de cruel traitement pour les contraindre à quelque rançon excessive et impossible, tenus cependant en condition et en lieu où ils n'ont moyen quelconque d'expression et signification de leurs pensées et de leur misère.

Les poètes ont feint quelques dieux favorables à la délivrance de ceux qui traînaient ainsi une mort languissante,

> *hunc ego Diti*
> *Sacrum jussa fero, teque isto corpore solvo* *.

Et les voix et réponses courtes et décousues qu'on leur arrache à force de crier autour de leurs oreilles et de les tempêter, ou des mouvements qui semblent avoir quelque consentement à ce qu'on leur demande, ce n'est pas témoignage qu'ils vivent pourtant, au moins une vie entière. Il nous advient aussi sur le bégaiement du sommeil, avant qu'il nous ait du tout saisis, de sentir comme en songe ce qui se fait autour de nous, et suivre les voix d'une ouïe trouble et incertaine qui semble ne donner qu'aux bords de l'âme; et faisons des réponses, à la suite des dernières paroles qu'on nous a dites, qui ont plus de fortune que de sens.

Or, à présent que je l'ai essayé par effet *c*, je ne fais nul doute que je n'en ai bien jugé jusques à cette heure. Car, premièrement, étant tout évanoui, je me travaillais

a. Dignes de pitié. — *b.* Torturés. — *c.* Effectivement.
* Virgile, *Énéide*, chant IV : « Selon les ordres des dieux, j'apporte à Pluton ce cheveu consacré et je te délivre de ton corps. » Iris, messagère des dieux, met fin à la cruelle agonie de Didon.

d'entrouvrir mon pourpoint à belles ongles (car j'étais désarmé), et si sais que je ne sentais en l'imagination rien qui me blessât : car il y a plusieurs mouvements en nous qui ne partent pas de notre ordonnance,

> *Semianimesque micant digiti ferrumque retractant* *.

Ceux qui tombent élancent ainsi les bras au-devant de leur chute, par une naturelle impulsion qui fait que nos membres se prêtent des offices *[a]* et ont des agitations à part de notre discours :

> *Falciferos memorant currus abscindere membra,*
> *Ut tremere in terra videatur ab artubus id quod*
> *Decidit abscissum, cum mens tamen atque homini vis*
> *Mobilitate mali non quit sentire dolorem* **.

J'avais mon estomac pressé de ce sang caillé, mes mains y couraient d'elles-mêmes, comme elles font souvent où il nous démange, contre l'avis de notre volonté. Il y a plusieurs animaux, et des hommes mêmes, après qu'ils sont trépassés, auxquels on voit resserrer et remuer des muscles. Chacun sait par expérience qu'il y a des parties qui se branlent, dressent et couchent souvent sans son congé. Or ces passions *[b]* qui ne nous touchent que par l'écorce, ne se peuvent dire nôtres. Pour les faire nôtres, il faut que l'homme y soit engagé tout entier; et les douleurs que le pied ou la main sentent pendant que nous dormons, ne sont pas à nous.

Comme j'approchai de chez moi, où l'alarme de ma chute avait déjà couru, et que ceux de ma famille m'eurent rencontré avec les cris accoutumés en telles choses, non seulement je répondais quelque mot à ce qu'on me demandait, mais encore ils disent que je m'avisai de

---

a. Services. — *b.* Impressions.

* Virgile, *Énéide,* chant X : « A demi morts, les doigts s'agitent convulsivement et ressaisissent le fer. »

** Lucrèce, *De Natura Rerum,* chant III : « On rapporte que des chars armés de faux coupent les membres de telle sorte que les tronçons séparés des articulations semblent s'agiter à terre, lorsque l'âme et la force de l'homme n'éprouvent pas de la souffrance en raison de la rapidité du mal. »

— commander qu'on donnât un cheval à ma femme, que
je voyais s'empêtrer et se tracasser dans le chemin qui
est montueux et malaisé. Il semble que cette considération dût partir d'une âme éveillée, si est-ce que *a* je n'y
étais aucunement; c'étaient des pensements vains, en
nue, qui étaient émus par les sens des yeux et des oreilles;
ils ne venaient pas de chez moi. Je ne savais pourtant
ni d'où je venais, ni où j'allais; ni ne pouvais peser et
considérer ce qu'on me demandait : ce sont des légers
effets que les sens produisaient d'eux-mêmes, comme
d'un usage; ce que l'âme y prêtait, c'était en songe,
touchée bien légèrement, et comme léchée seulement
et arrosée par la molle impression des sens.

Cependant mon assiette était à la vérité très douce
et paisible; je n'avais affliction ni pour autrui ni pour
moi; c'était une langueur et une extrême faiblesse, sans
aucune douleur. Je vis ma maison sans la reconnaître.
Quand on m'eut couché, je sentis une infinie douceur
à ce repos, car j'avais été vilainement tirassé par ces
pauvres gens, qui avaient pris la peine de me porter
sur leurs bras par un long et très mauvais chemin, et s'y
étaient lassés deux ou trois fois les uns après les autres.
On me présenta force remèdes, de quoi je n'en reçus
aucun, tenant pour certain que j'étais blessé à mort
par la tête. C'eût été sans mentir une mort bien heureuse;
car la faiblesse de mon discours *b* me gardait d'en rien
juger, et celle du corps d'en rien sentir. Je me laissais
couler si doucement et d'une façon si douce et si aisée que
je ne sens guère autre action moins pesante que celle-là
était. Quand je vins à revivre et à reprendre mes forces,

Ut tandem sensus convaluere mei *,

qui fut deux ou trois heures après, je me sentis tout
d'un train rengager aux douleurs, ayant les membres
tout moulus et froissés de ma chute; et en fus si mal
deux ou trois nuits après, que j'en cuidai remourir
encore un coup, mais d'une mort plus vive; et me sens

a. Toujours est-il. — *b.* Raison.
* Ovide, *Tristes,* livre I, poème III : « Lorsqu'enfin mes sens
reprirent des forces. »

encore de la secousse de cette froissure. Je ne veux pas
oublier ceci, que la dernière chose en quoi je me pus
remettre, ce fut la souvenance de cet accident; et me fis
redire plusieurs fois où j'allais, d'où je venais, à quelle
heure cela m'était advenu, avant que de le pouvoir
concevoir. Quant à la façon de ma chute, on me la cachait
en faveur de celui qui en avait été cause, et m'en forgeait-
on d'autres. Mais longtemps après, et le lendemain,
quand ma mémoire vint à s'entrouvrir et me représenter
l'état où je m'étais trouvé en l'instant que j'avais aperçu
ce cheval fondant sur moi (car je l'avais vu à mes talons
et me tins pour mort, mais ce pensement avait été si
soudain que la peur n'eut pas loisir de s'y engendrer),
il me sembla que c'était un éclair qui me frappait l'âme
de secousse et que je revenais de l'autre monde.

Ce conte d'un événement si léger est assez vain, n'était
l'instruction que j'en ai tirée pour moi; car, à la vérité,
pour s'apprivoiser à la mort, je trouve qu'il n'y a que
de s'en avoisiner. Or, comme dit Pline, chacun est à
soi-même une très bonne discipline, pourvu qu'il ait
la suffisance de s'épier de près. Ce n'est pas ici ma doctrine, c'est mon étude; et n'est pas la leçon d'autrui,
c'est la mienne.

Et ne me doit-on savoir mauvais gré pourtant, si je
la communique. Ce qui me sert, peut aussi par accident
servir à un autre. Au demeurant, je ne gâte rien, je
n'use que du mien. Et si je fais le fol, c'est à mes dépens
et sans l'intérêt de personne. Car c'est en folie[a] qui
meurt en moi, qui n'a point de suite. Nous n'avons
nouvelles que de deux ou trois anciens qui aient battu ce
chemin; et si ne pouvons dire si c'est du tout en pareille
manière à celle-ci, n'en connaissant que les noms. Nul
depuis ne s'est jeté sur leur trace. C'est une épineuse
entreprise, et plus qu'il ne semble, de suivre une allure
si vagabonde que celle de notre esprit; de pénétrer les
profondeurs opaques de ses replis internes; de choisir
et arrêter tant de menus airs de ses agitations. Et est un
amusement nouveau et extraordinaire, qui nous retire
des occupations communes du monde, oui, et des plus

---

a. Texte peu compréhensible. Peut-être faut-il lire : « *c'est une
folie qui...* »

recommandées. Il y a plusieurs années que je n'ai que moi pour visée à mes pensées, que je ne contrôle et étudie que moi; et, si j'étudie autre chose, c'est pour soudain le coucher sur moi, ou en moi, pour mieux dire. Et ne me semble point faillir, si, comme il se fait des autres sciences, sans comparaison moins utiles, je fais part de ce j'ai appris en celle-ci; quoique je ne me contente guère du progrès que j'y ai fait. Il n'est description pareille en difficulté à la description de soi-même, ni certes en utilité. Encore se faut-il testonner *a*, encore se faut-il ordonner et ranger pour sortir en place. Or je me pare sans cesse, car je me décris sans cesse. La coutume a fait le parler de soi vicieux, et le prohibe obstinément en haine de la ventance *b* qui semble toujours être attachée aux propres *c* témoignages.

Au lieu qu'on doit moucher l'enfant, cela s'appelle l'énaser *d*,

In vitium ducit culpæ fuga *.

Je trouve plus de mal que de bien à ce remède. Mais, quand il serait vrai que ce fût nécessairement présomption d'entretenir le peuple de soi, je ne dois pas, suivant mon général dessein, refuser une action qui publie cette maladive qualité, puisqu'elle est en moi; et ne dois cacher cette faute que j'ai non seulement en usage, mais en profession. Toutefois, à dire ce que j'en crois, cette coutume a tort de condamner le vin, parce que plusieurs s'y enivrent. On ne peut abuser que des choses qui sont bonnes. Et crois de cette règle qu'elle ne regarde que la populaire défaillance. Ce sont brides à veaux, desquelles ni les saints, que nous oyons si hautement parler d'eux, ni les philosophes, ni les théologiens ne se brident. Ne fais-je, moi, quoique je sois aussi peu l'un que l'autre. S'ils n'en écrivent à point nommé, au moins, quand l'occasion les y porte, ne feignent-ils pas de se jeter bien avant sur le trottoir *e*. De quoi traite Socrate plus largement que de soi? A quoi achemine-t-il

a. S'attifer. — *b.* Vantardise. — *c.* Particuliers. — *d.* Lui couper le nez. — *e.* Piste pour faire trotter les chevaux.

* Maxime tirée de l'*Art poétique* d'Horace : « La peur d'une faute nous conduit à un vice. »

plus souvent les propos de ses disciples, qu'à parler
d'eux, non pas de la leçon de leur livre, mais de l'être
et branle de leur âme? Nous nous disons religieusement
à Dieu, et à notre confesseur, comme nos voisins [5] à
tout le peuple. Mais nous n'en disons, me répondra-t-on,
que les accusations. Nous disons donc tout : car notre
vertu même est fautière [a] et repentable [b]. Mon métier et
mon art, c'est vivre. Qui me défend d'en parler selon
mon sens, expérience et usage, qu'il ordonne à l'architecte de parler des bâtiments non selon soi, mais selon
son voisin; selon la science d'un autre, non selon
la sienne. Si c'est gloire de soi-même publier ses valeurs
que ne met Cicéron en avant l'éloquence de Hortensius [6],
Hortensius celle de Cicéron? A l'aventure, entendent-ils
que je témoigne de moi par ouvrages et effets, non nue-
ment par des paroles. Je peins principalement mes
cogitations, sujet informe, qui ne peut tomber en production ouvragère. A toute peine le puis-je coucher
en ce corps aéré de la voix. Des plus sages hommes
et des plus dévots ont vécu fuyant tous apparents
effets. Les effets diraient plus de la Fortune que de moi.
Ils témoignent leur rôle, non pas le mien, si ce n'est
conjecturalement et incertainement : échantillons d'une
montre particulière [7]. Je m'étale entier : c'est un skeletos [8]
où, d'une vue, les veines, les muscles, les tendons paraissent, chaque pièce en son siège. L'effet de la toux en
produisait une partie; l'effet de la pâleur ou battement
de cœur, une autre, et douteusement.

Ce ne sont mes gestes que j'écris, c'est moi, c'est
mon essence. Je tiens qu'il faut être prudent à estimer
de soi, et pareillement consciencieux à en témoigner,
soit bas, soit haut, indifféremment. Si je me semblais
bon et sage ou près de là, je l'entonnerais à pleine tête.
De dire moins de soi qu'il n'y en a, c'est sottise, non
modestie. Se payer de moins qu'on ne vaut, c'est lâcheté
et pusillanimité, selon Aristote [9]. Nulle vertu ne s'aide
de la fausseté; et la vérité n'est jamais matière d'erreur.
De dire de soi plus qu'il n'y en a, ce n'est pas toujours
présomption, c'est encore souvent sottise. Se complaire
outre mesure de ce qu'on est, en tomber en amour de soi

---

a. Coupable. — *b.* Capable de repentir.

indiscrète, est, à mon avis, la substance de ce vice. Le suprême remède à le guérir, c'est faire tout le rebours de ce que ceux ici ordonnent, qui, en défendant le parler de soi, défendent par conséquent encore plus de penser à soi. L'orgueil gît en la pensée. La langue n'y peut avoir qu'une bien légère part. De s'amuser *a* à soi, il leur semble que c'est se plaire, en soi; de se hanter et pratiquer, que c'est se trop chérir. Il *b* peut être. Mais cet excès naît seulement en ceux qui ne se tâtent que superficiellement; qui se voient après leurs affaires, qui appellent rêverie et oisiveté s'entretenir de soi, et s'étoffer et bâtir, faire des châteaux en Espagne : s'estimant chose tierce et étrangère à eux-mêmes.

Si quelqu'un s'enivre de sa science, regardant sous soi : qu'il tourne les yeux au-dessus vers les siècles passés, il baissera les cornes *c*, y trouvant tant de milliers d'esprits qui le foulent aux pieds. S'il entre en quelque flatteuse présomption de sa vaillance, qu'il se ramentoive *d* les vies des deux Scipion, de tant d'armées, de tant de peuples, qui le laissent si loin derrière eux. Nulle particulière qualité n'enorgueillira celui qui mettra quand et quand *e* en compte tant d'imparfaites et faibles qualités autres qui sont en lui, et, au bout, la nihilité de l'humaine condition.

Parce que Socrate avait seul mordu à certes *f* au précepte de son Dieu, de se connaître, et par cette étude était arrivé à se mépriser, il fut estimé seul digne du surnom de Sage. Qui se connaîtra ainsi, qu'il se donne hardiment à connaître par sa bouche.

---

a. Passer son temps avec soi. — *b.* Cela peut. — *c.* Il s'humiliera. — *d.* Qu'il se rappelle. — *e.* En même temps. — *f.* Sérieusement.

CHAPITRE VII

DES RÉCOMPENSES
D'HONNEUR

Ceux qui écrivent la vie d'Auguste César [1] remarquent ceci en sa discipline militaire que, des dons, il était merveilleusement libéral envers ceux qui le méritaient, mais que, des pures récompenses d'honneur, il en était bien autant épargnant. Si est-ce qu'il avait été lui-même gratifié par son oncle de toutes les récompenses militaires avant qu'il eût jamais été à la guerre. Ç'a été une belle invention, et reçue en la plupart des polices [a] du monde, d'établir certaines marques vaines et sans prix, pour en honorer et récompenser la vertu, comme sont les couronnes de laurier, de chêne, de myrte, la forme de certain vêtement, le privilège d'aller en coche par ville, ou de nuit avec flambeau, quelque assiette particulière aux assemblées publiques, la prérogative d'aucuns surnoms et titres, certaines marques aux armoiries, et choses semblables, de quoi l'usage a été diversement reçu selon l'opinion des nations, et dure encore.

Nous avons pour notre part, et plusieurs de nos voisins, les ordres de chevalerie, qui ne sont établis qu'à cette fin. C'est, à la vérité, une bien bonne et profitable coutume de trouver moyen de reconnaître la valeur des hommes rares et excellents, et de les contenter et satisfaire par des paiements qui ne chargent aucunement le public et qui ne coûtent rien au prince. Et ce qui a été toujours connu par expérience ancienne et que nous avons autrefois aussi pu voir entre nous, que les gens de qualité

a. Gouvernements.

avaient plus de jalousie de telles récompenses que de celles où il y avait du gain et du profit, cela n'est pas sans raison et grande apparence. Si au prix qui doit être simplement d'honneur, on y mêle d'autres commodités et de la richesse, ce mélange, au lieu d'augmenter l'estimation, il la ravale *a* et en retranche. L'ordre Saint-Michel, qui a été si longtemps en crédit parmi nous [2], n'avait point de plus grande commodité que celle-là, de n'avoir communication d'aucune autre commodité. Cela faisait qu'autrefois il n'y avait ni charge ni état, quel qu'il fût, auquel la noblesse prétendît avec tant de désir et d'affection qu'elle faisait à l'ordre, ni qualité qui apportât plus de respect et de grandeur : la vertu embrassant et aspirant plus volontiers à une récompense purement sienne, plutôt glorieuse qu'utile. Car, à la vérité, les autres dons n'ont pas leur usage si digne, d'autant qu'on les emploie à toute sorte d'occasions. Par des richesses, on satisfait le service d'un valet, la diligence d'un courrier, le danser, le voltiger, le parler et les plus vils offices qu'on reçoive; voire et le vice s'en paie, la flatterie, le maquerelage, la trahison : ce n'est pas merveille si la vertu reçoit et désire moins volontiers cette sorte de monnaie commune, que celle qui lui est propre et particulière, toute noble et généreuse. Auguste avait raison raison beaucoup plus ménager et épargnant de celle-ci que de l'autre, d'autant que l'honneur, c'est un privilège qui tire sa principale essence de la rareté; et la vertu même :

> *Cui malus est nemo, quis bonus esse potest* * ?

On ne remarque pas, pour la recommandation d'un homme, qu'il ait soin de la nourriture de ses enfants, d'autant que c'est une action commune, quelque juste qu'elle soit, non plus qu'un grand arbre, où la forêt est tout de même. Je ne pense pas qu'aucun citoyen de Sparte se glorifiât de sa vaillance, car c'était une vertu populaire en leur nation, et aussi peu de la fidélité et

---

a. Rabaisse.

* Martial, *Épigrammes*, livre XII : « Pour qui ne voit pas de méchants, qui pourrait être juste ? »

mépris des richesses. Il n'échoit pas de récompense à une vertu, pour grande qu'elle soit, qui est passée en coutume; et ne sais avec, si nous l'appellerions jamais grande, étant commune.

Puis donc que ces loyers [a] d'honneur n'ont autre prix et estimation que celle-là, que peu de gens en jouissent, il n'est, pour les anéantir, que d'en faire largesse. Quand il se trouverait plus d'hommes qu'au temps passé, qui méritassent notre Ordre, il n'en fallait pas pourtant corrompre l'estimation. Et peut aisément advenir que plus le méritent, car il n'est aucune des vertus qui s'épande si aisément que la vaillance militaire. Il y en a une autre, vraie, parfaite et philosophique, de quoi je ne parle point (et me sers de ce mot selon notre usage), bien plus grande que celle-ci et plus pleine, qui est une force et assurance de l'âme, méprisant également toute sorte d'accidents ennemis : équable [b], uniforme et constante, de laquelle la nôtre n'est qu'un bien petit rayon. L'usage, l'institution [c], l'exemple et la coutume peuvent tout ce qu'elles veulent en l'établissement de celle de quoi je parle, et la rendent aisément vulgaire : comme il est très aisé à voir par l'expérience que nous en donnent nos guerres civiles. Et qui nous pourrait joindre à cette heure et acharner à une entreprise commune tout notre peuple, nous ferions refleurir notre ancien nom militaire. Il est bien certain que la récompense de l'Ordre ne touchait pas, au temps passé, seulement cette considération; elle regardait plus loin. Ce n'a jamais été le paiement d'un valeureux soldat, mais d'un capitaine fameux. La science d'obéir ne méritait pas un loyer si honorable. On y requérait anciennement une expertice bellique [d] plus universelle et qui embrassât la plupart et plus grandes parties d'un homme militaire : « *Neque enim eædem militares et imperatoriæ artes sunt* * », qui fut encore, outre cela, de condition accommodable à une telle dignité. Mais je dis, quand plus de gens en seraient dignes qu'il

---

  a. Récompenses. — *b.* Égale. — *c.* Éducation. — *d.* Expérience de la guerre.

  * Citation de Tite-Live, *Histoire*, livre XXV, chap. IX et adaptée au passage par Montaigne : « L'art du soldat n'est pas le même que celui du général en chef. »

ne s'en trouvait autrefois, qu'il ne fallait pas pourtant
s'en rendre plus libéral; et eût mieux valu faillir à n'en
étrenner *a* pas tous ceux à qui il était dû, que de perdre
pour jamais, comme nous venons de faire, l'usage d'une
invention si utile. Aucun homme de cœur ne daigne
s'avantager de ce qu'il a de commun avec plusieurs; et
ceux d'aujourd'hui, qui ont moins mérité cette récompense, font plus de contenance de la dédaigner, pour se
loger par là au rang de ceux à qui on fait tort d'épandre
indignement et avilir cette marque qui leur était particulièrement due.

Or, de s'attendre, en effaçant et abolissant celle-ci,
de pouvoir soudain remettre en crédit et renouveler
une semblable coutume, ce n'est pas entreprise propre
à une saison si licencieuse et malade qu'est celle où nous
nous trouvons à présent; et en adviendra que la dernière [3]
encourra dès sa naissance les incommodités qui viennent
de ruiner l'autre. Les règles de la dispensation de ce
nouvel ordre auraient besoin d'être extrêmement tendues et contraintes, pour lui donner autorité; et cette
saison tumultuère *b* n'est pas capable d'une bride courte
et réglée; outre ce qu'avant qu'on lui puisse donner
crédit, il est besoin qu'on ait perdu la mémoire du premier, et du mépris auquel il est chu.

Ce lieu pourrait recevoir quelque discours sur la considération de la vaillance et différence de cette vertu aux
autres; mais Plutarque étant souvent retombé sur ce
propos, je me mêlerais pour néant *c* de rapporter ici
ce qu'il en dit. Mais il est digne d'être considéré que notre
nation donne à la vaillance le premier degré des vertus,
comme son nom montre, qui vient de valeur; et que, à
notre usage, quand nous disons un homme qui vaut
beaucoup, ou un homme de bien, au style de notre cour
et de notre noblesse, ce n'est à dire autre chose qu'un
vaillant homme, d'une façon pareille à la romaine. Car
la générale appellation de vertu prend chez eux étymologie de la force. La forme propre, et seule, et essentielle de
noblesse en France, c'est la vacation *d* militaire. Il est
vraisemblable que la première vertu qui se soit fait

a. Gratifier. — *b.* Époque tumultueuse. — *c.* Inutilement. —
d. Profession.

paraître entre les hommes et qui a donné avantage aux
uns sur les autres, ç'a été celle-ci, par laquelle les plus
forts et courageux se sont rendus maîtres des plus faibles,
et ont acquis rang et réputation particulière, d'où lui
est demeuré cet honneur et dignité de langage; ou bien
que ces nations, étant très belliqueuses, ont donné le
prix à celle des vertus qui leur était plus familière, et
le plus digne titre. Tout ainsi que notre passion, et cette
fiévreuse sollicitude que nous avons de la chasteté des
femmes, fait aussi qu'une bonne femme, une femme de
bien et femme d'honneur et de vertu, ce ne soit en effet
à dire autre chose pour nous qu'une femme chaste;
comme si, pour les obliger à ce devoir, nous mettions
à nonchaloir *a* tous les autres, et leur lâchions la bride
à toute autre faute, pour entrer en composition *b* de leur
faire quitter celle-ci.

a. Nous négligions. — *b*. Accord.

CHAPITRE VIII

DE L'AFFECTION
DES PÈRES AUX ENFANTS

A MADAME D'ESTISSAC [1].

Madame, si l'étrangeté ne me sauve, et la nouvelleté, qui ont accoutumé de donner prix aux choses, je ne sors jamais à mon honneur de cette sotte entreprise [2]; mais elle est si fantastique et a un visage si éloigné de l'usage commun, que cela lui pourra donner passage. C'est une humeur mélancolique, et une humeur par conséquent très ennemie de ma complexion naturelle, produite par le chagrin de la solitude en laquelle il y a quelques années que je m'étais jeté, qui m'a mis premièrement en tête cette rêverie de me mêler d'écrire. Et puis, me trouvant entièrement dépourvu et vide de toute autre matière, je me suis présenté moi-même à moi, pour argument et pour sujet. C'est le seul livre au monde de son espèce, d'un dessein farouche et extravagant [3]. Il n'y a rien aussi en cette besogne digne d'être remarqué que cette bizarrerie; car à un sujet si vain et si vil le meilleur ouvrier du monde n'eût su donner façon qui mérite qu'on en fasse conte. Or, Madame, ayant à m'y pourtraire [a] au vif, j'en eusse oublié un trait d'importance, si je n'y eusse représenté l'honneur que j'ai toujours rendu à vos mérites. Et l'ai voulu dire signamment [b] à la tête de ce chapitre, d'autant que, parmi vos autres bonnes qualités, celle de l'amitié que vous avez montrée à vos enfants, tient l'un des premiers rangs. Qui saura l'âge

---

a. Portraiturer au naturel. — *b.* Notamment.

auquel Monsieur d'Estissac, votre mari, vous laissa
veuve, les grands et honorables partis qui vous ont été
offerts autant qu'à Dame de France de votre condition ;
la constance et fermeté de quoi vous avez soutenu, tant
d'années et au travers de tant d'épineuses difficultés, la
charge et conduite de leurs affaires qui vous ont agitée
par tous les coins de France et vous tiennent encore
assiégée ; l'heureux acheminement que vous y avez donné
par votre seule prudence ou bonne fortune ; il dira aisément avec moi que nous n'avons point d'exemple d'affection maternelle en notre temps plus exprès que le vôtre.

Je loue Dieu, Madame, qu'elle ait si bien employée :
car les bonnes espérances que donne de soi M. d'Estissac
votre fils, assurent assez que, quand il sera en âge, vous
en tirerez l'obéissance et reconnaissance d'un très bon
fils. Mais, d'autant qu'à cause de son enfance il n'a pu
remarquer les extrêmes offices *a* qu'il a reçus de vous en
si grand nombre, je veux, si ces écrits viennent un jour à
lui tomber en main, lorsque je n'aurai plus ni bouche ni
parole qui le puisse dire, qu'il reçoive de moi ce témoignage en toute vérité, qui lui sera encore plus vivement
témoigné par les bons effets de quoi, si Dieu plaît, il se
ressentira : qu'il n'est gentilhomme en France qui doive
plus à sa mère qu'il fait ; et qu'il ne peut donner à l'avenir
plus certaine preuve de sa bonté et de sa vertu qu'en
vous reconnaissant pour telle.

S'il y a quelque loi vraiment naturelle, c'est-à-dire
quelque instinct qui se voie universellement et perpétuellement empreint aux bêtes et en nous (ce qui n'est
pas sans controverse), je puis dire, à mon avis, qu'après
le soin que chaque animal a de sa conservation et de fuir
ce qui nuit, l'affection que l'engendrant porte à son
engeance *b* tient le second lieu en ce rang. Et, parce que
nature semble nous l'avoir recommandée, regardant à
étendre et faire aller avant les pièces successives de cette
sienne machine, ce n'est pas merveille si, à reculons, des
enfants aux pères, elle n'est pas si grande.

Joint cette autre considération aristotélique [4], que
celui qui bien fait à quelqu'un, l'aime mieux qu'il n'en
est aimé ; et celui à qui il est dû, aime mieux que celui

---

a. Services. — *b.* Descendance.

qui doit; et tout ouvrier mieux son ouvrage qu'il n'en serait aimé, si l'ouvrage avait du sentiment. D'autant que nous avons cher, être; et être consiste en mouvement et action. Par quoi chacun est aucunement en son ouvrage. Qui bien fait, exerce une action belle et honnête; qui reçoit, l'exerce utile seulement; or l'utile est de beaucoup moins aimable que l'honnêteté. L'honnête est stable et permanent, fournissant à celui qui l'a fait une gratification constante. L'utile se perd et échappe facilement; et n'en est la mémoire ni si fraîche ni si douce. Les choses nous sont plus chères, qui nous ont plus coûté; et il est plus difficile de donner que de prendre.

Puisqu'il a plu à Dieu nous douer de quelque capacité de discours, afin que, comme les bêtes [5], nous ne fussions pas servilement assujettis aux lois communes, ains *a* que nous nous appliquassions par jugement et liberté volontaire, nous devons bien prêter un peu à la simple autorité de nature, mais non pas nous laisser tyranniquement emporter à *b* elle; la seule raison doit avoir la conduite de nos inclinations. J'ai, de ma part, le goût étrangement mousse *c* à ces propensions qui sont produites en nous sans l'ordonnance et entremise de notre jugement. Comme, sur ce sujet de quoi je parle, je ne puis recevoir cette passion de quoi on embrasse les enfants à peine encore nés, n'ayant ni mouvement en l'âme, ni forme reconnaissable au corps, par où ils se puissent rendre aimables. Et ne les ai pas soufferts volontiers, nourris près de moi. Une vraie affection et bien réglée devrait naître et s'augmenter avec la connaissance qu'ils nous donnent d'eux; et lors, s'ils le valent, la propension naturelle marchant quant et *d* la raison, les chérir d'une amitié vraiment paternelle; et en juger de même, s'ils sont autres, nous rendant toujours à la raison, nonobstant la force naturelle [6]. Il en va fort souvent au rebours; et le plus communément nous nous sentons plus émus des trépignements, jeux et niaiseries puériles de nos enfants, que nous ne faisons, après, de leurs actions toutes formées, comme si nous les avions aimés pour notre passe-temps, comme des guenons, non comme des hommes. Et tel fournit bien libéralement de jouets à leur enfance,

a. Mais. — *b*. Par. — *c*. Émoussé. — *d*. Avec.

qui se trouve resserré à la moindre dépense qu'il leur
faut étant en âge. Voire, il semble que la jalousie que nous
avons de les voir paraître et jouir du monde, quand nous
sommes à même de le quitter, nous rende plus épargnants
et rétrains *a* envers eux; il *b* nous fâche qu'ils nous marchent sur les talons, comme pour nous solliciter de sortir.
Et, si nous avions à craindre cela, puisque l'ordre des
choses porte qu'ils ne peuvent, à dire vérité, être, ni
vivre qu'aux dépens de notre être et de notre vie, nous
ne devrions pas nous mêler d'être pères.

Quant à moi, je trouve que c'est cruauté et injustice
de ne les recevoir au partage et société de nos biens,
et compagnons en l'intelligence de nos affaires domestiques, quand ils en sont capables, et de ne retrancher et
resserrer nos commodités pour pourvoir aux leurs,
puisque nous les avons engendrés à cet effet.

C'est injustice de voir qu'un père vieil, cassé et demi-
mort, jouisse seul, à un coin du foyer, des biens qui
suffiraient à l'avancement et entretien de plusieurs
enfants, et qu'il les laisse cependant, par faute de moyens,
perdre leurs meilleures années sans se pousser au service
public et connaissance des hommes. On les jette au désespoir de chercher par quelque voie, pour injuste qu'elle
soit, à pourvoir à leur besoin; comme j'ai vu de mon
temps plusieurs jeunes hommes de bonne maison, si
adonnés au larcin, que nulle correction ne les en pouvait
détourner. J'en connais un, bien apparenté, à qui,
par la prière d'un sien frère, très honnête et brave gentilhomme, je parlai une fois pour cet effet. Il me répondit
et confessa tout rondement qu'il avait été acheminé à
cette ordure par la rigueur et avarice de son père, mais
qu'à présent il y était si accoutumé qu'il ne s'en pouvait
garder; et lors il venait d'être surpris en larcin des bagues
d'une dame, au lever de laquelle il s'était trouvé avec
beaucoup d'autres.

Il me fit souvenir du conte que j'avais ouï faire d'un
autre gentilhomme, si fait et façonné à ce beau métier
du temps de sa jeunesse, que, venant après à être maître
de ses biens, délibéré *c* d'abandonner ce trafic, il ne se

a. Regardants. — *b.* Cela. — *c.* Décidé à.

pouvait garder pourtant, s'il passait près d'une boutique
où il y eût chose de quoi il eût besoin, de la dérober,
en peine de l'envoyer payer après. Et en ai vu plusieurs
si dressés et duits [a] à cela que, parmi leurs compagnons
mêmes, ils dérobaient ordinairement des choses qu'ils
voulaient rendre. Je suis Gascon, et si [b] n'est vice auquel
je m'entende moins. Je le hais un peu plus par complexion que je ne l'accuse par discours [c]; seulement par
désir, je ne soustrais rien à personne. Ce quartier [d] en
est, à la vérité, un peu plus décrié que les autres de la
française nation; si est-ce que [e] nous avons vu de notre
temps, à diverses fois, entre les mains de la justice, des
hommes de maison d'autres contrées convaincus de
plusieurs horribles voleries. Je crains que de cette débauche [f] il s'en faille aucunement prendre à ce vice des pères.

Et si on me répond ce que fit un jour un seigneur
de bon entendement, qu'il faisait épargne des richesses,
non pour en tirer autre fruit et usage que pour se faire
honorer et rechercher aux siens, et que l'âge lui ayant ôté
toutes autres forces, c'était le seul remède qui lui restait
pour se maintenir en autorité en sa famille et pour éviter
qu'il ne vînt à mépris et dédain à tout le monde. (De
vrai, non la vieillesse seulement, mais toute imbécillité [g],
selon Aristote [7], est promotrice de l'avarice). Cela est
quelque chose; mais c'est la médecine à un mal duquel
on devait éviter la naissance. Un père est bien misérable,
qui ne tient l'affection de ses enfants que par le besoin
qu'ils ont de son secours, si cela se doit nommer affection.
Il faut se rendre respectable par sa vertu et par sa suffisance, et aimable par sa bonté et douceur de ses mœurs.
Les cendres mêmes d'une riche matière, elles ont leur
prix; et les os et reliques des personnes d'honneur, nous
avons accoutumé de les tenir en respect et révérence.
Nulle vieillesse ne peut être si caduque et si rance à
un personnage qui a passé en honneur son âge, qu'elle ne
soit vénérable, et notamment à ses enfants, desquels
il faut avoir réglé l'âme à leur devoir par raison, non par
nécessité et par le besoin, ni par rudesse et par force,

---

a. Exercés. — *b*. Et pourtant. — *c*. Raison. — *d*. Cette région.
— *e*. Pourtant. — *f*. Désordre. — *g*. Faiblesse.

> *et errat longe, mea quidem sententia,*
> *Qui imperium credat esse gravius aut stabilius*
> *Vi quod fit, quam illud quod amicitia adjungitur* *.

J'accuse *a* toute violence en l'éducation d'une âme tendre, qu'on dresse pour l'honneur et la liberté. Il y a je ne sais quoi de servile en la rigueur et en la contrainte; et tiens que ce qui ne se peut faire par la raison, et par prudence et adresse, ne se fait jamais par la force. On m'a ainsi élevé. Ils disent qu'en tout mon premier âge je n'ai tâté des verges qu'à deux coups, et bien mollement. J'ai dû la pareille aux enfants que j'ai eus; ils me meurent tous en nourrice; mais Léonor [8], une seule fille qui est échappée à cette infortune, a atteint six ans et plus sans qu'on ait employé à sa conduite et pour le châtiment de ses fautes puériles, l'indulgence de sa mère s'y appliquant aisément, autre chose que paroles, et bien douces. Et quand mon désir y serait frustré, il est assez d'autres causes auxquelles nous prendre, sans entrer en reproche avec ma discipline, que je sais être juste et naturelle. J'eusse été beaucoup plus religieux *b* encore en cela envers des mâles, moins nés à servir et de condition plus libre : j'eusse aimé à leur grossir le cœur d'ingénuité et de franchise. Je n'ai vu autre effet aux verges, sinon de rendre les âmes plus lâches ou plus malicieusement opiniâtres.

Voulons-nous être aimés de nos enfants ? leur voulons-nous ôter l'occasion de souhaiter notre mort (combien que nulle occasion d'un si horrible souhait peut être ni juste, ni excusable : « *nullum scelus rationem habet* ** ») ? accommodons leur vie raisonnablement de ce qui est en notre puissance. Pour cela, il ne nous faudrait pas marier si jeunes que notre âge vienne quasi à se confondre avec le leur. Car cet inconvénient nous jette à plusieurs grandes difficultés. Je dis spécialement à la noblesse, qui est d'une condition oisive et qui ne vit, comme on dit, que de ses

a. Je condamne. — *b.* Scrupuleux.

* Térence, *Les Adelphes,* acte I, scène 1 : « Il se trompe beaucoup, du moins à mon avis, celui qui croit que l'autorité fondée sur la violence est plus respectée et plus solide que celle qui est associée à l'affection. »

** Tite-Live, *Histoire,* livre XXVIII, chap. xxviii : « Aucun crime n'est fondé en raison. »

rentes. Car ailleurs, où la vie est questuère *a*, la pluralité et compagnie des enfants, c'est un agencement de ménage, ce sont autant de nouveaux outils et instruments à s'enrichir.

Je me mariai à trente-trois ans, et loue l'opinion de trente-cinq, qu'on dit être d'Aristote [9]. Platon ne veut pas qu'on se marie avant les trente [10]; mais il a raison de se moquer de ceux qui font les œuvres de mariage après cinquante-cinq; et condamne leur engeance *b* indigne d'aliment et de vie.

Thalès y donna les plus vraies bornes, qui, jeune, répondit à sa mère le pressant de se marier, qu'il n'était pas temps; et, devenu sur l'âge, qu'il n'était plus temps [11]. Il faudrait refuser l'opportunité à toute action importune.

Les anciens Gaulois [12] estimaient à l'extrême reproche d'avoir eu accointance de femme avant l'âge de vingt ans, et recommandaient singulièrement aux hommes qui se voulaient dresser pour la guerre, de conserver bien avant en l'âge leur pucelage, d'autant que les courages s'amollissent et divertissent par l'accouplage des femmes.

> *Ma hor congiunto à giovinella sposa,*
> *Lieto homai de' figli, era invilito*
> *Ne gli affetti di padre e di marito* *.

L'histoire grecque [13] remarque de Jecus Tarentin, de Chryson, d'Astylus, de Diopompus et d'autres, que pour maintenir leurs corps fermes au service de la course des jeux Olympiques, de la palestrine *c* et autres exercices, ils se privèrent, autant que leur dura ce soin, de toute sorte d'acte vénérien.

Muleasses, roi de Thunes [14], celui que l'empereur Charles cinquième remit en son état, reprochait la mémoire de son père, pour sa hantise avec ses femmes, et l'appelait brède *d*, efféminé, faiseur d'enfants.

En certaine contrée des Indes espagnoles, on ne per-

---

a. Intéressée. — *b*. Descendants. — *c*. Palestre. *d*. Lâche.

* Le Tasse, *Jérusalem délivrée*, chant X : « Mais alors, uni à une jeune épouse, joyeux d'avoir des enfants, il avait affaibli son courage dans ses affections de père et de mari. »

mettait aux hommes de se marier qu'après quarante ans, et si *a* le permettait-on aux filles à dix ans [15].

Un gentilhomme qui a trente-cinq ans, il n'est pas temps qu'il fasse place à son fils qui en a vingt : il est lui-même au train de paraître et aux voyages des guerres et en la cour de son prince; il a besoin de ses pièces, et en doit certainement faire part, mais telle part qu'il ne s'oublie pas pour autrui. Et à celui-là peut servir justement cette réponse que les pères ont ordinairement en la bouche : « Je ne me veux pas dépouiller devant que de m'aller coucher. »

Mais un père atterré *b* d'années et de maux, privé, par sa faiblesse et faute de santé, de la commune société des hommes, il se fait tort et aux siens de couver inutilement un grand tas de richesses. Il est assez en état, s'il est sage, pour avoir désir de se dépouiller pour se coucher : non pas jusques à la chemise, mais jusques à une robe de nuit bien chaude; le reste des pompes, de quoi il n'a plus que faire, il doit en étrenner *c* volontiers ceux à qui, par ordonnance naturelle, cela doit appartenir. C'est raison qu'il leur en laisse l'usage, puisque nature l'en prive : autrement, sans doute, il y a de la malice et de l'envie. La plus belle des actions de l'empereur Charles cinquième [16] fut celle-là à l'imitation d'aucuns anciens de son calibre, d'avoir su reconnaître que la raison nous commande assez de nous dépouiller, quand nos robes nous chargent et empêchent; et de nous coucher, quand les jambes nous faillent. Il résigna ses moyens, grandeur et puissance à son fils, lorsqu'il sentit défaillir en soi la fermeté et la force pour conduire les affaires avec la gloire qu'il y avait acquise.

Solve senescentem mature sanus equum, ne
Peccet ad extremum ridendus, et ilia ducat *.

Cette faute de ne se savoir reconnaître de bonne heure, et ne sentir l'impuissance et extrême altération que

---

a. Et pourtant. — *b.* Accablé. — *c.* Gratifier.
* Horace, *Épttre 1* du livre I : « Si tu es sensé, débride à temps ton cheval vieillissant, de peur qu'il ne bronche en fin de course, objet de risée, et ne soit tout haletant. »

l'âge apporte naturellement et au corps et à l'âme, qui, à
mon opinion, est égale (si l'âme n'en a plus de la moitié),
a perdu la réputation de la plupart des grands hommes
du monde. J'ai vu de mon temps et connu familièrement
des personnages de grande autorité, qu'il était bien aisé
à voir être merveilleusement déchus de cette ancienne
suffisance *a* que je connaissais par la réputation qu'ils
en avaient acquise en leurs meilleurs ans. Je les eusse,
pour leur honneur, volontiers souhaités retirés en leur
maison à leur aise et déchargés des occupations publiques
et guerrières, qui n'étaient plus pour leurs épaules. J'ai
autrefois été privé *b* en la maison d'un gentilhomme veuf
et fort vieil, d'une vieillesse toutefois assez verte [17]. Celui-
ci avait plusieurs filles à marier et un fils déjà en âge
de paraître; cela lui chargeait sa maison de plusieurs
dépenses et visites étrangères, à quoi il prenait peu de
plaisir, non seulement pour le soin de l'épargne, mais
encore plus pour avoir, à cause de l'âge, pris une forme
de vie fort éloignée de la nôtre. Je lui dis un jour un peu
hardiment, comme j'ai accoutumé, qu'il lui siérait mieux
de nous faire place, et de laisser à son fils sa maison
principale (car il n'avait que celle-là de bien logée et
accommodée), et se retirer en une sienne terre voisine,
où personne n'apporterait incommodité à son repos,
puisqu'il ne pouvait autrement éviter notre importunité,
vu la condition de ses enfants. Il m'en crut depuis, et
s'en trouva bien.

Ce n'est pas à dire qu'on leur donne par telle voie
d'obligation, de laquelle on ne se puisse plus dédire. Je
leur lairrais *c*, moi qui suis à même de jouer ce rôle, la
jouissance de ma maison et de mes biens, mais avec
liberté de m'en repentir, s'ils m'en donnaient occasion. Je
leur en lairrais l'usage, parce qu'il ne me serait plus
commode; et, de l'autorité des affaires en gros, je m'en
réserverais autant qu'il me plairait, ayant toujours jugé
que ce doit être un grand contentement à un père vieil,
de mettre lui-même ses enfants en train du gouvernement de ses affaires, et de pouvoir pendant sa vie contrôler leurs déportements, leur fournissant d'instruction et
d'avis suivant l'expérience qu'il en a, et d'acheminer

a. Qualité. — *b.* Familier. — *c.* Laisserais.

lui-même l'ancien honneur et ordre de sa maison en la main de ses successeurs, et se répondre par là des espérances qu'il peut prendre de leur conduite à venir. Et, pour cet effet, je ne voudrais pas fuir leur compagnie : je voudrais les éclairer de près, et jouir, selon la condition de mon âge, de leur allégresse et de leurs fêtes. Si je ne vivais parmi eux (comme je ne pourrais sans offenser leur assemblée par le chagrin de mon âge et la sujétion de mes maladies, et sans contraindre aussi et forcer les règles et façons de vivre que j'aurais lors), je voudrais au moins vivre près d'eux en un quartier de ma maison, non pas le plus en parade, mais le plus en commodité. Non comme je vis, il y a quelques années, un doyen de Saint-Hilaire de Poitiers [18], rendu à telle solitude par l'incommodité de sa mélancolie, que, lorsque j'entrai en sa chambre, il y avait vingt et deux ans qu'il n'en était sorti un seul pas; et si [a], avait toutes ses actions libres et aisées, sauf un rhume qui lui tombait sur l'estomac. A peine une fois la semaine voulait-il permettre qu'aucun entrât pour le voir; il se tenait toujours enfermé par le dedans de sa chambre, seul, sauf qu'un valet lui apportait une fois le jour à manger, qui ne faisait qu'entrer et sortir. Son occupation était se promener et lire quelque livre (car il connaissait aucunement les lettres), obstiné au demeurant de mourir en cette démarche [b], comme il fit bientôt après.

J'essaierais, par une douce conversation, de nourrir en mes enfants une vive amitié et bienveillance non feinte en mon endroit, ce qu'on gagne aisément en une nature bien née; car si ce sont bêtes furieuses comme notre siècle en produit à foison, il les faut haïr et fuir pour telles. Je veux mal à cette coutume d'interdire aux enfants l'appellation paternelle et leur en enjoindre une étrangère, comme plus révérentielle [c], nature n'ayant volontiers pas suffisamment pourvu à notre autorité; nous appelons Dieu tout-puissant père, et dédaignons que nos enfants nous en appellent [19]. C'est aussi injustice et folie de priver les enfants qui sont en âge de la familiarité des pères et vouloir maintenir en leur endroit une morgue austère et dédaigneuse, espérant par là les tenir

a. Et pourtant. — *b.* Ce genre de vie. — *c.* Respectueuse.

en crainte et obéissance. Car c'est une farce très inutile
qui rend les pères ennuyeux aux enfants et, qui pis est,
ridicules. Ils ont la jeunesse et les forces en la main, et par
conséquent le vent et la faveur du monde; et reçoivent
avec moquerie ces mines fières et tyranniques d'un
homme qui n'a plus de sang ni au cœur, ni aux veines,
vrais épouvantails de chenevière. Quand je pourrais me
faire craindre, j'aimerais encore mieux me faire aimer.

Il y a tant de sortes de défauts en la vieillesse, tant
d'impuissance; elle est si propre au mépris, que le meilleur acquêt qu'elle puisse faire, c'est l'affection et amour
des siens : le commandement et la crainte, ce ne sont
plus ses armes. J'en ai vu quelqu'un [20] duquel la jeunesse
avait été très impérieuse. Quand c'est venu sur l'âge,
quoiqu'il le passe sainement ce qui se peut, il frappe, il
mord, il jure, le plus tempêtatif maître de France; il
se ronge de soin et de vigilance : tout cela n'est qu'un
batelage [a] auquel la famille même conspire; du
grenier, du cellier, voire et de sa bourse, d'autres ont la
meilleure part de l'usage, cependant qu'il en a les clés
en sa gibecière, plus chèrement que ses yeux. Cependant
qu'il se contente de l'épargne et chicheté de sa table, tout
est en débauche [b] en divers réduits de sa maison, en jeu
et en dépense, et en l'entretien des comptes de sa vaine
colère et pourvoyance. Chacun est en sentinelle contre
lui. Si, par fortune, quelque chétif serviteur s'y adonne,
soudain il lui est mis en soupçon : qualité à laquelle la
vieillesse mord si volontiers de soi-même. Quant de fois
s'est-il vanté à moi de la bride qu'il donnait aux siens,
et exacte obéissance et révérence [c] qu'il en recevait;
combien il voyait clair en ses affaires,

Ille solus nescit omnia *.

Je ne sache homme qui peut apporter plus de parties
et naturelles et acquises, propres à conserver la maîtrise
qu'il fait; et si [d], en est déchu comme un enfant. Partant [e]

---

a. Comédie. — b. Désordre. — c. Respect. — d. Et pourtant
— e. C'est pourquoi.
* Térence, *Les Adelphes,* acte IV, scène II : «Lui seul ignore tout.»

l'ai-je choisi, parmi plusieurs telles conditions que je connais, comme plus exemplaire.

Ce serait matière à une question scholastique, s'il est ainsi mieux, ou autrement. En présence, toutes choses lui cèdent. Et laisse-t-on ce vain cours à son autorité, qu'on ne lui résiste jamais : on le croit, on le craint, on le respecte tout son saoul. Donne-t-il congé à un valet, il plie son paquet, le voilà parti; mais hors de devant lui seulement. Les pas de la vieillesse sont si lents, les sens si troubles, qu'il vivra et fera son office *a* en même maison, un an, sans être aperçu. Et, quand la saison en est, on fait venir des lettres lointaines, piteuses *b*, suppliantes, pleines de promesse de mieux faire, par où on le remet en grâce. Monsieur fait-il quelque marché ou quelque dépêche qui déplaise ? on la supprime, forgeant tantôt après assez de causes pour excuser la faute d'exécution ou de réponse. Nulles lettres étrangères ne lui étant premièrement apportées, il ne voit que celles qui semblent commodes à sa science. Si, par cas d'aventure, il les saisit, ayant en coutume de se reposer sur certaine personne de les lui lire, on y trouve sur-le-champ ce qu'on veut; et fait-on à tous coups que tel lui demande pardon qui l'injurie par même lettre. Il ne voit enfin ses affaires que par une image disposée et desseignée *c* et satisfac- toire le plus qu'on peut, pour n'éveiller son chagrin et son courroux. J'ai vu, sous des figures différentes, assez d'économies *d* longues, constantes, de tout pareil effet.

Il est toujours proclive *e* aux femmes de disconvenir à leurs maris [21] : elles saisissent à deux mains toutes cou- vertures de leur contraster *f*; la première excuse leur sert de plénière justification. J'en ai vu qui dérobait gros à son mari, pour, disait-elle, à son confesseur faire ses aumônes plus grasses. Fiez-vous à cette religieuse dispen- sation! Nul maniement ne leur semble avoir assez de dignité, s'il vient de la concession du mari. Il faut qu'elles l'usurpent ou finement *g* ou fièrement, et toujours inju- rieusement, pour lui donner de la grâce et de l'autorité. Comme en mon propos, quand c'est contre un pauvre

---

a. Service. — *b.* Pitoyables. — *c.* Organisée à dessein. — *d.* Orga- nisations domestiques. — *e.* Facile. — *f.* S'opposer à eux. — *g.* Par ruse.

vieillard, et pour des enfants, lors empoignent-elles
ce titre, et en servent leur passion avec gloire; et, comme
en un commun servage, monopolent facilement contre
sa domination et gouvernement. Si ce sont mâles, grands
et fleurissants, ils subornent aussi incontinent, ou par
force, ou par faveur, et maître d'hôtel et receveur, et
tout le reste. Ceux qui n'ont ni femme ni fils tombent en
ce malheur plus difficilement, mais plus cruellement
aussi et indignement. Le vieux Caton [22] disait en son
temps, qu'autant de valets autant d'ennemis. Voyez si,
selon la distance de la pureté de son siècle au nôtre, il ne
nous a pas voulu avertir que femme, fils et valet, autant
d'ennemis à nous. Bien sert à la décrépitude de nous
fournir le doux bénéfice d'inapercevance et d'ignorance
et facilité à nous laisser tromper. Si nous y mordions, que
serait-ce de nous, même en ce temps où les juges, qui
ont à décider nos controverses, sont communément
partisans de l'enfance et intéressés?

Au cas que cette piperie m'échappe à voir, au moins
ne m'échappe-t-il pas à voir que je suis très pipable. Et
aura-t-on jamais assez dit de quel prix est un ami [23], et
de combien autre chose que ces liaisons civiles? L'image
même que j'en vois aux bêtes, si pure, avec quelle religion je la respecte!

Si les autres me pipent, au moins ne me pipé-je pas
moi-même à m'estimer capable de m'en garder, ni à
me ronger la cervelle pour m'en rendre. Je me sauve
de telles trahisons en mon propre giron, non par une
inquiète et tumultuaire *a* curiosité, mais par diversion
plutôt et résolution. Quand j'ouïs réciter l'état de quelqu'un, je ne m'amuse pas à lui; je tourne incontinent
les yeux à moi, voir comment j'en suis. Tout ce qui le
touche me regarde. Son accident m'avertit et m'éveille
de ce côté-là. Tous les jours et à toutes heures, nous
disons d'un autre ce que nous dirions plus proprement
de nous, si nous savions replier aussi bien qu'étendre
notre considération.

Et plusieurs auteurs blessent en cette manière la
protection de leur cause, courant témérairement en
avant à l'encontre de celle qu'ils attaquent, et lançant à

a. Troublée.

leurs ennemis des traits propres à leur être relancés.

Feu M. le maréchal de Monluc [24], ayant perdu son fils qui mourut en l'île de Madère, brave gentilhomme à la vérité et de grande espérance, me faisait fort valoir, entre ses autres regrets, le déplaisir et crève-cœur qu'il sentait de ne s'être jamais communiqué à lui; et, sur cette humeur d'une gravité et grimace paternelle, avoir perdu la commodité de goûter et bien connaître son fils, et aussi de lui déclarer l'extrême amitié qu'il lui portait et le digne jugement qu'il faisait de sa vertu. « Et ce pauvre garçon, disait-il, n'a rien vu de moi qu'une contenance renfrognée et pleine de mépris, et a emporté cette créance que je n'ai su ni l'aimer, ni l'estimer selon son mérite. A qui gardai-je à découvrir cette singulière affection que je lui portai dans mon âme? était-ce pas lui qui en devait avoir tout le plaisir et toute l'obligation? Je me suis contraint et gêné ^a pour maintenir ce vain masque; et y ai perdu le plaisir de sa conversation, et sa volonté ^b quant et quant ^c, qu'il ne me peut avoir portée autre que bien froide, n'ayant jamais reçu de moi que rudesse, ni senti qu'une façon tyrannique. » Je trouve que cette plainte était bien prise et raisonnable : car, comme je sais par une trop certaine expérience, il n'est aucune si douce consolation en la perte de nos amis que celle que nous apporte la science de n'avoir rien oublié à leur dire, et d'avoir eu avec eux une parfaite et entière communication [25].

Je m'ouvre aux miens tant que je puis; et leur signifie très volontiers l'état de ma volonté et de mon jugement envers eux, comme envers un chacun. Je me hâte de me produire et de me présenter : car je ne veux pas qu'on s'y mécompte, à quelque part que ce soit.

Entre autres coutumes particulières qu'avaient nos anciens Gaulois, à ce que dit César [26], celle-ci en était : que les enfants ne se présentaient aux pères, ni ne s'osaient trouver en public en leur compagnie, que lorsqu'ils commençaient à porter les armes, comme s'ils voulaient dire que lors il était aussi saison que les pères les reçussent en leur familiarité et accointance.

J'ai vu encore une autre sorte d'indiscrétion en aucuns

a. Tourmenté. — *b.* Affection. — *c.* En même temps.

pères de mon temps, qui ne se contentent pas d'avoir
privé pendant leur longue vie leurs enfants de la part
qu'ils devaient avoir naturellement en leurs fortunes,
mais laissent encore après eux à leurs femmes cette
même autorité sur tous leurs biens, et loi d'en disposer
à leur fantaisie. Et ai connu tel seigneur, des premiers
officiers de notre couronne [27], ayant par espérance de
droit à venir plus de cinquante mille écus de rente, qui
est mort nécessiteux et accablé de dettes, âgé de plus de
cinquante ans, sa mère en son extrême décrépitude
jouissant encore de tous ses biens par l'ordonnance du
père, qui avait de sa part vécu près de quatre-vingts
ans. Cela ne me semble aucunement raisonnable.

Pourtant trouvé-je peu d'avancement à un homme
de qui les affaires se portent bien, d'aller chercher une
femme qui le charge d'une grande dot : il n'est point de
dette étrangère qui apporte plus de ruine aux maisons;
mes prédécesseurs ont communément suivi ce conseil
bien à propos, et moi aussi. Mais ceux qui nous déconseil-
lent les femmes riches, de peur qu'elles soient moins
traitables et reconnaissantes, se trompent de faire perdre
quelque réelle commodité pour une si frivole conjecture.
À une femme déraisonnable, il ne coûte non plus de
passer par-dessus une raison que par-dessus une autre.
Elles s'aiment le mieux où elles ont plus de tort. L'injustice les allèche; comme les bonnes, l'honneur de leurs
actions vertueuses; et en sont débonnaires [a] d'autant
plus qu'elles sont plus riches, comme plus volontiers et
glorieusement chastes de ce qu'elles sont belles.

C'est raison de laisser l'administration des affaires
aux mères, pendant que les enfants ne sont pas en l'âge,
selon les lois, pour en manier la charge; mais le père les a
bien mal nourris, s'il ne peut espérer qu'en cet âge-là ils
auront plus de sagesse et de suffisance que sa femme, vu
l'ordinaire faiblesse du sexe. Bien serait-il toutefois, à la
vérité, plus contre nature de faire dépendre les mères de
la discrétion de leurs enfants. On leur doit donner largement de quoi maintenir leur état selon la condition de
leur maison et de leur âge, d'autant que la nécessité et
l'indigence est beaucoup plus mal séante et mal aisée

---

a. Satisfaites, de bonne humeur.

à supporter à elles qu'aux mâles; il faut plutôt en charger les enfants que la mère.

En général, la plus saine distribution de nos biens en mourant me semble être les laisser distribuer à l'usage du pays. Les lois y ont mieux pensé que nous; et vaut mieux les laisser faillir en leur élection *a* que de nous hasarder témérairement de faillir en la nôtre. Ils ne sont pas proprement nôtres, puisque, d'une prescription civile et sans nous, ils sont destinés à certains successeurs. Et encore que nous ayons quelque liberté au-delà, je tiens qu'il faut une grande cause et bien apparente pour nous faire ôter à un ce que sa fortune lui avait acquis et à quoi la justice commune l'appelait; et que c'est abuser contre raison de cette liberté, d'en servir nos fantaisies frivoles et privées. Mon sort m'a fait grâce de ne m'avoir présenté des occasions qui me pussent tenter, et divertir mon affection de la commune et légitime ordonnance. J'en vois envers qui c'est temps perdu d'employer un long soin de bons offices! un mot reçu de mauvais biais efface le mérite de dix ans. Heureux qui se trouve à point pour leur oindre la volonté sur ce dernier passage! La voisine action l'emporte : non pas les meilleurs et les plus fréquents offices, mais les plus récents et présents font l'opération. Ce sont gens qui se jouent de leurs testaments comme de pommes ou de verges, à gratifier ou châtier chaque action de ceux qui y prétendent intérêt. C'est chose de trop longue suite et de trop de poids pour être ainsi promenée à chaque instant, et en laquelle les sages se plantent une fois pour toutes, regardant à la raison et observations publiques.

Nous prenons un peu trop à cœur ces substitutions masculines. Et proposons une éternité ridicule à nos noms. Nous pesons aussi trop les vaines conjectures de l'avenir que nous donnent les esprits puérils. A l'aventure eût-on fait injustice de me déplacer de mon rang pour avoir été le plus lourd et plombé, le plus long et dégoûté en ma leçon, non seulement que tous mes frères, mais que tous les enfants de ma province, soit leçon d'exercice d'esprit, soit leçon d'exercice du corps [28]. C'est

a. Choix.

folie de faire des triages extraordinaires sur la foi de ces divinations auxquelles nous sommes si souvent trompés. Si on peut blesser cette règle et corriger les destinées aux choix qu'elles ont fait de nos héritiers, on le peut avec plus d'apparence en considération de quelque remarquable et énorme difformité corporelle, vice constant, inamendable, et, selon nous grands estimateurs de la beauté, d'important préjudice.

Le plaisant dialogue du législateur de Platon [29] avec ses citoyens fera honneur à ce passage : « Comment donc, disent-ils, sentant leur fin prochaine, ne pourrons-nous point disposer de ce qui est à nous à qui il nous plaira ? O dieux, quelle cruauté qu'il ne nous soit loisible, selon que les nôtres nous auront servi en nos maladies, en notre vieillesse, en nos affaires, de leur donner plus et moins selon nos fantaisies ! » A quoi le législateur répond en cette manière : « Mes amis, qui avez sans doute bientôt à mourir, il est malaisé et que vous vous connaissiez, et que vous connaissiez ce qui est à vous, suivant l'inscription delphique. Moi qui fais les lois, tiens que ni vous n'êtes à vous, ni n'est à vous ce que vous jouisssez. Et vos biens et vous êtes à votre famille, tant passée que future. Mais encore plus sont au public et votre famille, et vos biens. Par quoi, si quelque flatteur en votre vieillesse ou en votre maladie, ou quelque passion vous sollicite mal à propos de faire testament injuste, je vous en garderai. Mais, ayant respect et à l'intérêt universel de la cité et à celui de votre famille, j'établirai des lois et ferai sentir, comme de raison, que la commodité particulière doit céder à la commune. Allez-vous-en doucement et de bonne voglie *a* où l'humaine nécessité vous appelle. C'est à moi, qui ne regarde pas l'une chose plus que l'autre, qui, autant que je puis, me soigne du général, d'avoir soin de ce que vous laissez. »

Revenant à mon propos, il me semble, je ne sais comment, qu'en toutes façons la maîtrise n'est aucunement due aux femmes sur les hommes, sauf la maternelle et naturelle, si ce n'est pour le châtiment de ceux qui, par quelque humeur fiévreuse, se sont volontairement

a. Volonté.

soumis à elles; mais cela ne touche point les vieilles, de quoi nous parlons ici. C'est l'apparence de cette considération qui nous a fait forger et donner pied si volontiers à cette loi, que nul ne vit onques, qui prive les femmes de la succession de cette couronne [30]; et n'est guère seigneurie au monde où elle ne s'allègue, comme ici, par une vraisemblance de raison qui l'autorise; mais la fortune lui a donné plus de crédit en certains lieux qu'aux autres. Il est dangereux de laisser à leur jugement la dispensation de notre succession, selon le choix qu'elles feront des enfants, qui est à tous les coups inique et fantasque. Car cet appétit déréglé et goût malade qu'elles ont au temps de leurs grossesses, elles l'ont en l'âme en tout temps. Communément, on les voit s'adonner aux plus faibles et malotrus, ou à ceux, si elles en ont, qui leur pendent encore au col. Car, n'ayant point assez de force de discours [a] pour choisir et embrasser ce qui le vaut, elles se laissent plus volontiers aller où les impressions de nature sont plus seules; comme les animaux, qui n'ont connaissance de leurs petits que pendant qu'ils tiennent à leur mamelle.

Au demeurant, il est aisé à voir par expérience que cette affection naturelle, à qui nous donnons tant d'autorité, a les racines bien faibles. Pour un fort léger profit, nous arrachons tous les jours leurs propres enfants d'entre les bras des mères, et leur faisons prendre les nôtres en charge; nous leur faisons abandonner les leurs à quelque chétive nourrice à qui nous ne voulons pas commettre les nôtres, ou à quelque chèvre : leur défendant non seulement de les allaiter, quelque danger qu'ils en puissent encourir, mais encore d'en avoir aucun soin, pour s'employer du tout [b] au service des nôtres. Et voit-on, en la plupart d'entre elles, s'engendrer bientôt par accoutumance une affection bâtarde, plus véhémente que la naturelle, et plus grande sollicitude de la conservation des enfants empruntés que des leurs propres. Et ce que j'ai parlé des chèvres, c'est d'autant qu'il est ordinaire autour de chez moi de voir les femmes de village, lorsqu'elles ne peuvent nourrir les enfants de leurs mamelles, appeler des chèvres à leur secours; et j'ai

a. Raison. — *b.* Complètement.

à cette heure deux laquais qui ne tétèrent jamais que huit jours lait de femme. Ces chèvres sont incontinent duites *a* à venir allaiter ces petits enfants, reconnaissent leur voix quand ils crient, et y accourent : si on leur présente un autre que leur nourrisson, elles le refusent; et l'enfant en fait de même d'une autre chèvre. J'en vis un, l'autre jour, à qui on ôta la sienne, parce que son père ne l'avait qu'empruntée d'un sien voisin : il ne put jamais s'adonner à l'autre qu'on lui présenta, et mourut sans doute de faim. Les bêtes altèrent et abâtardissent aussi aisément que nous l'affection naturelle.

Je crois qu'en ce que récite *b* Hérodote [31] de certain détroit *c* de la Libye, qu'on s'y mêle aux femmes indifféremment, mais que l'enfant, ayant force de marcher, trouve son père celui vers lequel, en la presse *d*, la naturelle inclination porte ses premiers pas, il y a souvent du mécompte.

Or, à considérer cette simple occasion d'aimer nos enfants pour les avoir engendrés, pour laquelle nous les appelons autres nous-mêmes, il semble qu'il y ait bien une autre production venant de nous, qui ne soit pas de moindre recommandation : car ce que nous engendrons par l'âme, les enfantements de notre esprit, de notre courage et suffisance, sont produits par une plus noble partie que la corporelle, et sont plus nôtres ; nous sommes père et mère ensemble en cette génération ; ceux-ci nous coûtent bien plus cher, et nous apportent plus d'honneur, s'ils ont quelque chose de bon. Car la valeur de nos autres enfants est beaucoup plus leur que nôtre ; la part que nous y avons est bien légère ; mais de ceux-ci toute la beauté, toute la grâce et prix est nôtre. Par ainsi, ils nous représentent et nous rapportent bien plus vivement que les autres.

Platon ajoute [32] que ce sont ici des enfants immortels, qui immortalisent leurs pères, voire et *e* les déifient, comme à Lycurgue, à Solon, à Minos.

Or, les Histoires étant pleines d'exemples de cette amitié commune des pères envers les enfants, il ne m'a pas semblé hors de propos d'en tirer aussi quelqu'un de celle-ci.

a. Habituées. — *b*. Rapporte. — *c*. Région. — *d*. Foule. — *e*. Et même.

Héliodore, ce bon évêque de Tricea, aima mieux perdre la dignité, le profit, la dévotion d'une prélature si vénérable, que de perdre sa fille [33], fille qui dure encore, bien gentille, mais à l'aventure, pour tant un peu trop curieusement et mollement godronnée [a] pour fille ecclésiastique et sacerdotale, et de trop amoureuse façon.

Il y eut un Labienus [34] à Rome, personnage de grande valeur et autorité, et, entre autres qualités, excellent en toute sorte de littérature, qui était, ce crois-je, fils de ce grand Labienus, le premier des capitaines qui furent sous César en la guerre des Gaules, et qui, depuis, s'étant jeté au parti du grand Pompée, s'y maintint si valeureusement jusques à ce que César le défit en Espagne. Ce Labienus de quoi je parle eut plusieurs envieux de sa vertu, et, comme il est vraisemblable, les courtisans et favoris des empereurs de son temps pour ennemis de sa franchise et des humeurs paternelles qu'il retenait encore contre la tyrannie, desquelles il est croyable qu'il avait teint ses écrits et ses livres. Ses adversaires poursuivirent devant le magistrat à Rome et obtinrent de faire condamner plusieurs siens ouvrages, qu'il avait mis en lumière [b], à être brûlés. Ce fut par lui que commença ce nouvel exemple de peine, qui, depuis, fut continué à Rome à plusieurs autres, de punir de mort les écrits mêmes et les études. Il n'y avait point assez de moyen et matière de cruauté, si nous n'y mêlions des choses que nature a exemptées de tout sentiment et de toute souffrance, comme la réputation et les inventions de notre esprit, et si nous n'allions communiquer les maux corporels aux disciplines et monuments des Muses. Or Labienus ne put souffrir cette perte, ni de survivre à cette sienne si chère géniture; il se fit porter et enfermer tout vif dans le monument de ses ancêtres, là où il pourvut tout d'un train [c] à se tuer et à s'enterrer ensemble. Il est malaisé de montrer aucune autre plus véhémente affection paternelle que celle-là. Cassius Severus, homme très éloquent et son familier, voyant brûler ses livres, criait que, par même sentence, on le devait quant et quant [d] condamner à être brûlé tout vif; car il portait et conservait en sa mémoire ce qu'ils contenaient.

a. Parée. — b. Publiés. — c. A la fois. — d. En même temps.

Pareil accident advint à Greuntius Cordus [35], accusé d'avoir en ses livres loué Brutus et Cassius. Ce sénat vilain, servile et corrompu, et digne d'un pire maître que Tibère, condamna ses écrits au feu; il fut content de faire compagnie à leur mort, et se tua par abstinence de manger.

Le bon Lucanus étant jugé par ce coquin de Néron sur les derniers traits de sa vie, comme la plupart du sang fut déjà écoulé par les veines des bras qu'il s'était fait tailler à son médecin pour mourir, et que la froideur eut saisi les extrémités de ses membres et commença à approcher des parties vitales, la dernière chose qu'il eut en sa mémoire, ce furent aucuns des vers de son livre de la guerre de Pharsale, qu'il récitait; et mourut ayant cette dernière voix en la bouche [36]. Cela, qu'était-ce qu'un tendre et paternel congé qu'il prenait de ses enfants, représentant les adieux et les étroits embrassements que nous donnons aux nôtres en mourant, et un effet de cette naturelle inclination qui rappelle en notre souvenance, en cette extrémité, les choses que nous avons eues les plus chères pendant notre vie?

Pensons-nous qu'Épicure [37] qui, en mourant, tourmenté, comme il dit, des extrêmes douleurs de la colique, avait toute sa consolation en la beauté de sa doctrine qu'il laissait au monde, eût reçu autant de contentement d'un nombre d'enfants bien nés et bien élevés, s'il en eût eu, comme il faisait de la production de ses riches écrits? et que, s'il eût été au choix de laisser après lui un enfant contrefait et mal né, ou un livre sot et inepte, il ne choisît plutôt, et non lui seulement, mais tout homme de pareille suffisance, d'encourir le premier malheur que l'autre? Ce serait à l'aventure impiété en saint Augustin (pour exemple) si d'un côté on lui proposait d'enterrer ses écrits, de quoi notre religion reçoit un si grand fruit, ou d'enterrer ses enfants, au cas qu'il en eût, s'il n'aimait mieux enterrer ses enfants.

Et je ne sais si je n'aimerais pas mieux beaucoup en avoir produit un, parfaitement bien formé, de l'accointance des muses, que de l'accointance de ma femme.

A celui-ci [38], tel qu'il est, ce que je donne, je le donne purement et irrévocablement, comme on donne aux enfants corporels; ce peu de bien que je lui ai fait, il

n'est plus en ma disposition; il peut savoir assez de
choses que je ne sais plus, et tenir de moi ce que je n'ai
point retenu et qu'il faudrait que, tout ainsi qu'un
étranger, j'empruntasse de lui, si besoin m'en venait.
Il est plus riche que moi, si je suis plus sage que lui.

Il est peu d'hommes adonnés à la poésie, qui ne se
gratifiassent plus d'être pères de l'*Énéide* que du plus
beau garçon de Rome, et qui ne souffrissent plus aisément l'une perte que l'autre. Car, selon Aristote [39], de
tous les ouvriers, le poète nommément est le plus amoureux de son ouvrage. Il est malaisé à croire qu'Épaminondas, qui se vantait de laisser pour toute postérité des filles
qui feraient un jour honneur à leur père (c'étaient les
deux nobles victoires qu'il avait gagnées sur les Lacédémoniens [40]), eût volontiers consenti à échanger celles-là
aux plus gorgiases *a* de toute la Grèce, ou qu'Alexandre
et César aient jamais souhaité d'être privés de la grandeur
de leurs glorieux faits de guerre, pour la commodité
d'avoir des enfants et héritiers, quelque parfaits et accom-
plis qu'ils pussent être; voire *b* je fais grand doute que
Phidias, ou autre excellent statuaire, aimât autant la
conversation et la durée de ses enfants naturels, comme il
ferait d'une image excellente qu'avec long travail et étude
il aurait parfaite selon l'art. Et, quant à ces passions
vicieuses et furieuses qui ont échauffé quelquefois les
pères à l'amour de leurs filles, ou les mères envers leurs
fils, encore s'en trouve-t-il de pareilles en cette autre
sorte de parenté; témoin ce que l'on récite de Pygmalion, qui, ayant bâti une statue de femme de beauté singulière, devint éperdument épris de l'amour forcené de
ce sien ouvrage, qu'il fallut qu'en faveur de sa rage les
dieux la lui vivifiassent,

> *Tentatum mollescit ebur, positoque rigore*
> *Subsedit digitis* *.

a. Élégantes (de Gorgias, le sophiste grec célèbre par les ornements du style). — *b.* Mais.
* Ovide, *Métamorphoses*, livre X : « L'ivoire qu'il a touché
s'amollit et, oubliant sa dureté, cède sous ses doigts. »

CHAPITRE IX

DES ARMES DES PARTHES

C'est une façon vicieuse de la noblesse de notre temps, et pleine de mollesse, de ne prendre les armes que sur le point d'une extrême nécessité, et s'en décharger aussitôt qu'il y a tant soit peu d'apparence que le danger soit éloigné [1]. D'où il survient plusieurs désordres. Car, chacun criant et courant à ses armes sur le point de la charge, les uns sont à lacer encore leur cuirasse, que leurs compagnons sont déjà rompus [a]. Nos pères donnaient leur salade [b], leur lance et leurs gantelets à porter, et n'abandonnaient le reste de leur équipage, tant que la corvée durait. Nos troupes sont à cette heure toutes troublées et difformées par la confusion du bagage et des valets, qui ne peuvent éloigner leurs maîtres, à cause de leurs armes.

Tite-Live, parlant des nôtres : « *Intolerantissima laboris corpora vix arma humeris gerebant* *. »

Plusieurs nations vont encore et allaient anciennement à la guerre sans se couvrir; ou se couvraient d'inutiles défenses,

Tegmina queis capitum raptus de subere cortex **.

---

a. Mis en fuite. — *b.* Casque.

* Tite-Live, *Histoire,* livre XXVII, chap. XLVIII : « Corps tout à fait incapables de supporter la fatigue, ils avaient peine à porter leurs armes sur leurs épaules. »

** Virgile, *Énéide,* chant VII : « Ils se couvrent la tête avec l'écorce de liège qu'ils ont arrachée. »

Alexandre, le plus hasardeux capitaine qui fut jamais, s'armait fort rarement ². Et ceux d'entre nous qui les méprisent, n'empirent pour cela de guère leur marché. S'il se voit quelqu'un tué par le défaut d'un harnais, il n'en est guère moindre nombre que l'empêchement des armes a fait perdre, engagés sous leur pesanteur, ou froissés et rompus, ou par un contrecoup, ou autrement. Car il semble, à la vérité, à voir le poids des nôtres et leur épaisseur, que nous ne cherchons qu'à nous défendre et en sommes plus chargés que couverts ³. Nous avons assez à faire à en soutenir le faix *a*, entravés et contraints, comme si nous n'avions à combattre que du choc de nos armes, et comme si nous n'avions pareille obligation à les défendre qu'elles ont à nous.

Tacite peint ⁴ plaisamment des gens de guerre de nos anciens Gaulois, ainsi armés pour se maintenir seulement, n'ayant moyen ni d'offenser, ni d'être offensés, ni de se relever abattu. Lucullus, voyant certains hommes d'armes médois qui faisaient front en l'armée de Tigrane, pesamment et malaisément armés, comme dans une prison de fer, reprit de là opinion de les défaire aisément et par eux commença sa charge et sa victoire ⁵.

Et, à présent que nos mousquetaires sont en crédit, je crois que l'on trouvera quelque invention de nous emmurer pour nous en garantir, et nous faire traîner à la guerre enfermés dans des bastions, comme ceux que les anciens faisaient porter à leurs éléphants.

Cette humeur est bien éloignée de celle du jeune Scipion ⁶, lequel accusa aigrement ses soldats de ce qu'ils avaient semé des chausse-trapes sous l'eau, à l'endroit du fossé par où ceux d'une ville qu'il assiégeait pouvaient faire des sorties sur lui, disant que ceux qui assaillaient devaient penser à entreprendre, non pas à craindre, et craignant avec raison que cette provision *b* endormît leur vigilance à se garder.

Il dit aussi à un jeune homme qui lui faisait montre de son beau bouclier : « Il est vraiment beau, mon fils, mais un soldat romain doit avoir plus de fiance *c* en sa main dextre qu'en la gauche ⁷. »

a. Poids. — *b*. Prévision. — *c*. Confiance.

Or il n'est que la coutume qui nous rende insupportable la charge de nos armes :

> *L'husbergo in dosso haveano, e l'elmo in testa,*
> *Dui di quelli guerrier, de i quali io canto,*
> *Ne notte o di, doppo ch'entraro in questa*
> *Stanza, gli haveanò mai mesi da canto,*
> *Che facile a portar comme la vesta*
> *Era lor, perche in uso l'avean tanto* *.

L'empereur Caracalla allait par pays, à pied, armé de toutes pièces, conduisant son armée [8].

Les piétons [a] romains portaient non seulement le morion, l'épée et l'écu (car, quant aux armes, dit Cicéron [9], ils étaient si accoutumés à les avoir sur le dos qu'elles ne les empêchaient non plus que leurs membres : « *arma enim membra militis esse dicunt* ** », mais quant et quant [b] encore ce qu'il leur fallait de vivres pour quinze jours, et certaine quantité de paux [c] pour faire leurs remparts, jusques à soixante livres de poids. Et les soldats de Marius [10], ainsi chargés, étaient duits [d] à faire cinq lieues en cinq heures, et six, s'il y avait hâte. Leur discipline militaire était beaucoup plus rude que la nôtre; aussi produisait-elle de bien autres effects. Ce trait est merveilleux à ce propos, qu'il fut reproché à un soldat lacédémonien qu'étant à l'expédition d'une guerre, on l'avait vu sous le couvert d'une maison. Ils étaient si durcis à la peine, que c'était honte d'être vu sous un autre toit que celui du ciel, quelque temps qu'il fît. Le jeune Scipion [11], reformant son armée en Espagne, ordonna à ses soldats de ne manger que debout et rien de cuit. Nous ne mènerions guère loin nos gens à ce prix-là.

Au demeurant, Marcellinus [12], homme nourri aux guerres romaines, remarque curieusement la façon

---

a. Fantassins. — *b.* En même temps. — *c.* Pieux. — *d.* Habitués.

* Arioste, *Roland furieux,* chant XII : « Deux des guerriers que je chante portaient la cuirasse sur le dos et le heaume sur la tête; ni de jour ni de nuit, depuis qu'ils étaient entrés dans le château, ils n'avaient quitté cette armure qu'ils portaient avec autant d'aisance que leurs vêtements, si grande était leur habitude! »

** « On dit que l'armure du soldat est en quelque sorte ses membres. »

que les Parthes avaient de s'armer, et la remarque
d'autant qu'elle était éloignée de la romaine [13]. Or parce
qu'elle me semble bien fort approchante de la nôtre,
j'ai voulu retirer ce passage de son auteur, ayant pris
autrefois la peine de dire bien amplement ce que je
savais sur la comparaison de nos armes aux armes
romaines; mais ce lopin de mes brouillards [a] m'ayant été
dérobé avec plusieurs autres par un homme qui me servait, je ne le priverai point du profit qu'il espère en faire;
aussi me serait-il malaisé de remâcher deux fois dans une
même viande. « Ils avaient, dit-il [14], des armes tissues en
manière de petites plumes, qui n'empêchaient pas le
mouvement de leur corps : et si [b] étaient si fortes que nos
dards rejaillissaient, venant à les heurter » (ce sont les
écailles de quoi nos ancêtres avaient fort accoutumé de se
servir). Et en un autre lieu [15] : « Ils avaient, dit-il, leurs
chevaux forts et raides, couverts de gros cuir; et eux
étaient armés, de cap à pied, de grosses lames de fer,
rangées de tel artifice qu'à l'endroit des jointures des
membres, elles prêtaient au mouvement. On eût dit que
c'étaient des hommes de fer; car ils avaient des accoutrements de tête si proprement assis, et représentant au
naturel la forme et parties du visage, qu'il n'y avait
moyen de les assener [c] que par des petits trous ronds qui
répondaient à leurs yeux, leur donnant un peu de lumière,
et par des fentes qui étaient à l'endroit des naseaux, par
où ils prenaient assez malaisément haleine. »

Flexilis inductis animatur lamina membris,
Horribilis visu; credas simulachra moveri
Ferrea, cognatoque viros spirare metallo.
Par vestitus equis : ferrata fronte minantur,
Ferratosque movent, securi vulneris, armos *.

---

a. Brouillons. — b. Et pourtant. — c. Atteindre.
* Claudien, *Contre Rufin*, chant II : « Leur cuirasse flexible
semble recevoir la vie du corps qu'elle enferme, spectacle effrayant :
on croirait voir marcher des statues de fer; le métal semble incor-
poré au guerrier qui le porte; les chevaux sont vêtus de même; ils
menacent de leur front bardé de fer et, protégés par un caparaçon de
fer, ils meuvent leurs flancs. »

Voilà une description qui retire [a] bien fort à l'équipage d'un homme d'armes français, à tout [b] ses bardes [c].

Plutarque dit [16] que Démétrius fit faire pour lui et pour Alcinus, le premier homme de guerre qui fut auprès de lui, à chacun un harnais complet du poids de six vingts livres, là où les communs harnais n'en pesaient que soixante.

a. Ressemble. — *b.* Avec. — *c.* Harnachement.

CHAPITRE X

DES LIVRES

Je ne fais point de doute qu'il ne m'advienne souvent de parler de choses qui sont mieux traitées chez les maîtres du métier, et plus véritablement. C'est ici purement l'essai de mes facultés naturelles, et nullement des acquises; et qui me surprendra d'ignorance, il ne fera rien contre moi, car à peine répondrai-je à autrui de mes discours, qui ne m'en réponds point à moi; ni n'en suis satisfait. Qui sera en cherche de science, si la pêche ou elle se loge : il n'est rien de quoi je fasse moins de profession. Ce sont ici mes fantaisies, par lesquelles je ne tâche point à donner à connaître les choses, mais moi : elles me seront à l'aventure connues un jour, ou l'ont autrefois été, selon que la fortune m'a pu porter sur les lieux où elles étaient éclaircies. Mais il ne m'en souvient plus [1].

Et si je suis homme de quelque leçon [a], je suis homme de nulle rétention [b].

Ainsi je ne pleuvis [c] aucune certitude, si ce n'est de faire connaître jusques à quel point monte, pour cette heure, la connaissance que j'en ai. Qu'on ne s'attende pas aux matières, mais à la façon que j'y donne.

Qu'on voie, en ce que j'emprunte, si j'ai su choisir de quoi rehausser mon propos. Car je fais dire aux autres ce que je ne puis si bien dire, tantôt par faiblesse de mon langage, tantôt par faiblesse de mon sens. Je ne compte pas mes emprunts, je les pèse. Et si je les eusse voulu faire valoir par nombre, je m'en fusse chargé deux

a. Lecture. — b. Mémoire. — c. Garantis.

fois autant. Ils sont tous, ou fort peu s'en faut, de noms si fameux et anciens qu'ils me semblent se nommer assez sans moi. Ès raisons et inventions que je transplante en mon solage *a* et confonds aux miennes, j'ai à escient omis parfois d'en marquer l'auteur, pour tenir en bride la témérité de ces sentences hâtives qui se jettent sur toute sorte d'écrits, notamment jeunes écrits d'hommes encore vivants, et en vulgaire, qui reçoit tout le monde à en parler et qui semble convaincre la conception et le dessein, vulgaire de même. Je veux qu'ils donnent une nasarde à Plutarque sur mon nez, et qu'ils s'échaudent à injurier Sénèque en moi. Il faut musser *b* ma faiblesse sous ces grands crédits.

J'aimerais quelqu'un qui me sache déplumer, je dis par clarté de jugement et par la seule distinction de la force et beauté des propos. Car moi, qui, à faute de mémoire, demeure court tous les coups à les trier, par connaissance de nation, sais très bien sentir, à mesurer ma portée, que mon terroir n'est aucunement capable d'aucunes fleurs trop riches que j'y trouve semées, et que tous les fruits de mon cru ne les sauraient payer.

De ceci suis-je tenu de répondre, si je m'empêche *c* moi-même, s'il y a de la vanité et vice en mes discours, que je ne sente point ou que je ne sois capable de sentir en me le représentant. Car il échappe souvent des fautes à nos yeux, mais la maladie du jugement consiste à ne les pouvoir apercevoir lorsqu'un autre nous les découvre. La science et la vérité peuvent loger chez nous sans jugement [2], et le jugement y peut aussi être sans elles ; voire, la reconnaissance de l'ignorance est l'un des plus beaux et plus sûrs témoignages de jugement que je trouve. Je n'ai point d'autre sergent de bande à ranger mes pièces, que la fortune. A même que *d* mes rêveries se présentent, je les entasse ; tantôt elles se pressent en foule, tantôt elles se traînent à la file. Je veux qu'on voie mon pas naturel et ordinaire, ainsi détraqué qu'il est. Je me laisse aller comme je me trouve ; aussi ne sont-ce pas ici matières qu'il ne soit pas permis d'ignorer, et d'en parler casuellement *e* et témérairement *f*.

a. Sol. — *b*. Cacher. — *c*. M'embarrasse. — *d*. A mesure que. — *e*. Par hasard. — *f*. A l'aveuglette.

Je souhaiterais bien avoir plus parfaite intelligence
des choses, mais je ne la veux pas acheter si cher qu'elle
coûte. Mon dessein est de passer doucement, et non
laborieusement, ce qui me reste de vie. Il n'est rien
pourquoi je me veuille rompre la tête, non pas pour la
science, de quelque grand prix qu'elle soit. Je ne cherche
aux livres qu'à m'y donner du plaisir par un honnête
amusement; ou si j'étudie, je n'y cherche que la science
qui traite de la connaissance de moi-même, et qui m'ins-
truise à bien mourir et à bien vivre :

> *Has meus ad metas sudet oportet equus* *.

Les difficultés, si j'en rencontre en lisant, je n'en ronge
pas mes ongles; je les laisse là, après leur avoir fait une
charge ou deux.

Si je m'y plantais, je m'y perdrais, et le temps : car j'ai
un esprit primesautier. Ce que je ne vois de la première
charge, je le vois moins en m'y obstinant. Je ne fais rien
sans gaieté; et la continuation et la contention [a] trop
ferme éblouit mon jugement, l'attriste et le lasse. Ma
vue s'y confond et s'y dissipe. Il faut que je le retire et
que je l'y remette à secousses : tout ainsi que, pour juger
du lustre de l'écarlate, on nous ordonne de passer les
yeux par-dessus, en la parcourant à diverses vues, sou-
daines reprises et réitérées.

Si ce livre me fâche, j'en prends un autre; et ne m'y
adonne qu'aux heures où l'ennui de rien faire commence
à me saisir. Je ne me prends guère aux nouveaux,
pour ce que les anciens me semblent plus pleins et plus
roides; ni aux Grecs [3], parce que mon jugement ne sait
pas faire ses besognes d'une puérile et apprentisse intelligence [b].

Entre les livres simplement plaisants, je trouve,
des modernes le *Décaméron* [4] de Boccace, Rabelais [5] et les
Baisers de Jean Second [6], s'il les faut loger sous ce titre,
dignes qu'on s'y amuse. Quant aux *Amadis* et telles sortes

---

a. Effort. — *b*. D'une intelligence d'enfant et d'apprenti.

* Properce, *Élégie I* du livre IV : « C'est le but vers lequel mon
cheval doit tendre au prix de sa sueur. »

d'écrits [7], ils n'ont pas eu le crédit d'arrêter seulement
mon enfance. Je dirai encore ceci, ou hardiment ou
témérairement, que cette vieille âme pesante ne se laisse
plus chatouiller non seulement à l'Arioste, mais encore au
bon Ovide [8], sa facilité et ses inventions, qui m'ont ravi
autrefois, à peine m'entretiennent-elles à cette heure.

Je dis librement mon avis de toutes choses, voire
et de celles qui surpassent à l'aventure ma suffisance,
et que je ne tiens aucunement être de ma juridiction.
Ce que j'en opine, c'est aussi pour déclarer la mesure de
ma vue, non la mesure des choses. Quand je me trouve
dégoûté de l'*Axioche* [9] de Platon, comme d'un ouvrage
sans force, eu égard à un tel auteur, mon jugement ne s'en
croit pas : il n'est pas si sot de s'opposer à l'autorité de
tant d'autres fameux jugements anciens, qu'il tient
ses régents et ses maîtres, et avec lesquels il est plutôt
content de faillir. Il s'en prend à soi , et se condamne, ou
de s'arrêter à l'écorce, ne pouvant pénétrer jusques au
fond, ou de regarder la chose par quelque faux lustre.
Il se contente de se garantir seulement du trouble et
du dérèglement; quant à sa faiblesse, il la reconnaît et
avoue volontiers. Il pense donner juste interprétation
aux apparences que sa conception lui présente; mais elles
sont imbéciles [a] et imparfaites. La plupart des fables
d'Ésope ont plusieurs sens et intelligences. Ceux qui les
mythologisent [b] en choisissent quelque visage qui cadre
bien à la fable; mais, pour la plupart, ce n'est que le
premier visage et superficiel; il y en a d'autres plus vifs,
plus essentiels et internes, auxquels ils n'ont su pénétrer :
voilà comme j'en fais.

Mais, pour suivre ma route, il m'a toujours semblé
qu'en la poésie Virgile, Lucrèce, Catulle et Horace [10]
tiennent de bien loin le premier rang : et signnammant [c]
Virgile en ses *Géorgiques,* que j'estime le plus accompli
ouvrage de la poésie; à la comparaison duquel on peut
reconnaître aisément qu'il y a des endroits de l'*Énéide*
auxquels l'auteur eût donné encore quelque tour de pei-
gne, s'il en eût eu loisir. Et le cinquième livre en l'*Énéide*
me semble le plus parfait [11]. J'aime aussi Lucain, et le

---

a. Faibles. — *b*. Donnent un sens allégorique. — *c*. Notamment.

pratique volontiers; non tant pour son style que pour sa
valeur propre et vérité de ses opinions et jugements [12].
Quant au bon Térence [13], la mignardise et les grâces du
langage latin, je le trouve admirable à représenter au vif
les mouvements de l'âme et la condition de nos mœurs;
à toute heure nos actions me rejettent à lui. Je ne le puis
lire si souvent, que je n'y trouve quelque beauté et grâce
nouvelle. Ceux des temps voisins à Virgile se plaignaient
de quoi aucuns lui comparaient Lucrèce. Je suis d'opinion que c'est, à la vérité, une comparaison inégale;
mais j'ai bien à faire à me rassurer en cette créance, quand
je me trouve attaché à quelque beau lieu de ceux de
Lucrèce. S'ils se piquaient de cette comparaison, que
diraient-ils de la bêtise et stupidité barbaresque de ceux
qui lui comparent à cette heure Arioste? et qu'en dirait
Arioste lui-même?

> *O seclum insipiens et infacetum* * !

J'estime que les anciens avaient encore plus à se
plaindre de ceux qui appariaient Plaute à Térence
(celui-ci sent bien mieux son gentilhomme) que Lucrèce
à Virgile. Pour l'estimation et préférence de Térence,
fait beaucoup que le père de l'éloquence romaine [14] l'a
si souvent en la bouche, et seul de son rang, et la sentence que le premier juge des poètes romains donne de
son compagnon [15]. Il m'est souvent tombé en fantaisie
comme, en notre temps, ceux qui se mêlent de faire des
comédies (ainsi que les Italiens, qui y sont assez heureux)
emploient trois ou quatre arguments de celles de Térence
ou de Plaute pour en faire une des leurs. Ils entassent
en une seule comédie cinq ou six contes de Boccace. Ce
qui les fait ainsi se charger de matière, c'est la défiance
qu'ils ont de se pouvoir soutenir de leurs propres
grâces; il faut qu'ils trouvent un corps où s'appuyer; et,
n'ayant pas du leur assez de quoi nous arrêter, ils veulent
que le conte nous amuse. Il en va de mon auteur tout au
contraire : les perfections et beautés de sa façon de dire
nous font perdre l'appétit de son sujet; sa gentillesse et

---

* Catulle, *Élégie XLIII* : « O siècle sans jugement et sans goût. »

sa mignardise nous retiennent partout; il est partout si plaisant,

>   *liquidus puroque simillimus amni* *,

et nous remplit tant l'âme de ses grâces que nous en oublions celles de sa fable.

Cette même considération me tire plus avant : je vois que les bons et anciens poètes ont évité l'affectation et la recherche, non seulement des fantastiques élévations [a] espagnoles et pétrarquistes, mais des pointes mêmes plus douces et plus retenues, qui font l'ornement de tous les ouvrages poétiques des siècles suivants. Si n'y a-t-il bon juge qui les trouve à dire en ces anciens, et qui n'admire plus sans comparaison l'égale polissure et cette perpétuelle douceur et beauté fleurissante des épigrammes de Catulle, que tous les aiguillons de quoi Martial aiguise la queue des siens. C'est cette même raison que je disais tantôt, comme Martial de soi, « *minus illi ingeniol aborandum fuit, in cujus locum materia successerat* ** ». Ces premiers-là, sans s'émouvoir et sans se piquer, se font assez sentir; ils ont de quoi rire partout, il ne faut pas qu'ils se chatouillent; ceux-ci ont besoin de secours étranger; à mesure qu'ils ont moins d'esprit il leur faut plus de corps. Ils montent à cheval parce qu'ils ne sont assez forts sur leurs jambes. Tout ainsi qu'en nos bals, ces hommes de vile condition, qui en tiennent école, pour ne pouvoir représenter le port et la décence de notre noblesse, cherchent à se recommander par des sauts périlleux et autres mouvements étranges et bateleresques [b]. Et les Dames ont meilleur marché de leur contenance aux danses où il y a diverses découpures et agitation de corps, qu'en certaines autres danses de parade, où elles n'ont simplement qu'à marcher un pas naturel et représenter un port naïf et leur grâce ordinaire. Comme j'ai vu aussi les badins [c] excellents, vêtus à leur

---

a. Hyperboles. — b. Comme des bateleurs. — c. Comédiens.
* Horace, *Épître 2* du livre II ; « Limpide et tout à fait semblable à un fleuve pur. »
** Martial, *Préface* du livre VIII : « Il n'avait pas de grands efforts à faire ; le sujet lui tenait lieu d'esprit. »

ordinaire et d'une contenance commune, nous donner
tout le plaisir qui se peut tirer de leur art; les apprentis
et qui ne sont de si haute leçon, avoir besoin de s'enfa-
riner le visage, de se travestir et se contrefaire en mouvements et grimaces sauvages pour nous apprêter à rire.
Cette mienne conception se reconnaît mieux qu'en tout
autre lieu, en la comparaison de l'*Énéide* et du *Furieux* [16].
Celui-là, on le voit aller à tire-d'aile, d'un vol haut et
ferme, suivant toujours sa pointe; celui-ci voleter et
sauteler de conte en conte comme de branche en branche,
ne se fiant à ses ailes que pour une bien courte traverse,
et prendre pied à chaque bout de champ, de peur que
l'haleine et la force lui faille,

Excursusque breves tentat *.

Voilà donc, quant à cette sorte de sujets, les auteurs
qui me plaisent le plus.

Quant à mon autre leçon, qui mêle un peu plus de
fruit au plaisir, par où j'apprends à ranger mes humeurs
et mes conditions, les livres qui m'y servent, c'est Plutarque, depuis qu'il est français [17], et Sénèque. Ils ont
tous deux cette notable commodité pour mon humeur,
que la science que j'y cherche y est traitée à pièces
décousues, qui ne demandent pas l'obligation d'un long
travail, de quoi je suis incapable, comme sont les *Opus-
cules* de Plutarque et les *Épîtres* de Sénèque [18], qui est la
plus belle partie de ses écrits, et la plus profitable. Il ne
faut pas grande entreprise pour m'y mettre; et les quitte
où il me plaît. Car elles n'ont point de suite des unes aux
autres. Ces auteurs se rencontrent en la plupart des
opinions utiles et vraies; comme aussi leur fortune les
fit naître environ même siècle, tous deux précepteurs de
deux empereurs romains, tous deux venus de pays
étrangers [19], tous deux riches et puissants. Leur instruction est de la crème de la philosophie, et présentée d'une
simple façon et pertinente. Plutarque est plus uniforme et
constant; Sénèque, plus ondoyant et divers. Celui-ci se
peine, se roidit et se tend pour armer la vertu contre la

---

* Virgile, *Géorgiques,* chant IV : « Il ne tente que de petites
courses. »

faiblesse, la crainte et les vicieux appétits; l'autre semble
n'estimer pas tant leur effort, et dédaigner d'en hâter
son pas et se mettre sur sa targue [a]. Plutarque a les
opinions platoniques, douces et accommodables à la
société civile; l'autre les a Stoïques et Épicuriennes, plus
éloignées de l'usage commun, mais, selon moi, plus
commodes en particulier et plus fermes. Il paraît en
Sénèque qu'il prête un peu à la tyrannie des empereurs
de son temps, car je tiens pour certain que c'est d'un
jugement forcé qu'il condamne la cause de ces généreux
meurtriers de César; Plutarque est libre par tout.
Sénèque est plein de pointes et saillies; Plutarque, de
choses. Celui-là vous échauffe plus et vous émeut;
celui-ci vous contente davantage et vous paie mieux.
Il nous guide, l'autre nous pousse.

Quant à Cicéron, les ouvrages qui me peuvent servir
chez lui à mon dessein, ce sont ceux qui traitent de la
philosophie signamment [b] morale. Mais, à confesser
hardiment la vérité (car, puisqu'on a franchi les barrières
de l'impudence, il n'y a plus de bride), sa façon d'écrire
me semble ennuyeuse, et toute autre pareille façon. Car
ses préfaces, définitions, partitions [c], étymologies, consu-
ment la plupart de son ouvrage; ce qu'il y a de vif et de
moelle, est étouffé par ses longueries d'apprêts. Si j'ai
employé une heure à le lire, qui est beaucoup pour moi,
et que je ramentoive ce que j'en ai tiré de suc et de
substance, la plupart du temps je n'y trouve que du vent :
car il n'est pas encore venu aux arguments qui servent à
son propos, et aux raisons qui touchent proprement
le nœud que je cherche. Pour moi, qui ne demande qu'à
devenir plus sage, non plus savant ou éloquent, ces
ordonnances logiciennes et aristotéliques ne sont pas à
propos : je veux qu'on commence par le dernier point;
j'entends assez que c'est que mort et volupté; qu'on ne
s'amuse pas à les anatomiser : je cherche des raisons
bonnes et fermes d'arrivée, qui m'instruisent à en soutenir l'effort. Ni les subtilités grammairiennes, ni l'ingénieuse contexture de paroles et d'argumentations n'y
servent; je veux des discours qui donnent la première
charge dans le plus fort du doute : les siens languissent

a. Se mettre sur ses gardes. — *b.* Notamment. — *c.* Divisions

autour du pot. Ils sont bons pour l'école, pour le barreau et pour le sermon, où nous avons loisir de sommeiller, et sommes encore, un quart d'heure après, assez à temps pour rencontrer le fil du propos. Il est besoin de parler ainsi aux juges qu'on veut gagner à tort ou à droit, aux enfants et au vulgaire à qui il faut tout dire, voir ce qui portera. Je ne veux pas qu'on s'emploie à me rendre attentif et qu'on me crie cinquante fois : « Or oyez! » à la mode de nos hérauts. Les Romains disaient en leur religion : « *Hoc age* * », que nous disons en la nôtre : « *Sursum corda* ** »; ce sont autant de paroles perdues pour moi. J'y viens tout préparé du logis : il ne me faut point d'allèchement ni de sauce : je mange bien la viande toute crue; et, au lieu de m'aiguiser l'appétit par ces préparatoires et avant-jeux, on me le lasse et affadit.

La licence du temps m'excusera-t-elle de cette sacrilège audace, d'estimer aussi traînants les dialogismes *a* de Platon [20] même et étouffant par trop sa matière, et de plaindre *b* le temps que met à ces longues interlocutions, vaines et préparatoires, un homme qui avait tant de meilleures choses à dire ? Mon ignorance m'excusera mieux, sur ce que je ne vois rien en la beauté de son langage.

Je demande en général les livres qui usent des sciences, non ceux qui les dressent.

Les deux premiers, et Pline [21], et leurs semblables, ils n'ont point de « *Hoc age* »; ils veulent avoir à faire à gens qui s'en soient avertis eux-mêmes; ou, s'ils en ont, c'est un « *Hoc age* » substantiel, et qui a son corps à part.

Je vois aussi volontiers les *Épîtres* « *ad Atticum* » [22], non seulement parce qu'elles contiennent une très ample instruction de l'histoire et affaires de son temps, mais beaucoup plus pour y découvrir ses humeurs privées. Car j'ai une singulière curiosité, comme j'ai dit ailleurs [23], de connaître l'âme et les naïfs jugements de mes auteurs. Il faut bien juger leur suffisance, mais non pas leurs mœurs ni eux, par cette montre de leurs écrits qu'ils

a. Dialogues. — *b*. Regretter.
* Attention.
** Haut les cœurs.

étaient au théâtre du monde. J'ai mille fois regretté que nous ayons perdu le livre que Brutus avait écrit de la vertu : car il fait beau apprendre la théorique de ceux qui savent bien la pratique. Mais, d'autant que c'est autre chose le prêche que le prêcheur, j'aime bien autant voir Brutus chez Plutarque que chez lui-même. Je choisirais plutôt de savoir au vrai les devis qu'il tenait en sa tente à quelqu'un de ses privés amis, la veille d'une bataille, que les propos qu'il tint le lendemain à son armée; et ce qu'il faisait en son cabinet et en sa chambre, que ce qu'il faisait emmi la place et au sénat.

Quant à Cicéron, je suis du jugement commun que, hors la science, il n'y avait pas beaucoup d'excellence en son âme : il était bon citoyen, d'une nature débonnaire, comme sont volontiers les hommes gras et gausseurs *a*, tel qu'il était; mais de mollesse et de vanité ambitieuse, il en avait, sans mentir, beaucoup. Et si ne sais comment l'excuser d'avoir estimé sa poésie digne d'être mise en lumière; ce n'est pas grande imperfection que de mal faire des vers; mais c'est à lui faute de jugement de n'avoir pas senti combien ils étaient indignes de la gloire de son nom. Quant à son éloquence, elle est du tout hors de comparaison; je crois que jamais homme ne l'égalera [24]. Le jeune Cicéron [25], qui n'a ressemblé son père que de nom, commandant en Asie, il se trouva un jour en sa table plusieurs étrangers, et entre autres Cestius, assis au bas bout, comme on se fourre souvent aux tables ouvertes des grands. Cicéron s'informa qui il était, à l'un de ses gens qui lui dit son nom. Mais, comme celui qui songeait ailleurs et qui oubliait ce qu'on lui répondait, il le lui redemanda encore, depuis, deux ou trois fois; le serviteur, pour n'être plus en peine de lui redire si souvent même chose, et pour le lui faire connaître par quelque circonstance : « C'est, dit-il, ce Cestius de qui on vous a dit qu'il ne fait pas grand état de l'éloquence de votre père au prix de la sienne. » Cicéron, s'étant soudain piqué de cela, commanda qu'on empoignât ce pauvre Cestius, et le fit très bien fouetter en sa présence : voilà un mal courtois hôte. Entre ceux mêmes qui ont estimé, toutes choses comptées, cette sienne éloquence

a. Rieurs.

incomparable, il y en a eu qui n'ont pas laissé d'y remarquer des fautes : comme ce grand Brutus, son ami, disait
que c'était une éloquence cassée et esrenée [a26], « *fractam et
elumbem* ». Les orateurs voisins de son siècle reprenaient
aussi en lui ce curieux soin de certaine longue cadence au
bout de ses clauses, et notaient ces mots : « *esse videatur* * »,
qu'il y emploie si souvent. Pour moi, j'aime mieux une
cadence qui tombe plus court, coupée en iambes. Si
mêle-t-il parfois bien rudement ses nombres, mais rarement. J'en ai remarqué ce lieu à mes oreilles : « *Ego vero
me minus diu senem esse mallem, quam esse senem, antequam
essem* ** . »

Les Historiens sont ma droite balle [27] : ils sont plaisants et avisés; et quant et quant l'homme en général,
de qui je cherche la connaissance, y paraît plus vif et
plus entier qu'en nul autre lieu, la diversité et vérité de
ses conditions internes en gros et en détail, la variété
des moyens de son assemblage et des accidents qui le
menacent. Or ceux qui écrivent les vies, d'autant qu'ils
s'amusent plus aux conseils qu'aux événements, plus
à ce qui part du dedans qu'à ce qui arrive au-dehors,
ceux-là me sont plus propres. Voilà pourquoi, en toutes
sortes, c'est mon homme que Plutarque [28]. Je suis bien
marri que nous n'ayons une douzaine de Laertius [29], ou
qu'il ne soit ou plus étendu ou plus entendu. Car je ne
considère pas moins curieusement la fortune et la vie de
ces grands précepteurs du monde, que la diversité de
leurs dogmes et fantaisies.

En ce genre d'étude des Histoires, il faut feuilleter
sans distinction toutes sortes d'auteurs, et vieils et

---

a. Sans reins *(elumbem).*

* « Semble être. » Dans le même ouvrage, chap. XXIII : « Je ne
veux pas tourner en ridicule... le groupe de mots qui, dans chaque
discours, revient toutes les trois phrases en guise de trait, *esse
videatur.* » Cicéron, en effet, termine souvent ses phrases par cette
clausule métrique, sans que le sens l'exige. *Esse videatur* est un péon
premier suivi d'un trochée.

** Cicéron, *De Senectute,* chap. X : « Pour moi, j'aimerais mieux
être vieux moins longtemps que d'être vieux avant de l'être. »
Montaigne traduit ce passage au début de l'essai v, du livre III,
Sur des vers de Virgile : « J'aime mieux être moins longtemps vieil
que d'être vieil avant que de l'être. »

nouveaux, et barragouins et Français, pour y apprendre les choses de quoi diversement ils traitent. Mais César [30] singulièrement me semble mériter qu'on l'étudie, non pour la science de l'Histoire seulement, mais pour lui-même, tant il a de perfection et d'excellence par-dessus tous les autres quoique Salluste soit du nombre. Certes, je lis cet auteur avec un peu plus de révérence et de respect qu'on ne lit les humains ouvrages : tantôt le considérant lui-même par ses actions et le miracle de sa grandeur, tantôt la pureté et inimitable polissure de son langage qui a surpassé non seulement tous les historiens, comme dit Cicéron [31], mais à l'aventure Cicéron même. Avec tant de sincérité en ses jugements, parlant de ses ennemis, que, sauf les fausses couleurs de quoi il veut couvrir sa mauvaise cause et l'ordure de sa pestilente ambition, je pense qu'en cela seul on y puisse trouver à redire qu'il a été trop épargnant à parler de soi. Car tant de grandes choses ne peuvent avoir été exécutées par lui, qu'il n'y soit allé beaucoup plus du sien qu'il n'y en met.

J'aime les historiens ou fort simples ou excellents. Les simples, qui n'ont point de quoi y mêler quelque chose du leur, et qui n'y apportent que le soin et la diligence de ramasser tout ce qui vient à leur notice, et d'enregistrer à la bonne foi toutes choses sans choix et sans triage, nous laissent le jugement entier pour la connaissance de la vérité. Tel est entre autres, pour exemple, le bon Froissart [32], qui a marché en son entreprise d'une si franche naïveté, qu'ayant fait une faute il ne craint aucunement de la reconnaître et corriger en l'endroit où il en a été averti ; et qui nous représente la diversité même des bruits qui couraient et les différents rapports qu'on lui faisait. C'est la matière de l'Histoire, nue et informe ; chacun en peut faire son profit autant qu'il a d'entendement. Les bien excellents ont la suffisance de choisir ce qui est digne d'être su, peuvent trier de deux rapports celui qui est plus vraisemblable ; de la condition des princes et de leurs humeurs, ils en concluent les conseils et leur attribuent les paroles convenables. Ils ont raison de prendre l'autorité de régler notre créance à la leur ; mais certes cela n'appartient à guère de gens. Ceux d'entre-deux (qui est la plus commune façon), ceux-là nous gâtent tout; ils veulent nous mâcher les morceaux; ils se donnent loi de juger, et par conséquent d'incliner l'Histoire à leur fantaisie; car, depuis que le jugement pend d'un côté, on ne se peut garder de contourner et tordre la narration à ce biais. Ils entreprennent de choisir les choses dignes d'être sues, et nous cachent souvent telle parole, telle action privée, qui nous instruirait mieux; omettent, pour choses incroyables, celles qu'ils n'entendent pas, et peut-être encore telle chose, pour ne la savoir dire en bon latin ou français. Qu'ils étalent hardiment leur éloquence et leurs discours, qu'ils jugent à leur poste; mais qu'ils nous laissent aussi de quoi juger après eux, et qui n'altèrent ni dispensent, par leurs raccourciments et par leur choix rien sur le corps de la matière : ains, qu'ils nous la renvoient pure et entière en toutes ses dimensions.

Le plus souvent on trie pour cette charge, et notamment en ces siècles-ci, des personnes d'entre le vulgaire, pour cette seule considération de savoir bien parler; comme si nous cherchions d'y apprendre la grammaire! Et eux ont raison, n'ayant été gagés que pour cela et n'ayant mis en vente que le babil, de ne se soucier aussi principalement que de cette partie. Ainsi, à force beaux mots, ils nous vont patissant une belle contexture des bruits qu'ils ramassent ès carrefours des villes. Les seules bonnes histoires sont celles qui ont été écrites par ceux mêmes qui commandaient aux affaires, ou qui étaient participants à les conduire, ou, au moins, qui ont eu la fortune d'en conduire d'autres de même sorte. Telles sont quasi toutes les Grecques et Romaines. Car, plusieurs témoins oculaires ayant écrit de même sujet (comme il advenait en ce temps-là que la grandeur et le savoir se rencontraient communément), s'il y a de la faute, elle doit être merveilleusement légère, et sur un accident fort douteux. Que peut-on espérer d'un médecin traitant de la guerre, ou d'un écolier traitant les desseins des princes ? Si nous voulons remarquer la religion que les Romains avaient en cela, il n'en faut que cet exemple : Asinius Pollion [33] trouvait ès histoires mêmes de César quelque mécompte, en quoi il était tombé pour n'avoir pu jeter les yeux en tous les endroits de son armée, et en avoir cru les particuliers qui lui rapportaient souvent

des choses non assez vérifiées ; ou bien pour n'avoir été
assez curieusement averti par ses lieutenants des choses
qu'ils avaient conduites en son absence. On peut voir
par cet exemple si cette recherche de la vérité est délicate,
qu'on ne se puisse pas fier d'un combat à la science de
celui qui y a commandé, ni aux soldats de ce qui s'est
passé près d'eux, si, à la mode d'une information judi-
ciaire, on ne confronte les témoins et reçoit les objets
sur la preuve des pointilles *a* de chaque accident. Vraiment, la connaissance que nous avons de nos affaires est
bien plus lâche. Mais ceci a été suffisamment traité par
Bodin [34], et selon ma conception.

Pour subvenir un peu à la trahison de ma mémoire
et à son défaut, si extrême qu'il m'est advenu plus d'une
fois de reprendre en main des livres comme récents et à
moi inconnus, que j'avais lus soigneusement quelques
années auparavant et barbouillés de mes notes, j'ai pris
en coutume, depuis quelque temps, d'ajouter au bout de
chaque livre (je dis de ceux desquels je ne me veux servir
qu'une fois) le temps auquel j'ai achevé de le lire et le
jugement que j'en ai retiré en gros, afin que cela me
représente au moins l'air et idée générale que j'avais
conçue de l'auteur en le lisant. Je veux ici transcrire
aucunes de ces annotations.

Voici ce que je mis, il y a environ dix ans, en mon
Guichardin [35] (car, quelque langue que parlent mes
livres, je leur parle en la mienne) : Il est historiographe
diligent, et duquel, à mon avis, autant exactement que de
nul autre, on peut apprendre la vérité des affaires de son
temps : aussi en la plupart en a-t-il été acteur lui-même,
et en rang honorable. Il n'y a aucune apparence que,
par haine, faveur ou vanité, il ait déguisé les choses :
de quoi font foi les libres jugements qu'il donne des
grands, et notamment de ceux par lesquels il avait été
avancé et employé aux charges, comme du pape Clément
septième. Quant à la partie de quoi il semble se vouloir
prévaloir le plus, qui sont ses digressions et discours, il y
en a de bons et enrichis de beaux traits ; mais il s'y est
trop plu : car, pour ne vouloir rien laisser à dire, ayant un
sujet si plein et ample, et à peu près infini, il en devient

a. Détails.

lâche, et sentant un peu au caquet scolastique. J'ai aussi remarqué ceci, que de tant d'âmes et effets qu'il juge, de tant de mouvements et conseils, il n'en rapporte jamais un seul à la vertu, religion et conscience, comme si ces parties-là étaient du tout éteintes au monde ; et, de toutes les actions, pour belles par apparence qu'elles soient d'elles-mêmes, il en rejette la cause à quelque occasion vicieuse ou à quelque profit. Il est impossible d'imaginer que, parmi cet infini nombre d'actions de quoi il juge, il n'y en ait eu quelqu'une produite par la voie de la raison. Nulle corruption peut avoir saisi les hommes si universellement que quelqu'un n'échappe de la contagion ; cela me fait craindre qu'il y ait un peu du vice de son goût ; et peut être advenu qu'il ait estimé d'autrui selon soi.

En mon Philippe de Commines [36] il y a ceci : Vous y trouverez le langage doux et agréable, d'une naïve simplicité ; la narration pure, et en laquelle la bonne foi de l'auteur reluit évidemment, exempte de vanité parlant de soi, et d'affection et d'envie parlant d'autrui ; ses discours et enhortements [a] accompagnés plus de bon zèle et de vérité que d'aucune exquise suffisance ; et tout partout de l'autorité et gravité, représentant son homme de bon lieu et élevé aux grandes affaires.

Sur les *Mémoires* de M. du Bellay : C'est toujours plaisir de voir les choses écrites par ceux qui ont essayé comme il les faut conduire ; mais il ne se peut nier qu'il ne se découvre évidemment, en ces deux seigneurs-ci [37], un grand déchet de la franchise et liberté d'écrire qui reluit ès anciens de leur sorte, comme au Sire de Joinville, domestique de Saint Louis, Eginard, Chancelier de Charlemagne, et, de plus fraîche mémoire, en Philippe de Commines. C'est ici plutôt un plaidoyer pour le roi François contre l'empereur Charles cinquième qu'une histoire. Je ne veux pas croire qu'ils aient rien changé quant au gros du fait ; mais, de contourner le jugement des événements, souvent contre raison, à notre avantage, et d'omettre tout ce qu'il y a de chatouilleux en la vie de leur maître, ils en font métier ; témoin les reculements [b]

a. Exhortations. — b. Disgrâces.

de MM. de Montmorency et de Brion [38], qui y sont oubliés; voire le seul nom de Mme d'Étampes ne s'y trouve point. On peut couvrir les actions secrètes; mais de taire ce que tout le monde sait, et les choses qui ont tiré des effets publics et de telle conséquence, c'est un défaut inexcusable. Somme, pour avoir l'entière connaissance du roi François et des choses advenues de son temps, qu'on s'adresse ailleurs, si on m'en croit; ce qu'on peut faire ici de profit, c'est par la déduction particulière des batailles et exploits de guerre où ces gentilshommes se sont trouvés; quelques paroles et actions privées d'aucuns princes de leur temps; et les pratiques et négociations conduites par le Seigneur de Langeais, où il y a tout plein de choses dignes d'être sues, et des discours non vulgaires.

CHAPITRE XI

DE LA CRUAUTÉ

Il me semble que la vertu est chose autre et plus noble que les inclinations à la bonté qui naissent en nous. Les âmes réglées d'elles-mêmes et bien nées, elles suivent même train, et représentent en leurs actions même visage que les vertueuses. Mais la vertu sonne je ne sais quoi de plus grand et de plus actif que de se laisser, par une heureuse complexion, doucement et paisiblement conduire à la suite de la raison. Celui qui, d'une douceur et facilité naturelles, mépriserait les offenses reçues, ferait chose très belle et digne de louange; mais celui qui, piqué et outré jusques au vif d'une offense, s'armerait des armes de la raison contre ce furieux appétit de vengeance, et après un grand conflit s'en rendrait enfin maître, ferait sans doute beaucoup plus. Celui-là ferait bien, et celui-ci vertueusement; l'une action se pourrait dire bonté; l'autre, vertu, car il semble que le nom de la vertu présuppose de la difficulté et du contraste, et qu'elle ne peut s'exercer sans partie [1]. C'est à l'aventure pourquoi nous nommons Dieu bon, fort, et libéral, et juste; mais nous ne le nommons pas vertueux : ses opérations sont toutes naïves et sans effort.

Des philosophes, non seulement Stoïciens mais encore Épicuriens et (cette enchère, je l'emprunte de l'opinion commune, qui est fausse; quoi que die cette subtile rencontre [a] d'Arcésilas [2] à celui qui lui reprochait que beaucoup de gens passaient de son école en l'Épicu-

a. Bon mot.

rienne, mais jamais au rebours : « Je crois bien! Des coqs
il se fait des chapons assez, mais des chapons il ne s'en
fait jamais des coqs. » Car, à la vérité, en fermeté et
rigueur d'opinions et de préceptes, la secte Épicurienne
ne cède aucunement à la Stoïque; et un Stoïcien, reconnaissant meilleure foi que ces disputeurs qui, pour combattre Épicure et se donner beau jeu, lui font dire ce à
quoi il ne pensa jamais, contournant ses paroles à gauche *a*, argumentant par la loi grammairienne autre sens
de sa façon de parler et autre créance que celle qu'ils
savent qu'il avait en l'âme et en ses mœurs, dit qu'il a
laissé d'être Épicurien pour cette considération, entre
autres, qu'il trouve leur route trop hautaine et inaccessible; « *et ii qui* φιλήδονοι *vocantur, sunt* φιλόκαλοι *et*
φιλοδίκαιοι *omnesque virtutes et colunt et retinent* * »), des
philosophes Stoïciens et Épicuriens, dis-je, il y en a
plusieurs qui ont jugé que ce n'était pas assez d'avoir
l'âme en bonne assiette, bien réglée et bien disposée à
la vertu; ce n'était pas assez d'avoir nos résolutions et nos
discours au-dessus de tous les efforts de fortune, mais
qu'il fallait encore rechercher les occasions d'en venir à la
preuve. Ils veulent quêter *b* de la douleur, de la nécessité
et du mépris, pour les combattre, et pour tenir leur âme
en haleine : « *multum sibi adjicit virtus lacessita* ** ». C'est
l'une des raisons pour quoi Épaminondas, qui était
encore d'une tierce secte [3], refuse des richesses que la
fortune lui met en main par une voie très légitime, pour
avoir, dit-il, à s'escrimer contre la pauvreté, en laquelle
extrême il se maintint toujours. Socrate s'essayait, ce me
semble, encore plus rudement, conservant pour son
exercice la malignité de sa femme [4] : qui est un essai à fer
émoulu *c*. Metellus [5], ayant, seul de tous les sénateurs
romains, entrepris, par l'effort de sa vertu, de soutenir la
violence de Saturninus, tribun du peuple à Rome, qui
voulait à toute force faire passer une loi injuste en faveur

---

a. Détournant dans une fausse direction. — *b.* Rechercher. —
c. Aiguisé.

* Cicéron, *Épîtres familières,* livre XV, lettre 19 · « Ceux qu'on
appelle amoureux de la volupté sont en réalité amoureux de l'honneur et de la justice; ils respectent et pratiquent toutes les vertus. »

** Sénèque, *Lettre 13* : « La vertu se fortifie beaucoup par la
lutte. »

de la commune *a*, et ayant encouru par là les peines capi-
tales que Saturninus avait établies contre les refusants,
entretenait ceux qui, en cette extrémité, le conduisaient
en la place, de tels propos : « Que c'était chose trop facile
et trop lâche que de mal faire, et que de faire bien où il
n'y eût point de danger, c'était chose vulgaire; mais de
faire bien où il y eût danger, c'était le propre office d'un
homme de vertu. » Ces paroles de Metellus nous représentent bien clairement ce que je voulais vérifier, que
la vertu refuse la facilité pour compagne; et que cette
aisée, douce et penchante voie, par où se conduisent les
pas réglés d'une bonne inclination de nature, n'est pas
celle de la vraie vertu. Elle demande un chemin âpre
et épineux; elle veut avoir ou des difficultés étrangères à
lutter, comme celle de Metellus, par le moyen desquelles
fortune se plaît à lui rompre la raideur de sa course; ou
des difficultés internes que lui apportent les appétits
désordonnés et imperfections de notre condition.

Je suis venu jusques ici bien à mon aise. Mais, au
bout de ce discours, il me tombe en fantaisie que l'âme
de Socrate, qui est la plus parfaite qui soit venue à ma
connaissance, serait, à mon compte, une âme de peu de
recommandation; car je ne puis concevoir en ce person-
nage-là aucun effort de vicieuse concupiscence. Au train
de sa vertu, je n'y puis imaginer aucune difficulté et
aucune contrainte; je connais sa raison si puissante et si
maîtresse chez lui qu'elle n'eût jamais donné moyen à un
appétit vicieux seulement de naître. A une vertu si élevée
que la sienne, je ne puis rien mettre en tête. Il me semble
la voir marcher d'un victorieux pas et triomphant, en
pompe et à son aise, sans empêchement ni détourbier *b*. Si
la vertu ne peut luire que par le combat des appétits
contraires, dirons-nous donc qu'elle ne se puisse passer
de l'assistance du vice, et qu'elle lui doive cela, d'en être
mise en crédit et en honneur ? Que deviendrait aussi
cette brave et généreuse volupté Épicurienne qui fait
état de nourrir mollement en son giron et y faire folâtrer
la vertu, lui donnant pour ses jouets la honte, les fièvres,
la pauvreté, la mort et les gênes ? Si je présuppose que la
vertu parfaite se connaît à combattre et porter patiem-

a. Plèbe. — *b.* Trouble.

ment la douleur, à soutenir les efforts de la goutte sans
s'ébranler de son assiette; si je lui donne pour son objet
nécessaire l'âpreté et la difficulté : que deviendra la
vertu qui sera montée à tel point que de non seulement
mépriser la douleur, mais de s'en éjouir et de se faire
chatouiller aux pointes d'une forte colique, comme est
celle que les Épicuriens ont établie et de laquelle plusieurs
d'entre eux nous ont laissé par leurs actions des preuves
très certaines ? Comme ont bien d'autres, que je trouve
avoir surpassé par effet les règles mêmes de leur discipline. Témoin le jeune Caton [6]. Quand je le vois mourir
et se déchirer les entrailles, je ne me puis contenter
de croire simplement qu'il eût lors son âme exempte tota-
lement de trouble et d'effroi, je ne puis croire qu'il se
maintînt seulement en cette démarche que les règles de la
secte Stoïque lui ordonnaient, rassise, sans émotion et
impassible; il y avait, ce me semble, en la vertu de cet
homme trop de gaillardise et de verdeur pour s'en arrêter
là. Je crois sans doute qu'il sentit du plaisir et de la
volupté en une si noble action, et qu'il s'y agréa plus
qu'en autre de celles de sa vie : « *Sic abiit e vita ut causam
moriendi nactum se esse gauderet* *. » Je le crois si avant, que
j'entre en doute s'il eût voulu que l'occasion d'un si bel
exploit lui fût ôtée. Et si la bonté qui lui faisait embrasser
les commodités publiques plus que les siennes ne me
tenait en bride, je tomberais aisément en cette opinion,
qu'il savait bon gré à la fortune d'avoir mis sa vertu à une
si belle épreuve, et d'avoir favorisé ce brigand [7] à fouler
aux pieds l'ancienne liberté de sa patrie. Il me semble lire
en cette action je ne sais quelle éjouissance de son âme, et
une émotion de plaisir extraordinaire et d'une volupté
virile, lorsqu'elle considérait la noblesse et hauteur de son
entreprise :

Deliberata morte ferocior **,

---

* Cicéron, *Tusculanes,* livre I, chap. xxx : « Il sortit de la vie
en se réjouissant d'avoir trouvé un motif pour se donner la
mort. »

** Horace, *Ode 37* du livre I : « Rendue plus orgueilleuse par sa
décision de mourir. » Il s'agit du suicide de Cléopâtre après la
défaite d'Actium.

non pas aiguisée par quelque espérance de gloire, comme
les jugements populaires et efféminés d'aucuns hommes
ont jugé, car cette considération est trop basse pour
toucher un cœur si généreux, si hautain et si roide ; mais
pour la beauté de la chose même en soi : laquelle il voyait
bien plus à clair et en sa perfection, lui qui en maniait les
ressorts, que nous ne pouvons faire.

La philosophie m'a fait plaisir de juger qu'une si
belle action eût été indécemment logée en toute autre vie
qu'en celle de Caton, et qu'à la sienne seule il apparte-
tenait de finir ainsi. Pourtant ordonna-t-il selon raison
et à son fils et aux sénateurs qui l'accompagnaient, de
pourvoir autrement à leur fait. « *Catoni cum incredibi-
lem natura tribuisset gravitatem, eamque ipse perpetua
constantia roboravisset, semperque in proposito consilio
permansisset, moriendum potius quam tyranni vultus aspi-
ciendus erat* *. »

❧ Toute mort doit être de même sa vie. Nous ne devenons pas autres pour mourir. J'interprète toujours la mort
par la vie [8]. Et si on me la récite d'apparence forte,
attachée à une faible vie, je tiens qu'elle est produite
d'une cause faible et sortable *a* à sa vie.

L'aisance donc de cette mort, et cette facilité qu'il
avait acquise par la force de son âme, dirons-nous qu'elle
doive rabattre quelque chose du lustre de sa vertu ?
Et qui, de ceux qui ont la cervelle tant soit peu teinte
de la vraie philosophie, peut se contenter d'imaginer
Socrate seulement franc de crainte et de passion en
l'accident de sa prison, de ses fers et de sa condamnation ?
Et qui ne reconnaît en lui non seulement de la fermeté
et de la constance (c'était son assiette ordinaire que celle-
là), mais encore je ne sais quel contentement nouveau
et une allégresse enjouée en ses propos et façons dernières [9] ? A ce tressaillir, du plaisir qu'il sent à gratter sa jambe après que les fers en furent hors [10], accuse-t-il pas une
pareille douceur et joie en son âme, pour être désen-

---

a. Assortie à.

* Cicéron, *De Officiis,* livre I, chap. xxxi : « Caton, qui avait
reçu de la nature une sévérité incroyable, et l'avait lui-même fortifiée par une perpétuelle constance, resté toujours inébranlable
dans ses principes, devait mourir plutôt que de soutenir la vue
d'un tyran. »

forgée *a* des incommodités passées, et à même d'entrer en
connaissance des choses à venir ? Caton me pardonnera,
s'il lui plaît; sa mort est plus tragique et plus tendue,
mais celle-ci est encore, je ne sais comment, plus belle.

Aristippe, à ceux qui la plaignaient : « Les dieux m'en
envoient une telle ! » fit-il [11].

On voit aux âmes de ces deux personnages [12] et de
leurs imitateurs (car de semblables, je fais grand doute
qu'il y en ait eu) une si parfaite habitude à la vertu
qu'elle leur est passée en complexion. Ce n'est plus vertu
pénible, ni des ordonnances de la raison, pour lesquelles
maintenir il faille que leur âme se roidisse; c'est l'essence
même de leur âme, c'est son train naturel et ordinaire.
Ils l'ont rendue telle par un long exercice des préceptes
de la philosophie, ayant rencontré une belle et riche
nature. Les passions vicieuses, qui naissent en nous, ne
trouvent plus par où faire entrée en eux; la force et
roideur de leur âme étouffe et éteint les concupiscences
aussitôt qu'elles commencent à s'ébranler.

Or, qu'il ne soit plus beau, par une haute et divine
résolution, d'empêcher la naissance des tentations, et de
s'être formé à la vertu de manière que les semences
mêmes des vices en soient déracinées, que d'empêcher
à vive force leur progrès , et, s'étant laissé surprendre aux
émotions premières des passions, s'armer et se bander
pour arrêter leur course et les vaincre; et que ce second
effet ne soit encore plus beau que d'être simplement
garni d'une nature facile et débonnaire, et dégoûtée par
soi-même de la débauche et du vice, je ne pense point
qu'il y ait doute. Car cette tierce et dernière façon, il
semble bien qu'elle rende un homme innocent, mais non
pas vertueux; exempt de mal faire, mais non assez apte
à bien faire. Joint que cette condition est si voisine à
l'imperfection et à la faiblesse que je ne sais pas bien
comment en démêler les confins et les distinguer. Les
noms mêmes de bonté et d'innocence sont à cette cause
aucunement noms de mépris. Je vois que plusieurs
vertus, comme la chasteté, sobriété et tempérance,
peuvent arriver à nous par défaillance corporelle. La
fermeté aux dangers (si fermeté il la faut appeler), le

a. Délivrée de.

mépris de la mort, la patience aux infortunes, peuvent
venir et se trouvent souvent aux hommes par faute de
bien juger de tels accidents et ne les concevoir tels qu'ils
sont. La faute d'appréhension et la bêtise contrefont ainsi
parfois les effets vertueux : comme j'ai vu souvent advenir qu'on a loué des hommes de ce quoi ils méritaient du
blâme.

Un seigneur italien tenait une fois ce propos en ma
présence, au désavantage de sa nation : Que la subtilité
des Italiens et la vivacité de leurs conceptions était si
grande qu'ils prévoyaient les dangers et accidents qui
leur pouvaient advenir, de si loin, qu'il ne fallait pas
trouver étrange si on les voyait souvent, à la guerre,
pourvoir à leur sûreté, voire avant que d'avoir reconnu
le péril; que nous et les Espagnols, qui n'étions pas si
fins, allions plus outre, et qu'il nous fallait faire voir
à l'œil et toucher à la main le danger avant que de nous
en effrayer, et que lors aussi nous n'avions plus de tenue;
mais que les Allemands et les Suisses, plus grossiers et
plus lourds, n'avaient le sens de se raviser, à peine lors
même qu'ils étaient accablés sous les coups. Ce n'était
à l'aventure que pour rire. Si *a* est-il bien vrai qu'au
métier de la guerre les apprentis se jettent bien souvent
aux dangers, d'autre inconsidération qu'ils ne font après
y avoir été échaudés :

> *haud ignarus quantum nova gloria in armis,*
> *Et prædulce decus primo certamine possit* *.

Voilà pourquoi, quand on juge d'une action particulière,
il faut considérer plusieurs circonstances et l'homme
tout entier qui l'a produite, avant la baptiser.

Pour dire un mot de moi-même. J'ai vu quelquefois
mes amis appeler prudence en moi ce qui était fortune;
et estimer avantage de courage et de patience, ce qui
était avantage de jugement et opinion; et m'attribuer
un titre pour autre, tantôt à mon gain, tantôt à ma

---

a. Pourtant.
* Virgile, *Énéide,* chant XI : « N'ignorant pas ce que peuvent,
dans un premier combat, la soif de la gloire, encore inconnue, et la
douce espérance d'un premier triomphe. »

perte. Au demeurant, il s'en faut tant que je sois arrivé à ce premier et plus parfait degré d'excellence, où de la vertu il se fait une habitude, que du second même je n'en ai fait guère de preuve. Je ne me suis mis en grand effort pour brider les désirs de quoi je me suis trouvé pressé. Ma vertu, c'est une vertu, ou innocence, pour mieux dire, accidentelle et fortuite. Si je fusse né d'une complexion plus déréglée, je crains qu'il fût allé piteusement de mon fait. Car je n'ai essayé guère de fermeté en mon âme pour soutenir des passions, si elles eussent été tant soit peu véhémentes. Je ne sais point nourrir des querelles et du débat chez moi. Ainsi je ne me puis dire nul grand merci de quoi je me trouve exempt de plusieurs vices :

> *si vitiis mediocribus et mea paucis*
> *Mendosa est natura, alioqui recta, velut si*
> *Egregio inspersos reprehendas corpore nœvos* *,

je le dois plus à ma fortune qu'à ma raison. Elle m'a fait naître d'une race fameuse en prud'homie et d'un très bon père : je ne sais s'il a écoulé en moi partie de ses humeurs, ou bien si les exemples domestiques et la bonne institution de mon enfance y ont insensiblement aidé; ou si je suis autrement ainsi né,

> *Seu libra, seu me scorpius aspicit*
> *Formidolosus, pars violentior*
> *Natalis horæ, seu tyrannus*
> *Hesperiæ Capricornus undæ* **;

mais tant y a que la plupart des vices, je les ai de moi-même en horreur. La réponse d'Antisthène à celui qui lui demandait le meilleur apprentissage : « Désapprendre le mal », semble s'arrêter à cette image [13]. Je les ai, dis-je, en horreur, d'une opinion si naturelle et si mienne que ce

---

* Horace, *Satire 6* du livre I : « Si je n'ai que des défauts peu considérables, peu nombreux, et si ma nature est bonne, comme quelques taches légères éparses sur un beau visage. »

** Horace, *Ode 17* du livre II : « Soit que je sois né sous le signe de la Balance, ou sous celui du Scorpion funeste, dont le regard est si terrible au moment de la naissance, ou sous celui du Capricorne qui règne en tyran sur la mer d'Hespérie. »

même instinct et impression que j'en ai apporté de la nourrice, je l'ai conservé sans qu'aucunes occasions me l'aient su faire altérer; voire non pas mes discours propres qui, pour s'être débandés en aucunes choses de la route commune, me licencieraient *a* aisément à des actions que cette naturelle inclination me fait haïr.

Je dirai un monstre, mais je le dirai pourtant : je trouve par là, en plusieurs choses, plus d'arrêt et de règle en mes mœurs qu'en mon opinion, et ma concupiscence moins débauchée que ma raison.

Aristippe établit des opinions si hardies en faveur de la volupté et des richesses, qu'il mit en rumeur toute la philosophie à l'encontre de lui. Mais, quant à ses mœurs, le tyran Denys [14] lui ayant présenté trois belles garces pour qu'il en fît le choix, il répondit qu'il les choisissait toutes trois et qu'il avait mal pris à Pâris d'en préférer une à ses compagnes; mais les ayant conduites à son logis, il les renvoya sans en tâter. Son valet se trouvant surchargé en chemin de l'argent qu'il portait après lui, il lui ordonna qu'il en jetât et versât là ce qui lui fâchait.

Et Épicure, duquel les dogmes sont irréligieux et délicats, se porta *b* en sa vie très dévotieusement et laborieusement. Il écrit à un sien ami qu'il ne vit que de pain bis et d'eau, qu'il lui envoie un peu de fromage pour quand il voudra faire quelque somptueux repas [15]. Serait-il vrai que, pour être bon à fait, il nous le faille être par occulte, naturelle et universelle propriété, sans loi, sans raison, sans exemple ?

Les débordements auxquels je me suis trouvé engagé, ne sont pas, Dieu merci, des pires. Je les ai bien condamnés chez moi, selon qu'ils le valent; car mon jugement ne s'est pas trouvé infecté par eux. Au rebours, il les accuse plus rigoureusement en moi qu'en un autre. Mais c'est tout; car, au demeurant, j'y apporte trop peu de résistance, et me laisse trop aisément pencher à l'autre part de la balance, sauf pour les régler et empêcher du mélange d'autres vices, lesquels s'entretiennent et s'entr'enchaînent pour la plupart les uns aux autres, qui ne s'en prend

a. M'autoriseraient. — *b.* Se comporta.

garde. Les miens, je les ai retranchés et contraints les
plus seuls et les plus simples que j'ai pu,

> *nec ultra*
> *Errorem foveo* *.

Car, quant à l'opinion des Stoïciens, qui disent le sage
œuvrer, quand il œuvre, par toutes les vertus ensemble,
quoiqu'il en ait une plus apparente selon la nature de
l'action (et à cela leur pourrait servir aucunement la
similitude du corps humain, car l'action de la colère ne se
peut exercer que toutes les humeurs ne nous y aident,
quoique la colère prédomine), si de là ils veulent tirer
pareille conséquence que, quand le fautier faut *a*, il faut
par tous les vices ensemble, je ne les en crois pas ainsi
simplement, ou je ne les entends pas, car je sens par
effet le contraire. Ce sont subtilités aiguës, insubstan-
tielles, auxquelles la philosophie s'arrête parfois.

Je suis quelques vices, mais j'en fuis d'autres, autant
qu'un saint saurait faire.

Aussi désavouent les péripatéticiens cette connexité et
couture indissolubles; et tient Aristote qu'un homme
prudent et juste peut être et intempérant et incontinent [16].

Socrate avouait à ceux qui reconnaissaient en sa
physionomie quelque inclination au vice, que c'était à
la vérité sa propension naturelle, mais qu'il avait corrigée
par discipline [17].

Et les familiers du philosophe Stilpon disaient qu'étant
né sujet au vin et aux femmes, il s'était rendu par étude
très abstinent de l'un et de l'autre [18].

Ce que j'ai de bien, je l'ai au rebours par le sort de
ma naissance. Je ne le tiens ni de loi, ni de précepte, ou
autre apprentissage. L'innocence qui est en moi, est une
innocence niaise *b*; peu de vigueur, et point d'art. Je
hais, entre autres vices, cruellement la cruauté, et par
nature et par jugement, comme l'extrême de tous les
vices. Mais c'est jusques à telle mollesse que je ne vais
pas égorger un poulet sans déplaisir, et ouïs impatiem-

---

a. Quand le pécheur pèche. — *b.* Native, innée.
* Juvénal, *Satire VIII* : « Je ne chéris pas mon vice au-delà.

ment gémir un lièvre sous les dents de mes chiens, quoique ce soit un plaisir violent que la chasse.

Ceux qui ont à combattre la volupté usent volontiers de cet argument, pour montrer qu'elle est toute
vicieuse et déraisonnable : que lorsqu'elle est en son
plus grand effort, elle nous maîtrise de façon que la
raison n'y peut avoir accès; et allèguent l'expérience
que nous en sentons en l'accointance des femmes,

> cum jam præsagit gaudia corpus,
> *Atque in eo est venus ut muliebria conserat arva* *;

où il leur semble que le plaisir nous transporte si fort
hors de nous que notre discours ne saurait lors faire son
office, tout perclus et ravi en la volupté. Je sais qu'il
en peut aller autrement, et qu'on arrivera parfois, si on
veut, à rejeter l'âme sur ce même instant à autres pensements. Mais il la faut tendre et roidir d'aguet *a*. Je sais
qu'on peut gourmander [19] l'effort de ce plaisir; et m'y
connais bien; et si n'ai point trouvé Vénus si impérieuse
déesse que plusieurs et plus chastes que moi la témoignent.
Je ne prends pour miracle, comme fait la reine de
Navarre en l'un des contes de son *Heptaméron* [20] (qui est
un gentil livre pour son étoffe), ni pour chose d'extrême
difficulté, de passer des nuits entières, en toute commodité
et liberté, avec une maîtresse de longtemps désirée,
maintenant la foi qu'on lui aura engagée de se contenter
des baisers et simples attouchements. Je crois que
l'exemple de la chasse y serait plus propre (comme il y a
moins de plaisir, il y a plus de ravissement et de surprise,
par où notre raison étonnée perd le loisir de se préparer et
bander à l'encontre), lorsqu'après une longue quête la
bête vient en sursaut à se présenter en lieu où, à l'aventure, nous l'espérions le moins. Cette secousse et
l'ardeur de ces huées [21] nous frappe, si qu'il serait
malaisé à ceux qui aiment cette sorte de chasse de retirer

---

a. Avec attention.
* Lucrèce, *De Natura Rerum,* chant IV : « Lorsque déjà le
corps pressent le plaisir et que Vénus est prête à ensemencer son
domaine. »

sur ce point la pensée ailleurs. Et les poètes font Diane victorieuse du brandon et des flèches de Cupidon :

> *Quis non malarum, quas amor curas habet,*
> *Hæc inter obliviscitur * ?*

Pour revenir à mon propos, je me compassionne fort tendrement des afflictions d'autrui, et pleurerais aisément par compagnie, si, pour occasion que ce soit, je savais pleurer. Il n'est rien qui tente mes larmes que les larmes, non vraies seulement, mais comment que ce soit, ou feintes ou peintes. Les morts, je ne les plains guère, et les envierais plutôt; mais je plains bien fort les mourants. Les sauvages ne m'offensent pas tant de rôtir et manger les corps des trépassés que ceux qui les tourmentent et persécutent vivants. Les exécutions mêmes de la justice, pour raisonnables qu'elles soient, je ne les puis voir d'une vue ferme. Quelqu'un [22], ayant à témoigner la clémence de Jules César : « Il était, dit-il, doux en ses vengeances; ayant forcé les pirates de se rendre à lui qu'ils avaient auparavant pris prisonnier et mis à rançon, d'autant qu'il les avait menacés de les faire mettre en croix, il les y condamna, mais ce fut après les avoir fait étrangler. Philomon, son secrétaire, qui l'avait voulu empoisonner, il ne le punit pas plus aigrement que d'une mort simple. » Sans dire qui est cet auteur latin qui ose alléguer, pour témoignage de clémence, de seulement tuer ceux desquels on a été offensé, il est aisé à deviner qu'il est frappé des vilains et horribles exemples de cruauté que les tyrans romains mirent en usage.

Quant à moi, en la justice même, tout ce qui est au-delà de la mort simple me semble pure cruauté et notamment à nous qui devrions avoir respect d'en envoyer les âmes en bon état; ce qui ne se peut, les ayant agitées et désespérées par tourments insupportables.

Ces jours passés, un soldat prisonnier ayant aperçu,

---

* Horace, *Épode II* : « Qui, parmi ces distractions, n'oublie pas les cruels tourments de l'amour ? » Les premières éditions des *Essais* ajoutaient aussitôt après la citation : « C'est ici un fagotage de pièces décousues. Je me suis détourné de ma voie pour dire ce mot de la chasse. »

d'une tour où il était, qu'en la place des charpentiers commençaient à dresser leurs ouvrages, et le peuple à s'y assembler, tint que c'était pour lui, et, entré en désespoir, n'ayant autre chose à se tuer, se saisit d'un vieux clou de charrette rouillé, que la fortune lui présenta, et s'en donna deux grands coups autour de la gorge; et, voyant qu'il n'en avait pu ébranler sa vie, s'en donna un autre tantôt après dans le ventre, de quoi il tomba en évanouissement. Et en cet état le trouva le premier de ses gardes qui entra pour le voir. On le fit revenir, et, pour employer le temps avant qu'il défaillît, on lui fit sur l'heure lire sa sentence qui était d'avoir la tête tranchée, de laquelle il se trouva infiniment réjoui et accepta à prendre du vin qu'il avait refusé; et, remerciant les juges de la douceur inespérée de leur condamnation, dit que cette délibération de se tuer lui était venue par l'horreur de quelque plus cruel supplice, duquel lui avait augmenté la crainte des apprêts [23]... pour en fuir une plus insupportable.

Je conseillerais que ces exemples de rigueur, par le moyen desquels on veut tenir le peuple en office [a], s'exerçassent contre les corps des criminels : car de les voir priver de sépulture, de les voir bouillir et mettre à quartiers, cela toucherait quasi autant le vulgaire que les peines qu'on fait souffrir aux vivants, quoique par effet ce soit peu, ou rien, comme Dieu dit : « *Qui corpus occidunt, et postea non habent quod faciant* *. » Et les poètes font singulièrement valoir l'horreur de cette peinture, et au-dessus de la mort :

> *Heu ! relliquias semiassi regis, denudatis ossibus,*
> *Per terram sanie delibutas fœde divexarier* **.

Je me rencontrai un jour à Rome [24] sur le point qu'on défaisait Catena, un voleur insigne. On l'étrangla sans

a. Devoir.
* D'après saint Luc, XII, 4 : « Ils tuent le corps, et après, ils ne peuvent rien faire de plus. »
** Vers d'Ennius cités par Cicéron dans les *Tusculanes*, livre I, chap. XLV : « Eh quoi ! ils traîneraient honteusement sur la terre les restes d'un roi à demi rôti, décharné jusqu'aux os et dégouttant d'un sang corrompu. »

aucune émotion de l'assistance; mais quand on vint à le mettre à quartiers, le bourreau ne donnait coup que le peuple ne suivît d'une voix plaintive et d'une exclamation, comme si chacun eût prêté son sentiment à cette charogne.

Il faut exercer ces inhumains excès contre l'écorce, non contre le vif. Ainsi amollit, en cas aucunement parcil, Artaxerxès [25] l'âpreté des lois anciennes de Perse, ordonnant que les seigneurs qui avaient failli en leur état, au lieu qu'on les soulait *a* fouetter, fussent dépouillés, et leurs vêtements fouettés pour eux; et, au lieu qu'on leur soulait arracher les cheveux, qu'on leur ôtât leur haut chapeau seulement.

Les Égyptiens, si dévotieux, estimaient bien satisfaire à la justice divine, lui sacrifiant des pourceaux en figure et représentés [26] : invention hardie de vouloir payer en peinture et en ombrage *b* Dieu, substance si essentielle.

Je vis en une saison en laquelle nous foisonnons en exemples incroyables de ce vice, par la licence de nos guerres civiles; et ne voit-on rien aux histoires anciennes de plus extrême que ce que nous en essayons tous les jours. Mais cela ne m'y a nullement apprivoisé. A peine me pouvais-je persuader, avant que je l'eusse vu, qu'il se fût trouvé des âmes si monstrueuses, qui, pour le seul plaisir du meurtre, le voulussent commettre : hacher et détrancher les membres d'autrui; aiguiser leur esprit à inventer des tourments inusités et des morts nouvelles, sans inimitié, sans profit, et pour cette seule fin de jouir du plaisant spectacle des gestes et mouvements pitoyables, des gémissements et voix lamentables d'un homme mourant en angoisse. Car voilà l'extrême point où la cruauté puisse atteindre. « *Ut homo hominem non iratus, non timens, tantum spectaturus, occidat* *. »

De moi, je n'ai pas su voir seulement sans déplaisir poursuivre et tuer une bête innocente, qui est sans défense et de qui nous ne recevons aucune offense. Et comme il advient communément que le cerf, se sentant

---

a. Avait coutume de.   *b.* Dessin.
* Sénèque, *Lettre 90 :* « Qu'un homme tue un autre homme, non par colère ou par peur, mais seulement pour le regarder mourir. »

hors d'haleine et de force, n'ayant plus autre remède, se rejette et rend à nous-mêmes qui le poursuivons, nous demandant merci par ses larmes,

> *quæstuque, cruentus*
> *Atque imploranti similis ***,

ce m'a toujours semblé un spectacle très déplaisant.

Je ne prends guère bête en vie à qui je ne redonne les champs. Pythagore les achetait des pêcheurs et des oiseleurs pour en faire autant [27] :

> *primoque a cœde ferarum*
> *Incaluisse puto maculatum sanguine ferrum ****.*

Les naturels sanguinaires à l'endroit des bêtes témoignent une propension naturelle à la cruauté.

Après qu'on se fut apprivoisé à Rome aux spectacles des meurtres des animaux, on vint aux hommes et aux gladiateurs. Nature a, ce crains-je, elle-même attaché à l'homme quelque instinct à l'inhumanité. Nul ne prend son ébat à voir des bêtes s'entrejouer et caresser; et nul ne faut de le prendre à les voir s'entredéchirer et démembrer.

Et afin qu'on ne se moque de cette sympathie que j'ai avec elles, la théologie même nous ordonne quelque faveur en leur endroit [28]; et, considérant qu'un même maître nous a logés en ce palais pour son service et qu'elles sont, comme nous, de sa famille, elle a raison de nous enjoindre quelque respect et affection envers elles. Pythagore emprunta la métempsycose des Égyptiens; mais depuis elle a été reçue par plusieurs nations, et notamment par nos Druides :

> *Morte carent animæ; semperque, priore relicta*
> *Sede, novis domibus vivunt, habitantque receptæ ****.*

---

* Virgile, *Énéide,* chant VII : « Par ses plaintes, couvert de sang, il semble implorer sa grâce. »

** Ovide, *Métamorphoses,* chant XV : « C'est, je crois, du sang des animaux que le glaive a été teint la première fois. »

*** *Ibid. :* « Les âmes ne meurent point; mais toujours, après avoir quitté leur premier siège, elles vont vivre dans de nouvelles demeures et y habitent une fois qu'elles y sont reçues. »

La religion de nos anciens Gaulois portait que les âmes, étant éternelles, ne cessaient de se remuer et changer de place d'un corps à un autre [29]; mêlant en outre à cette fantaisie quelque considération de la justice divine : car, selon les déportements de l'âme pendant qu'elle avait été chez Alexandre, ils disaient que Dieu lui ordonnait un autre corps à habiter, plus ou moins pénible, et rapportant à sa condition;

> *muta ferarum*
> *Cogit vincla pati, truculentos ingerit ursis,*
> *Prædonesque lupis, fallaces vulpibus addit,*
> *Atque ubi per varios annos, per mille figuras*
> *Egit, lethæo purgatos flumine, tandem*
> *Rursus ad humanæ revocat primordia formæ ∗.*

Si elle avait été vaillante, la logeaient au corps d'un lion; si voluptueuse, en celui d'un pourceau; si lâche, en celui d'un cerf ou d'un lièvre; si malicieuse, en celui d'un renard : ainsi du reste, jusques à ce que, purifiée par ce châtiment, elle reprenait le corps de quelque autre homme.

> *Ipse ego, nam memini, Trojani tempore belli*
> *Panthoides Euphorbus eram ∗∗.*

Quant à ce cousinage-là d'entre nous et les bêtes, je n'en fais pas grande recette; ni de ce aussi que plusieurs nations, et notamment des plus anciennes et plus nobles, ont non seulement reçu des bêtes à leur société et compagnie, mais leur ont donné un rang bien loin au-dessus d'eux, les estimant tantôt familières et favorites de leurs dieux, et les ayant en respect et révérence plus

---

∗ Claudien, *Contre Rufin,* chant II : « Il emprisonne les âmes dans des corps d'animaux : il enferme les cruels dans des ours, les voleurs dans des loups, les fourbes dans les renards. Et après leur avoir infligé mille métamorphoses pendant de longues années, il les purifie dans le fleuve de l'oubli et les rappelle à leur forme initiale, la forme humaine. »

∗∗ Ovide, *Métamorphoses,* chant XV : « Moi-même, car je m'en souviens, au temps de la guerre de Troie, j'étais Euphorbe, fils de Panthée. » C'est Pythagore lui-même qui parle ainsi dans Ovide.

qu'humaine; et d'autres ne reconnaissant autre Dieu
ni autre divinité qu'elles : « *belluæ a barbaris propter bene-
ficium consecratæ* *. »

> *Crocodilon adorat*
> *Pars hœc, illa pavet saturam serpentibus Ibin;*
> *Effigies sacri hic nitet aurea cercopitheci;*
> *hic piscem fluminis, illic*
> *Oppida tota canem venerantur* **.

Et l'interprétation même que Plutarque donne à
cette erreur, qui est très bien prise, leur est encore honorable. Car il dit [30] que ce n'était le chat, ou le bœuf (pour
exemple) que les Égyptiens adoraient, mais qu'ils adoraient en ces bêtes-là quelque image des facultés divines;
en celle-ci [31] la patience et l'utilité, en celle-là [32] la vivacité; ou comme nos voisins les Bourguignons, avec toute
l'Allemagne, l'impatience de se voir enfermée, par où
ils se représentaient la liberté, laquelle ils aimaient et
adoraient au-delà de toute autre faculté divine, et ainsi
des autres. Mais quand je rencontre, parmi les opinions
les plus modérées, les discours qui essaient à montrer
la prochaine ressemblance de nous aux animaux, et
combien ils ont de part à nos plus grands privilèges, et
avec combien de vraisemblance on nous les apparie,
certes, j'en rabats beaucoup de notre présomption, et me
démets volontiers de cette royauté imaginaire qu'on nous
donne sur les autres créatures.

Quand tout cela en serait à dire [a], si y a-t-il un certain
respect qui nous attache, et un général devoir d'humanité,
non aux bêtes seulement qui ont vie et sentiment, mais
aux arbres mêmes et aux plantes. Nous devons la justice
aux hommes, et la grâce et la bénignité aux autres
créatures qui en peuvent être capables. Il y a quelque
commerce entre elles et nous, et quelque obligation

---

a. Ferait défaut.
* Cicéron, *De Natura Deorum*, livre I, chap. xxxvi : « Les barbares ont divinisé les bêtes à cause du profit qu'ils en retirent. »
** Juvénal, *Satire XV* : « Les uns adorent le crocodile, les
autres regardent avec une terreur religieuse l'ibis engraissé de
serpents. Ici étincelle la statue d'or du singe sacré; là on vénère un
poisson du fleuve, là des cités entières adorent un chien. »

mutuelle. Je ne crains point à dire la tendresse de ma
nature si puérile que je ne puis pas bien refuser à mon
chien la fête qu'il m'offre hors de saison ou qu'il me
demande. Les Turcs ont des aumônes et des hôpitaux
pour les bêtes. Les Romains avaient un soin public de la
nourriture des oies, par la vigilance desquelles leur
Capitole avait été sauvé [33]; les Athéniens ordonnèrent
que les mules et mulets qui avaient servi au bâtiment du
temple appelé Hecatompedon fussent libres, et qu'on les
laissât paître partout sans empêchement [34].

Les Agrigentins avaient en usage commun d'enterrer
sérieusement les bêtes qu'ils avaient eues [35] chères,
comme les chevaux de quelque rare mérite, les chiens et
les oiseaux utiles, ou même qui avaient servi de passe-
temps à leurs enfants. Et la magnificence qui leur était
ordinaire en toutes autres choses, paraissait aussi singulièrement à la somptuosité et nombre des monuments
élevés à cette fin, qui ont duré en parade plusieurs
siècles depuis.

Les Égyptiens enterraient les loups, les ours, les cro-
codiles, les chiens et les chats en lieux sacrés, embau-
maient leurs corps et portaient le deuil à leur trépas [36].

Cimon fit une sépulture honorable aux juments avec
lesquelles il avait gagné par trois fois le prix de la course
aux jeux Olympiques [37]. L'ancien Xantippe fit enterrer
son chien sur un chef [a], en la côte de la mer qui en a
depuis retenu le nom. Et Plutarque faisait, dit-il,
conscience de vendre et envoyer à la boucherie, pour un
léger profit, un bœuf qui l'avait longtemps servi.

a. Cap.

CHAPITRE XII

APOLOGIE
DE RAIMOND SEBOND [1]

C'est, à la vérité, une très utile et grande partie que la science. Ceux qui la méprisent témoignent assez leur bêtise; mais je n'estime pas pourtant sa valeur jusques à cette mesure extrême qu'aucuns lui attribuent, comme Herillus, le philosophe, qui logeait en elle le souverain bien, et tenait qu'il fût en elle de nous rendre sages et contents [2]; ce que je ne crois pas, ni ce que d'autres ont dit, que la science est mère de toute vertu, et que tout vice est produit par l'ignorance. Si cela est vrai, il est sujet à une longue interprétation.

Ma maison a été de longtemps ouverte aux gens de savoir, et en est fort connue, car mon père, qui l'a commandée cinquante ans et plus, échauffé de cette ardeur nouvelle de quoi le roi François Ier embrassa les lettres et les mit en crédit, recherche avec grand soin et dépense l'accointance des hommes doctes, les recevant chez lui comme personnes saintes et ayant quelque particulière inspiration de sagesse divine, recueillant leurs sentences et leurs discours comme des oracles, et avec d'autant plus de révérence [a] et de religion qu'il avait moins de loi d'en juger, car il n'avait aucune connaissance des lettres, non plus que ses prédécesseurs. Moi, je les aime bien, mais je ne les adore pas.

Entre autres, Pierre Bunel [3], homme de grande réputation de savoir en son temps, ayant arrêté quelques jours à Montaigne en la compagnie de mon père avec

_a._ Respect.

d'autres hommes de sa sorte, lui fit présent, au déloger ^a, d'un livre qui s'intitule *Theologia naturalis sive liber creaturarum magistri Raymondi de Sabonde* [4]. Et parce que la langue italienne et espagnole étaient familières à mon père, et que ce livre est bâti d'un espagnol baragouiné en terminaisons latines, il espérait qu'avec un bien peu d'aide il en pourrait faire son profit, et le lui recommanda comme livre très utile et propre à la saison en laquelle il le lui donna ; ce fut lorsque les nouvelletés de Luther [5] commençaient d'entrer en crédit et ébranler en beaucoup de lieux notre ancienne créance. En quoi il avait un très bon avis, prévoyant bien, par discours de raison, que ce commencement de maladie déclinerait aisément en un exécrable athéisme ; car le vulgaire, n'ayant pas la faculté de juger des choses par elles-mêmes, se laissant emporter à la fortune et aux apparences après qu'on lui a mis en main la hardiesse de mépriser et contrôler les opinions qu'il avait eues en extrême révérence, comme sont celles où il va de son salut, et qu'on a mis aucuns articles de sa religion en doute et à la balance, il jette tantôt après aisément en pareille incertitude toutes les autres pièces de sa créance, qui n'avaient pas chez lui plus d'autorité ni de fondement que celles qu'on lui a ébranlées ; et secoue comme un joug tyrannique toutes les impressions qu'il avait reçues par l'autorité des lois ou révérence de l'ancien usage,

Nam cupide conculcatur nimis ante metutum *,

entreprenant dès lors en avant de ne recevoir rien à quoi il n'ait interposé son décret et prêté particulier consentement.

Or, quelques jours avant sa mort, mon père, ayant de fortune ^b rencontré ce livre sous un tas d'autres papiers abandonnés, me commanda de le lui mettre en français. Il fait bon traduire les auteurs comme celui-là, où il n'y a guère que la matière à représenter ; mais ceux qui ont donné beaucoup à la grâce et à l'élégance du

---

a. Départ. — b. Par hasard.

* Lucrèce, *De Natura Rerum*, chant V : « Car on foule aux pieds avidement ce qu'on avait auparavant redouté à l'excès. »

langage, ils sont dangereux à entreprendre : nommément pour les rapporter à un idiome plus faible. C'était une occupation bien étrange et nouvelle pour moi; mais, étant de fortune pour lors de loisir, et ne pouvant rien refuser au commandement du meilleur père qui fut onques, j'en vins à bout comme je pus; à quoi il prit un singulier plaisir, et donna charge qu'on le fît imprimer; ce qui fut exécuté après sa mort [6].

Je trouvai belles les imaginations de cet auteur, la contexture de son ouvrage bien suivie, et son dessein plein de piété. Parce que beaucoup de gens s'amusent à le lire, et notamment les dames, à qui nous devons plus de service, je me suis trouvé souvent à même de les secourir, pour décharger leur livre de deux principales objections qu'on lui fait. Sa fin est hardie et courageuse, car il entreprend, par raisons humaines et naturelles, établir et vérifier contre les athéistes tous les articles de la religion chrétienne : en quoi, à dire la vérité, je le trouve si ferme et si heureux que je ne pense point qu'il soit possible de mieux faire en cet argument-là, et crois que nul ne l'a égalé. Cet ouvrage me semblant trop riche et trop beau pour un auteur duquel le nom soit si peu connu, et duquel tout ce que nous savons, c'est qu'il était Espagnol, faisant profession de médecine à Toulouse, il y a environ deux cents ans, je m'enquis autrefois à Adrien Turnèbe [7], qui savait toutes choses, que ce pouvait être de ce livre; il me répondit qu'il pensait que ce fût quelque quintessence tirée de saint Thomas d'Aquin : car, de vrai, cet esprit-là, plein d'une érudition infinie et d'une subtilité admirable, était seul capable de telles imaginations. Tant y a que, quiconque en soit l'auteur et inventeur (et ce n'est pas raison d'ôter sans plus grande occasion à Sebond ce titre), c'était un très suffisant homme et ayant plusieurs belles parties.

La première répréhension qu'on fait de son ouvrage, c'est que les chrétiens se font tort de vouloir appuyer leur créance par des raisons humaines, qui ne se conçoit que par foi et par une inspiration particulière de la grâce divine. En cette objection, il semble qu'il y ait quelque zèle de piété, et à cette cause nous faut-il avec autant plus de douceur et de respect essayer de satisfaire à ceux qui la mettent en avant. Ce serait mieux la charge d'un

homme versé en la théologie, que de moi qui n'y sais
rien.

Toutefois je juge ainsi, qu'à une chose si divine et
si hautaine, et surpassant de si loin l'humaine intelligence, comme est cette vérité de laquelle il a plu à la
bonté de Dieu nous éclairer, il est bien besoin qu'il nous
prête encore son secours, d'une faveur extraordinaire
et privilégiée, pour la pouvoir concevoir et loger en
nous; et je ne crois pas que les moyens purement
humains en soient aucunement capables; et, s'ils l'étaient,
tant d'âmes rares et excellentes, et si abondamment
garnies de forces naturelles ès siècles anciens, n'eussent
pas failli par leur discours d'arriver à cette connaissance.
C'est la foi seule qui embrasse vivement et certainement
les hauts mystères de notre religion. Mais ce n'est pas à
dire que ce ne soit une très belle et très louable entreprise d'accommoder encore au service de notre foi les
outils naturels et humains que Dieu nous a donnés.
Il ne faut pas douter que ce ne soit l'usage le plus honorable que nous leur saurions donner, et qu'il n'est occupation ni dessein plus digne d'un homme chrétien que de
viser par tous ses études et pensements à embellir, étendre et amplifier la vérité de sa créance. Nous ne nous
contentons point de servir Dieu d'esprit et d'âme; nous
lui devons encore et rendons une révérence corporelle;
nous appliquons nos membres mêmes et nos mouvements et les choses externes à l'honorer. Il en faut faire
de même, et accompagner notre foi de toute la raison
qui est en nous, mais toujours avec cette réservation
de n'estimer pas que ce soit de nous qu'elle dépende,
ni que nos efforts et arguments puissent atteindre à une
si supernaturelle et divine science.

Si elle n'entre chez nous par une infusion extraordinaire; si elle y entre non seulement par discours [a], mais
encore par moyens humains, elle n'y est pas en sa
dignité ni en sa splendeur. Et certes je crains pourtant
que nous ne la jouissions que par cette voie. Si nous
tenions à Dieu par l'entremise d'une foi vive; si nous
tenions à Dieu par lui, non par nous; si nous avions un
pied et un fondement divin, les occasions humaines

[a]. Raison.

n'auraient pas le pouvoir de nous ébranler, comme elles
ont; notre fort ne serait pas pour se rendre à une si
faible batterie; l'amour de la nouvelleté, la contrainte
des princes, la bonne fortune d'un parti, le changement
téméraire et fortuit de nos opinions, n'auraient pas la
force de secouer et altérer notre croyance; nous ne la
lairrions *a* pas troubler à la merci d'un nouvel argument
et à la persuasion, non pas de toute la rhétorique qui
fût onques; nous soutiendrions ces flots d'une fermeté
inflexible et immobile,

> *Illisos fluctus rupes ut vasta refundit,*
> *Et varias circum latrantes dissipat undas*
> *Mole sua* *.

Si ce rayon de la divinité nous touchait aucunement,
il y paraîtrait par tout; non seulement nos paroles, mais
encore nos opérations *b* en porteraient la lueur et le
lustre. Tout ce qui partirait de nous, on le verrait illu-
miné de cette noble clarté. Nous devrions avoir honte
qu'ès sectes humaines il ne fût jamais partisan, quelque
difficulté et étrangeté que maintînt sa doctrine, qui n'y
conformât aucunement ses déportements et sa vie;
et une si divine et céleste institution ne marque les
chrétiens que par la langue.

Voulez-vous voir cela? comparez nos mœurs à un
mahométan, à un païen; vous demeurez toujours au-
dessous : là où, au regard de l'avantage de notre religion,
nous devrions luire en excellence, d'une extrême et
incomparable distance; et devrait-on dire : « Sont-ils si
justes, si charitables, si bons? ils sont donc chrétiens. »
Toutes autres apparences sont communes à toutes religions : espérance, confiance, événements, cérémonies,
pénitence, martyres. La marque péculière *c* de notre
vérité devrait être notre vertu, comme elle est aussi

---

a. Laisserions. — *b.* Actes. — *c.* Particulière.
* Ces vers qui imitent un passage de l'*Énéide*, chant VII, constituent le début d'une pièce latine en l'honneur de Ronsard, *In
laudem Ronsardi*, et sont publiés à la fin de la *Réponse...* (1562) de
Ronsard aux attaques des polémistes protestants : « Tel un vaste
rocher repousse les flots qui le frappent et disperse les ondes qui
l'environnent en rugissant par l'effet de sa masse... »

la plus céleste marque et la plus difficile, et que c'est
la plus digne production de la vérité. Pourtant *a* eut
raison notre bon saint Louis, quand ce roi tartare qui
s'était fait chrétien, desseignait *b* de venir à Lyon baiser
les pieds du pape et y reconnaître la sanctimonie *c* qu'il
espérait trouver en nos mœurs, de l'en détourner instamment, de peur qu'au contraire notre débordée
façon de vivre ne le dégoûtât d'une si sainte créance [8].
Combien que *d* depuis il advint tout diversement à cet
autre [9], lequel, étant allé à Rome pour même effet, y
voyant la dissolution des prélats et peuple de ce temps-
là, s'établit d'autant plus fort en notre religion, considérant combien elle devait avoir de force et de divinité
à maintenir sa dignité et sa splendeur parmi tant de
corruption et en mains si vicieuses.

« Si nous avions une seule goutte de foi, nous remue-
rions les montagnes de leur place », dit la sainte parole [10];
nos actions, qui seraient guidées et accompagnées de la
divinité, ne seraient pas simplement humaines; elles
auraient quelque chose de miraculeux comme notre
croyance. « *Brevis est institutio vitæ honestæ beatæque, si
credas* *. »

Les uns font accroire au monde qu'ils croient ce
qu'ils ne croient pas. Les autres, en plus grand nombre,
se le font accroire à eux-mêmes, ne sachant pas pénétrer
que c'est que croire.

Et nous trouvons étrange si, aux guerres qui pressent
à cette heure notre état, nous voyons flotter les événements et diversifier d'une manière commune et ordinaire.
C'est que nous n'y apportons rien que le nôtre. La justice
qui est en l'un des partis, elle n'y est que pour ornement
et couverture; elle y est bien alléguée, mais elle n'y est
ni reçue, ni logée, ni épousée; elle y est comme en la
bouche de l'avocat, non comme dans le cœur et affection
de la partie. Dieu doit son secours extraordinaire à la foi
et à la religion, non pas à nos passions. Les hommes y

---

a. C'est pourquoi. — *b.* Avait dessein — *c.* Sainteté. —
d. Quoique.

* Quintilien, *Institution oratoire*, livre XII, chap. II : « Si tu
crois, l'instruction de la vie honorable et heureuse sera brève. »
Montaigne donne un sens religieux à cette maxime de Quintilien.

sont conducteurs et s'y servent de la religion; ce devrait être tout le contraire.

Sentez si ce n'est par nos mains que nous la menons, à tirer comme de cire tant de figures [a] contraires d'une règle si droite et si ferme. Quand s'est-il vu mieux qu'en France en nos jours? Ceux qui l'ont prise à gauche, ceux qui l'ont prise à droite, ceux qui en disent le noir, ceux qui en disent le blanc, l'emploient si pareillement à leurs violentes et ambitieuses entreprises, s'y conduisent d'un progrès [b] si conforme en débordement et injustice, qu'ils rendent douteuse et malaisée à croire la diversité qu'ils prétendent de leurs opinions en chose de laquelle dépend la conduite et loi de notre vie. Peut-on voir partir de même école et discipline des mœurs plus unies, plus unes?

Voyez l'horrible impudence de quoi nous pelotons [c] les raisons divines, et combien irréligieusement nous les avons et rejetées et reprises selon que la fortune nous a changé de place en ces orages publics. Cette proposition si solennelle : S'il est permis au sujet de se rebeller et armer contre son prince pour la défense de la religion, souvienne-vous en quelles bouches, cette année passée, l'affirmative d'icelle était l'arc-boutant d'un parti [11], la négative de quel autre parti c'était l'arc-boutant; et oyez à présent de quel quartier vient la voix et instruction de l'une et de l'autre; si les armes bruyent moins pour cette cause que pour celle-là. Et nous brûlons les gens qui disent qu'il faut faire souffrir à la vérité le joug de notre besoin. Et de combien fait la France pis que de le dire?

Confessons la vérité : qui trierait de l'armée, même légitime et moyenne, ceux qui y marchent par le seul zèle d'une affection religieuse, et encore ceux qui regardent seulement la protection des lois de leur pays ou service du prince, il n'en saurait bâtir une compagnie de gendarmes [d] complète. D'où vient cela, qu'il s'en trouve si peu qui aient maintenu même volonté et même progrès en nos mouvements publics, et que nous les voyons tantôt n'aller que le pas, tantôt y courir à bride

a. Formes. — *b.* Marche. — *c.* Renvoyons comme une balle à la pelote. — *d.* Soldats.

avalée *ᵃ*; et mêmes hommes tantôt gâter nos affaires par leur violence et âpreté, tantôt par leur froideur, mollesse et pesanteur, si ce n'est qu'ils y sont poussés par des considérations particulières et casuelles selon la diversité desquelles ils se remuent?

Je vois cela évidemment, que nous ne prêtons volontiers à la dévotion que les offices qui flattent nos passions. Il n'est point d'hostilité excellente *ᵇ* comme la chrétienne. Notre zèle fait merveilles, quand il va secondant notre pente vers la haine, la cruauté, l'ambition, l'avarice *ᶜ*, la détraction *ᵈ*, la rébellion. A contre-poil, vers la bonté, la bénignité, la tempérance, si, comme par miracle, quelque rare complexion ne l'y porte, il ne va ni de pied, ni d'aile.

Notre religion est faite pour extirper les vices; elle les couvre, les nourrit, les incite.

Il ne faut point faire barbe de foarre à Dieu ¹² (comme on dit). Si nous le croyions, je ne dis pas par foi, mais d'une simple croyance, voire (et je le dis à notre grande confusion) si nous le croyions et connaissions comme une autre histoire, comme l'un de nos compagnons, nous l'aimerions au-dessus de toutes autres choses, pour l'infinie bonté et beauté qui reluit en lui; au moins marcherait-il en même rang de notre affection que les richesses, les plaisirs, la gloire et nos amis.

Le meilleur de nous ne craint point de l'outrager, comme il craint d'outrager son voisin, son parent, son maître. Est-il si simple entendement, lequel, ayant d'un côté l'objet d'un de nos vicieux plaisirs, et de l'autre en pareille connaissance et persuasion l'état d'une gloire immortelle, entrât en troc de l'un pour l'autre? Et si, nous y renonçons souvent de pur mépris : car quel goût nous attire au blasphémer, sinon à l'aventure le goût même de l'offense?

Le philosophe Antisthène, comme on l'initiait aux mystères d'Orphée, le prêtre lui disant que ceux qui se vouaient à cette religion avaient à recevoir après leur mort des biens éternels et parfaits : « Pourquoi ne meurs-tu donc toi-même? » lui fit-il ¹³.

---

a. A bride abattue. — *b.* Agressivité éminente. — *c.* Cupidité. — *d.* Dénigrement.

Diogène [14], plus brusquement selon sa mode, et hors
de notre propos, au prêtre qui le prêchait de même de
se faire de son ordre pour parvenir aux biens de l'autre
monde : « Veux-tu pas que je croie qu'Agésilas et Épaminondas, si grands hommes, seront misérables, et que toi,
qui n'es qu'un veau, seras bien heureux parce que tu es
prêtre ? »

Ces grandes promesses de la béatitude éternelle, si
nous les recevions de pareille autorité qu'un discours
philosophique, nous n'aurions pas la mort en telle horreur que nous avons.

> *Non jam se moriens dissolvi conquereretur ;*
> *Sed magis ire foras, vestémque relinquere, ut anguis,*
> *Gauderet, prælonga senex aut cornua cervus* *.

Je veux être dissous, dirions-nous, et être avec Jésus-
Christ [15]. La force du discours de Platon, de l'immortalité de l'âme, poussa bien aucuns de ses disciples à la
mort, pour jouir plus promptement des espérances qu'il
leur donnait [16].

Tout cela, c'est un signe très évident que nous ne
recevons notre religion qu'à notre façon et par nos
mains, et non autrement que comme les autres religions se reçoivent. Nous nous sommes rencontrés au
pays où elle était en usage ; ou nous regardons son ancienneté ou l'autorité des hommes qui l'ont maintenue ;
ou craignons les menaces qu'elle attache aux mécréants ;
ou suivons ses promesses. Ces considérations-là doivent
être employées à notre créance, mais comme subsidiaires :
ce sont liaisons humaines. Une autre région, d'autres
témoins, pareilles promesses et menaces nous pourraient
imprimer par même voie une croyance contraire.

Nous sommes chrétiens à même titre que nous sommes
ou Périgourdins ou Allemands.

Et ce que dit Platon [17], qu'il est peu d'hommes si
fermes en l'athéisme, qu'un danger pressant ne ramène

---

* Lucrèce, *De Natura Rerum*, chant III : « Le mourant ne se plain-
drait plus de sa dissolution, mais se réjouirait plutôt de sortir de
lui-même, et de laisser son enveloppe comme fait le serpent ou
comme le vieux cerf abandonne ses bois trop longs. »

à la reconnaissance de la divine puissance, ce rôle ne touche point un vrai chrétien. C'est à faire aux religions mortelles et humaines d'être reçues par une humaine conduite. Quelle foi doit-ce être, que la lâcheté et la faiblesse de cœur plantent en nous et établissent ? Plaisante foi qui ne croit ce qu'elle croit que pour n'avoir le courage de le décroire ! Une vicieuse passion comme celle de l'inconstance *a* et de l'étonnement *b*, peut-elle faire en notre âme aucune production réglée ?

Ils établissent, dit-il, par la raison de leur jugement, que ce qui se récite des enfers et des peines futures est feint. Mais, l'occasion de l'expérimenter s'offrant lorsque la vieillesse ou les maladies les approchent de leur mort, la terreur d'icelle les remplit d'une nouvelle créance par l'horreur de leur condition à venir. Et parce que telles impressions rendent les courages craintifs, il défend en ses lois toute instruction de telles menaces, et la persuasion que des Dieux il puisse venir à l'homme aucun mal, sinon pour son plus grand bien, quand il y échoit, et pour un médicinal effet. Ils récitent [18] de Bion qu'infecté des athéismes de Théodorus, il avait été longtemps se moquant des hommes religieux; mais, la mort le surprenant, qu'il se rendit aux plus extrêmes superstitions, comme si les Dieux s'ôtaient et se remettaient selon l'affaire de Bion.

Platon et ces exemples veulent conclure que nous sommes ramenés à la créance de Dieu, ou par amour, ou par force. L'athéisme étant une proposition comme dénaturée et monstrueuse, difficile aussi et malaisée d'établir en l'esprit humain, pour insolent et déréglé qu'il puisse être; il s'en est vu assez, par vanité et par fierté de concevoir des opinions non vulgaires et réformatrices du monde, en affecter la profession par contenance, qui, s'ils sont assez fols, ne sont pas assez forts pour l'avoir plantée en leur conscience pourtant. Ils ne lairront de joindre les mains vers le ciel, si vous leur attachez un bon coup d'épée en la poitrine. Et, quand la crainte ou la maladie aura abattu cette licencieuse ferveur d'humeur volage, ils ne lairront de se revenir et se laisser tout discrètement manier aux créances

a. Peur. — *b.* Affolement.

et exemples publics. Autre chose est un dogme sérieusement digéré; autre chose, ces impressions superficielles,
lesquelles, nées de la débauche d'un esprit démanché,
vont nageant témérairement et incertainement en la
fantaisie. Hommes bien misérables et écervelés, qui
tâchent d'être pires qu'ils ne peuvent!

L'erreur du paganisme, et l'ignorance de notre sainte
vérité, laissa tomber cette grande âme de Platon (mais
grande d'humaine grandeur seulement), encore en cet
autre voisin abus, que les enfants et les vieillards se
trouvent plus susceptibles de religion, comme si elle
naissait et tirait son crédit de notre imbécillité *a*.

Le nœud qui devrait attacher notre jugement et
notre volonté, qui devrait étreindre notre âme et joindre
à notre créateur, ce devrait être un nœud prenant ses
replis et ses forces, non pas de nos considérations, de nos
raisons et passions, mais d'une étreinte divine et supernaturelle, n'ayant qu'une forme, un visage et un lustre,
qui est l'autorité de Dieu et sa grâce. Or, notre cœur et
notre âme étant régis et commandés par la foi, c'est
raison qu'elle tire au service de son dessein toutes nos
autres pièces selon leur portée. Aussi n'est-il pas croyable
que toute cette machine n'ait quelques marques
empreintes de la main de ce grand architecte, et qu'il n'y
ait quelque image ès choses du monde rapportant aucunement à l'ouvrier qui les a bâties et formées. Il a laissé en
ces hauts ouvrages le caractère de sa divinité, et ne tient
qu'à notre imbécillité que nous ne le puissions découvrir.
C'est ce qu'il nous dit lui-même, que ses opérations invisibles, il nous les manifeste par les visibles. Sebond [19] s'est
travaillé à cette digne étude, et nous montre comment
il n'est pièce du monde qui démente son facteur. Ce
serait faire tort à la bonté divine, si l'univers ne consen-
tait à notre créance. Le ciel, la terre, les éléments, notre
corps et notre âme, toutes choses y conspirent; il n'est
que de trouver le moyen de s'en servir. Elles nous instruisent, si nous sommes capables d'entendre. Car ce
monde est un temple très saint [20], dedans lequel l'homme
est introduit pour y contempler des statues, non ouvrées
de mortelle main, mais celles que la divine pensée a fait

a. Faiblesse.

sensibles : le soleil, les étoiles, les eaux et la terre, pour
nous représenter les intelligibles. « Les choses invisibles
de Dieu, dit saint Paul [21], apparaissent par la création du
monde, considérant sa sapience éternelle et sa divinité
par ses œuvres. »

> *Atque adeo faciem cæli non invidet orbi*
> *Ipse Deus, vultúsque suos corpúsque recludit*
> *Semper volvendo; seque ipsum inculcat et offert,*
> *Ut bene cognosci possit, doceátque videndo*
> *Qualis eat, doceátque suas attendere leges*.*

Or, nos raisons et nos discours humains, c'est comme
la matière lourde et stérile : la grâce de Dieu en est la
forme; c'est elle qui y donne la façon et le prix. Tout
ainsi que les actions vertueuses de Socrate et de Caton
demeurent vaines et inutiles pour n'avoir eu leur fin et
n'avoir regardé l'amour et obéissance du vrai créateur
de toutes choses, et pour avoir ignoré Dieu : ainsi est-il
de nos imaginations et discours; ils ont quelque corps,
mais c'est une masse informe, sans façon et sans jour, si la
foi et grâce de Dieu n'y sont jointes. La foi venant à
teindre et illustrer les arguments de Sebond, elle les
rend fermes et solides; ils sont capables de servir d'acheminement et de premier guide à un apprenti pour le
mettre à la voie de cette connaissance; ils le façonnent
aucunement et rendent capable de la grâce de Dieu,
par le moyen de laquelle se parfournit et se parfait après
notre créance. Je sais un homme d'autorité, nourri aux
lettres, qui m'a confessé avoir été ramené des erreurs
de la mécréance par l'entremise des arguments de Sebond.
Et, quand on les dépouillera de cet ornement et du

---

* Manilius, *Astronomiques*, chant IV : « Dieu ne refuse pas à
la terre la vue du ciel; en le faisant sans cesse rouler sur nos têtes
il révèle son visage et son corps; il s'offre lui-même à nous et s'inculque en nous, afin que nous puissions le bien connaître; afin aussi
de nous apprendre sa marche en le voyant et de nous enseigner à
prêter attention à ses lois. » Dans les éditions publiées de son vivant,
Montaigne commentait ces vers : « *Si mon imprimeur était si amoureux de ces préfaces quêtées et empruntées, de quoi par humeur de ce
siècle, il n'est pas livre de bonne maison, s'il n'en a le front garni, il
se devait servir de tels vers que ceux-ci, qui sont de meilleure et plus
ancienne race, que ceux qu'il y est allé planter.* »

secours et approbation de la foi, et qu'on les prendra
pour fantaisies pures humaines, pour en combattre
ceux qui sont précipités aux épouvantables et horribles
ténèbres de l'irréligion, ils se trouveront encore lors
aussi solides et autant fermes que nuls autres de même
condition qu'on leur puisse opposer : de façon que nous
serons sur les termes de dire *a* à nos parties,

Si melius quid habes, accerse, vel imperium fer * ;

qu'ils souffrent la force de nos preuves, ou qu'ils nous
en fassent voir ailleurs, et sur quelque autre sujet, de
mieux tissues et mieux étoffées.

Je me suis, sans y penser, à demi déjà engagé dans la
seconde objection à laquelle j'avais proposé de répondre
pour Sebond.

Aucuns disent que ses arguments sont faibles et ineptes
à vérifier ce qu'il veut, et entreprennent de les choquer
aisément. Il faut secouer ceux-ci un peu plus rudement,
car ils sont plus dangereux et plus malicieux que les
premiers. On couche volontiers le sens des écrits d'autrui
à la faveur des opinions qu'on a préjugées en soi ; et un
athéiste se flatte à ramener tous auteurs à l'athéisme,
infectant de son propre venin la matière innocente. Ceux-
ci ont quelque préoccupation de jugement qui leur rend
le goût fade aux raisons de Sebond. Au demeurant, il leur
semble qu'on leur donne beau jeu de les mettre en liberté
de combattre notre religion par les armes pures humaines,
laquelle ils n'oseraient attaquer en sa majesté pleine
d'autorité et de commandement. Le moyen que je prends
pour rabattre cette frénésie et qui me semble le plus
propre, c'est de froisser et fouler aux pieds l'orgueil
et humaine fierté ; leur faire sentir l'inanité, la vanité
et dénéantise *b* de l'homme ; leur arracher des poings
les chétives armes de leur raison ; leur faire baisser la
tête et mordre la terre sous l'autorité et révérence de la
majesté divine. C'est à elle seule qu'appartient la science
et la sapience ; elle seule qui peut estimer de soi quelque

---

a. En mesure de dire à nos adversaires. — *b.* Le néant.

* Horace, *Épître 5* du livre I : « Si tu as un meilleur argument,
produis-le ou accepte notre pouvoir. »

chose, et à qui nous dérobons ce que nous nous comptons et ce que nous nous prisons.

Οὐ γὰρ ἐᾶ φρονείν ὁ Θεὸς μέγα ἄλλον ἢ ἑωυτον [22] *.

Abattons ce cuider [a], premier fondement de la tyrannie du malin esprit : « *Deus superbis resistit ; humilibus autem dat gratiam* **. » L'intelligence est en tous les Dieux, dit Platon [23], et en fort peu d'hommes.

Or c'est cependant beaucoup de consolation à l'homme chrétien de voir nos outils mortels et caducs si proprement assortis à notre foi sainte et divine que, lorsqu'on les emploie aux sujets de leur nature mortels et caducs, ils n'y soient pas appropriés plus uniment, ni avec plus de force. Voyons donc si l'homme a en sa puissance d'autres raisons plus fortes que celles de Sebond, voire s'il est en lui d'arriver à aucune certitude par argument et par discours [b].

Car saint Augustin [24], plaidant contre ces gens-ci, a occasion de reprocher leur injustice en ce qu'ils tiennent les parties de notre créance fausses, que notre raison faut [c] à établir ; et pour montrer qu'assez de choses peuvent être et avoir été, desquelles notre discours ne saurait fonder la nature et les causes, il leur met en avant certaines expériences connues et indubitables auxquelles l'homme confesse rien ne voir ; et cela, comme toutes autres choses, d'une curieuse et ingénieuse recherche. Il faut plus faire, et leur apprendre que, pour convaincre la faiblesse de leur raison, il n'est besoin d'aller triant des rares exemples, et qu'elle est si manque et si aveugle qu'il n'y a nulle si claire facilité qui lui soit assez claire ; que l'aisé et le malaisé lui sont un ; que tous sujets également, et la nature en général désavoue sa juridiction et entremise.

Que nous prêche la vérité [25], quand elle nous prêche de fuir la mondaine philosophie, quand elle nous inculque si souvent que notre sagesse n'est que folie devant Dieu [26]; que, de toutes les vanités, la plus vaine c'est l'homme ;

---

a. Cette idée. — b. Raisonnements. — c. Manque à.

* « Car Dieu ne permet pas qu'un autre que lui s'enorgueillisse. » (Hérodote).

** Première Épître de saint Pierre, v, 5 : « Dieu résiste aux orgueilleux et fait grâce aux humbles. »

que l'homme qui présume de son savoir, ne sait pas
encore que c'est que savoir [27], et que l'homme, qui n'est
rien [28], s'il pense être quelque chose, se réduit soi-même
et se trompe? Ces sentences du Saint-Esprit expriment
si clairement et si vivement ce que je veux maintenir,
qu'il ne me faudrait aucune autre preuve contre des gens
qui se rendraient avec toute soumission et obéissance à
son autorité. Mais ceux-ci veulent être fouettés à leurs
propres dépens et ne veulent souffrir qu'on combatte
leur raison que par elle-même.

Considérons donc pour cette heure l'homme seul [29],
sans secours étranger, armé seulement de ses armes,
et dépourvu de la grâce et connaissance divine, qui est
tout son honneur, sa force et le fondement de son être.
Voyons combien il a de tenue en ce bel équipage. Qu'il
me fasse entendre par l'effort de son discours, sur quels
fondements il a bâti ces grands avantages qu'il pense
avoir sur les autres créatures. Qui lui a persuadé que ce
branle admirable de la voûte céleste, la lumière éternelle
de ces flambeaux roulant si fièrement sur sa tête, les
mouvements épouvantables de cette mer infinie, soient
établis et se continuent tant de siècles pour sa commodité
et pour son service? Est-il possible de rien imaginer si
ridicule que cette misérable et chétive créature, qui n'est
pas seulement maîtresse de soi, exposée aux offenses
de toutes choses, se dise maîtresse et emperière *a* de l'univers, duquel il n'est pas en sa puissance de connaître
la moindre partie, tant s'en faut de la commander? Et
ce privilège qu'il s'attribue d'être seul en ce grand bâtiment, qui ait la suffisance d'en reconnaître la beauté et
les pièces, seul qui en puisse rendre grâces à l'architecte
et tenir compte de la recette et mise du monde, qui lui
a scellé ce privilège? Qu'il nous montre lettres *b* de cette
belle et grande charge.

Ont-elles été octroyées [30] en faveur des sages seulement? Elles ne touchent guère de gens. Les fols et les
méchants sont-ils dignes de faveur si extraordinaire, et,
étant la pire pièce du monde, d'être préférés à tout le
reste?

En croirons-nous celui-là : « *Quorum igitur causa*

***

a. Impératrice. — b. Lettres patentes.

quis dixerit effectum esse mundum ? Eorum scilicet animantium quæ ratione utuntur. Hi sunt dii et homines, quibus profecto nihil est melius * ? » Nous n'aurons jamais assez bafoué l'impudence de cet accouplage.

Mais, pauvret, qu'a-t-il en soi digne d'un tel avantage ? A considérer cette vie incorruptible des corps célestes, leur beauté, leur grandeur, leur agitation continuée d'une si juste règle :

> *cum suspicimus magni cœlestia mundi*
> *Templa super, stellisque micantibus Aethera fixum,*
> *Et venit in mentem Lunæ solisque viarum ** ;*

à considérer la domination et puissance que ces corps-là ont non seulement sur nos vies et conditions de notre fortune,

> *Facta etenim et vitas hominum suspendit ab astris ***,*

mais sur nos inclinations mêmes, nos discours [a], nos volontés, qu'ils régissent, poussent et agitent à la merci de leurs influences, selon que notre raison nous l'apprend et le trouve,

> *speculatâque longè*
> *Deprenlit tacitis dominantia legibus astra,*
> *Et totum alterna mundum ratione moveri,*
> *Fatorûmque vices certis discernere signis **** ;*

[a]. Raisonnements.

* *De Natura Deorum,* livre II, chap. LIV. C'est le stoïcien Balbus qui parle : « Pour qui donc dira-t-on que le monde a été créé ? Sans doute pour ceux des êtres animés qui ont l'usage de la raison ; ce sont les dieux et les hommes, assurément les êtres les plus parfaits. »

** Lucrèce, *De Natura Rerum,* chant V : « Quand nous contemplons les voûtes célestes du vaste univers au-dessus de notre tête et l'éther constellé d'astres étincelants ; quand nous réfléchissons aux révolutions de la lune et du soleil... »

*** Manilius, *Astronomiques,* chant III : « Car il fait dépendre des astres les actions et la vie des hommes. »

**** *Idem,* chant I : « Elle reconnaît que ces astres que nous voyons si éloignés de nous, gouvernent les hommes par des lois secrètes, que le monde tout entier se meut selon un mouvement périodique et que les alternatives des destinées sont réglées par des signes déterminés. »

à voir que non un homme seul, non un roi, mais les
monarchies, les empires et tout ce bas monde se meut
au branle des moindres mouvements célestes,

> *Quantâque quam parvi faciant discrimina motus :*
> *Tantum est hoc regnum, quod rebigus imperat ipsis * !*

si notre vertu, nos vices, notre suffisance et science,
et ce même discours que nous faisons de la force des
astres, et cette comparaison d'eux à nous, elle vient,
comme juge notre raison, par leur moyen et de leur
faveur,

> *furit alter amore,*
> *Et pontum tranare potest et vertere Trojam ;*
> *Alterius sors est scribendis legibus apta ;*
> *Ecce patrem nati perimunt, natósque parentes ;*
> *Mutuáque armati coeunt in vulnera fratres :*
> *Non nostrum hoc bellum est ; coguntur tanta movere,*
> *Inque suas ferri pœnas, lacerandáque membra ;*
> *Hoc quoque fatale est, sic ipsum expendere fatum ** ;*

si nous tenons de la distribution du ciel cette part de
raison que nous avons, comment nous pourra-t-elle
égaler à lui ? comment soumettre à notre science son
essence et ses conditions ? Tout ce que nous voyons en
ces corps-là, nous étonne. « *Quæ molitio, quæ ferramenta,
qui vectes, quæ machinæ, qui ministri tanti operis fuerunt *** ?* »
Pourquoi les privons-nous et d'âme, et de vie, et de dis-

---

* Manilius, *Astronomiques,* chant I et chant IV : « Combien sont
grands les effets des mouvements insensibles... Si puissant est ce
pouvoir, qui commande aux rois eux-mêmes ! »

** *Idem,* chant IX : « L'un, emporté par l'amour traverse la mer
pour ruiner Troie ; le sort d'un autre est de composer des lois ; voici
des enfants qui tuent leur père, et des parents leurs enfants ; des
frères s'arment pour des combats fratricides : cette guerre ne dépend
pas de nous ; le destin force les hommes à tout bouleverser, à se
punir eux-mêmes et à se déchirer... Et moi-même si je parle du destin, c'est que le destin l'a voulu. »

*** Cicéron, *De Natura Deorum,* livre I, chap VIII, dont tout ce
passage s'inspire : « Quels furent les instruments, les leviers, les
machines, les ouvriers d'une œuvre si grandiose ? »

cours *ª*? Y avons-nous reconnu quelque stupidité immobile et insensible, nous qui n'avons aucun commerce avec
eux, que d'obéissance? Dirons-nous que nous n'avons
vu en nulle autre créature qu'en l'homme l'usage d'une
âme raisonnable? Et quoi! avons-nous vu quelque chose
semblable au soleil? Laisse-t-il d'être, parce que nous
n'avons rien vu de semblable? et ses mouvements d'être,
parce qu'il n'en est point de pareils? Si ce que nous
n'avons pas vu n'est pas, notre science est merveilleusement raccourcie : « *Quæ sunt tantæ animi angustiæ ! * »
Sont-ce pas des songes de l'humaine vanité, de faire
de la lune une terre céleste, y songer des montagnes,
des vallées, comme Anaxagore [31]? y planter des habita-
tions et demeures humaines [32], et y dresser des colonies
pour notre commodité, comme fait Platon et Plutarque [33]?
et de notre terre en faire un astre éclairant et lumineux?
« *Inter cetera mortalitatis incommoda et hoc est, calligo
mentium, nec tantum necessitas errandi sed errorum amor **.* »
— « *Corruptibile corpus aggravat animam, et deprimit
terrena inhabitatio sensum multa cogitantem ***.* »

La présomption est notre maladie naturelle et originelle. La plus calamiteuse et frêle de toutes les créatures,
c'est l'homme, et quant et quant *ᵇ* la plus orgueilleuse.
Elle se sent et se voit logée ici, parmi la bourbe et le
fient *ᶜ* du monde, attachée et clouée à la pire, plus morte
et croupie partie de l'univers, au dernier étage du logis
et le plus éloigné de la voûte céleste, avec les animaux de
la pire condition des trois; et se va plantant par imagination au-dessus du cercle de la lune et ramenant le ciel
sous ses pieds. C'est par la vanité de cette même imagina-

---

a. Raison. — *b.* En même temps. — *c.* La fiente.

* Cicéron, *De Natura Deorum,* livre I, chap. xxxi : « Si étroites
sont les limites de notre esprit. »

** Sénèque, *De Ira,* livre II, chap. ix : « Parmi les autres désagré-
ments de la nature humaine, on doit aussi compter cet aveuglement
de l'âme, qui non seulement la force à errer, mais lui fait aimer ses
erreurs. »

*** Citation du Livre de la sagesse, ix, 15, que Montaigne
a tirée de la *Cité de Dieu* de saint Augustin, livre XII, chap.
xv : « Le corps, sujet à la corruption, appesantit l'âme, et cette
enveloppe grossière abaisse sa pensée ambitieuse et l'attache à la
terre. »

tion qu'il s'égale à Dieu, qu'il s'attribue les conditions divines, qu'il se trie soi-même et sépare de la presse des autres créatures, taille les parts aux animaux ses confrères et compagnons, et leur distribue telle portion de facultés et de forces que bon lui semble. Comment connaît-il, par l'effort de son intelligence, les branles internes et secrets des animaux? par quelle comparaison d'eux à nous conclut-il la bêtise qu'il leur attribue?

Quand je me joue à ma chatte, qui sait si elle passe son temps de moi plus que je ne fais d'elle [34]? Platon [35], en sa peinture de l'âge doré sous Saturne, compte entre les principaux avantages de l'homme d'alors la communication qu'il avait avec les bêtes, desquelles s'enquérant et s'instruisant, il savait les vraies qualités et différences de chacune d'icelles; par où il acquérait une très parfaite intelligence et prudence, et en conduisait de bien loin plus heureusement sa vie que nous ne saurions faire. Nous faut-il meilleure preuve à juger l'impudence humaine sur le fait des bêtes? Ce grand auteur a opiné qu'en la plupart de la forme corporelle que nature leur a donnée, elle a regardé seulement l'usage des pronostications qu'on en tirait en son temps [36].

Ce défaut qui empêche la communication d'entre elles et nous, pourquoi n'est-il aussi bien à nous qu'à elles? C'est à deviner à qui est la faute de ne nous entendre point; car nous ne les entendons non plus qu'elles nous. Par cette même raison, elles nous peuvent estimer bêtes, comme nous les en estimons. Ce n'est pas grand'merveille si nous ne les entendons pas (aussi ne faisons-nous les Basques et les Troglodytes). Toutefois aucuns se sont vantés de les entendre, comme Apollonius, Thyaneus, Melampus, Tirésias, Thalès et autres [37]. Et puisqu'il est ainsi, comme disent les cosmographes, qu'il y a des nations qui reçoivent un chien pour leur roi [38], il faut bien qu'ils donnent certaine interprétation à sa voix et mouvements. Il nous faut remarquer la parité qui est entre nous. Nous avons quelque moyenne intelligence de leur sens : aussi ont les bêtes du nôtre, environ à même mesure. Elles nous flattent, nous menacent et nous requièrent; et, nous, elles.

Au demeurant, nous découvrons bien évidemment qu'entre elles il y a une pleine et entière communication et qu'elles s'entr'entendent, non seulement celles de même espèce, mais aussi d'espèces diverses.

> *Et mutæ pecudes et denique secla ferarum*
> *Dissimiles suerunt voces variásque cluere,*
> *Cum metus aut dolor est, aut cum jam gaudia gliscunt *.*

En certain aboyer du chien le cheval connaît qu'il y a de la colère; de certaine autre sienne voix il ne s'effraie point. Aux bêtes mêmes qui n'ont pas de voix, par la société d'offices [a] que nous voyons entre elles, nous argumentons aisément quelque autre moyen de communication : leurs mouvements discourent et traitent;

> *Non alia longè ratione atque ipsa videtur*
> *Protrahere ad gestum pueros infantia linguæ **.*

Pourquoi non, tout aussi bien que nos muets disputent, argumentent et content des histoires par signes? J'en ai vu de si souples et formés à cela, qu'à la vérité il ne leur manquait rien à la perfection de se savoir faire entendre; les amoureux se courroucent, se réconcilient, se prient, se remercient, s'assignent et disent enfin toutes choses des yeux :

> *E'l silentio ancor suole*
> *Haver prieghi e parole ***.*

Quoi des mains? nous requérons, nous promettons, appelons, congédions, menaçons, prions, supplions,

---

a. Communauté des services.

* Lucrèce, *De Natura Rerum,* chant V : « Et les animaux privés de la parole et même les bêtes sauvages font entendre des cris différents et variés, selon qu'ils éprouvent de la crainte, de la douleur ou de la joie. »

** Lucrèce, *De Natura Rerum,* chant V : « C'est de la même manière que l'impuissance de la parole conduit les enfants à s'exprimer par gestes. »

*** Le Tasse, *Aminta,* acte III : « Le silence même sait prier et se faire comprendre. »

nions, refusons, interrogeons, admirons, nombrons *a*, confessons, repentons, craignons, vergognons *b*, doutons, instruisons, commandons, incitons, encourageons, jurons, témoignons, accusons, condamnons, absolvons, injurions, méprisons, défions, dépitons, flattons, applaudissons, bénissons, humilions, moquons, réconcilions, recommandons, exaltons, festoyons, réjouissons, complaignons, attristons, déconfortons, désespérons, étonnons, écrions, taisons ; et quoi non *c* ? d'une variation et multiplication à l'envi de la langue. De la tête : nous convions, nous renvoyons, avouons, désavouons, démentons, bienveignons *d*, honorons, vénérons, dédaignons, demandons, éconduisons, égayons, lamentons, caressons, tançons, soumettons, bravons, exhortons, menaçons, assurons, enquérons. Quoi des sourcils ? quoi des épaules ? Il n'est mouvement qui ne parle et un langage intelligible sans discipline et un langage public : qui fait *e*, voyant la variété et usage distingué des autres, que celui-ci doit plutôt être jugé le propre de l'humaine nature. Je laisse à part ce que particulièrement la nécessité en apprend soudain à ceux qui en ont besoin, et les alphabets des doigts et grammaires en gestes, et les sciences qui ne s'exercent et expriment que par iceux, et les nations que Pline [39] dit n'avoir point d'autre langue.

Un ambassadeur de la ville d'Abdère [40], après avoir longuement parlé au roi Agis de Sparte, lui demanda : « Eh bien, Sire, quelle réponse veux-tu que je rapporte à nos citoyens ? — Que je t'ai laissé dire tout ce que tu as voulu, et tant que tu as voulu, sans jamais dire mot. » Voilà pas un taire parlier *f* et bien intelligible ?

Au reste, quelle sorte de notre suffisance ne reconnaissons-nous aux opérations des animaux ? Est-il police réglée avec plus d'ordre, diversifiée à plus de charges et d'offices, et plus constamment entretenue que celle des mouches à miel ? Cette disposition d'actions et de vacations *g* si ordonnée, la pouvons-nous imaginer se conduire sans discours *h* et sans providence *i* ?

a. Comptons. — b. Avons honte. — c. Et que ne faisons-nous pas ? — d. Souhaitons la bienvenue. — e. Ce qui fait. — f. Un silence éloquent. — g. Fonctions. — h. Raison. — i. Prévoyance.

His quidam signis atque hæc exempla sequuti,
Esse apibus partem divinæ mentis et haustus
Æthereos dixere *.

Les arondelles, que nous voyons au retour du printemps
fureter tous les coins de nos maisons, cherchent-elles
sans jugement et choisissent-elles sans discrétion [a], de
mille places, celle qui leur est la plus commode à se loger ?
Et, en cette belle et admirable contexture de leurs bâtiments, les oiseaux peuvent-ils se servir plutôt d'une
figure carrée que de la ronde, d'un angle obtus que d'un
angle droit, sans en savoir les conditions et les effets ?
Prennent-ils tantôt de l'eau, tantôt de l'argile, sans
juger que la dureté s'amollit en l'humectant ? Planchent-
ils de mousse leur palais, ou de duvet, sans prévoir que
les membres tendres de leurs pétits y seront plus mollement et plus à l'aise ? Se couvrent-ils du vent pluvieux,
et plantent leur loge à l'Orient, sans connaître les conditions différentes de ces vents et considérer que l'un leur
est plus salutaire que l'autre ? Pourquoi épaissit l'araignée
sa toile en un endroit et relâche en un autre ? se sert à
cette heure de cette sorte de nœud, tantôt de celle-là,
si elle n'a et délibération, et pensement, et conclusion ?
Nous reconnaissons assez, en la plupart de leurs ouvrages,
combien les animaux ont d'excellence au-dessus de
nous et combien notre art est faible à les imiter. Nous
voyons toutefois aux nôtres, plus grossiers, les facultés
que nous y employons, et que notre âme s'y sert de toutes
ses forces ; pourquoi n'en estimons-nous autant d'eux ?
pourquoi attribuons-nous à je ne sais quelle inclination
naturelle et servile les ouvrages qui surpassent tout ce
que nous pouvons par nature et par art ? En quoi, sans
y penser, nous leur donnons un très grand avantage
sur nous, de faire que nature, par une douceur maternelle, les accompagne et guide, comme par la main, à
toutes les actions et commodités de leur vie ; et qu'à

[a]. Discernement.
* Virgile, *Géorgiques,* chant IV : « A ces signes et devant ces
exemples, certains ont dit que les abeilles possèdent une parcelle
de l'âme divine et des effluves de l'éther. »

nous elle nous abandonne au hasard et à la fortune, et
à quêter par art les choses nécessaires à notre conservation; et nous refuse quant et quant les moyens de
pouvoir arriver, par aucune institution et contention
d'esprit, à l'industrie naturelle des bêtes; de manière
que leur stupidité brutale surpasse en toutes commodités
tout ce que peut notre divine intelligence.

Vraiment, à ce compte, nous aurions bien raison de
l'appeler une très injuste marâtre. Mais il n'en est rien;
notre police *a* n'est pas si difforme et déréglée. Nature [41]
a embrassé universellement toutes ses créatures; et n'en
est aucune qu'elle n'ait bien pleinement fourni de tous
moyens nécessaires à la conservation de son être; car
ces plaintes vulgaires que j'ois faire aux hommes (comme
la licence de leurs opinions les élève tantôt au-dessus
des nues, et puis les ravale aux antipodes), que nous
sommes le seul animal abandonné nu sur la terre nue,
lié, garrotté, n'ayant de quoi s'armer et couvrir que de
la dépouille d'autrui; là où toutes les autres créatures,
nature les a revêtues de coquilles, de gousses, d'écorce,
de poil, de laine, de pointes, de cuir, de bourre, de plume,
d'écaille, de toison et de soie, selon le besoin de leur être;
les a armées de griffes, de dents, de cornes, pour assaillir
et pour défendre; et les a elle-même instruites à ce qui
lui est propre, à nager, à courir, à voler, à chanter, là
où l'homme ne sait ni cheminer, ni parler, ni manger,
ni rien que pleurer sans apprentissage :

> *Tum porro puer, ut sævis projectus ab undis*
> *Navita, nudus humi jacet infans, indigus omni*
> *Vitali auxilio, cum primum in luminis oras*
> *Nixibus ex alvo matris natura profudit;*
> *Vagitúque locum lugubri complet, ut æquum est*
> *Cui tantum in vita restet transire malorum.*
> *At variæ crescunt pecudes, armenta, feræque,*
> *Nec crepitacula eis opus est, nec cuiquam adhibenda est*
> *Almæ nutricis blanda atque infracta loquella;*
> *Nec varias quærunt vestes pro tempore cæli;*
> *Denique non armis opus est, non mœnibus altis,*

a. Organisation humaine.

Queis sua tutentur, quando omnibus omnia largè
Tellus ipsa parit, naturaque dædala rerum * ;

ces plaintes-là sont fausses, il y a en la police du
monde une égalité plus grande et une relation plus uniforme [42].

Notre peau est pourvue, aussi suffisamment que la
leur, de fermeté contre les injures du temps; témoin tant
de nations qui n'ont encore goûté aucun usage de vêtements. Nos anciens Gaulois n'étaient guère vêtus; ne
sont pas les Irlandais, nos voisins, sous un ciel si froid.
Mais nous le jugeons mieux par nous-mêmes, car tous
les endroits de la personne qu'il nous plaît découvrir
au vent et à l'air, se trouvent propres à le souffrir : le
visage, les pieds, les mains, les jambes, les épaules, la
tête, selon que l'usage nous y convie. Car, s'il y a partie
en nous faible et qui semble devoir craindre la froidure,
ce devrait être l'estomac, où se fait la digestion; nos pères
le portaient découvert; et nos dames, ainsi molles et
délicates qu'elles sont, elles s'en vont tantôt entrouvertes
jusques au nombril. Les liaisons et emmaillotements des
enfants ne sont non plus nécessaires; et les mères lacédé-
moniennes élevaient les leurs en toute liberté de mouvements de membres, sans les attacher ni plier [43]. Notre
pleurer est commun à la plupart des autres animaux;
et n'en est guère qu'on ne voie se plaindre et gémir
longtemps après leur naissance : d'autant que c'est une
contenance bien sortable à la faiblesse en quoi ils se

---

* Extrait du *De Natura Rerum* de Lucrèce, chant V : « Alors
l'enfant, tel le marin naufragé rejeté sur le rivage par les flots cruels,
gît à terre, nu, sans parole, dénué de tout secours pour la vie, dès
le moment que la nature l'a arraché avec effort du sein de sa mère
pour lui faire voir les rives lumineuses; il remplit de vagissements
plaintifs le lieu de la naissance, comme il est juste pour qui la vie
réserve tant de maux à supporter! En revanche, croissent sans
peine les animaux domestiques, gros et petits, et les bêtes féroces; ils
n'ont pas besoin de hochets, ni des petits mots d'affection d'une
tendre nourrice; ils ne changent pas de vêtements selon les saisons,
enfin ils n'ont besoin ni d'armes, ni de remparts élevés pour proté-
ger leurs biens, puisqu'à tous, la terre d'elle-même, fournit toute
chose, et la nature habile en bienfaits variés. »

sentent. Quant à l'usage du manger, il est en nous, comme en eux, naturel et sans instruction,

> *Sentit enim vim quisque suam quam possit abuti* *.

Qui fait doute qu'un enfant, arrivé à la force de se nourrir, ne sût quêter sa nourriture ? Et la terre en produit et lui en offre assez pour sa nécessité, sans autre culture et artifice; et sinon en tout temps, aussi ne fait-elle pas aux bêtes, témoin les provisions que nous voyons faire aux fourmis et autres pour les saisons stériles de l'année. Ces nations que nous venons de découvrir [44] si abondamment fournies de viande et de breuvage naturel, sans soin et sans façon, nous viennent d'apprendre que le pain n'est pas notre seule nourriture, et que, sans labourage, notre mère nature nous avait munis à planté *a* de tout ce qu'il fallait; voire, comme il est vraisemblable, plus pleinement et plus richement qu'elle ne fait à présent que nous y avons mêlé notre artifice,

> *Et tellus nitidas fruges vinetáque læta*
> *Sponte sua primum mortalibus ipsa creavit;*
> *Ipsa dedit dulces fœtus et pabula læta,*
> *Quæ nunc vix nostro grandescunt aucta labore,*
> *Conterimúsque boves et vires agricolarum* **,

le débordement et dérèglement de notre appétit devançant toutes les inventions que nous cherchons de l'assouvir.

Quant aux armes, nous en avons plus de naturelles que la plupart des autres animaux, plus de divers mouvements des membres, et en tirons plus de service, naturellement et sans leçon; ceux qui sont duits *b* à combattre

---

a. Satiété. — *b.* Exercés.

* Lucrèce, *De Natura Rerum*, chant V : « Chaque animal se rend compte de sa force. »

** *Ibid.*, chant II : « La terre d'elle-même, spontanément, a créé d'abord pour les mortels les moissons brillantes et les riants vignobles; d'elle-même, elle donna les fruits doux et les riants pâturages, qui maintenant croissent à grand-peine, au prix de notre travail; nous y épuisons nos bœufs et les forces de nos cultivateurs. »

nus, on les voit se jeter aux hasards pareils aux nôtres.
Si quelques bêtes nous surpassent en cet avantage, nous
en surpassons plusieurs autres. Et l'industrie de fortifier
le corps et le couvrir par moyens acquis, nous l'avons
par un instinct et précepte naturel. Qu'il soit ainsi,
l'éléphant aiguise et émoult *a* ses dents, desquelles il se
sert à la guerre (car il en a de particulières pour cet
usage, qu'il épargne, et ne les emploie aucunement à ses
autres services). Quand les taureaux vont au combat, ils
répandent et jettent la poussière à l'entour d'eux; les
sangliers affinent leurs défenses; et l'ichneaumon, quand
il doit venir aux prises avec le crocodile, munit son corps,
l'enduit et le croûte tout à l'entour de limon bien serré
et bien pétri, comme d'une cuirasse [45]. Pourquoi ne
dirons-nous qu'il est aussi naturel de nous armer de bois
et de fer?

Quant au parler, il est certain que, s'il n'est pas
naturel, il n'est pas nécessaire. Toutefois, je crois qu'un
enfant qu'on aurait nourri en pleine solitude, éloigné
de tout commerce (qui serait un essai malaisé à faire),
aurait quelque espèce de parole pour exprimer ses conceptions; et n'est pas croyable que nature nous ait refusé
ce moyen qu'elle a donné à plusieurs autres animaux :
car, qu'est-ce autre chose que parler, cette faculté que
nous leur voyons de se plaindre, de se réjouir, de
s'entr'appeler au secours, se convier à l'amour, comme
ils font par l'usage de leur voix? Comment ne parle-
raient-elles entr'elles? elles parlent bien à nous, et nous
à elles. En combien de sortes parlons-nous à nos chiens?
et ils nous répondent. D'autre langage, d'autres appella-
tions divisons-nous avec eux qu'avec les oiseaux, avec les
pourceaux, les bœufs, les chevaux, et changeons d'idiome
selon l'espèce :

> *Cosi per entro loro schiera bruna*
> *S'ammusa l'una con l'altra formica*
> *Forse à spiar lor via, et lor fortuna* *.

a. Exerce.
* Dante, *Purgatoire*, chant XXVI : « Ainsi dans le noir essaim
des fourmis, on en voit s'aborder, s'informant peut-être de leur
chemin et de leur butin. »

Il me semble que Lactance attribue aux bêtes, non le parler seulement, mais le rire encore. Et la différence de langage qui se voit entre nous, selon la différence des contrées, elle se trouve aussi aux animaux de même espèce. Aristote allègue à ce propos le chant divers des perdrix, selon la situation des lieux,

> *variæque volucres*
> *Longè alias alio jaciunt in tempore voces,*
> *Et partim mutant cum tempestatibus una*
> *Raucisonos cantus*.*

Mais cela est à savoir quel langage parlerait cet enfant; et ce qui s'en dit par divination *a* n'a pas beaucoup d'apparence. Si on m'allègue, contre cette opinion, que les sourds naturels ne parlent point, je réponds que ce n'est pas seulement pour n'avoir pu recevoir l'instruction de la parole par les oreilles, mais plutôt pour ce que le sens de l'ouïe, duquel ils sont privés, se rapporte à celui du parler et se tiennent ensemble d'une couture naturelle : en façon que ce que nous parlons, il faut que nous le parlions premièrement à nous et que nous le fassions sonner au-dedans à nos oreilles, avant que de l'envoyer aux étrangères.

J'ai dit tout ceci pour maintenir cette ressemblance qu'il y a aux choses humaines, et pour nous ramener et joindre au nombre. Nous ne sommes ni au-dessus, ni au-dessous du reste : tout ce qui est sous le ciel, dit le sage [46], court une loi et fortune pareille.

> *Indupedita suis fatalibus omnia vinclis**.*

Il y a quelque différence, il y a des ordres et des degrés; mais c'est sous le visage d'une même nature :

---

a. Hypothèse.

* Lucrèce, *De Natura Rerum,* chant V : « Divers oiseaux ont des chants très différents selon les époques, et il en est qui changent leurs ramages aux sons rauques selon les variations du temps. »

** *Ibid.* : « Tout est enchaîné par les liens de la destinée. »

res quæque suo ritu procedit, et omnes
Fædere naturæ certo discrimina servant *.

Il faut contraindre l'homme et le ranger dans les barrières
de cette police. Le misérable n'a garde d'enjamber par
effet au-delà; il est entravé et engagé, il est assujetti de
pareille obligation que les autres créatures de son
ordre, et d'une condition fort moyenne, sans aucune
prérogative, pré-excellence vraie et essentielle. Celle qu'il
se donne par opinion et par fantaisie n'a ni corps ni
goût; et s'il est ainsi que lui seul, de tous les animaux,
ait cette liberté de l'imagination et ce dérèglement de
pensées, lui représentant ce qui est, ce qui n'est pas,
et ce qu'il veut, le faux et le véritable, c'est un avantage
qui lui est bien cher vendu et duquel il a bien peu à se
glorifier, car de là naît la source principale des maux
qui le pressent : péché, maladie, irrésolution, trouble,
désespoir.

Je dis donc, pour revenir à mon propos, qu'il n'y a
point d'apparence d'estimer que les bêtes fassent par
inclination naturelle et forcée les mêmes choses que nous
faisons par notre choix et industrie. Nous devons
conclure de pareils effets pareilles facultés [47], et confesser
par conséquent que ce même discours, cette même voie,
que nous tenons à ouvrir, c'est aussi celle des animaux [48].
Pourquoi imaginons-nous en eux cette contrainte naturelle, nous qui n'en éprouvons aucun pareil effet ? joint
qu'il est plus honorable d'être acheminé et obligé à
réglément agir par naturelle et inévitable condition, et
plus approchant de la divinité, que d'agir réglément par
liberté téméraire et fortuite; et plus sûr de laisser à
nature qu'à nous les rênes de notre conduite. La vanité
de notre présomption fait que nous aimons mieux devoir
à nos forces qu'à sa libéralité notre suffisance; et enri-
chissons les autres animaux des biens naturels et les
leur renonçons [a], pour nous honorer et ennoblir des biens
acquis; par une humeur bien simple, ce me semble, car

----

a. Cédons.

* Lucrèce, *De Natura Rerum,* chant V : « Chaque chose se développe selon son caractère propre, et toutes gardent les différences
que les lois fixes de la nature ont établies entre elles. »

je priserais bien autant des grâces toutes miennes et
naïves que celles que j'aurais été mendier et quêter de
l'apprentissage. Il n'est pas en notre puissance d'acquérir
une plus belle recommandation que d'être favorisé de
Dieu et de nature.

Par ainsi, le renard, de quoi se servent les habitants
de la Thrace [49] quand ils veulent entreprendre de passer
par-dessus la glace quelque rivière gelée et le lâchent
devant eux pour cet effet, quand nous le verrions au
bord de l'eau approcher son oreille bien près de la glace,
pour sentir s'il orra [a] d'une longue ou d'une voisine
distance bruire l'eau courant au-dessous, et selon qu'il
trouve par là qu'il y a plus ou moins d'épaisseur en la
glace, se reculer ou s'avancer, n'aurions-nous pas raison
de juger qu'il lui passe par la tête ce même discours qu'il
ferait en la nôtre, et que c'est une ratiocination et conséquence [b] tirée du sens naturel : Ce qui fait bruit, se remue ;
ce qui se remue, n'est pas gelé ; ce qui n'est pas gelé, est
liquide, et ce qui est liquide, plie sous le faix ? Car d'attribuer cela seulement à une vivacité du sens de l'ouïe,
sans discours [c] et sans conséquence, c'est une chimère,
et ne peut entrer en notre imagination. De même faut-il
estimer de tant de sortes de ruses et d'inventions de quoi
les bêtes se couvrent des entreprises que nous faisons
sur elles.

Et si nous voulons prendre quelque avantage de cela
même qu'il est en nous de les saisir, de nous en servir
et d'en user à notre volonté, ce n'est que ce même
avantage que nous avons les uns sur les autres. Nous
avons à cette condition nos esclaves. Et les Climacides [50],
étaient-ce pas des femmes en Syrie, qui servaient, cou-
chées à quatre pattes, de marchepied et d'échelle aux
dames à monter en coche ? Et la plupart des personnes
libres abandonnent pour bien légères commodités leur
vie et leur être à la puissance d'autrui. Les femmes et
concubines des Thraces plaident à qui sera choisie pour
être tuée au tombeau de son mari [51]. Les tyrans ont-ils
jamais failli de trouver assez d'hommes voués à leur
dévotion, aucuns d'eux ajoutant davantage cette nécessité de les accompagner à la mort comme en la vie ?

---

a. Entendra (ouïr). — *b.* Conclusion. — *c.* Raisonnement.

Des armées entières se sont ainsi obligées *a* à leurs capitaines. La formule du serment en cette rude école des escrimeurs à outrance [52] portait ces promesses : Nous jurons de nous laisser enchaîner, brûler, battre et tuer de glaive, et souffrir tout ce que les gladiateurs légitimes souffrent de leur maître; engageant très religieusement et le corps et l'âme à son service,

> *Ure meum, si vis, flamma caput, et pete ferro*
> *Corpus, et intorto verbere terga seca* *.

C'était une obligation véritable; et si, il s'en trouvait dix mille, telle année, qui y entraient et s'y perdaient.

Quand les Scythes enterraient leur roi, ils étranglaient sur son corps la plus favorite de ses concubines, son échanson, écuyer d'écurie, chambellan, huissier de chambre et cuisinier. Et en son anniversaire, ils tuaient cinquante chevaux montés de cinquante pages qu'ils avaient empalés par l'épine du dos jusques au gosier, et les laissaient ainsi plantés en parade autour de la tombe [53].

Les hommes qui nous servent, le font à meilleur marché, et pour un traitement moins curieux et moins favorable que celui que nous faisons aux oiseaux, aux chevaux et aux chiens.

A quel souci ne nous démettons-nous pour leur commodité? Il ne me semble point que les plus abjects serviteurs fassent volontiers pour leurs maîtres ce que les princes s'honorent de faire pour ces bêtes.

Diogène voyant ses parents en peine de le racheter de servitude : « Ils sont fols, disait-il : c'est celui qui me traite et nourrit, qui me sert »; et ceux qui entretiennent les bêtes, se doivent dire plutôt les servir qu'en être servis [54].

---

a. Liées.
* Vers de Tibulle, livre I : « Brule-moi la tête si tu veux avec la flamme, transperce-moi le corps avec un fer ou déchire-moi le dos à coups de fouet... » » Montaigne a trouvé cette citation dans le même ouvrage de Juste Lipse. Montaigne admirait beaucoup la science de Juste Lipse, qu'il comparait à Turnèbe.

Et si [a], elles ont de cela de plus généreux, que jamais lion ne s'asservit à un autre lion, ni un cheval à un autre cheval par faute de cœur [55]. Comme nous allons à la chasse des bêtes, ainsi vont les tigres et les lions à la chasse des hommes; et ont un pareil exercice les unes sur les autres : les chiens sur les lièvres, les brochets sur les tanches, les arondelles [b] sur les cigales, les éperviers sur les merles et sur les alouettes;

> serpente ciconia pullos
> Nutrit, et inventa per devia rura lacerta,
> Et leporem aut capream famulæ Jovis, et generosæ
> In saltu venantur aves *.

Nous partons [c] le fruit de notre chasse avec nos chiens et oiseaux, comme la peine et l'industrie; et, au-dessus d'Amphipolis [56] en Thrace, les chasseurs et les faucons sauvages partent justement le butin par moitié; comme, le long des palus [d] Mœotides, si le pêcheur ne laisse aux loups, de bonne foi, une part égale de sa prise, ils vont incontinent déchirer ses rets [57].

Et comme nous avons une chasse qui se conduit plus par subtilité que par force, comme celle des colliers [e], de nos lignes et de l'hameçon, il s'en voit aussi de pareilles entre les bêtes. Aristote [58] dit que la seiche jette de son col un boyau long comme une ligne, qu'elle étend au loin en le lâchant, et le retire à soi quand elle veut; à mesure qu'elle aperçoit quelque petit poisson s'approcher, elle lui laisse mordre le bout de ce boyau, étant cachée dans le sable ou dans la vase, et petit à petit le retire jusques à ce que ce petit poisson soit si près d'elle que d'un saut elle puisse l'attraper.

Quant à la force, il n'est animal au monde en butte de tant d'offenses que l'homme : il ne nous faut point une baleine, un éléphant et un crocodile, ni tels autres

---

a. Et pourtant. — b. Hirondelles. — c. Partageons. — d. Marais. — e. Collets.

* Juvénal, *Satire XIV* : « La cigogne nourrit ses petits de serpents et de lézards qu'elle trouve dans les lieux écartés, et les nobles oiseaux, les aigles, serviteurs de Jupiter, chassent dans les défilés boisés le lièvre et le chevreuil. »

animaux, desquels un seul est capable de défaire *a* un
grand nombre d'hommes; les poux sont suffisants pour
faire vaquer la dictature de Sylla [59]; c'est le déjeuner
d'un petit ver que le cœur et la vie d'un grand et triomphant empereur.

Pourquoi disons-nous que c'est à l'homme science et
connaissance bâtie par art et par discours *b*, de discerner
les choses utiles à son vivre et au secours de ses maladies,
de celles qui ne le sont pas; de connaître la force de la
rhubarbe et du polypode [60]? Et, quand nous voyons les
chèvres de Candie, si elles ont reçu un coup de trait, aller
entre un million d'herbes choisir le dictame pour leur
guérison; et la tortue, quand elle a mangé de la vipère,
chercher incontinent de l'origanum pour se purger; le
dragon fourbir et éclairer ses yeux avecques du fenouil;
les cigognes se donner elles-mêmes des clystères à tout *c*
de l'eau de marine; les éléphants arracher non seulement
de leur corps et de leurs compagnons, mais des corps
aussi de leurs maîtres (témoin celui du roi Porus,
qu'Alexandre défit *d*), les javelots et les dards qu'on leur
a jetés au combat, et les arracher si dextrement que nous
ne le saurions faire avec si peu de douleur [61] : pourquoi ne
disons nous de même que c'est d'une science et prudence? Car d'alléguer, pour les déprimer *e*, que c'est par
la seule instruction et maîtrise de nature qu'elles le savent,
ce n'est pas leur ôter le titre de science et de prudence,
c'est la leur attribuer à plus forte raison qu'à nous, pour
l'honneur d'une si certaine maîtresse d'école.

Chrysippus [62], bien que en toutes autres choses autant
dédaigneux juge de la condition des animaux que nul
autre philosophe, considérant les mouvements du chien
qui, se rencontrant en un carrefour à trois chemins, ou à
la quête de son maître qu'il a égaré, ou à la poursuite de
quelque proie qui fuit devant lui, va essayant l'un
chemin après l'autre, et, après s'être assuré des deux et
n'y avoir trouvé la trace de ce qu'il cherche, s'élance
dans le troisième sans marchander, il est contraint de
confesser qu'en ce chien-là un tel discours se passe : « J'ai
suivi jusques à ce carrefour mon maître à la trace; il

---

a. Tuer. — *b*. Raisonnement. — *c*. Avec. — *d*. Tua. — *e*. Rabaisser.

faut nécessairement qu'il passe par l'un de ces trois chemins; ce n'est ni par celui-ci, ni par celui-là; il faut donc infailliblement qu'il passe par cet autre »; et que, s'assurant par cette conclusion et discours, il ne se sert plus de son sentiment au troisième chemin, ni ne le sonde plus, ains *a* s'y laisse emporter par la force de la raison. Ce trait purement dialecticien et cet usage de propositions divisées et conjointes et de la suffisante énumération des parties, vaut-il pas autant que le chien le sache de soi que de Trébizonde [63].

Si ne sont pas les bêtes incapables d'être encore instruites à notre mode. Les merles, les corbeaux, les pies, les perroquets, nous leur apprenons à parler; et cette facilité que nous reconnaissons à nous fournir leur voix et haleine si souple et si maniable, pour la former et l'étreindre à certain nombre de lettres et de syllabes, témoigne qu'ils ont un discours au-dedans qui les rend ainsi disciplinables et volontaires à apprendre. Chacun est saoul, ce crois-je, de voir tant de sortes de singeries que les bateleurs apprennent à leurs chiens; les danses où ils ne faillent *b* une seule cadence du son qu'ils oient, plusieurs divers mouvements et sauts qu'ils leur font faire par le commandement de leur parole. Mais je remarque avec plus d'admiration cet effet, qui est toutefois assez vulgaire, des chiens de quoi se servent les aveugles, et aux champs et aux villes; je me suis pris garde comme ils s'arrêtent à certaines portes d'où ils ont accoutumé de tirer l'aumône, comme ils évitent le choc des coches et des charrettes, lors même que pour leur regard ils ont assez de place pour leur passage; j'en ai vu, le long d'un fossé de ville, laisser un sentier plein et uni et en prendre un pire, pour éloigner son maître du fossé. Comment pouvait-on avoir fait concevoir à ce chien que c'était sa charge de regarder seulement à la sûreté de son maître et mépriser ses propres commodités pour le servir? et comment avait-il la connaissance que tel chemin lui était bien assez large, qui ne le serait pas pour un aveugle? Tout cela se peut-il comprendre sans ratiocination et sans discours *c*?

Il ne faut pas oublier ce que Plutarque dit [64] avoir

a. Mais. — *b.* Manquent. — *c.* Raisonnement.

vu à Rome d'un chien, avec l'empereur Vespasien le père, au théâtre de Marcellus. Ce chien servait à un bateleur qui jouait une fiction *a* à plusieurs mines *b* et à plusieurs personnages, et y avait son rôle. Il fallait entre autres choses qu'il contrefît pour un temps le mort pour avoir mangé de certaine drogue; après avoir avalé le pain qu'on feignait être cette drogue, il commença tantôt à trembler et branler comme s'il eût été étourdi; finalement s'étendant et se roidissant, comme mort, il se laissa tirer et traîner d'un lieu à autre, ainsi que portait le sujet du jeu; et puis, quand il connut qu'il était temps, il commença premièrement à se remuer tout bellement, ainsi que s'il se fut revenu d'un profond sommeil, et, levant la tête, regarda çà et là d'une façon qui étonnait tous les assistants.

Les bœufs qui servaient aux jardins royaux de Suse pour les arroser et tourner certaines grandes roues à puiser de l'eau, auxquelles il y a des baquets attachés (comme il s'en voit plusieurs, en Languedoc), on leur avait ordonné d'en tirer par jour jusques à cent tours chacun. Ils étaient si accoutumés à ce nombre qu'il était impossible par aucune force de leur en faire tirer un tour davantage; et, ayant fait leur tâche, ils s'arrêtaient tout court. Nous sommes en l'adolescence avant que nous sachions compter jusques à cent, et venons de découvrir des nations qui n'ont aucune connaissance des nombres.

Il y a encore plus de discours *c* à instruire autrui qu'à être instruit. Or, laissant à part ce que Démocrite jugeait et prouvait, que la plupart des arts les bêtes nous les ont appris : comme l'araignée à tisser et à coudre, l'arondelle à bâtir, le cygne et le rossignol la musique, et plusieurs animaux, par leur imitation, à faire la médecine; Aristote [65] tient que les rossignols instruisent leurs petits à chanter, et y emploient du temps et du soin, d'où il advient que ceux que nous nourrissons en cage, qui n'ont point eu loisir d'aller à l'école sous leurs parents, perdent beaucoup de la grâce de leur chant. Nous pouvons juger par là qu'il reçoit de l'amendement par discipline et par étude. Et, entre les libres même, il n'est pas un et pareil,

a. Prière. — *b.* Scènes.   *c.* Raison.

chacun en a pris selon sa capacité; et, sur la jalousie de
leur apprentissage, ils se débattent à l'envi d'une contention si courageuse que parfois le vaincu y demeure mort,
l'haleine lui faillant plutôt que la voix. Les plus jeunes
ruminent, pensifs, et prennent à imiter certains couplets
de chanson; le disciple écoute la leçon de son précepteur
et en rend compte avec grand soin; ils se taisent, l'un
tantôt, tantôt l'autre; on oit corriger les fautes, et sent-on
aucunes répréhensions [a] du précepteur. J'ai vu (dit
Arrius [66]) autrefois un éléphant ayant à chaque cuisse
une cymbale pendue, et une autre attachée à sa trompe,
au son desquelles tous les autres dansaient en rond,
s'élevant et s'inclinant à certaines cadences, selon que
l'instrument les guidait; et y avait plaisir à ouïr cette harmonie. Aux spectacles de Rome [67], il se voyait ordinairement des éléphants dressés à se mouvoir et danser, au son
de la voix, des danses à plusieurs entrelaçures, coupures
et diverses cadences très difficiles à apprendre. Il s'en
est vu qui, en leur privé, remémoraient leur leçon, et
s'exerçaient par soin et par étude pour n'être tancés et
battus de leurs maîtres.

Mais cette autre histoire de la pie, de laquelle nous
avons Plutarque même pour répondant, est étrange.
Elle était en la boutique d'un barbier à Rome, et faisait
merveilles de contrefaire avec la voix tout ce qu'elle
oyait; un jour, il advint que certaines trompettes s'arrêtèrent à sonner longtemps devant cette boutique;
depuis cela et tout le lendemain, voilà cette pie pensive,
muette et mélancolique, de quoi tout le monde était
émerveillé; et pensait-on que le son des trompettes l'eût
ainsi étourdie et étonnée, et qu'avec l'ouïe la voix se fût
quant et quant éteinte; mais on trouva enfin que c'était
une étude profonde et une retraite en soi-même, son
esprit s'exercitant et préparant sa voix à représenter
le son de ces trompettes; de manière que sa première
voix ce fut celle-là, d'exprimer parfaitement leurs reprises,
leurs pauses et leurs nuances, ayant quitté par ce nouvel
apprentissage et pris à dédain tout ce qu'elle savait dire
auparavant.

Je ne veux pas omettre à alléguer aussi cet autre

a. Reproche.

exemple d'un chien que ce même Plutarque dit [68] avoir vu (car quant à l'ordre, je sens bien que je le trouble, mais je n'en observe non plus à ranger ces exemples qu'au reste de toute ma besogne), lui étant dans un navire : ce chien, étant en peine d'avoir l'huile qui était dans le fond d'une cruche où il ne pouvait arriver de la langue pour [a] l'étroite embouchure du vaisseau, alla quérir des cailloux et en mit dans cette cruche jusques à ce qu'il eut fait hausser l'huile plus près du bord, où il la put atteindre. Cela, qu'est-ce, si ce n'est l'effet d'un esprit bien subtil? On dit que les corbeaux de Barbarie en font de même, quand l'eau qu'ils veulent boire est trop basse.

Cette action [69] est aucunement voisine de ce que récitait des éléphants un roi de leur nation, Juba, que, quand par la finesse de ceux qui les chassent, l'un d'entre eux se trouve pris dans certaines fosses profondes qu'on leur prépare, et les recouvre-t-on de menues broussailles pour les tromper, ses compagnons y apportent en diligence force pierres et pièces de bois, afin que cela l'aide à s'en mettre hors. Mais cet animal rapporte en tant d'autres effets à l'humaine suffisance que, si je voulais suivre par le menu ce que l'expérience en a appris, je gagnerais aisément ce que je maintiens ordinairement, qu'il se trouve plus de différence de tel homme à tel homme que de tel animal à tel homme. Le gouverneur d'un éléphant [70], en une maison privée de Syrie, dérobait à tous les repas la moitié de la pension [b] qu'on lui avait ordonnée; un jour le maître voulut lui-même le panser, versa dans sa mangeoire la juste mesure d'orge qu'il lui avait prescrite pour sa nourriture; l'éléphant, regardant de mauvais œil ce gouverneur, sépara avec la trompe et en mit à part la moitié, déclarant par là le tort qu'on lui faisait. Et un autre, ayant un gouverneur qui mêlait dans sa mangeaille des pierres pour en croître la mesure, s'approcha du pot où il faisait cuire sa chair pour son dîner, et le lui remplit de cendre. Cela, ce sont des effets particuliers; mais ce que tout le monde a vu et que tout le monde sait, qu'en toutes les armées qui se conduisaient du pays de levant, l'une des plus grandes

a. Par suite de. — *b.* Ration (cf. *panser*).

forces consistait aux éléphants, desquels on tirait des
effets sans comparaison plus grands que nous ne faisons
à présent de notre artillerie, qui tient à peu près leur place
en une bataille ordonnée (cela est aisé à juger à ceux qui
connaissent les histoires anciennes) :

> *siquidem Tirio servire solebant*
> *Annibali, et nostris ducibus, regique Molosso,*
> *Horum majores, et dorso ferre cohortes,*
> *Partem aliquam belli et euntem in prælia turmam* *.

Il fallait bien qu'on se répondît à bon escient de la créance
de ces bêtes et de leur discours *a*, leur abandonnant la
tête d'une bataille, là où le moindre arrêt qu'elles eussent
su faire, pour la grandeur et pesanteur de leur corps, le
moindre effroi qui leur eût fait tourner la tête sur leurs
gens, était suffisant pour tout perdre ; et s'est vu moins
d'exemples où cela soit advenu qu'ils se rejetassent sur
leurs troupes, que de ceux où nous-mêmes nous rejetons
les uns sur les autres, et nous rompons. On leur donnait
charge non d'un mouvement simple, mais de plusieurs
diverses parties au combat. Comme faisaient aux chiens
les Espagnols à la nouvelle conquête des Indes, auxquels
ils payaient solde et faisaient partage au butin ; et mon-
traient ces animaux autant d'adresse et de jugement à
poursuivre et arrêter leur victoire, à charger ou à reculer
selon les occasions, à distinguer les amis des ennemis,
comme ils faisaient d'ardeur et d'âpreté [71].

Nous admirons et pesons mieux les choses étrangères
que les ordinaires ; et, sans cela, je ne me fusse pas amusé
à ce long registre : car, selon mon opinion, qui contrôlera
de près ce que nous voyons ordinairement des animaux
qui vivent parmi nous, il y a de quoi y trouver des effets
autant admirables que ceux qu'on va recueillant ès pays
et siècles étrangers. C'est une même nature qui roule son
cours. Qui en aurait suffisamment jugé le présent état,

a. Raison.
* Juvénal, *Satire 12 :* « S'il est vrai que les ancêtres de ces éléphants avaient coutume de servir le Tyrien Hannibal, nos généraux, et le roi Molossus, de porter sur leur dos des cohortes, une
partie de la guerre et de la cavalerie marchant au combat. »

en pourrait sûrement conclure et tout l'avenir et tout le
passé [72]. J'ai vu autrefois parmi nous des hommes amenés
par mer de lointain pays [73], desquels parce que nous
n'entendions aucunement le langage, et que leur façon,
au demeurant, et leur contenance, et leurs vêtements
étaient du tout [a] éloignés des nôtres, qui de nous ne les
estimait et sauvages et brutes ? qui n'attribuait à stupidité
et à bêtise de les voir muets, ignorant la langue française,
ignorant nos baise-mains et nos inclinations serpentées,
notre port et notre maintien, sur lequel, sans faillir, doit
prendre son patron la nature humaine ?

Tout ce qui nous semble étrange, nous le condamnons,
et ce que nous n'entendons pas : comme il nous advient
au jugement que nous faisons des bêtes. Elles ont plusieurs conditions qui se rapportent aux nôtres ; de celles-
là par comparaisons nous pouvons tirer quelque conjecture ; mais de ce qu'elles ont particulier, que savons-nous
que c'est ? Les chevaux, les chiens, les bœufs, les brebis,
les oiseaux et la plupart des animaux qui vivent avec nous,
reconnaissent notre voix et se laissent conduire par elle ;
si faisait bien encore la murène de Crassus, et venait à lui,
quand il l'appelait ; et le font aussi les anguilles qui se
trouvent en la fontaine d'Aréthuse [74]. Et j'ai vu des
gardoirs assez où les poissons accourent, pour manger,
à certain cri de ceux qui les traitent :

> *nomen habent, et ad magistri*
> *Vocem quisque sui venit citatus* *.

Nous pouvons juger de cela. Nous pouvons aussi dire
que les éléphants ont quelque participation de religion,
d'autant qu'après plusieurs ablutions et purifications
on les voit, haussant leur trompe comme des bras et
tenant les yeux fichés vers le soleil levant, se planter
longtemps en méditation et contemplation à certaines
heures du jour, de leur propre inclination, sans instruction et sans précepte. Mais, pour ne voir aucune telle
apparence ès autres animaux, nous ne pouvons pourtant

---

[a]. Complètement.
* Martial, *Épigramme 29* du livre IV : « Ils ont un nom, et chacun
d'eux vient à la voix du maître qui l'appelle. »

établir qu'ils soient sans religion, et ne pouvons prendre
en aucune part ce qui nous est caché. Comme nous
voyons quelque chose en cette action que le philosophe
Cléanthe remarqua, par ce qu'elle retire *a* aux nôtres : « Il
vit, dit-il, des fourmis partir de leur fourmilière portant le
corps d'une fourmi morte vers une autre fourmilière, de
laquelle plusieurs autres fourmis leur vinrent au-devant,
comme pour parler à elles ; et, après avoir été ensemble
quelque pièce *b*, celles-ci s'en retournèrent pour consulter, pensez, avec leurs concitoyens, et firent ainsi deux ou
trois voyages pour la difficulté de la capitulation ; enfin
ces dernières venues apportèrent aux premières un ver
de leur tanière, comme pour la rançon du mort, lequel
ver les premières chargèrent sur leur dos et emportèrent
chez elles, laissant aux autres le corps du trépassé. » Voilà
l'interprétation que Cléanthe y donna, témoignant par
là que celles qui n'ont point de voix, ne laissent pas
d'avoir pratique et communication mutuelle, de laquelle
c'est notre défaut que nous ne soyons participants ; et
nous entremettons à cette cause sottement d'en opiner [75].

Or elles produisent encore d'autres effets qui surpassent de bien loin notre capacité, auxquelles il s'en faut
tant que nous puissions arriver par imitation que, par
imagination même, nous ne les pouvons concevoir. Plusieurs tiennent qu'en cette grande et dernière bataille
navale qu'Antoine perdit contre Auguste, sa galère
capitaine fut arrêtée au milieu de sa course par ce petit
poisson que les Latins nomment *remora,* à cause de cette
sienne propriété d'arrêter toute sorte de vaisseaux auxquels il s'attache [76]. Et l'empereur Caligula voguant avec
une grande flotte en la côte de la Romanie, sa seule
galère fut arrêtée tout court par ce même poisson, lequel
il fit prendre attaché comme il était au bas de son vaisseau,
tout dépit de quoi un si petit animal pouvait forcer et la
mer et les vents et la violence de tous ses avirons, pour
être seulement attaché par le bec à la galère (car c'est un
poisson à coquille) ; et s'étonna encore, non sans grande
raison, de ce que, lui étant apporté dans le bateau, il
n'avait plus cette force qu'il avait au-dehors.

Un citoyen de Cyzique acquit [77] jadis réputation de

a. Ressemble. — *b.* Quelque temps.

bon mathématicien pour avoir appris de la condition du
hérisson, qu'il a sa tanière ouverte à divers endroits et à
divers vents, et, prévoyant le vent à venir, il va boucher
le trou du côté de ce vent-là ; ce que remarquant ce
citoyen apportait en sa ville certaines prédictions du
vent qui avait à tirer [a]. Le caméléon [78] prend la couleur
du lieu où il est assis ; mais le poulpe se donne lui-même
la couleur qu'il lui plaît, selon les occasions, pour se
cacher de ce qu'il craint et attraper ce qu'il cherche ; au
caméléon, c'est changement de passion ; mais au poulpe,
c'est changement d'action. Nous avons quelques mutations de couleur à la frayeur, la colère, la honte et autres
passions qui altèrent le teint de notre visage, mais c'est
par l'effet de la souffrance, comme au caméléon ; il est
bien en la jaunisse de nous faire jaunir, mais il n'est pas
en la disposition de notre volonté. Or ces effets que nous
reconnaissons aux autres animaux, plus grands que les
nôtres, témoignent en eux quelque faculté plus excellente
qui nous est occulte, comme il est vraisemblable que sont
plusieurs autres de leurs conditions et puissances desquelles nulles apparences ne viennent jusques à nous.

De toutes les prédictions du temps passé, les plus
anciennes et plus certaines étaient celles qui se tiraient
du vol des oiseaux. Nous n'avons rien de pareil et de si
admirable. Cette règle, cet ordre du branler de leur aile
par lequel on tire des conséquences des choses à venir,
il faut bien qu'il soit conduit par quelque excellent
moyen à une si noble opération ; car c'est prêter à la
lettre d'aller attribuant ce grand effet à quelque ordonnance naturelle, sans l'intelligence, consentement et
discours [b] de qui le produit ; et est une opinion évidemment fausse. Qu'il soit ainsi : la torpille a cette condition,
non seulement d'endormir les membres qui la touchent,
mais au travers des filets et de la seine [c] elle transmet
une pesanteur endormie aux mains de ceux qui la
remuent et manient ; voire dit-on davantage que si on
verse de l'eau dessus, on sent cette passion [d] qui gagne
contremont [e] jusques à la main et endort l'attouchement
au travers de l'eau. Cette force est merveilleuse, mais

a. Souffler. — *b.* Raison. — *c.* Filet à traîner. — *d.* Impression.
— *e.* En montant.

elle n'est pas inutile à la torpille ; elle la sent et s'en sert, de manière que, pour attraper la proie qu'elle quête, on la voit se tapir sous le limon, afin que les autres poissons se coulant par-dessus, frappés et endormis de cette sienne froideur, tombent en sa puissance. Les grues, les arondelles et autres oiseaux passagers, changeant de demeure selon les saisons de l'an, montrent assez la connaissance qu'elles ont de leur faculté divinatrice, et la mettent en usage. Les chasseurs nous assurent que, pour choisir d'un nombre de petits chiens celui qu'on doit conserver pour le meilleur, il ne faut que mettre la mère au propre de le choisir elle-même ; comme, si on les emporte hors de leur gîte, le premier qu'elle y rapportera sera toujours le meilleur ; ou bien, si on fait semblant d'entourner *a* de feu leur gîte de toutes parts, celui des petits au secours duquel elle courra premièrement. Par où il appert qu'elles ont un usage de pronostic que nous n'avons pas, ou qu'elles ont quelque vertu à juger de leurs petits, autre et plus vive que la nôtre [79].

La manière de naître, d'engendrer, nourrir, agir, mouvoir, vivre et mourir des bêtes étant si voisine de la nôtre, tout ce que nous retranchons de leurs causes motrices et que nous ajoutons à notre condition au-dessus de la leur, cela ne peut aucunement partir du discours de notre raison. Pour réglement de notre santé, les médecins nous proposent l'exemple du vivre des bêtes et leur façon ; car ce mot est de tout temps en la bouche du peuple :

> *Tenez chauds les pieds et la tête ;*
> *Au demeurant, vivez en bête.*

La génération est la principale des actions naturelles : nous avons quelque disposition de membres qui nous est plus propre à cela ; toutefois ils nous ordonnent de nous ranger à l'assiette et disposition brutale *b*, comme plus effectuelle *c*,

> *more ferarum*
> *Quadrupedúmque magis ritu, plerúmque putantur*

a. Entourer. — b. Des bêtes. — c. Efficace.

Concipere uxores; quia sic loca sumere possunt,
Pectoribus positis, sublatis semina lumbis *.

Et rejettent comme nuisibles ces mouvements indiscrets
et insolents que les femmes y ont mêlés de leur cru, les
ramenant à l'exemple et usage des bêtes de leur sexe,
plus modeste et rassis :

Nam mulier prohibet se concipere atque repugnat,
Clunibus ipsa viri venerem si lœta retractet,
Atque exossato ciet omni pectore fluctus.
Ejicit enim sulci recta regione viâque
Vomerem, atque locis avertit seminis ictum **.

Si c'est justice de rendre à chacun ce qui lui est dû,
les bêtes qui servent, aiment et défendent leurs bien-
faiteurs, et qui poursuivent et outragent les étrangers et
ceux qui les offensent, elles représentent en cela quelque
air de notre justice, comme aussi en conservant une
égalité très équitable en la dispensation de leurs biens
à leurs petits. Quant à l'amitié, elles l'ont, sans comparaison, plus vive et plus constante que n'ont pas les
hommes. Hircanus, le chien du roi Lisimachus, son
maître mort, demeura obstiné sur son lit sans vouloir
boire ni manger; et, le jour qu'on en brûla le corps, il
prit sa course et se jeta dans le feu, où il fut brûlé. Comme
fit aussi le chien d'un nommé Pyrrhus, car il ne bougea
de dessus le lit de son maître depuis qu'il fut mort; et,
quand on l'emporta, il se laissa enlever quant et [a] lui, et
finalement se lança dans le bûcher où on brûlait le corps

---

a. Avec.

* Lucrèce, *De Natura Rerum*, chant IV : « On pense généralement
que c'est à la façon des animaux quadrupèdes que les femmes
conçoivent plus facilement les enfants, parce que dans cette posi-
tion, la poitrine étant horizontale et les reins soulevés, la semence
atteint son but. »

** *Ibid* · « Car la femme s'empêche et s'interdit de concevoir,
si, lascive, elle stimule l'amour de l'homme par ses déhanchements
et fait jaillir de son corps disloqué les flots de sa liqueur; elle écarte
ainsi le soc de la ligne droite du sillon et détourne de son but le jet
de la semence. »

de son maître [80]. Il y a certaines inclinations d'affection qui naissent quelquefois en nous sans le conseil de la raison, qui viennent d'une témérité fortuite que d'autres nomment sympathie : les bêtes en sont capables comme nous. Nous voyons les chevaux prendre certaine accointance des uns des autres, jusques à nous mettre en peine pour les faire vivre ou voyager séparément; on les voit appliquer leur affection à certain poil de leurs compagnons, comme à certain visage, et, où ils le rencontrent, s'y joindre incontinent avec fête et démonstration de bienveillance, et prendre quelque autre forme à contrecœur et en haine. Les animaux ont choix comme nous en leurs amours et font quelque triage de leurs femelles. Ils ne sont pas exempts de nos jalousies et d'envies extrêmes et irréconciliables.

Les cupidités [a] [81] sont ou naturelles et nécessaires, comme le boire et le manger; ou naturelles et non nécessaires, comme l'accointance des femelles; ou elles ne sont ni naturelles ni nécessaires; de cette dernière sorte sont quasi toutes celles des hommes; elles sont toutes superflues et artificielles. Car c'est merveille combien peu il faut à nature pour se contenter, combien peu elle nous a laissé à désirer. Les apprêts à nos cuisines ne touchent pas son ordonnance. Les Stoïciens disent qu'un homme aurait de quoi se sustenter d'une olive par jour. La délicatesse de nos vins n'est pas de sa leçon, ni la recharge que nous ajoutons aux appétits amoureux,

> *neque illa*
> *Magno prognatum deposcit consule cunnum* *.

Ces cupidités étrangères, que l'ignorance du bien et une fausse opinion ont coulées en nous, sont en si grand nombre qu'elles chassent presque toutes les naturelles; ni plus ni moins que si, en une cité, il y avait si grand nombre d'étrangers qu'ils en missent hors les naturels

---

a. Désirs.
* Horace, *Satire II* du livre I : « Elle n'a pas besoin de la fille d'un grand consul. »

habitants, ou éteignissent leur autorité et puissance
ancienne, l'usurpant entièrement et s'en saisissant. Les
animaux sont beaucoup plus réglés que nous ne sommes,
et se contiennent avec plus de modération sous les
limites que nature nous a prescrites; mais non pas si
exactement qu'ils n'aient encore quelque convenance à
notre débauche. Et tout ainsi comme il s'est trouvé des
désirs furieux qui ont poussé les hommes à l'amour
des bêtes, elles se trouvent aussi parfois éprises de notre
amour et reçoivent des affections monstrueuses d'une
espèce à autre; témoin l'éléphant corrival *a* d'Aristo-
phane le grammairien, en l'amour d'une jeune bouque-
tière en la ville d'Alexandrie, qui ne lui cédait en rien
aux offices d'un poursuivant bien passionné; car, se
promenant par le marché où l'on vendait des fruits,
il en prenait avec sa trompe et les lui portait; ils ne la
perdait de vue que le moins qu'il lui était possible, et lui
mettait quelquefois la trompe dans le sein par-dessous
son collet et lui tâtait les tétins. Ils récitent aussi d'un
dragon amoureux d'une fille, et d'une oie éprise de
l'amour d'un enfant en la ville d'Asope, et d'un bélier
serviteur de la ménestrière *b* Glaucia [82]; et il se voit
tous les jours des magots *c* furieusement épris de
l'amour des femmes. On voit aussi certains animaux
s'adonner à l'amour des mâles de leur sexe; Oppianus [83]
et autres récitent quelques exemples pour montrer la
révérence que les bêtes en leurs mariages portent à la
parenté, mais l'expérience nous fait bien souvent voir
le contraire,

> *nec habetur turpe juvencœ*
> *Ferre patrem tergo; fit equo sua filia conjux;*
> *Quásque creavit init pecudes caper; ipsáque cujus*
> *Semine concepta est, ex illo concipit ales* *.

---

a, Rival — *b*. Musicienne. — *c*. Variété de singes.
* Ovide, *Métamorphoses*, livre X : « La génisse s'offre sans honte
à son père; la fille devient épouse pour le cheval; le bouc s'unit aux
chèvres qu'il a engendrées, et l'oiseau est fécondé par l'oiseau dont
il a reçu la vie. »

De subtilité malicieuse, en est-il une plus expresse
que celle du mulet du philosophe Thalès ? lequel, passant
au travers d'une rivière chargé de sel, et de fortune y
étant bronché *a*, si que les sacs qu'il portait en furent
tout mouillés, s'étant aperçu que le sel fondu par ce
moyen lui avait rendu sa charge plus légère, ne faillait
jamais, aussitôt qu'il rencontrait quelque ruisseau, de se
plonger dedans avec sa charge; jusques à ce que son
maître, découvrant sa malice, ordonna qu'on le chargeât
de laine, à quoi se trouvant mécompté *b*, il cessa de plus
user de cette finesse [84]. Il y en a plusieurs qui représentent naïvement le visage de notre avarice, car on leur
voit un soin extrême de surprendre tout ce qu'elles
peuvent et de le curieusement cacher, quoiqu'elles n'en
tirent point d'usage.

Quant à la ménagerie *c*, elles nous surpassent non
seulement en cette prévoyance d'amasser et épargner
pour temps à venir, mais elles ont encore beaucoup de
parties de la science qui y est nécessaire. Les fourmis
étendent au-dehors de l'aire leurs grains et semences
pour les éventer, rafraîchir et sécher, quand elles voient
qu'ils commencent à se moisir et à sentir le rance, de
peur qu'ils ne se corrompent et pourrissent. Mais la cau-
tion et prévention dont elles usent à ronger le grain de
froment, surpasse toute imagination de prudence
humaine. Parce que le froment ne demeure pas toujours
sec ni sain, ains s'amollit, se résout et détrempe comme
en lait, s'acheminant à germer et produire : de peur qu'il
ne devienne semence et perde sa nature et propriété
de magasin pour leur nourriture, elles rongent le bout par
où le germe a accoutumé de sortir [85].

Quant à la guerre, qui est la plus grande et pompeuse
des actions humaines, je saurais volontiers si nous nous
en voulons servir pour argument de quelque prérogative, ou, au rebours, pour témoignage de notre imbécillité *d* et imperfection; comme de vrai la science de
nous entredéfaire et entre-tuer, de ruiner et perdre
notre propre espèce, il semble qu'elle n'a pas beau-

---

a. Fait un faux pas. — *b*. Trompé dans la ruse. — *c*. Organisation domestique. — *d*. Faiblesse.

coup de quoi se faire désirer aux bêtes qui ne l'ont pas :

> *quando leoni*
> *Fortior eripuit vitam Leo ? quo nemore unquam*
> *Expiravit aper majoris dentibus apri** ?*

Mais elles n'en sont pas universellement exemptes pourtant, témoin les furieuses rencontres des mouches à miel et les entreprises des princes des deux armées contraires :

> *sæpe duobus*
> *Regibus incessit magno discordia motu,*
> *Continuóque animos vulgi et trepidantia bello*
> *Corda licet longè præsciscere**.*

Je ne vois jamais cette divine description qu'il ne m'y semble lire peinte l'ineptie et vanité humaine. Car ces mouvements guerriers qui nous ravissent [a] de leur horreur et épouvantement, cette tempête de sons et de cris,

> *Fulgur ibi ad cœlum se tollit, totáque circum*
> *Ære renidescit tellus, subtérque virum vi*
> *Excitur pedibus sonitus, clamoréque montes*
> *Icti rejectant voces ad sidera mundi***;*

[a]. Emportent.
* Juvénal, *Satire XV :* « Quand un lion plus courageux a-t-il arraché la vie à un autre lion ? Dans quel bois jamais un sanglier a-t-il expiré sous les défenses plus longues d'un autre sanglier ? »
** Virgile, *Géorgiques,* chant IV : « Souvent entre deux rois s'élève une querelle avec une grande agitation ; on peut de loin imaginer quelle est la colère du peuple et sa fureur guerrière. » Il s'agit des rivalités des reines dans les ruches ; les anciens ne paraissent pas avoir compris le rôle physiologique de la reine et l'appellent toujours « roi ».
*** Lucrèce, *De Natura Rerum,* chant II : « L'éclat des armes brille jusqu'au ciel et tout à l'entour la terre étincelle des reflets de l'airain, la terre résonne sous le pas des guerriers, et les monts frappés par leurs cris en renvoient l'écho jusqu'aux astres. »

cette effroyable ordonnance de tant de milliers d'hommes armés, tant de fureur, d'ardeur et de courage, il est plaisant à considérer par combien vaines occasions elle est agitée et par combien légères occasions éteinte :

> *Paridis propter narratur amorem*
> *Græcia Barbariæ diro collisa duello* * :

toute l'Asie se perdit et se consomma *ᵃ* en guerres pour le maquerellage de Pâris. L'envie d'un seul homme, un dépit, un plaisir, une jalousie domestique, causes qui ne devraient pas émouvoir deux harengères à s'égratigner, c'est l'âme et le mouvement de tout ce grand trouble. Voulons-nous en croire ceux mêmes qui en sont les principaux auteurs et motifs ? oyons le plus grand, le plus victorieux empereur et le plus puissant qui fût onques, se jouant, et mettant en risée, très plaisamment et très ingénieusement, plusieurs batailles hasardées et par mer et par terre, le sang et la vie de cinq cent mille hommes qui suivirent sa fortune, et les forces et richesses des deux parties du monde épuisées pour le service de ses entreprises,

> *Quod futuit Glaphyran Antonius, hanc mihi pœnam*
> *Fulvia constituit, se quoque uti futuam.*
> *Fulviam ego ut futuam? Quid, si me Manius oret*
> *Pædicem, faciam? Non, puto, si sapiam.*
> *Aut futue, aut pugnemus, ait. Quid, si mihi vita*
> *Charior est ipsa mentula? Signa canant* ** .

a. Consuma.
* Horace, *Épître 2* du livre I : « On raconte que l'amour de Pâris fut cause d'une guerre cruelle entre la Grèce et le monde barbare. »
** Cette épigramme attribuée à Auguste a été conservée par Martial, livre XI, épigramme 21. Fontenelle en a fait dans ses *Dialogues des morts* l'adaptation suivante, qui tiendra lieu de traduction :

> « Parce qu'Antoine est charmé de Glaphyre,
> Fulvie à ses beaux yeux me veut assujettir.
> Antoine est infidèle. Et bien donc! est-ce à dire
> Que des fautes d'Antoine on me fera pâtir?

(J'use en liberté de conscience de mon latin, avec le congé que vous m'en avez donné [86].) Or ce grand corps, à tant de visages et de mouvements, qui semble menacer le ciel et la terre :

Quam multi Lybico volvuntur marmore fluctus
Sævus ubi Orion hybernis conditur undis,
Vel cum sole novo densæ torrentur aristæ,
Aut Hermi campo, aut Lyciæ flaventibus arvis,
Scruta sonant, pulsuque pedum tremit excita tellus * ;

ce furieux monstre à tant de bras et à tant de têtes, c'est toujours l'homme faible, calamiteux et misérable. Ce n'est qu'une fourmilière émue et échauffée.

It nigrum campis agmen **.

Un souffle de vent contraire, le croassement d'un vol de corbeaux, le faux pas d'un cheval [87], le passage fortuit d'un aigle, un songe, une voix, un signe, une brouée matinière *a* suffisent à le renverser et porter par terre. Donnez-lui seulement d'un rayon de soleil par le visage, le voilà fondu et évanoui ; qu'on lui évente seulement un peu de poussière aux yeux, comme aux mouches à miel de notre poète, voilà toutes nos enseignes, nos légions, et le grand Pompée même à leur tête, rompus *b* et fracassés : car ce fut lui, ce me semble [88], que Sertorius battit en Espagne atout *c* ces belles armes qui ont aussi servi

---

a. Un brouillard matinal. — *b.* Mis en déroute. — *c.* Avec.
    Qui ? Moi ! que je serve Fulvie !
    Suffit-il qu'elle en ait envie ?
    A ce compte, on verrait se retirer vers moi
    Mille épouses mal satisfaites.
    Aime-moi, me dit-elle, ou combattons. Mais quoi ?
    Si mon vit m'est plus cher que la vie.
    Elle est bien laide ! Allons, sonnez, trompettes... »
  * Virgile, *Énéide*, chant VII : « Comme les vagues innombrables qui roulent sur la mer de Libye, quand le cruel Orion se couche dans les flots hivernaux, ou comme, au retour du soleil, se dorent les épis serrés soit dans les plaines de l'Hermus, soit dans les champs blondissants de la Libye, les boucliers résonnent, et la terre ébranlée, tremble sous les pas. »
  ***Ibid.*, chant IV : « La noire colonne s'avance dans la plaine. »

à d'autres, comme à Eumène contre Antigone, à Suréna
contre Crassus [89] :

> *Hi motus animorum atque hæc certamina tanta*
> *Pulveris exigui jactu compressa quiescent* *.

Qu'on découple [a] même de nos mouches après, elles
auront et la force et le courage de le dissiper. De fraîche
mémoire, les Portugais pressant la ville de Tamly au
territoire de Xiatime, les habitants d'icelle portèrent sur
la muraille grand'quantité de ruches, de quoi ils sont
riches. Et, à tout du feu, chassèrent les abeilles si vivement sur leurs ennemis, qu'ils les mirent en route [b], ne
pouvant soutenir leurs assauts et leurs pointures [c]. Ainsi
demeura la victoire et liberté de leur ville à ce nouveau
secours, avec telle fortune qu'au retour du combat il ne
s'en trouva une seule à dire [90].

^ Les âmes des empereurs et des savetiers sont jetées
à même moule. Considérant l'importance des actions
des princes et leur poids, nous nous persuadons qu'elles
soient produites par quelques causes aussi pesantes et
importantes. Nous nous trompons : ils sont menés et
ramenés en leurs mouvements par les mêmes ressorts
que nous sommes aux nôtres. La même raison qui nous
fait tancer avec un voisin, dresse entre les princes une
guerre ; la même raison qui nous fait fouetter un laquais,
tombant en un roi, lui fait ruiner une province. Ils
veulent aussi légèrement que nous, mais ils peuvent plus.
Pareils appétits agitent un ciron et un éléphant.

Quant à la fidélité, il n'est animal au monde traître
au prix de l'homme ; nos histoires racontent la vive
poursuite que certains chiens ont fait de la mort de leurs
maîtres. Le roi Pyrrhus [91], ayant rencontré un chien qui
gardait un homme mort, et ayant entendu qu'il y avait
trois jours qu'il faisait cet office, commanda qu'on
enterrât ce corps, et mena ce chien quant et lui [d]. Un jour

---

a. Lance à la poursuite. — b. Déroute. — c. Piqûres. — d. Avec.
* Virgile, *Géorgiques,* chant IV : « Ces grandes colères et ces
luttes violentes s'apaiseront, réprimées par le jet d'un peu de poussière. »

qu'il assistait aux montres *a* générales de son armée, ce
chien, apercevant les meurtriers de son maître, leur courut
sus avec grands abois et âpreté de courroux, et par
ce premier indice achemina la vengeance de ce meurtre,
qui en fut faite bientôt après par la voie de la justice.
Autant en fit le chien du sage Hésiode, ayant convaincu
les enfants de Ganistor Naupactien du meurtre commis
en la personne de son maître. Un autre chien, étant à la
garde d'un temple à Athènes, ayant aperçu un larron
sacrilège qui emportait les plus beaux joyaux, se mit
à aboyer contre lui tant qu'il put; mais les marguilliers
ne s'étant point éveillés pour cela, il se mit à le suivre,
et, le jour étant venu, se tint un peu plus éloigné de lui,
sans le perdre jamais de vue. S'il lui offrait à manger,
il n'en voulait pas; et aux autres passants qu'il rencontrait en son chemin, il leur faisait fête de la queue et
prenait de leurs mains ce qu'ils lui donnaient à manger;
si son larron s'arrêtait pour dormir, il s'arrêtait quant et
quant *b* au lieu même. La nouvelle de ce chien étant venue
aux marguilliers de cette église, ils se mirent à le suivre
à la trace, s'enquérant des nouvelles du poil de ce chien,
et enfin le rencontrèrent en la ville de Cromyon, et le
larron aussi, qu'ils ramenèrent en la ville d'Athènes,
où il fut puni. Et les juges, en reconnaissance de ce bon
office, ordonnèrent du public certaine mesure de blé
pour nourrir le chien, et aux prêtres d'en avoir soin.
Plutarque témoigne cette histoire comme chose très
avérée et advenue en son siècle.

Quant à la gratitude (car il me semble que nous avons
besoin de mettre ce mot en crédit), ce seul exemple y
suffira, que Apion récite [92] comme en ayant été lui-même
spectateur. Un jour, dit-il, qu'on donnait à Rome au
peuple le plaisir du combat de plusieurs bêtes étranges,
et principalement de lions de grandeur inusitée, il y en
avait un entre autres qui, par son port furieux, par la
force et grosseur de ses membres et un rugissement
hautain et épouvantable, attirait à soi la vue de toute
l'assistance. Entre les autres esclaves qui furent présentés
au peuple en ce combat des bêtes, fut un Androdus,
de Dace [93], qui était à un seigneur romain de qualité.

a. Revues. — *b.* En même temps.

consulaire. Ce lion, l'ayant aperçu de loin, s'arrêta premièrement tout court, comme étant entré en admiration,
et puis s'approcha tout doucement, d'une façon molle
et paisible, comme pour entrer en reconnaissance avec
lui. Cela fait, et s'étant assuré de ce qu'il cherchait, il
commença à battre de la queue à la mode des chiens
qui flattent leur maître, et à baiser et lécher les mains
et les cuisses de ce pauvre misérable tout transi d'effroi
et hors de soi. Androdus ayant repris ses esprits par la
bénignité de ce lion, et rassuré sa vue pour le considérer
et reconnaître, c'était un singulier plaisir de voir les
caresses et les fêtes qu'ils s'entrefaisaient l'un à l'autre.
De quoi le peuple ayant élevé des cris de joie, l'empereur
fit appeler cet esclave pour entendre de lui le moyen
d'un si étrange événement. Il lui récita une histoire
nouvelle et admirable :

« Mon maître, dit-il, étant proconsul en Afrique, je
fus contraint, par la cruauté et rigueur qu'il me tenait,
me faisant journellement battre, me dérober de lui et
m'enfuir. Et, pour me cacher sûrement d'un personnage
ayant si grande autorité en la province, je trouvai mon
plus court de gagner les solitudes et les contrées sablon-
neuses et inhabitables de ce pays-là, résolu, si le moyen
de me nourrir venait à me faillir, de trouver quelque
façon de me tuer moi-même. Le soleil étant extrêmement
âpre sur le midi et les chaleurs insupportables, m'étant
embattu sur *a* une caverne cachée et inaccessible, je
me jetai dedans. Bientôt après y survint ce lion, ayant
une patte sanglante et blessée, tout plaintif et gémissant
des douleurs qu'il y souffrait. A son arrivée, j'eus beaucoup de frayeur; mais lui, me voyant mussé *b* dans un
coin de sa loge, s'approcha tout doucement de moi,
me présentant sa patte offensée *c*, et me la montrant
comme pour demander secours; je lui ôtai lors un grand
écot *d* qu'il y avait, et m'étant un peu apprivoisé à lui,
pressant sa plaie, en fis sortir l'ordure qui s'y amassait,
l'essuyai et nettoyai le plus proprement que je pus; lui,
se sentant allégé de son mal et soulagé de cette douleur,
se prit à reposer et à dormir, ayant toujours sa patte

a. Étant tombé en. — *b*. Blotti. — *c*. Blessée. — *d*. Éclat.

entre mes mains. De là en hors [a], lui et moi vécûmes ensemble en cette caverne, trois ans entiers, de mêmes viandes; càr des bêtes qu'il tuait à sa chasse, il m'en apportait les meilleurs endroits, que je faisais cuire au soleil à faute de feu, et m'en nourrissais. A la longue, m'étant ennuyé de cette vie brutale [b] et sauvage, ce lion étant allé un jour à sa quête accoutumée, je partis de là, et, à ma troisième journée, fus surpris par les soldats qui me menèrent d'Afrique en cette ville à mon maître, lequel soudain me condamna à mort et à être abandonné aux bêtes. Or, à ce que je vois, ce lion fut aussi pris bientôt après, qui m'a, à cette heure, voulu récompenser du bienfait et guérison qu'il avait reçus de moi. »

Voilà l'histoire qu'Androdus récita à l'empereur, laquelle il fit aussi entendre de main à main au peuple. Par quoi, à la requête de tous, il fut mis en liberté et absous de cette condamnation, et par ordonnance du peuple lui fut fait présent de ce lion. Nous voyons depuis, dit Apion, Androdus conduisant ce lion à tout une petite laisse, se promenant par les tavernes de Rome, recevoir l'argent qu'on lui donnait, le lion se laisser couvrir des fleurs qu'on lui jetait, et chacun dire en les rencontrant : « Voilà le lion hôte de l'homme, voilà l'homme médecin du lion. »

Nous pleurons souvent la perte des bêtes que nous aimons, aussi font-elles la nôtre,

> *Post, bellator equus, positis insignibus, Aethon*
> *It lachrymans, guttisque humectat grandibus ora* *.

Comme aucunes de nos nations ont les femmes en commun aucunes à chacun la sienne; cela ne se voit-il pas aussi entre les bêtes ? et des mariages mieux gardés que les nôtres ?

Quant à la société et confédération qu'elles dressent entre elles pour se liguer ensemble et s'entre-secourir, il se voit des bœufs, des pourceaux et autres animaux,

---

a. Depuis lors. — *b*. De bête.
* Virgile, *Énéide,* chant XI : « Ensuite s'avance Éthon, son cheval de bataille, dépouillé de ses ornements, pleurant et mouillant son visage de grosses larmes. »

qu'au cri de celui que vous offensez [a], toute la troupe accourt à son aide et se rallie pour sa défense. L'escare [94], quand il a avalé l'hameçon du pêcheur, ses compagnons s'assemblent en foule autour de lui et rongent la ligne; et, si d'aventure il y en a un qui ait donné dedans la nasse, les autres lui baillent la queue par-dehors, et lui la serrent tant qu'ils peuvent à belles dents; ils le tirent ainsi au-dehors et l'entraînent. Les barbiers [95], quand l'un de leurs compagnons est engagé, mettent la ligne contre leur dos, dressant une épine qu'ils ont dentelée comme une scie, à tout laquelle ils la scient et coupent.

Quant aux particuliers offices que nous tirons l'un de l'autre pour le service de la vie, il s'en voit plusieurs pareils exemples parmi elles. Ils tiennent que la baleine ne marche jamais qu'elle n'ait au-devant d'elle un petit poisson semblable au gayon [b] de mer, qui s'appelle pour cela le guide; la baleine le suit, se laissant mener et tourner aussi facilement que le timon fait retourner le navire; et, en récompense aussi, au lieu que toute autre chose soit bête ou vaisseau qui entre dans l'horrible chaos de la bouche de ce monstre, est incontinent perdu et englouti, ce petit poisson s'y retire en toute sûreté et y dort, et pendant son sommeil la baleine ne bouge; mais aussitôt qu'il sort, elle se met à le suivre sans cesse; et si, dè fortune, elle l'écarte, elle va errant çà et là, et souvent se froissant contre les rochers, comme un vaisseau qui n'a point de gouvernail; ce que Plutarque témoigne avoir vu [96] en l'île d'Anticyre.

Il y a une pareille société entre le petit oiseau qu'on nomme le roitelet, et le crocodile; le roitelet sert de sentinelle à ce grand animal; et si l'ichneaumon [97], son ennemi, approche pour le combattre, ce petit oiseau, de peur qu'il ne le surprenne endormi, va de son chant et à coups de bec l'éveillant et l'avertissant de son danger; il vit des demeurants [c] de ce monstre qui le reçoit familièrement en sa bouche et lui permet de becqueter dans ses mâchoires et entre ses dents, et y recueillir les morceaux de chair qui y sont demeurés; et s'il veut fermer la bouche, il l'avertit premièrement d'en sortir, en la

a. Attaquez. — b. Goujon. — c. Restes.

serrant peu à peu, sans l'étreindre et l'offenser [a].

Cette coquille qu'on nomme la nacre, vit aussi ainsi avec le pinnothère [98], qui est un petit animal de la sorte d'un cancre, lui servant d'huissier et de portier, assis à l'ouverture de cette coquille qu'il tient continuellement entrebâillée et ouverte, jusques à ce qu'il y voie entrer quelque petit poisson propre à leur prise; car lors il entre dans la nacre, et lui va pinçant la chair vive, et la contraint de fermer sa coquille; lors eux deux ensemble mangent la proie enfermée dans leur fort.

En la manière de vivre des thons, on y remarque une singulière science de trois parties de la Mathématique. Quant à l'Astrologie, ils l'enseignent à l'homme; car ils s'arrêtent au lieu où le solstice d'hiver les surprend, et n'en bougent jusques à l'équinoxe ensuivant; voilà pourquoi Aristote même leur concède volontiers cette science. Quant à la Géométrie et Arithmétique, ils font toujours leur bande de figure cubique, carrée en tout sens, et en dressent un corps de bataillon solide, clos et environné tout à l'entour, à six faces toutes égales; puis nagent en cette ordonnance carrée, autant large derrière que devant, de façon que, qui en voit et compte un rang, il peut aisément nombrer toute la troupe, d'autant que le nombre de la profondeur est égal à la largeur, et la largeur à la longueur.

Quant à la magnanimité, il est malaisé de lui donner un visage plus apparent qu'en ce fait du grand chien [99] qui fut envoyé des Indes au roi Alexandre. On lui présenta premièrement un cerf pour le combattre, et puis un sanglier, et puis un ours : il n'en fit compte et ne daigna se remuer de sa place; mais, quand il vit un lion, il se dressa incontinent sur ses pieds, montrant manifestement qu'il déclarait celui-là seul digne d'entrer en combat avec lui.

Touchant la repentance et reconnaissance des fautes, on récite d'un éléphant, lequel ayant tué son gouverneur par impétuosité de colère, en prit un deuil si extrême qu'il ne voulut onques puis manger, et se laissa mourir [100].

a. Blesser.

Quant à la clémence, on récite d'un tigre [101], la plus inhumaine bête de toutes, que lui ayant été baillé un chevreau, il souffrit *a* deux jours la faim avant que de le vouloir offenser, et le troisième il brisa la cage où il était enfermé, pour aller chercher autre pâture, ne se voulant prendre au chevreau, son familier et son hôte.

Et, quant aux droits de la familiarité et convenance qui se dresse par la conversation *b*, il nous advient ordinairement d'apprivoiser des chats, des chiens et des lièvres ensemble; mais ce que l'expérience apprend à ceux qui voyagent par mer, et notamment en la mer de Sicile, de la condition des alcyons [102], surpasse toute humaine cogitation. De quelle espèce d'animaux a jamais nature tant honoré les couches, la naissance et l'enfantement? car les poètes disent bien qu'une seule île de Délos, étant auparavant vaguante *c*, fut affermie *d* pour le service de l'enfantement de Latone [103]; mais Dieu a voulu que toute la mer fût arrêtée, affermie et aplanie, sans vagues, sans vents et sans pluie, cependant que l'alcyon fait ses petits, qui est justement environ le solstice, le plus court jour de l'an; et, par son privilège, nous avons sept jours et sept nuits, au fin cœur de l'hiver, que nous pouvons naviguer sans danger. Leurs femelles ne reconnaissent autre mâle que le leur propre, l'assistent toute leur vie sans jamais l'abandonner; s'il vient à être débile et cassé, elles le chargent sur leurs épaules, le portent partout et le servent jusques à la mort. Mais aucune suffisance n'a encore pu atteindre à la connaissance de cette merveilleuse fabrique de quoi l'alcyon compose le nid pour ses petits, ni en deviner la matière. Plutarque, qui en a vu et manié plusieurs, pense que ce sont des arêtes de quelque poisson qu'elle conjoint et lie ensemble, les entrelaçant, les unes de long, les autres de travers, et ajoutant des courbes et des arrondissements, tellement qu'enfin elle en forme un vaisseau rond prêt à voguer; puis, quand elle a parachevé de le construire, elle le porte au battement du flot marin, là où la mer, le battant tout doucement, lui enseigne à radouber ce qui n'est pas

a. Supporta. — *b*. Société. — *c*. Errante. — *d*. Fixée.

bien lié, et à mieux fortifier aux endroits où elle voit
que sa structure se dément et se lâche pour les coups
de mer; et, au contraire, ce qui est bien joint, le battement de la mer le vous étreint et vous le serre de sorte
qu'il ne se peut ni rompre, ni dissoudre, ou endommager
à coups de pierre ni de fer, si ce n'est à toute peine. Et ce
qui plus est à admirer, c'est la proportion et figure de la
concavité du dedans; car elle est composée et proportionnée de manière qu'elle ne peut recevoir ni admettre
autre chose que l'oiseau qui l'a bâtie; car à toute autre
chose elle est impénétrable, close et fermée, tellement
qu'il n'y peut rien entrer, non pas l'eau de la mer seulement. Voilà une description bien claire de ce bâtiment
et empruntée de bon lieu; toutefois, il me semble qu'elle
ne nous éclaircit pas encore suffisamment la difficulté
de cette architecture. Or de quelle vanité nous peut-il
partir de loger au-dessous de nous et d'interpréter dédaigneusement les effets que nous ne pouvons imiter ni
comprendre?

Pour suivre encore un peu plus loin cette égalité [a]
et correspondance de nous aux bêtes, le privilège de quoi
notre âme se glorifie, de ramener à sa condition tout
ce qu'elle conçoit, de dépouiller de qualités mortelles
et corporelles tout ce qui vient à elle, de ranger les choses
qu'elle estime dignes de son accointance, à dévêtir et
dépouiller leurs conditions corruptibles, et leur faire
laisser à part comme vêtements superflus et vils, l'épaisseur, la longueur, la profondeur, le poids, la couleur,
l'odeur, l'âpreté, la polissure, la dureté, la mollesse
et tous accidents sensibles, pour les accommoder à sa
condition immortelle et spirituelle, de manière que Rome
et Paris que j'ai en l'âme, Paris que j'imagine, je l'imagine
et le comprends sans grandeur et sans lieu, sans pierre,
sans plâtre et sans bois; ce même privilège, dis-je,
semble être bien évidemment aux bêtes; car un cheval
accoutumé aux trompettes, aux arquebusades et aux
combats, que nous voyons trémousser et frémir en
dormant, étendu sur sa litière, comme s'il était en la
mêlée, il est certain qu'il conçoit en son âme un son de

a. Ressemblance.

tambourin sans bruit, une armée sans armes et sans
corps :

> *Quippe videbis equos fortes, cum membra jacebunt*
> *In somnis, sudare tamen, spiraréque sæpe,*
> *Et quasi de palma summas contendere vires* *.

Ce lièvre qu'un lévrier imagine en songe, après lequel
nous le voyons haleter en dormant, allonger la queue,
secouer les jarrets et représenter parfaitement les mouvements de sa course, c'est un lièvre sans poil et sans os.

> *Venantûmque canes in molli sæpe quiete*
> *Jactant crura tamen subito, vocesque repente*
> *Mittunt, et crebas reducunt naribus auras,*
> *Ut vestigia si teneant inventa ferarum.*
> *Experge factique sequuntur inania sæpe*
> *Cervorum simulachra, fugæ quasi dedita cernant :*
> *Donec discussis redeant erroribus ad se* **.

Les chiens de garde que nous voyons souvent gronder
en songeant, et puis japer tout à fait et s'éveiller en
sursaut, comme s'ils apercevaient quelque étranger
arriver; cet étranger que leur âme voit, c'est un homme
spirituel et imperceptible, sans dimension, sans couleur
et sans être :

> *consueta domi catulorum blanda propago*
> *Degere, sæpe levem ex oculis volucremque soporem*
> *Discutere, et corpus de terra corripere instant,*
> *Proinde quasi ignotas facies atque ora tueantur* ***.

* Lucrèce, *De Natura Rerum*, chant IV : « Ainsi tu verras des
chevaux généreux, même quand leur corps est plongé dans le sommeil, se couvrir de sueur, souffler souvent et tendre toutes leurs
forces comme s'ils disputaient le prix de la course. »
** *Ibid.* : « Souvent les chiens de chasse, dans le doux repos,
bondissent sur leurs pattes subitement, donnent soudain de la voix,
reniflent l'air fréquemment comme s'ils avaient trouvé la piste du
gibier. Souvent même ils poursuivent, réveillés, la vaine apparence d'un cerf, comme s'ils le voyaient s'enfuir, jusqu'à ce
que, l'illusion dissipée, ils reviennent à eux. »
*** *Ibid.* : « L'espèce caressante des petits chiens de maison

Quant à la beauté du corps, avant de passer outre, il me faudrait savoir si nous sommes d'accord de sa description. Il est vraisemblable que nous ne savons guère que c'est beauté en nature et en général, puisque à l'humaine et nôtre beauté nous donnons tant de formes diverses : de laquelle s'il y avait quelque prescription naturelle, nous la reconnaîtrions en commun, comme la chaleur du feu. Nous en fantasions *a* les formes à notre poste.

*Turpis Romano Belgicus ore color **.*

Les Indes la peignent noire et basanée, aux lèvres grosses et enflées, au nez plat et large. Et chargent de gros anneaux d'or le cartilage d'entre les naseaux pour le faire pendre jusques à la bouche; comme aussi la balèvre *b*, de gros cercles enrichis de pierreries, si qu'elle leur tombe sur le menton; et est leur grâce de montrer leurs dents jusques au-dessous des racines. Au Pérou, les plus grandes oreilles sont les plus belles et les étendent autant qu'ils peuvent par artifice [104] : et un homme d'aujourd'hui dit avoir vu en une nation orientale ce soin de les agrandir en tel crédit, et de les charger de pesants joyaux, qu'à tous coups il passait son bras vêtu, au travers d'un trou d'oreille [105]. Il est d'ailleurs des nations qui noircissent les dents avec grand soin, et ont à mépris de les voir blanches; ailleurs, ils les teignent de couleur rouge [106]. Non seulement en Basque les femmes se trouvent plus belles la tête rase, mais assez ailleurs; et, qui plus est, en certaines contrées glaciales, comme dit Pline [107]. Les Mexicaines comptent entre les beautés la petitesse du front, et, où elles se font le poil par tout le reste du corps, elles le nourrissent au front et peuplent par art; et ont en si grande recommandation la grandeur des tétins, qu'elles affectent de pouvoir donner la mamelle à leurs enfants par-dessus l'épaule. Nous formerions ainsi la

s'agite, dissipe loin de ses yeux le léger sommeil, se dresse brusquement, comme si elle apercevait des visages et des traits inconnus. »

a. Imaginons. — *b.* La lèvre inférieure.

* Properce, *Élégie 18* du livre II : « Le teint d'un Belge serait laid sur un visage romain. »

laideur. Les Italiens la façonnent grosse et massive, les
Espagnols vidée et étrillée; et, entre nous, l'un la fait
blanche, l'autre brune; l'un molle et délicate, l'autre
forte et vigoureuse; qui y demande de la mignardise
et de la douceur, qui de la fierté et majesté. Tout ainsi
que la préférence en beauté, que Platon attribue à la
figure sphérique, les Épicuriens la donnent à la pyrami-
dale plutôt ou carrée, et ne peuvent avaler un dieu en
forme de boule [108].

Mais, quoi qu'il en soit, nature ne nous a non plus
privilégiés en cela que, au demeurant, sur ses lois communes. Et si nous nous jugeons bien, nous trouverons
que, s'il est quelques animaux moins favorisés en cela
que nous, il y en a d'autres, et en grand nombre, qui le
sont plus, « *a multis animalibus decore vincimur* * », voire
des terrestres, nos compatriotes; car quant aux marins
(laissant la figure *a*, qui ne peut tomber en proportion,
tant elle est autre), en couleur, netteté, polissure, disposition, nous leur cédons assez; et non moins, en toutes
qualités, aux aérées *b*. Et cette prérogative que les poètes
font valoir de notre stature droite, regardant vers le
ciel son origine,

> *Pronáque cum spectent animalia cœtera terram,*
> *Os homini sublime dedit, cœlúmque videre*
> *Jussit, et erectos ad sydera tollere vultus ***,*

elle est vraiment poétique, car il y a plusieurs bestioles
qui ont la vue renversée tout à fait vers le ciel; et l'enco-
lure des chameaux et des autruches, je la trouve encore
plus relevée et droite que la nôtre.

Quels animaux n'ont la face au haut, et ne l'ont devant,
et ne regardent vis-à-vis comme nous, et ne découvrent
en leur juste posture autant du ciel et de la terre que
l'homme?

a. Forme. — *b*. Animaux de l'air.
* Sénèque, *Lettre 124* : « Beaucoup d'animaux nous surpassent
en beauté. »
** Ovide, *Métamorphoses,* livre I : « Alors que les autres êtres
vivants, le visage penché, regardent la terre, Dieu a donné à
l'homme un visage élevé et lui a ordonné de contempler le ciel et
de lever ses regards vers les astres. »

Et quelles qualités de notre corporelle constitution en Platon [109] et en Cicéron ne peuvent servir à mille sortes de bêtes ?

Celles qui nous retirent [a] le plus, ce sont les plus laides et les plus abjectes de toute la bande : car, pour l'apparence extérieure et forme du visage, ce sont les magots et les singes :

> *Simia quam similis, turpissima bestia, nobis* * !

pour le dedans et parties vitales, c'est le pourceau. Certes, quand j'imagine l'homme tout nu (ouï en ce sexe qui semble avoir plus de part à la beauté), ses tares, sa sujétion naturelle et ses imperfections, je trouve que nous avons eu plus de raison que nul autre animal de nous couvrir. Nous avons été excusables d'emprunter ceux que nature avait favorisés en cela plus qu'à nous, pour nous parer de leur beauté et nous cacher sous leur dépouille, laine, plume, poil, soie.

Remarquons, au demeurant, que nous sommes le seul animal duquel le défaut offense nos propres compagnons, et seuls qui avons à nous dérober, en nos actions naturelles, de notre espèce. Vraiment c'est aussi un effet digne de considération, que les maîtres du métier ordonnent pour remède aux passions amoureuses l'entière vue et libre du corps qu'on recherche; que, pour refroidir l'amitié, il ne faille que voir librement ce qu'on aime,

> *Ille quod obscœnas in aperto corpore partes*
> *Viderat, in cursu qui fuit, hœsit amor* **.

Et, encore que cette recette puisse à l'aventure partir d'une humeur un peu délicate et refroidie, si est-ce [b] un merveilleux signe de notre défaillance, que l'usage et la connaissance nous dégoûte les uns des autres. Ce n'est

a. Ressemblent. — b. Toujours est-il.

* Cicéron, *De Natura Deorum*, livre I, chap. xxxv : « Combien le singe, cette bête si laide, nous ressemble. » C'est un vers d'Ennius cité par Cicéron.

** Ovide, *Remèdes à l'amour* : « Celui-là qui avait vu les parties secrètes de l'objet aimé à découvert au milieu des transports de sa passion, a vu s'éteindre son ardeur. »

pas tant pudeur qu'art et prudence, qui rend nos dames si circonspectes à nous refuser l'entrée de leurs cabinets, avant qu'elles soient peintes et parées pour la montre publique,

> *Nec veneres nostras hoc fallit : quo magis ipsæ*
> *Omnia summopere hos vitæ post scenia celant,*
> *Quos retinere volunt adstrictóque esse in amore*,*

là où, en plusieurs animaux, il n'est rien d'eux que nous n'aimions et qui ne plaise à nos sens, de façon que de leurs excréments mêmes et de leur décharge *a* nous tirons non seulement de la friandise au manger, mais nos plus riches ornements et parfums.

Ce discours ne touche que notre commun ordre, et n'est pas si sacrilège d'y vouloir comprendre ces divines, supernaturelles et extraordinaires beautés qu'on voit parfois reluire entre nous comme des astres sous un voile corporel et terrestre.

Au demeurant, la part même que nous faisons aux animaux des faveurs de nature, par notre confession, elle leur est bien avantageuse. Nous nous attribuons des biens imaginaires et fantastiques, des biens futurs et absents desquels l'humaine capacité ne se peut d'elle-même répondre, ou des biens que nous nous attribuons faussement par la licence de notre opinion, comme la raison, la science et l'honneur; et à eux nous laissons en partage des biens essentiels, maniables et palpables : la paix, le repos, la sécurité, l'innocence et la santé; la santé, dis-je, le plus beau et le plus riche présent que nature nous sache faire. De façon que la Philosophie [110], voire la Stoïque, ose bien dire que Héraclite et Phérécyde, s'ils eussent pu échanger leur sagesse avec la santé et se délivrer par ce marché, l'un de l'hydropisie, l'autre de la maladie pédiculaire qui le pressait, qu'ils eussent bien fait. Par où ils donnent encore plus grand prix à

---

a. Sécrétion.
* Lucrèce, *De Natura Rerum,* chant IV : « Les femmes le savent bien : elles ont grand soin de dissimuler ces arrière-scènes de la vie aux amants qu'elles veulent retenir dans leurs chaînes. »

la sagesse, la comparant et contrepesant [a] à la santé, qu'ils ne font en cette autre proposition qui est aussi des leurs. Ils disent que si Circé eût présenté à Ulysse deux breuvages, l'un pour faire devenir un homme de fol sage, l'autre de sage fol, qu'Ulysse eût dû plutôt accepter celui de la folie, que de consentir que Circé eût changé sa figure humaine en celle d'une bête; et disent que la sagesse même eût parlé à lui en cette manière : « Quitte-moi, laisse-moi là, plutôt que de me loger sous la figure et corps d'un âne. » Comment? cette grande et divine sapience, les philosophes la quittent donc pour ce voile corporel et terrestre? Ce n'est donc plus par la raison, par le discours [b] et par l'âme que nous excellons sur les bêtes; c'est par notre beauté, notre beau teint et notre belle disposition de membres, pour laquelle il nous faut mettre notre intelligence, notre prudence et tout le reste à l'abandon.

Or j'accepte cette naïve et franche confession. Certes, ils ont connu que ces parties-là, de quoi nous faisons tant de fête, ce n'est que vaine fantaisie [c]. Quand les bêtes auraient donc toute la vertu, la science, la sagesse et suffisance Stoïque, ce seraient toujours de bêtes : ni ne seraient pourtant comparables à un homme misérable, méchant et insensé. Enfin tout ce qui n'est pas comme nous sommes, n'est rien qui vaille. Et Dieu même, pour se faire valoir, il faut qu'il y retire [d], comme nous dirons tantôt. Par où il appert que ce n'est pas par vrai discours, mais par une fierté folle et opiniâtreté, que nous nous préférons aux autres animaux et nous séquestrons de leur condition et société [111].

Mais, pour revenir à mon propos, nous avons pour notre part l'inconstance, l'irrésolution, l'incertitude, le deuil [e], la superstition, la sollicitude des choses à venir, voire, après notre vie, l'ambition, l'avarice, la jalousie, l'envie, les appétits déréglés, forcenés et indomptables, la guerre, le mensonge, la déloyauté, la détraction [f] et la curiosité. Certes, nous avons étrangement surpayé ce beau discours [g] de quoi nous nous glorifions, et cette capacité de juger et connaître, si nous l'avons achetée

a. Mettant en balance. — *b.* Raisonnement. — *c.* Imagination. — *d.* Ressemble. — *e.* Douleur. — *f.* Dénigrement. — *g.* Raison.

au prix de ce nombre infini de passions auxquelles nous sommes incessamment en prise. S'il ne nous plaît de faire encore valoir, comme fait bien Socrate [112], cette notable prérogative sur les autres animaux, que, où nature leur a prescrit certaines saisons et limites à la volupté vénérienne, elle nous en a lâché la bride à toutes heures et occasions. « *Ut vinum ægrotis, quia prodest raro, nocet sæpissime, melius est non adhibere omnino, quam, spe dubiæ salutis, in apertam perniciem incurrere : sic haud scio an melius fuerit humano generi motum istum celerem cogitationis, acumen, solertiam, quam rationem vocamus, quoniam pestifera sint multis, admodum paucis salutaria, non dari omnino, quam tam munifice et tam large dari* *. »

De quel fruit pouvons-nous estimer avoir été à Varron et Aristote cette intelligence de tant de choses ? Les a-t-elle exemptés des incommodités humaines ? ont-ils été déchargés des accidents qui pressent un crocheteur ? ont-ils tiré de la Logique quelque consolation à la goutte ? pour avoir su comme cette humeur se loge aux jointures, l'en ont-ils moins sentie ? sont-ils entrés en composition de la mort pour savoir qu'aucunes nations s'en réjouissent, et du cocuage, pour savoir les femmes être communes en quelque région ? Au rebours, ayant tenu le premier rang en savoir, l'un entre les Romains, l'autre entre les Grecs, et en la saison où la science fleurissait le plus, nous n'avons pas pourtant appris qu'ils aient eu aucune particulière excellence en leur vie ; voire le Grec a assez affaire à se décharger d'aucunes tâches notables en la sienne [113].

A-t-on trouvé que la volupté et la santé soient plus

---

* Cicéron, *De Natura Deorum,* livre III, chap. xxviii : « De même qu'il est préférable de ne pas donner du tout de vin aux malades, parce qu'il leur est rarement utile et fort souvent nuisible, plutôt que de les exposer à un danger manifeste pour un espoir incertain de guérison ; de même, il eût été peut-être préférable pour le genre humain que la nature ne nous donnât pas du tout (au lieu de nous les donner aussi généreusement et largement) cette activité de la pensée, cette pénétration, cette habileté que nous appelons raison, puisque cette faculté est funeste à beaucoup et salutaire seulement à un tout petit nombre. »

savoureuses à celui qui sait l'Astrologie et la Grammaire?

> *Illiterati num minus nervi rigent* * ?

et la honte et pauvreté moins importunes?

> *Scilicet et morbis et debilitate carebis,*
> *Et luctum et curam effigies, et tempora vitæ*
> *Longa tibi post hæc fato meliore dabuntur** *.

J'ai vu en mon temps cent artisans, cent laboureurs, plus sages et plus heureux que des recteurs de l'Université, et lesquels j'aimerais mieux ressembler. La doctrine [a], ce m'est avis, tient rang entre les choses nécessaires à la vie, comme la gloire [114], la noblesse, la dignité ou, pour le plus, comme la beauté, la richesse et telles autres qualités qui y servent voirement [b], mais de loin, et un peu plus par fantaisie que par nature.

Il ne nous faut guère non plus d'offices [c], de règles et de lois de vivre, en notre communauté, qu'il en faut aux grues et aux fourmis en la leur. Et, ce néanmoins, nous voyons qu'elles s'y conduisent très ordonnément sans érudition. Si l'homme était sage, il prendrait le vrai prix de chaque chose selon qu'elle serait la plus utile et propre à sa vie.

Qui nous comptera par nos actions et déportements [d], il s'en trouvera plus grand nombre d'excellents entre les ignorants qu'entre les savants : je dis en toute sorte de vertu. La vieille Rome me semble en avoir bien porté de plus grande valeur, et pour la paix et pour la guerre, que cette Rome savante qui se ruina soi-même. Quand le demeurant serait tout pareil, au moins la prud'homie et l'innocence demeureraient du côté de l'ancienne, car elle loge singulièrement bien avec la simplicité.

Mais je laisse ce discours, qui me tirerait plus loin

---

a. Science. — *b.* Vraiment. — *c.* Charges publiques. — *d.* Comportement.

* Horace, *Épître 8* : « Parce qu'il est illettré, est-il moins vigoureux pour l'amour? »

** Juvénal, *Satire XIV* : « Sans doute tu éviteras ainsi les maladies et les infirmités, tu échapperas au chagrin et au souci; tu auras une vie plus longue et un sort meilleur. »

que je ne voudrais suivre. J'en dirai seulement encore cela, que c'est la seule humilité et soumission qui peuvent effectuer un homme de bien. Il ne faut pas laisser au jugement de chacun la connaissance de son devoir; il le lui faut prescrire, non pas le laisser choisir à son discours *a*; autrement, selon l'imbécillité *b* et variété infinie de nos raisons et opinions, nous nous forgerions enfin des devoirs qui nous mettraient à nous manger les uns les autres, comme dit Épicure [115]. La première loi que Dieu donna jamais à l'homme, ce fut une loi de pure obéissance; ce fut un commandement nu et simple où l'homme n'eût rien à connaître et à causer; d'autant que l'obéir est le principal office d'une âme raisonnable, reconnaissant un céleste supérieur et bienfaiteur. De l'obéir et céder naît toute autre vertu, comme du cuider tout péché. Et, au rebours, la première tentation qui vint à l'humaine nature de la part du diable, son premier poison, s'insinua en nous par les promesses qu'il nous fit de science et de connaissance : « *Eritis sicut dii, scientes bonum et malum* *. » Et les Sirènes, pour piper Ulysse, en Homère, et l'attirer en leurs dangereux et ruineux lacs *c*, lui offrent en don la science [116]. La peste de l'homme, c'est l'opinion de savoir. Voilà pourquoi l'ignorance nous est tant recommandée par notre religion comme pièce propre à la créance et à l'obéissance. « *Cavete ne quis vos decipiat per philosophiam et inanes seductiones secundum elementa mundi* **. »

En ceci y a-t-il une générale convenance entre tous les philosophes de toutes sectes, que le souverain bien consiste en la tranquillité de l'âme et du corps. Mais où la trouvons-nous?

> *Ad summum sapiens uno minor est Jove : dives,*
> *Liber, honoratus, pulcher, rex denique regum ;*
> *Præcipue sanus, nisi cum pituita molesta est* ***.

a. A sa guise. — b. Faiblesse. — *c.* Pièges.
  * Genèse, III, 5 : « Vous serez comme des dieux, sachant le bien et le mal. »
  ** Saint Paul, Épître aux Colossiens, II, 8 : « Prenez garde qu'on ne vous abuse sous l'apparence de la philosophie et par de vaines subtilités, selon les doctrines du monde. »
  *** Horace, *Épître 1* du livre I : « Bref, le sage n'est inférieur qu'au seul Jupiter; il est riche, libre, considéré, beau, enfin, le roi

Il semble, à la vérité, que nature, pour la consolation de notre état misérable et chétif, ne nous ait donné en partage que la présomption. C'est ce que dit Épictète : que l'homme n'a rien proprement sien que l'usage de ses opinions [117]. Nous n'avons que du vent et de la fumée en partage. Les dieux ont la santé en essence, dit la philosophie [118], et la maladie en intelligence; l'homme, au rebours, possède ses biens par fantaisie, les maux en essence. Nous avons eu raison de faire valoir les forces de notre imagination, car tous nos biens ne sont qu'en songe. Oyez braver ce pauvre et calamiteux animal : « Il n'est rien, dit Cicéron [119], si doux que l'occupation des lettres, de ces lettres, dis-je, par le moyen desquelles l'infinité des choses, l'immense grandeur de nature, les cieux en ce monde même, et les terres et les mers nous sont découvertes; ce sont elles qui nous ont appris la religion, la modération, la grandeur de courage, et qui ont arraché notre âme des ténèbres pour lui faire voir toutes choses hautes, basses, premières, dernières et moyennes; ce sont elles qui nous fournissent de quoi bien et heureusement vivre, et nous guident à passer notre âge sans déplaisir et sans offense. » Celui-ci ne semble-t-il pas parler de la condition de Dieu tout-vivant et tout-puissant ?

Et, quant à l'effet, mille femmelettes ont vécu au village une vie plus équable [a], plus douce et plus constante que ne fut la sienne.

> *Deus ille fuit, Deus, inclute Memmi,*
> *Qui princeps vitæ rationem invenit eam, quæ*
> *Nunc appellatur sapientia, quique per artem*
> *Fluctibus è tantis vitam tantisque tenebris*
> *In tam tranquillo et tam clara luce locavit* *.

a. Égale.
des rois; surtout d'une santé florissante, sauf quand la pituite le tourmente. »
* Lucrèce, *De Natura Rerum,* chant V : « Celui-là fut un dieu, oui, un dieu, illustre Memmius, qui le premier trouva cette règle de vie qu'on appelle maintenant sagesse, et qui par sa science a retiré notre existence des ténèbres et des tempêtes pour la placer dans un si grand calme et une si brillante lumière. »

Voilà des paroles très magnifiques et belles; mais un
bien léger accident mit l'entendement de celui-ci en pire
état que celui du moindre berger [120], nonobstant ce Dieu
précepteur et cette divine sapience. De même impudence
est cette promesse du livre de Démocrite : « Je m'en vais
parler de toutes choses [121] »; et ce sot titre qu'Aristote
nous prête : de Dieux mortels [122]; et ce jugement de
Chrysippe, que Dion était aussi vertueux que Dieu [123].
Et mon Sénèque reconnaît, dit-il, que Dieu lui a donné
le vivre, mais qu'il a de soi le bien vivre; conformément
à cet autre : « *In virtute vere gloriamur; quod non contin-
geret, si id donum a deo, non a nobis haberemus **. » Ceci
est aussi de Sénèque [124] : que le sage a la fortitude *a*
pareille à Dieu, mais en l'humaine faiblesse; par où il le
surmonte. Il n'est rien si ordinaire que de rencontrer des
traits de pareille témérité. Il n'y a aucun de nous qui
s'offense tant de se voir apparier à Dieu, comme il fait de
se voir déprimer *b* au rang des autres animaux : tant nous
sommes plus jaloux de notre intérêt que de celui de notre
créateur.

Mais il faut mettre aux pieds cette sotte vanité, et
secouer vivement et hardiment les fondements ridicules
sur quoi ces fausses opinions se bâtissent. Tant qu'il
pensera avoir quelque moyen et quelque force de soi,
jamais l'homme ne reconnaîtra ce qu'il doit à son maître;
il fera toujours de ses œufs poules, comme on dit; il le
faut mettre en chemise.

Voyons quelque notable exemple de l'effet de sa
philosophie :

Possidonius [125], étant pressé d'une si douloureuse
maladie qu'elle lui faisait tordre les bras et grincer les
dents, pensait bien faire la figue à la douleur, pour s'écrier
contre elle : « Tu as beau faire, si ne dirai-je pas que tu
sois mal. » Il sent les mêmes passions que mon laquais,
mais il se brave sur ce qu'il contient au moins sa langue
sous les lois de sa secte [126].

a. Courage. — b. Rabaisser.
* Cicéron, *De Natura Deorum*, livre III, chap. xxxvi : « C'est
avec raison que nous nous glorifions de notre vertu; ce qui
n'arriverait pas si nous la tenions d'un dieu et non pas de nous-
même. »

Re succumbere non oportebat verbis gloriantem *.

Archesilas était malade de la goutte; Carnéade, l'étant
venu visiter et s'en retournant tout fâché, il le rappela et,
lui montrant ses pieds et sa poitrine : « Il n'est rien venu
de là ici », lui dit-il [127]. Celui-ci a un peu meilleure grâce,
car il sent avoir du mal et voudrait en être dépêtré;
mais de ce mal pourtant son cœur n'en est pas abattu et
affaibli. L'autre se tient en sa roideur, plus, ce crains-je,
verbale qu'essentielle. Et Dionysius Héracléotès, affligé
d'une cuisson véhémente des yeux, fut rangé *a* à quitter
ces résolutions Stoïques.

Mais quand la science ferait par effet *b* ce qu'ils disent,
d'émousser et rabattre l'aigreur des infortunes qui nous
suivent *c*, que fait-elle que ce que fait beaucoup plus
purement l'ignorance, et plus évidemment ? Le philosophe Pyrrhon, courant en mer le hasard d'une grande
tourmente, ne présentait à ceux qui étaient avec lui à
imiter que la sécurité d'un pourceau qui voyageait avec
eux, regardant cette tempête sans effroi [128]. La philosophie, au bout de ses préceptes, nous renvoie aux
exemples d'un athlète et d'un muletier, auxquels on voit
ordinairement beaucoup moins de ressentiment *d* de mort,
de douleur et d'autres inconvénients, et plus de fermeté
que la science n'en fournit onques à aucun qui n'y fût
né et préparé de soi-même par habitude naturelle. La
connaissance nous aiguise plutôt au ressentiment des
maux qu'elle ne les allège. Qui fait qu'on incise et taille
les tendres membres d'un enfant plus aisément que les
nôtres, si ce n'est l'ignorance ? Et ceux d'un cheval ?
Combien en a rendu de malades la seule force de l'imagination ? Nous en voyons ordinairement se faire saigner,
purger et médiciner pour guérir des maux qu'ils ne sentent qu'en leurs discours. Lorsque les vrais maux nous
faillent, la science nous prête les siens. Cette couleur
et ce teint vous présagent quelque défluxion catarrheuse;
cette saison chaude vous menace d'une émotion fiévreu-

a. Obligé. — *b*. Effectivement. — *c*. Poursuivent. — *d*. Sentiment.

* Cicéron, *Tusculanes*, livre II, chap. XIII : « Il ne fallait pas se
vanter en paroles et succomber en effet. »

se; cette coupure de la ligne vitale de votre main gauche
vous avertit de quelque notable et voisine indisposition.
Et enfin elle s'en adresse tout détroussément *a* à la santé
même. Cette allégresse et vigueur de jeunesse ne peut
arrêter en une assiette; il lui faut dérober du sang et
de la force, de peur qu'elle ne se tourne contre vous-
même. Comparez la vie d'un homme asservi à telles
imaginations à celle d'un laboureur se laissant aller après
son appétit naturel, mesurant les choses au seul sentiment
présent, sans science et sans pronostic, qui n'a du mal
que lorsqu'il l'a; où l'autre a souvent la pierre en l'âme
avant qu'il l'ait aux reins; comme s'il n'était point assez
à temps pour souffrir le mal lorsqu'il y sera, il l'anticipe
par fantaisie *b*, et lui court au-devant.

Ce que je dis de la médecine, se peut tirer par exemple
généralement à toute science. De là est venue cette
ancienne opinion des philosophes [129] qui logeaient le souverain bien à la reconnaissance de la faiblesse de notre
jugement. Mon ignorance me prête autant d'occasion
d'espérance que de crainte, et, n'ayant autre règle de
ma santé que celle des exemples d'autrui et des événements que je vois ailleurs en pareille occasion, j'en trouve
de toutes sortes et m'arrête aux comparaisons qui me
sont plus favorables. Je reçois la santé les bras ouverts,
libre, pleine et entière, et aiguise mon appétit à en jouir,
d'autant plus qu'elle m'est à présent moins ordinaire
et plus rare; tant s'en faut que je trouble son repos
et sa douceur par l'amertume d'une nouvelle et contrainte
forme de vivre. Les bêtes nous montrent assez combien
l'agitation de notre esprit nous apporte de maladies [130].

Ce qu'on nous dit de ceux du Brésil, qu'ils ne mourraient que de vieillesse, et qu'on attribue à la sérénité et
tranquillité de leur air, je l'attribue plutôt à la tranquillité
et sérénité de leur âme, déchargée de toute passion et
pensée et occupation tendue ou déplaisante, comme
gens qui passaient leur vie en une admirable simplicité
et ignorance, sans lettres, sans loi, sans roi, sans religion
quelconque [131].

Et d'où vient, ce qu'on voit par expérience, que les
plus grossiers et plus lourds sont plus fermes et plus

a. Franchement. — *b.* Imagination.

désirables aux exécutions amoureuses, et que l'amour d'un muletier se rend souvent plus acceptable que celui d'un galant homme, sinon que en celui-ci l'agitation de l'âme trouble sa force corporelle, la rompt et lasse ?

Comme elle lasse aussi et trouble ordinairement soi-même. Qui la dément *a*, qui la jette plus coutumièrement à la manie *b* que sa promptitude, sa pointe, son agilité, et enfin sa force propre ? De quoi se fait la plus subtile folie, que de la plus subtile sagesse ? Comme des grandes amitiés naissent des grandes inimitiés ; des santés vigou-reuses, les mortelles maladies ; ainsi des rares et vives agitations de nos âmes, les plus excellentes manies et plus détraquées ; il n'y a qu'un demi-tour de cheville à passer de l'un à l'autre. Aux actions des hommes insensés, nous voyons combien proprement s'advient la folie avec les plus vigoureuses opérations de notre âme. Qui ne sait combien est imperceptible le voisinage d'entre la folie avec les gaillardes élévations d'un esprit libre et les effets d'une vertu suprême et extraordinaire ? Platon dit les mélancoliques plus disciplinables et excellents : aussi n'en est-il point qui aient tant de propension à la folie. Infinis esprits se trouvent ruinés par leur propre force et souplesse. Quel saut vient de prendre, de sa pro-pre agitation et allégresse, l'un des plus judicieux, ingé-nieux et plus formés à l'air de cette antique et pure poésie, qu'aucun poète italien ait de longtemps été [132]. N'a-t-il pas de quoi savoir gré à cette sienne vivacité meurtrière ? à cette clarté qui l'a aveuglé ? à cette exacte et tendue appréhension de la raison qui l'a mis sans raison ? à la curieuse et laborieuse quête des sciences qui l'a conduit à la bêtise ? à cette rare aptitude aux exercices de l'âme, qui l'a rendu sans exercice et sans âme ? J'eus plus de dépit encore que de compassion, de le voir à Ferrare en si piteux état, survivant à soi-même, mécon-naissant et soi et ses ouvrages, lesquels, sans son su, et toutefois à sa vue, on a mis en lumière *c* incorrigés et informes [133].

Voulez-vous un homme sain, le voulez-vous réglé et en ferme et sûre posture ? Affublez-le de ténèbres, d'oisi-

---

a. Dérange. — *b*. Folie. — *c*. Publiés.

veté et de pesanteur. Il nous faut abêtir pour nous assagir, et nous éblouir pour nous guider.

Et, si on me dit que la commodité d'avoir le goût froid et mousse *a* aux douleurs et aux maux, tire après soi cette incommodité de nous rendre aussi, par conséquent, moins aigus et friands à la jouissance des biens et des plaisirs, cela est vrai; mais la misère de notre condition porte que nous n'avons pas tant à jouir qu'à fuir, et que l'extrême volupté ne nous touche pas comme une légère douleur. « *Segnius homines bona quam mala sentiunt* *. » Nous ne sentons point l'entière santé comme la moindre des maladies,

> *pungit*
> *In cute vix summa violatum plagula corpus,*
> *Quando valere nihil quemquam movet. Hoc juvat unum,*
> *Quod me non torquet latus aut pes : cætera quisquam*
> *Vix queat aut sanum sese, aut sentire valentem* **.

Notre bien-être, ce n'est que la privation d'être mal. Voilà pourquoi la secte de philosophie qui a le plus fait valoir la volupté, encore l'a-t-elle rangée à la seule indolence. Le n'avoir point de mal, c'est le plus avoir de bien que l'homme puisse espérer; comme disait Ennius :

> *Nimium boni est, cui nihil est mali* ***.

Car ce même chatouillement et aiguisement qui se rencontre en certains plaisirs et semble nous enlever au-dessus de la santé simple et de l'indolence, cette volupté active, mouvante, et, je ne sais comment, cuisante et mordante, celle-là même ne vise qu'à l'indolence comme

---

a. Émoussé.

* Tite-Live, livre XXX, chap. xxi : « Les hommes sont moins sensibles au plaisir qu'à la douleur. »

** Citation tirée d'une satire latine de La Boétie : «Nous sentons vivement la moindre piqûre à fleur de peau, alors que nous ne sommes pas sensibles à la santé. La seule chose qui me réjouisse, c'est de n'avoir ni pleurésie, ni goutte; l'homme a à peine conscience d'être en bonne santé et vigoureux. »

*** Vers d'Ennius cité par Cicéron, *De Finibus*, livre II, chap. xiii : « C'est avoir beaucoup de bonheur que de n'avoir pas de malheur. »

à son but. L'appétit qui nous ravit *a* à l'accointance des
femmes, il ne cherche qu'à chasser la peine que nous
apporte le désir ardent et furieux, et ne demande qu'à
l'assouvir et se loger en repos et en l'exemption de cette
fièvre. Ainsi des autres.

Je dis donc que, si la simplesse nous achemine à point
n'avoir de mal, elle nous achemine à un très heureux
état selon notre condition.

Si *b* ne la faut-il point imaginer si plombée *c*, qu'elle
soit du tout sans goût. Car Crantor [134] avait bien raison
de combattre l'indolence d'Épicure, si on la bâtissait
si profonde que l'abord même et la naissance des maux
en fut à dire. Je ne loue point cette indolence qui n'est
ni possible ni désirable. Je suis content de n'être pas
malade; mais, si je le suis, je veux savoir que je le suis;
et, si on me cautérise ou incise, je le veux sentir. De
vrai, qui déracinerait la connaissance du mal, il extir-
perait quand et quand *d* la connaissance de la volupté, et
enfin anéantirait l'homme : « *Istud nihil dolere, non sine
magna mercede contingit immanitatis in animo, stuporis in
corpore* *. »

Le mal est à l'homme bien à son tour. Ni la douleur
ne lui est toujours à fuir, ni la volupté toujours à suivre.

C'est un très grand avantage pour l'honneur de l'ignorance que la science même nous rejette entre ses bras,
quand elle se trouve empêchée à nous roidir contre
la pesanteur des maux; elle est contrainte de venir à
cette composition, de nous lâcher la bride et donner
congé de nous sauver en son giron, et nous mettre sous
sa faveur à l'abri des corps et injures de la fortune. Car
que veut-elle dire autre chose, quand elle nous prêche de
retirer notre pensée des maux qui nous tiennent, et
l'entretenir des voluptés perdues, et de nous servir,
pour consolation des maux présents, de la souvenance
des biens passés, et d'appeler à notre secours un contentement évanoui pour l'opposer à ce qui nous presse :
« *levationes œgritudinum in avocatione a cogitanda molestia*

---

a. Entraîne. — *b.* Pourtant. — *c.* Lourde. — *d.* En même temps.

* Cicéron, *Tusculanes*, livre III, chap. VI : « Cette insensibilité ne
se peut acquérir qu'au prix de la cruauté de l'âme et de la torpeur
du corps. »

et revocatione ad contemplandas voluptates ponit * ? » si
ce n'est que, où la force lui manque, elle veut user de
ruse, et donner un tour de souplesse et de jambe, où la
vigueur du corps et des bras vient à lui faillir. Car, non
seulement à un philosophe, mais simplement à un homme
rassis, quand il sent par effet l'altération cuisante d'une
fièvre chaude, quelle monnaie est-ce de le payer de la
souvenance de la douceur du vin grec ? Ce serait plutôt
lui empirer son marché,

> *Che ricordarsi il ben doppia la noia **.*

De même condition est cet autre conseil que la philosophie donne, de maintenir en la mémoire seulement
le bonheur passé, et d'en effacer les déplaisirs que nous
avons soufferts, comme si nous avions en notre pouvoir
la science de l'oubli. Et conseil duquel nous valons moins,
encore un coup.

> *Suavis est laborum præteritorum memoria ***.*

Comment la philosophie, qui me doit mettre les armes
à la main pour combattre la fortune, qui me doit roidir
le courage pour fouler aux pieds toutes les adversités
humaines, vient-elle à cette mollesse de me faire connil-
ler [a] par ces détours couards et ridicules ? Car la mémoire
nous représente non pas ce que nous choisissons, mais
ce qui lui plaît. Voire il n'est rien qui imprime si vivement quelque chose en notre souvenance que le désir
de l'oublier : c'est une bonne manière de donner en

a. Fuir comme un lapin *(Conil).*
* Cicéron, *Tusculanus,* livre III, chap. xv : « Pour soulager nos
chagrins, il faut (selon Épicure) éloigner sa pensée de toute idée
fâcheuse et la conduire à la contemplation d'idées riantes. »
** « Car se souvenir du bien passé double la peine. » (Citation
d'un auteur non identifié.) Dante, dans *La Divine Comédie,* chant V,
vers 122-3, exprime la même pensée : « Che ricordarsi del tempo
felice — Nella miseria »; Musset dans *Souvenir* traduit ces vers
pour les réfuter :
     Dante, pourquoi dis-tu qu'il n'est pire misère
     Qu'un souvenir heureux dans les jours de douleur ?
*** Cicéron, *De Finibus,* livre I, chap. xvii : « Le souvenir des
épreuves passées est doux. »

garde et d'empreindre en notre âme quelque chose que
de la solliciter de la perdre. Et cela est faux : « *Est situm
in nobis, ut et adversa quasi perpetua oblivione obruamus,
et secunda jucunde et suaviter meminerimus* *. » Et ceci
est vrai : « *Memini etiam quæ nolo, oblivisci non possum
quæ volo* **. » Et de qui est-ce conseil ? de celui « *qui se
unus sapientem profiteri sit ausus* *** »,

> *Qui genus humanum ingenio superavit, et omnes
> Præstrinxit stellas, exortus uti ætherius sol* ****.

De vider et démunir la mémoire, est-ce pas le vrai et
propre chemin de l'ignorance ? « *Iners malorum remedium
ignorantia est* *****. » Nous voyons plusieurs pareils
préceptes par lesquels on nous permet d'emprunter du
vulgaire des apparences frivoles, où la raison vive et
forte ne peut assez, pourvu qu'elles nous servent de
contentement et de consolation. Où ils ne peuvent guérir
la plaie, ils sont contents de l'endormir et pallier. Je
crois qu'ils ne me nieront pas ceci que, s'ils pouvaient
ajouter de l'ordre et de la constance en un état de vie
qui se maintînt en plaisir et en tranquillité par quelque
faiblesse et maladie de jugement, qu'ils ne l'acceptassent :

> *potare et spargere flores
> Incipiam, patiárque vel inconsultus haberi* ******.

* Cicéron, *De Finibus,* livre I, chap. xvii : « Il dépend de nous
d'effacer complètement de notre mémoire par un oubli éternel
nos malheurs et de rappeler le souvenir agréable et doux de nos
bonheurs. »
** *Ibid.*, livre II, chap. xxxii : « Je me souviens de ce que je
ne veux pas; je ne puis oublier ce que je veux. »
*** *Ibid.*, livre II, chap. iii : « Qui seul a osé se proclamer
sage. » Allusion à Épicure.
**** Lucrèce, *De Natura Rerum,* chant III : « Qui a dépassé le
genre humain par son génie et a éclipsé tous les hommes, comme
le soleil éclipse les étoiles, une fois levé... »
***** Vers de Sénèque, *Œdipe,* acte III, que Montaigne a trouvé
cité par Juste Lipse, dans ses *Politiques,* livre V, chap. xviii :
« L'ignorance n'est qu'un faible remède à nos maux. »
****** Horace, *Épître V* du livre I : « Je commencerai par boire
et par répandre des fleurs et je souffrirai même d'être tenu pour
fou. »

Il se trouverait plusieurs philosophes de l'avis de
Lycas : celui-ci ayant au demeurant ses mœurs bien
réglées, vivant doucement et paisiblement en sa famille,
ne manquant à nul office de son devoir envers les siens
et étrangers, se conservant très bien des choses nuisibles,
s'était, par quelque altération de sens, imprimé en la
fantaisie une rêverie; c'est qu'il pensait être perpétuellement aux théâtres à y voir des passe-temps, des spectacles et des plus belles comédies du monde. Guéri qu'il
fût par les médecins de cette humeur peccante, à peine
qu'il *a* ne les mît en procès pour le rétablir en la douceur
de ces imaginations,

> *pol ! me occidistis, amici,*
> *Non servastis, ait, cui sic extorta voluptas,*
> *Et demptus per vim mentis gratissimus error* * ;

d'une pareille rêverie à celle de Thrasilas, fils de Pytho-
dore, qui se faisait à croire que tous les navires qui
relâchaient du port du Pirée et y abordaient, ne travail-
laient que pour son service : se réjouissant de la bonne
fortune de leur navigation, les recueillant avec joie.
Son frère Criton l'ayant fait remettre en son meilleur
sens, il regrettait cette sorte de condition en laquelle il
avait vécu plein de liesse et déchargé de tout déplaisir.
C'est ce que dit ce vers ancien grec, qu'il y a beaucoup
de commodité à n'être pas si avisé,

> Ἐν τῷ φρονεῖν γὰρ μηδὲν ἥδιστος βίος **.

et l'*Ecclésiaste* : « En beaucoup de sagesse, beaucoup
de déplaisir »; et, « qui acquiert science, s'acquiert du
travail et tourment [135] ».
    Cela même à quoi en général la philosophie consent,
cette dernière recette qu'elle ordonne à toute sorte de
nécessité, qui est de mettre fin à la vie que nous ne pou-

---

a. C'est tout juste s'il...
* Horace, *Épître 2* du livre II : « Hélas! Vous m'avez tué, mes
amis, au lieu de me sauver, dit-il; vous m'avez enlevé mon plaisir,
vous m'avez enlevé l'illusion si agréable... »
** Citation de Sophocle, *Ajax,* vers 554, que Montaigne a traduite avant de la citer.

vons supporter : « *Placet ? pare. Non placet ? quacumque vis, exi* * » ;

« *Pungit dolor ? Vel fodiat sane. Si nudus es, da jugulum ; sin tectus armis Vulcaniis, id est fortitudine, resiste* ** » ; et ce mot des Grecs convives qu'ils y appliquent : « *Aut bibat, aut abeat* *** » (qui sonne plus sortablement en la langue d'un Gascon qui change volontiers en V le B [136], qu'en celle de Cicéron) ;

> *Vivere si rectè nescis, decede peritis ;*
> *Lusisti satis, edisti satis atque bibisti ;*
> *Tempus abire tibi est, ne potum largius æquo*
> *Rideat et pulset lasciva decentius ætas* **** ;

qu'est-ce autre chose qu'une confession de son impuissance et un renvoi non seulement à l'ignorance, pour y être à couvert, mais à la stupidité même, au non-sentir et au non-être ?

> *Democritum postquam matura vetustas*
> *Admonuit memorem motus languescere mentis,*
> *Sponte sua leto caput obvius obtulit ipse* *****.

C'est ce que disait Antisthène, qu'il fallait faire provision ou de sens pour entendre, ou de licol pour se pendre ; et ce que Chrysippe alléguait sur ce propos du poète Tyrtée,

De la vertu, ou de la mort approcher [137].

---

* Sénèque, *Lettre 70* : « Te plaît-elle ? Supporte-la. Ne te plaît-elle plus ? Sors-en par où tu voudras ! »

** Cicéron, *Tusculanes*, livre II, chap. II : « La douleur te pique ? Supposons même qu'elle te déchire. Si tu es sans défense, tends la gorge ; si au contraire, tu es protégé par les armes de Vulcain, c'est-à-dire, le courage, résiste. »

*** *Ibid.*, livre V, chap. XLI : « Qu'il boive ou qu'il se retire. »

**** Horace, *Épître 2* du livre II : « Si tu ne sais pas vivre bien, cède la place à ceux qui le savent ; tu as assez folâtré, assez mangé et bu ; il est temps pour toi de te retirer, de peur qu'ayant bu plus que de raison tu ne deviennes la risée et le jeu de la jeunesse, à qui la gaieté convient mieux qu'à toi. »

***** Lucrèce, *De Natura Rerum*, chant III : « Démocrite, averti par l'âge que ses facultés déclinaient, spontanément offrit sa tête à la mort. »

Et Cratès disait que l'amour se guérissait par la faim, sinon par le temps; et, à qui ces deux moyens ne plaisaient, par la hart ^a [138].

Ce Sextius duquel Sénèque [139] et Plutarque parlent avec si grande recommandation, s'étant jeté, toutes choses laissées, à l'étude de la philosophie, délibéra de se précipiter en la mer, voyant le progrès de ses études trop tardif et trop long. Il courait à la mort, au défaut de la science. Voici les mots de la loi sur ce sujet : Si d'aventure il survient quelque grand inconvénient qui ne se puisse remédier, le port est prochain; et se peut-on sauver à nage hors du corps comme hors d'un esquif qui fait eau : car c'est la crainte de mourir, non pas le désir de vivre, qui tient le fol attaché au corps.

Comme la vie se rend par la simplicité plus plaisante, elle s'en rend aussi plus innocente et meilleure, comme je commençais tantôt à dire. « Les simples, dit saint Paul [140], et les ignorants s'élèvent et se saisissent du ciel : et nous, à tout ^b notre savoir, nous plongeons aux abîmes infernaux. » Je ne m'arrête ni à Valentian [141], ennemi déclaré de la science et des lettres, ni à Licinius, tous deux empereurs romains, qui les nommaient le venin et la peste de tout état politique; ni à Mahomet, qui, comme ai entendu, interdit la science à ses hommes; mais l'exemple de ce grand Lycurgue, et son autorité doit certes avoir grand poids; et la révérence ^c de cette divine police ^d lacédémonienne, si grande, si admirable et si longtemps fleurissante en vertu et en bonheur, sans aucune institution ni exercice de lettres. Ceux qui reviennent de ce monde nouveau [142], qui a été découvert du temps de nos pères par les Espagnols, nous peuvent témoigner combien ces nations, sans magistrat et sans loi, vivent plus légitimement et plus réglément que les nôtres, où il y a plus d'officiers et de lois qu'il n'y a d'autres hommes et qu'il n'y a d'actions,

> *Di cittatorie piene e di libelli,*
> *D'esamine e di carte, di procure,*

---

a. Potence. — b. Avec. — c. Respect. — d. Organisation politique.

Hanno le máni e il seno, et gran fastelli
Di chiose, di consigli e di letture :
Per cui le faculta de poverelli
Non sono mai ne le citta sicure ;
Hanno dietro e dinanzi, e d'ambi ilati,
Notai procuratori e advocati *.

C'était ce que disait un sénateur romain des derniers
siècles, que leurs prédécesseurs avaient l'haleine puante
à l'ail, et l'estomac musqué de bonne conscience [143]; et
qu'au rebours ceux de son temps ne sentaient au-dehors
que le parfum, puant au-dedans toute sorte de vices;
c'est-à-dire, comme je pense, qu'ils avaient beaucoup de
savoir et de suffisance, et grand'faute de prud'homie.
L'incivilité, l'ignorance, la simplesse, la rudesse s'accompagnent volontiers de l'innocence; la curiosité, la subtilité, le savoir traînent la malice à leur suite; l'humilité,
la crainte, l'obéissance, la débonnaireté (qui sont les
pièces principales pour la conservation de la société
humaine) demandent une âme vide, docile et présumant
peu de soi.

Les Chrétiens ont une particulière connaissance
combien la curiosité est un mal naturel et originel en
l'homme [144]. Le soin de s'augmenter en sagesse et en
science, ce fut la première ruine du genre humain; c'est
la voie par où il s'est précipité à la damnation éternelle.
L'orgueil est sa perte et sa corruption : c'est l'orgueil
qui jette l'homme à quartier *a* des voies communes, qui
lui fait embrasser les nouvelletés, et aimer mieux être
chef d'une troupe errante et dévoyée au sentier de per-
dition, aimer mieux être régent et précepteur d'erreur
et de mensonge, que d'être disciple en l'école de vérité,
se laissant mener et conduire par la main d'autrui à la
voie battue et droiturière. C'est, à l'aventure, ce que

---

a. A l'écart.

* Arioste (1474-1533), *Roland furieux*, chant XIV ; « Ils ont les
mains et les poches pleines d'ajournements, de requêtes, d'informa-
tions et de lettres de procuration, chargées de liasses de gloses, de
consultations et de procédures. Grâce à eux le pauvre peuple n'est
jamais en sûreté dans les villes; par-devant, par-derrière, des deux
côtés, il est assiégé d'une foule de notaires, de procureurs et d'avocats... »

dit ce mot grec ancien, que la superstition suit l'orgueil
et lui obéit comme à son père : ἡ δεισιδαιμονία κατάπερ
πατρὶ τῷ τυφῷ πείτεται *.

O cuider! combien tu nous empêches *a*! Après que
Socrate fut averti que le Dieu de sagesse lui avait attribué le surnom de sage, il en fut étonné; et, se recher-
chant et secouant partout, n'y trouvait aucun fondement à cette divine sentence. Il en savait de justes,
tempérants, vaillants, savants comme lui, et plus élo-
quents, et plus beaux, et plus utiles au pays. Enfin il se
résolut qu'il n'était distingué des autres et n'était sage
que parce qu'il ne s'en tenait pas *b*; et que son Dieu
estimait bêtise singulière à l'homme l'opinion de science
et de sagesse : et que sa meilleure doctrine était la doctrine de l'ignorance, et sa meilleure sagesse, la simplicité 145.

La sainte parole déclare misérables ceux d'entre nous
qui s'estiment. « Bourbe et cendre, leur dit-elle, qu'as-tu
à te glorifier ? » Et ailleurs : « Dieu a fait l'homme semblable à l'ombre; de laquelle qui jugera, quand, par l'éloi-
gnement de la lumière, elle sera évanouie 146 ? » Ce n'est
rien à la vérité que de nous. Il s'en faut tant que nos
forces conçoivent la hauteur divine, que, des ouvrages de
notre créateur, ceux-là portent mieux sa marque et sont
mieux siens, que nous entendons le moins. C'est aux
Chrétiens une occasion de croire, que de rencontrer
une chose incroyable. Elle est d'autant plus selon raison,
qu'elle est contre l'humaine raison. Si elle était selon
raison, ce ne serait plus miracle; et, si elle était selon
quelque exemple, ce ne serait plus chose singulière.
« *Melius scitur deus nesciendo* ** », dit saint Augustin;
et Tacite : « *Sanctius est ac reverentius de actis deorum
credere quam scire* ***. »

---

a. Embarrasses. — *b.* Il ne s'en faisait pas accroire.

* Mot attribué à Socrate par Stobée dans son *Anthologie*,
chap. xxii.

** Citation de saint Augustin, *De ordine*, livre II, chap. xvi, que
Montaigne a trouvée reproduite par Juste Lipse dans ses *Politiques*,
livre I, chap. ii : « On connaît mieux Dieu en ignorant sa nature. »

*** Citation de la *Germanie*, chap. xxxiv : « Il est plus religieux
et plus respectueux de croire aux actions des dieux que de les
connaître. »

Et Platon estime [147] qu'il y ait quelque vice d'impiété à trop curieusement s'enquérir et de Dieu et du monde, et des causes premières des choses.

« *Atque illum quidem parentem hujus universitatis invenire difficile ; et quum jam inveneris, indicare in vulgus, nefas* », dit Cicéron *.

Nous disons bien puissance, vérité, justice : ce sont paroles qui signifient quelque chose de grand ; mais cette chose-là, nous ne la voyons aucunement, ni ne la concevons. Nous disons que Dieu craint, que Dieu se courrouce, que Dieu aime,

Immortalia mortali sermone notantes ** ;

ce sont toutes agitations et émotions qui ne peuvent loger en Dieu selon notre forme ; ni nous, l'imaginer selon la sienne. C'est à Dieu seul de se connaître et d'interpréter ses ouvrages. Et le fait en notre langue, improprement, pour se ravaler [a] et descendre à nous, qui sommes à terre, couchés. La prudence, comment lui peut-elle convenir, qui est l'élite [b] entre le bien et le mal, vu que nul mal ne le touche ? Quoi la raison et l'intelligence, desquelles nous nous servons pour, par les choses obscures, arriver aux apparentes, vu qu'il n'y a rien d'obscur à Dieu ? La justice, qui distribue à chacun ce qui lui appartient, engendrée pour la société et communauté des hommes, comment est-elle en Dieu ? La tempérance, comment ? qui est la modération des voluptés corporelles, qui n'ont nulle place en la divinité. La fortitude à porter la douleur, le labeur, les dangers, lui appartiennent aussi peu, ces trois choses n'ayant nul accès près de lui. Par quoi Aristote le tient également exempt de vertu et de vice.

---

a. Se rabaisser. — *b.* Le choix.

* D'après une traduction latine du *Timée* de Platon : « En vérité, il est difficile de connaître le père de cet univers ; et si on parvient à le découvrir, il est sacrilège de le révéler au vulgaire. »

** Lucrèce, *De Natura Rerum,* chant V : « Exprimant des choses immortelles par des termes mortels. »

« *Neque gratia neque ira teneri potest, quod quæ talia essent, imbecilla essent omnia**. »

La participation que nous avons à la connaissance de la vérité, quelle qu'elle soit, ce n'est pas par nos propres forces que nous l'avons acquise. Dieu nous a assez appris cela par les témoins qu'il a choisis du vulgaire, simples et ignorants, pour nous instruire de ses admirables secrets : notre foi ce n'est pas notre acquêt, c'est un pur présent de la libéralité d'autrui. Ce n'est pas par discours *a* ou par notre entendement que nous avons reçu notre religion, c'est par autorité et par commandement étranger. La faiblesse de notre jugement nous y aide plus que la force, et notre aveuglement plus que notre clairvoyance. C'est par l'entremise de notre ignorance plus que de notre science que nous sommes savants de ce divin savoir. Ce n'est pas merveille si nos moyens naturels et terrestres ne peuvent concevoir cette connaissance supernaturelle et céleste : apportons-y seulement du nôtre l'obéissance et la sujétion. Car, comme il est écrit [148] : « Je détruirai la sapience des sages, et abattrai la prudence des prudents. Où est le sage ? où est l'écrivain ? où est le disputateur de ce siècle ? Dieu n'a-t-il pas abêti la sapience de ce monde ? Car, puisque le monde n'a point connu Dieu par sapience, il lui a plu, par la vanité de la prédication, sauver les croyants. »

Si *b* me faut-il voir enfin s'il est en la puissance de l'homme de trouver ce qu'il cherche, et si cette quête qu'il y a employée depuis tant de siècles, l'a enrichi de quelque nouvelle force et de quelque vérité solide.

Je crois qu'il me confessera, s'il parle en conscience, que tout l'acquêt qu'il a retiré d'une si longue poursuite, c'est d'avoir appris à reconnaître sa faiblesse. L'ignorance qui était naturellement en nous, nous l'avons, par longue étude, confirmée et avérée. Il est advenu aux gens véritablement savants ce qui advient aux épis de blé : ils

---

a. Raison. — *b*. Pourtant.

* Cicéron, *De Natura Deorum*, livre I, chap. XVII : « Il n'est susceptible ni de haine, ni d'amour, passions qui sont celles d'êtres faibles. » Cicéron dans tout ce passage développe la théorie d'Aristote dans la *Morale à Nicomaque*, livre VII, chap. I.

vont s'élevant et se haussant, la tête droite et fière, tant qu'ils sont vides; mais, quand ils sont pleins et grossis de grain en leur maturité, ils commencent à s'humilier et à baisser les cornes. Pareillement, les hommes ayant tout essayé et tout sondé, n'ayant trouvé en cet amas de science et provision de tant de choses diverses rien de massif et ferme, et rien que vanité, ils ont renoncé à leur présomption et reconnu leur condition naturelle.

C'est ce que Velleius reproche à Cotta et à Cicéron, qu'ils ont appris de Philon n'avoir rien appris.

Phérécyde, l'un des sept sages, écrivant à Thalès, comme il expirait : « J'ai, dit-il, ordonné aux miens, après qu'ils m'auront enterré, de t'apporter mes écrits; s'ils contentent et toi et les autres sages, publie-les; sinon, supprime-les; ils ne contiennent nulle certitude qui me satisfasse à moi-même. Aussi ne fais-je pas profession de savoir la vérité, et d'y atteindre. J'ouvre les choses plus que je ne les découvre [149]. » Le plus sage homme qui fut onques [150], quand on lui demanda ce qu'il savait, répondit qu'il savait cela, qu'il ne savait rien. Il vérifiait ce qu'on dit, que la plus grande part de ce que nous savons, est la moindre de celles que nous ignorons; c'est-à-dire que ce même que nous pensons savoir, c'est une pièce, et bien petite, de notre ignorance.

Nous savons les choses en songe, dit Platon [151], et les ignorons en vérité.

« *Omnes pene veteres nihil cognosci, nihil percipi, nihil sciri posse dixerunt; angustos sensus, imbecillos animos brevia curricula vitæ* *. »

Cicéron même, qui devait au savoir tout son vaillant [a], Valerius dit que sur sa vieillesse il commença à désestimer les lettres [152]. Et pendant qu'il les traitait, c'était sans obligation d'aucun parti, suivant ce qui lui semblait probable, tantôt en l'une secte, tantôt en l'autre; se tenant toujours sous la dubitation de l'Académie,

---

a. Toute sa valeur.

* Cicéron, *Académiques,* livre I, chap. XII : « Presque tous les Anciens ont dit qu'on ne pouvait rien connaître, rien comprendre, rien savoir; que nos sens étaient bornés, notre intelligence faible et notre vie trop courte. »

« *Dicendum est, sed ita ut nihil affirmem, quæram omnia, dubitans plerumque et mihi diffidens* *. »

J'aurais trop beau jeu si je voulais considérer l'homme en sa commune façon et en gros, et le pourrais faire pourtant par sa règle propre, qui juge la vérité non par le poids des voix, mais par le nombre. Laissons là le peuple.

Qui vigilans stertit,
Mortua cui vita est prope jam vivo atque videnti **,

qui ne se sent point, qui ne se juge point, qui laisse la plupart de ses facultés naturelles oisives. Je veux prendre l'homme en sa plus haute assiette. Considérons-le en ce petit nombre d'hommes excellents et triés qui, ayant été doués d'une belle et particulière force naturelle, l'ont encore roidie et aiguisée par soin, par étude et par art, et l'ont montée au plus haut point de sagesse où elle puisse atteindre. Ils ont manié leur âme à tout sens et à tout biais, l'ont appuyée et étançonnée de tout le secours étranger qui lui a été propre, et enrichie et ornée de tout ce qu'ils ont pu emprunter, pour sa commodité, du dedans et dehors du monde; c'est en eux que loge la hauteur extrême de l'humaine nature. Ils ont réglé le monde de polices *a* et de lois; ils l'ont instruit par arts et sciences, et instruit encore par l'exemple de leurs mœurs admirables. Je ne mettrai en compte que ces gens-là, leur témoignage et leur expérience. Voyons jusques où ils sont allés et à quoi ils se sont tenus. Les maladies et les défauts que nous trouverons en ce collège-là, le monde les pourra hardiment bien avouer pour siens.

Quiconque [153] cherche quelque chose, il en vient à ce point : ou qu'il dit qu'il l'a trouvée, ou qu'elle ne se peut trouver, ou qu'il en est encore en quête. Toute la

---

a. Constitutions.
* Cicéron, *De Divinatione*, livre II, chap. III : « Il me faut parler, mais sans rien affirmer, je chercherai toujours, je douterai la plupart du temps, me défiant de moi-même. »
** Lucrèce, *De Natura Rerum*, chant III : « Qui ronfle tout éveillé... pour qui la vie est presque la mort, bien qu'il soit en vie et qu'il voie. »

philosophie est départie *a* en ces trois genres. Son dessein
est de chercher la vérité, la science et la certitude. Les
Péripatéticiens, Épicuriens, Stoïciens et autres ont
pensé l'avoir trouvée. Ceux-ci ont établi les sciences que
nous avons, et les ont traitées comme notices certaines.
Clitomachus, Carnéade et les Académiciens ont désespéré
de leur quête, et jugé que la vérité ne se pouvait concevoir
par nos moyens. La fin de ceux-ci, c'est la faiblesse et
humaine ignorance; ce parti a eu la plus grande suite et
les sectateurs les plus nobles.

Pyrrhon et autres Sceptiques ou Épéchistes [154] desquels les dogmes plusieurs anciens ont tenu tirés de
Homère, des sept sages, d'Archilochus, d'Euripide, et y
attachent Zénon, Démocrite, Xénophane, disent qu'ils
sont encore en cherche de la vérité. Ceux-ci jugent que
ceux qui pensent l'avoir trouvée, se trompent infiniment;
et qu'il y a encore de la vanité trop hardie en ce second
degré qui assure que les forces humaines ne sont pas
capables d'y atteindre. Car cela, d'établir la mesure de
notre puissance, de connaître et juger la difficulté des
choses, c'est une grande et extrême science, de laquelle
ils doutent que l'homme soit capable.

> *Nil sciri quisquis putat, id quoque nescit*
> *An sciri possit quo se nil scire fatetur* *.

L'ignorance qui se sait, qui se juge et qui se condamne,
ce n'est pas une entière ignorance : pour l'être, il faut
qu'elle s'ignore soi-même. De façon que la profession
des Pyrrhoniens est de branler, douter et enquérir, ne
s'assurer de rien, de rien ne se répondre. Des trois
actions de l'âme, l'imaginative, l'appétitive et la consen-
tante, ils en reçoivent les deux premières; la dernière, ils
la soutiennent et la maintiennent ambiguë, sans inclination ni approbation d'une part ou d'autre, tant soit-elle
légère.

Zénon peignait de geste son imagination sur cette

u. Partagée.
* Lucrèce, *De Natura Rerum,* chant IV : « Quiconque pense qu'on
ne peut rien connaître, ignore aussi si la connaissance est possible,
puisqu'il fait profession de tout ignorer. »

partition des facultés de l'âme : la main épandue et ouverte, c'était apparence; la main à demi serrée et les doigts un peu croches, consentement; le poing fermé, compréhension; quand, de la main gauche, il venait encore à clore ce poing plus étroit, science [155].

Or cette assiette de leur jugement, droite et inflexible, recevant tous objets sans application et consentement, les achemine à leur Ataraxie, qui est une condition de vie paisible, rassise, exempte des agitations que nous recevons par l'impression de l'opinion et science que nous pensons avoir des choses. D'où naissent la crainte, l'avarice, l'envie, les désirs immodérés, l'ambition, l'orgueil, la superstition, l'amour de nouvelleté, la rébellion, la désobéissance, l'opiniâtreté et la plupart des maux corporels. Voire ils s'exemptent par là de la jalousie de leur discipline. Car ils débattent d'une bien molle façon. Ils ne craignent point la revanche à leur dispute. Quand ils disent que le pesant va contre-bas [a], ils seraient bien marris qu'on les en crût; et cherchent qu'on les contredise, pour engendrer la dubitation et surséance de jugement, qui est leur fin. Ils ne mettent en avant leurs propositions que pour combattre celles qu'ils pensent que nous ayons en notre créance. Si vous prenez la leur, ils prendront aussi volontiers la contraire à soutenir : tout leur est un; ils n'y ont aucun choix. Si vous établissez que la neige soit noire, ils argumentent au rebours qu'elle est blanche [156]. Si vous dites qu'elle n'est ni l'un, ni l'autre, c'est à eux à maintenir qu'elle est tous les deux. Si, par certain jugement, vous tenez que vous n'en savez rien, ils vous maintiendront que vous le savez. Oui, et si, par un axiome affirmatif, vous assurez que vous en doutez, ils vous iront débattant que vous n'en doutez pas, ou que vous ne pouvez juger et établir que vous en doutez. Et, par cette extrémité de doute qui se secoue soi-même, ils se séparent et se divisent de plusieurs opinions, de celles mêmes qui ont maintenu en plusieurs façons le doute et l'ignorance.

Pourquoi ne leur sera-t-il permis, disent-ils, comme il est entre les dogmatistes à l'un dire vert, à l'autre

a. Le poids entraîne vers le bas.

jaune, à eux aussi de douter ? est-il chose qu'on vous
puisse proposer pour l'avouer ou refuser, laquelle il ne
soit pas loisible de considérer comme ambiguë ? Et, où
les autres sont portés, ou par la coutume de leur pays,
ou par l'institution des parents, ou par rencontre,
comme par une tempête, sans jugement et sans choix,
voire le plus souvent avant l'âge de discrétion *a*, à telle
ou telle opinion, à la secte ou Stoïque ou Épicurienne,
à laquelle ils se trouvent hypothéqués, asservis et collés
comme à une prise qu'ils ne peuvent démordre : « *ad
quamcumque disciplinam velut tempestate delati, ad eam
tanquam ad saxum adhærescunt* * », pourquoi à ceux-ci ne
sera-t-il pareillement concédé de maintenir leur liberté,
et considérer les choses sans obligation et servitude ?
« *Hoc liberiores et solutiores quod integra illis est judicandi
potestas* **. » N'est-ce pas quelque avantage de se trouver
désengagé de la nécessité qui bride les autres ? Vaut-il
pas mieux demeurer en suspens [157] que de s'infrasquer *b*
en tant d'erreurs que l'humaine fantaisie *c* a produites ?
Vaut-il pas mieux suspendre sa persuasion que de se
mêler à ces divisions séditieuses et querelleuses ? Qu'irai-
je choisir ? — Ce qu'il vous plaira, pourvu que vous
choisissiez ! — Voilà une sotte réponse, à laquelle
pourtant il semble que tout le dogmatisme arrive, par
qui il ne nous est pas permis d'ignorer ce que nous
ignorons. Prenez le plus fameux parti, il ne sera jamais
si sûr qu'il ne vous faille, pour le défendre, attaquer et
combattre cent et cent contraires partis. Vaut-il pas
mieux se tenir hors de cette mêlée ? Il vous est permis
d'épouser, comme votre honneur et votre vie, la créance
d'Aristote sur l'éternité de l'âme, et dédire et démentir
Platon là-dessus ; et à eux il sera interdit d'en douter ?
S'il est loisible à Panœtius [158] de soutenir son jugement
autour des haruspices, songes, oracles, vaticinations,
desquelles choses les Stoïciens ne doutent aucunement,

a. Discernement. — *b.* S'embarrasser (de l'italien *infrascare*). —
c. Imagination.

* Cicéron, *Académiques*, livre II, chap. III : « Ils s'attachent à
n'importe quelle secte comme à un rocher sur lequel la tempête les
aurait jetés. »

** *Ibid.* : « D'autant plus libres et indépendants que leur faculté
de juger est intacte. »

pourquoi un sage n'osera-t-il en toutes choses ce que
celui-ci ose en celles qu'il a apprises de ses maîtres,
établies du commun consentement de l'école de laquelle
il est sectateur et professeur ? Si c'est un enfant qui juge,
il ne sait que c'est ; si c'est un savant, il est préoccupé *a*.
Ils se sont réservé un merveilleux avantage au combat,
s'étant déchargés du soin de se couvrir. Il ne leur importe
qu'on les frappe, pourvu qu'ils frappent ; et font leurs
besognes de tout. S'ils vainquent, votre proposition
cloche ; si vous, la leur. S'ils faillent, ils vérifient l'ignorance ; si vous faillez, vous la vérifiez. S'ils prouvent
que rien ne se sache, il *b* va bien ; s'ils ne le savent pas
prouver, il est bon de même. « *Ut, quum in eadem re paria
contrariis in partibus momenta inveniuntur, facilius ab
utraque parte assertio sustineatur* *. »

Et font état de trouver bien plus facilement pourquoi
une chose soit fausse, que non pas qu'elle soit vraie ; et
ce qui n'est pas, que ce qui est ; et ce qu'ils ne croient
pas, que ce qu'ils croient.

Leurs façons de parler sont : Je n'établis rien ; il n'est
non plus ainsi qu'ainsi, ou que ni l'un ni l'autre ; je ne le
comprends point ; les apparences sont égales par tout ;
la loi de parler et pour et contre, est pareille. Rien ne
semble vrai, qui ne puisse sembler faux. Leur mot sacra-
mentel, c'est ἐπέχω [159], c'est-à-dire je soutiens, je ne
bouge. Voilà leurs refrains, et autres de pareille substance. Leur effet, c'est une pure, entière et très parfaite
surséance et suspension de jugement. Ils se servent de
leur raison pour enquérir et pour débattre, mais non
pas pour arrêter et choisir. Quiconque imaginera une
perpétuelle confession d'ignorance, un jugement sans
pente et sans inclination, à quelque occasion que ce
puisse être, il conçoit le Pyrrhonisme. J'exprime cette
fantaisie autant que je puis, parce que plusieurs la
trouvent difficile à concevoir ; et les auteurs mêmes la
représentent un peu obscurément et diversement.

Quant aux actions de la vie, ils sont en cela de la

---

a. Il a de la prévention. — *b.* Cela.

* Cicéron, *Académiques,* livre I, chap. xii : « Si bien que, trouvant
sur un même sujet des raisons égales pour et contre, il est plus facile,
sur un point ou sur l'autre, de suspendre son jugement. »

commune façon. Ils se prêtent et accommodent aux inclinations naturelles, à l'impulsion et contrainte des passions, aux constitutions des lois et des coutumes et à la
tradition des arts [160]. « *Non enim nos Deus ista scire, sed
tantummodo uti voluit* *. » Ils laissent guider à ces choses-là
leurs actions communes, sans aucune opinion ou jugement. Qui fait que je ne puis pas bien assortir à ce discours ce qu'on [161] dit de Pyrrhon. Ils le peignent stupide
et immobile, prenant un train de vie farouche et inasso-
ciable, attendant le heurt des charrettes, se présentant
aux précipices, refusant de s'accommoder aux lois.
Cela est enchérir sur sa discipline. Il n'a pas voulu se faire
pierre ou souche; il a voulu se faire homme vivant,
discourant et raisonnant, jouissant de tous plaisirs et
commodités naturelles, embesognant et se servant de
toutes ses pièces corporelles et spirituelles en règle et
droiture. Les privilèges fantastiques, imaginaires et
faux, que l'homme s'est usurpé, de régenter, d'ordonner,
d'établir la vérité, il les a, de bonne foi, renoncés et
quittés.

Si [a] n'est-il point de secte qui ne soit contrainte de
permettre à son sage de suivre maint de choses non
comprises, ni perçues, ni consenties, s'il veut vivre. Et,
quand il monte en mer, il suit ce dessein, ignorant s'il
lui sera utile, et se plie à ce que le vaisseau est bon,
le pilote expérimenté, la saison commode, circonstances
probables seulement : après lesquelles il est tenu d'aller
et se laisser remuer aux apparences, pourvu qu'elles
n'aient point d'expresse contrariété. Il a un corps, il a
une âme; les sens le poussent, l'esprit l'agite. Encore
qu'il ne trouve point en soi cette propre et singulière
marque de juger et qu'il s'aperçoive qu'il ne doit engager son consentement, attendu qu'il peut être quelque
faux pareil à ce vrai, il ne laisse de conduire les offices
de sa vie pleinement et commodément [162]. Combien
y a-t-il d'arts qui font profession de consister en la
conjecture plus qu'en la science; qui ne décident pas du

---

a. Pourtant.
* Cicéron, *De Divinatione*, livre I, chap. xviii : « Car Dieu a voulu
que nous ayons non la connaissance de ces choses, mais seulement
l'usage. »

vrai et du faux et suivent seulement ce qui semble ? Il y a, disent-ils, et vrai et faux, et y a en nous de quoi le chercher, mais non pas de quoi l'arrêter à la touche. Nous en valons bien mieux de nous laisser manier sans inquisition à l'ordre du monde. Une âme garantie de préjugé a un merveilleux avancement vers la tranquillité. Gens qui jugent et contrôlent leurs juges ne s'y soumettent jamais dûment. Combien, et aux lois de la religion et aux lois politiques, se trouvent plus dociles et aisés à mener les esprits simples et incurieux, que ces esprits surveillants et pédagogues des causes divines et humaines !

Il n'est rien en l'humaine invention où il y ait tant de vérisimilitude *a* et d'utilité. Celle-ci présente l'homme nu et vide, reconnaissant sa faiblesse naturelle, propre à recevoir d'en haut quelque force étrangère, dégarni d'humaine science, et d'autant plus apte à loger en soi la divine, anéantissant son jugement pour faire plus de place à la foi ; ni mécréant, ni établissant aucun dogme contre les observances communes ; humble, obéissant, disciplinable, studieux ; ennemi juré d'hérésie, et s'exemptant par conséquent des vaines et irréligieuses opinions introduites par les fausses sectes. C'est une carte blanche préparée à prendre du doigt de Dieu telles formes qu'il lui plaira y graver. Plus nous nous renvoyons et commettons à Dieu, et renonçons à nous, mieux nous en valons. Accepte, dit l'Ecclésiaste, en bonne part les choses au visage et au goût qu'elles se présentent à toi, du jour à la journée ; le demeurant est hors de ta connaissance [163]. « *Dominus novit cogitationes hominum, quoniam vanæ sunt* *. »

Voilà comment, des trois générales sectes de Philosophie, les deux font expresse profession de dubitation et d'ignorance ; et, en celle des dogmatistes, qui est troisième, il est aisé à découvrir que la plupart n'ont pris le visage de l'assurance que pour avoir meilleure mine. Ils n'ont pas tant pensé nous établir quelque certitude, que nous montrer jusques où ils étaient allés

---

a. Vraisemblance.

* Extrait du Psaume XCIII, 11, sans doute tiré de *La Cité de Dieu* de saint Augustin, livre XIX, chap. IV : « Le Seigneur connaît les pensées des hommes, et il sait qu'elles sont vaines. »

en cette chasse de la vérité : « *quam docti fingunt, magis quam norunt* *. »

Timée [164], ayant à instruire Socrate de ce qu'il sait des Dieux, du monde et des hommes, propose d'en parler comme un homme à un homme; et qu'il suffit, si ses raisons sont probables comme les raisons d'un autre : car les exactes raisons n'être en sa main, ni en mortelle main. Ce que l'un de ses sectateurs a ainsi imité : « *Ut potero, explicabo : nec tamen, ut Pythius Apollo, certa ut sint et fixa, quæ dixero; sed, ut homunculus, probabilia conjectura sequens* ** », et cela sur le discours du mépris de la mort, discours naturel et populaire. Ailleurs [165] il l'a traduit sur le propos même de Platon : « *Si forte, de deorum natura ortuque mundi disserentes, minus id quod habemus animo consequimur, haud erit mirum. Æquum est enim meminisse et me qui disseram, hominem esse, et vos qui judicetis; ut, si probabilia dicantur, nihil ultra requiratis* ***. »

Aristote nous entasse ordinairement un grand nombre d'autres opinions et d'autres créances, pour y comparer la sienne et nous faire voir de combien il est allé plus outre, et combien il a approché de plus près la vérisimilitude : car la vérité ne se juge point par autorité et témoignage d'autrui. Et pourtant évita religieusement Épicure [166] d'en alléguer en ses écrits. Celui-là est le prince des dogmatistes; et si *a*, nous apprenons de lui que le beaucoup savoir apporte l'occasion de plus douter. On le voit à escient se couvrir souvent d'obscurité si épaisse et inextricable, qu'on n'y peut rien choisir de son avis.

---

a. Et pourtant.

* « Que les savants supposent, plutôt qu'ils ne la connaissent. » (Citation d'un auteur non identifié.)

** Cicéron, *Tusculanes*, livre I, chap. ix : « Je m'expliquerai comme je pourrai; non que mes paroles soient comme les oracles d'Apollon Pythien sûres et indubitables : faible mortel, je cherche par des conjectures à découvrir la vraisemblance. »

*** Le *Timée* traduit par Cicéron, chap. iii : « Si par hasard, en discourant sur la nature des dieux et sur l'origine du monde, nous n'atteignons pas notre but, il n'y a rien de surprenant; il est juste en effet de vous souvenir que moi qui parle et vous qui jugez, nous ne sommes que des hommes; et si je vous donne des probabilités, ne réclamez rien de plus. »

C'est par effet un Pyrrhonisme sous une forme réso-
lutive.

Oyez la protestation de Cicéron, qui nous explique
la fantaisie d'autrui par la sienne : « *Qui requirunt quid
de quaque re ipsi sentiamus, curiosius id faciunt quam
necesse est. Hæc in philosophia ratio contra omnia disse-
rendi nullamque rem aperte judicandi, profecta a Socrate,
repetita ab Arcesila, confirmata a Carneade, usque ad nos-
tram viget ætatem. Hi sumus qui omnibus veris falsa quædam
adjuncta esse dicamus, tanta similitudine ut in iis nulla
insit certe judicandi et assentiendi nota* ». »

Pourquoi non Aristote seulement, mais la plupart des
philosophes ont affecté la difficulté, si ce n'est pour faire
valoir la vanité du sujet et amuser la curiosité de notre
esprit, lui donnant où se paître, à ronger cet os creux et
décharné ? Clitomachus affirmait n'avoir jamais su
par les écrits de Carnéade entendre de quelle opinion
il était [167]. Pourquoi a évité aux siens Épicure la facilité
et Héraclite en a été surnommé σκοτεινός [168] ? La difficulté est une monnaie que les savants emploient, comme
les joueurs de passe-passe, pour ne découvrir la vanité de
leur art, et de laquelle l'humaine bêtise se paie aisément :

> *Clarus ob obscuram linguam, magis inter inanes...*
> *Omnia enim stolidi magis admirantur amantque*
> *Inversis quæ sub verbis latitantia cernunt* **.

Cicéron reprend aucuns de ses amis d'avoir accoutumé de mettre à l'astrologie, au droit, à la dialectique et
à la géométrie plus de temps que ne méritaient ces arts ;

* Cicéron, *De Natura Deorum,* livre I, chap. v : « Ceux qui cherchent à savoir ce que nous pensons sur chaque matière poussent
la curiosité trop loin. Ce principe philosophique de disputer sur
tout sans décider sur rien, établi par Socrate, repris par Arcésilas,
renforcé par Carnéade, a conservé sa force jusqu'à notre époque;
nous appartenons à l'école qui croit que toujours le faux se mêle au
vrai et que leur ressemblance est si grande qu'il n'y a aucune marque
certaine permettant de juger et de trancher. »
** Lucrèce, *De Natura Rerum,* chant I : « Illustre, par son langage
obscur, chez les ignorants... Car les sots admirent et aiment surtout
ce qu'ils croient voir sous des termes mystérieux. » Il s'agit dans ce
passage non d'Épicure, mais d'Héraclite.

et que cela les divertissait*a* des devoirs de la vie, plus utiles et honnêtes [169]. Les philosophes Cyrénaïques méprisaient également la physique et la dialectique. Zénon, tout au commencement des livres de sa *République,* déclarait inutiles toutes les libérales disciplines [170].

Chrysippe disait que ce que Platon et Aristote avaient écrit de la Logique, ils l'avaient écrit par jeu et par exercice; et ne pouvait croire qu'ils eussent parlé à certes *b* d'une si vaine matière. Plutarque le dit de la métaphysique [171]. Épicure l'eût encore dit de la Rhétorique, de la Grammaire, Poésie, Mathématiques, et, hors la Physique, de toutes les sciences. Et Socrate de toutes aussi sauf celle seulement qui traite des mœurs et de la vie. De quelque chose qu'on s'enquît à lui, il ramenait en premier lieu toujours l'enquérant à rendre compte des conditions de sa vie présente et passée, lesquelles il examinait et jugeait, estimant tout autre apprentissage subsécutif à celui-là et supernuméraire.

« *Parum mihi placeant eæ litteræ quæ ad virtutem doctoribus nihil profuerunt* *. » La plupart des arts ont été ainsi méprisés par le savoir même. Mais ils n'ont pas pensé qu'il fût hors de propos de s'exercer et ébattre leur esprit ès choses où il n'y avait aucune solidité profitable.

Au demeurant, les uns ont estimé Platon dogmatiste; les autres, dubitateur; les autres, en certaines choses l'un, et en certaines choses l'autre [172].

Le conducteur de ses dialogismes *c*, Socrate, va toujours demandant et émouvant la dispute, jamais l'arrêtant, jamais satisfaisant, et dit n'avoir autre science que la science de s'opposer. Homère, leur auteur, a planté également les fondements à toutes les sectes de philosophie [173], pour montrer combien il était indifférent par où nous allassions. De Platon naquirent dix sectes diverses, dit-on [174]. Aussi, à mon gré, jamais instruction ne fut titubante et rien assévérante *d*, si la sienne ne

---

a. Détournait. — *b.* D'une façon certaine. — *c.* Dialogues. — *d* Affirmative.

* Citation adaptée de Salluste, *Jugurtha,* chap. LXXXV, prise par Montaigne dans les *Politiques* de Juste Lipse, livre I : « Cette culture littéraire qui n'a servi en rien sous le rapport de la vertu ceux qui en furent savants, ne saurait me plaire. »

l'est. Socrate disait que les sages-femmes, en prenant
ce métier de faire engendrer les autres, quittent le métier
d'engendrer, elles; que lui, par le titre de sage-homme
que les dieux lui ont déféré, s'est aussi défait, en son
amour viril et mental, de la faculté d'enfanter; et se
contente d'aider et favoriser de son secours les engen-
drants, ouvrir leur nature, graisser leurs conduits, faci-
liter l'issue de leur enfantement, juger d'icelui, le baptiser,
le nourrir, le fortifier, le mailloter et circoncire : exerçant
et maniant son engin *a* aux périls et fortunes d'autrui [175].

Il est ainsi de la plupart des auteurs de ce tiers genre :
comme les Anciens [176] ont remarqué des écrits d'Anaxagore, Démocrite, Parménide, Zénophane et autres. Ils
ont une forme d'écrire douteuse en substance et un dessein enquérant plutôt qu'instruisant, encore qu'ils entre-
sèment leur style de cadences dogmatistes. Cela se voit-il
pas aussi bien et en Sénèque et en Plutarque? Combien
disent-ils, tantôt d'un visage, tantôt d'un autre, pour ceux
qui y regardent de près! Et les réconciliateurs des jurisconsultes devraient premièrement les concilier chacun à
soi.

Platon me semble avoir aimé cette forme de philosopher par dialogues, à escient, pour loger plus décemment en diverses bouches la diversité et variation de ses
propres fantaisies.

Diversement traiter les matières est aussi bien les
traiter que conformément, et mieux : à savoir plus
copieusement et utilement. Prenons exemple de nous.
Les arrêts font le point extrême du parler dogmatiste
et résolutif; si est-ce que ceux que nos parlements présentent au peuple les plus exemplaires, propres à nourrir
en lui la révérence qu'il doit à cette dignité, principalement par la suffisance des personnes qui l'exercent,
prennent leur beauté non de la conclusion, qui est à eux
quotidienne, et qui est commune à tout juge, tant
comme de la disceptation *b* et agitation des diverses et
contraires ratiocinations que la matière du droit souffre.

Et le plus large champ aux répréhensions des uns
philosophes à l'encontre des autres, se tire des contra-
dictions et diversités en quoi chacun d'eux se trouve

a. Esprit. — *b.* Discussion.

empêtré, ou à escient pour montrer la vacillation de
l'esprit humain autour de toute matière, ou forcé igno-
ramment par la volubilité et incompréhensibilité de
toute matière.

Que signifie ce refrain : En un lieu glissant et coulant
suspendons notre créance ? car, comme dit Euripide,

> *Les œuvres de Dieu en diverses*
> *Façons nous donnent des traverses* [177],

semblable à celui qu'Empédocle semait souvent en ses
livres, comme agité d'une divine fureur et forcé de la
vérité [178] : « Non, non, nous ne sentons rien, nous ne
voyons rien ; toutes choses nous sont occultes, il n'en est
aucune de laquelle nous puissions établir quelle elle est »,
revenant à ce mot divin, « *Cogitationes mortalium timidæ,
et incertæ adinventiones nostræ et providentiæ* *. » Il ne
faut pas trouver étrange si gens désespérés de la prise
n'ont pas laissé d'avoir plaisir à la chasse : l'étude étant
de soi une occupation plaisante, et si plaisante que,
parmi les voluptés, les Stoïciens défendent aussi
celle qui vient de l'exercitation de l'esprit, y veulent
de la bride, et trouvent de l'intempérance à trop
savoir.

Démocrite [179], ayant mangé à sa table des figues qui
sentaient le miel, commença soudain à chercher en son
esprit d'où leur venait cette douceur inusitée, et, pour
s'en éclaircir, s'allait lever de table pour voir l'assiette
du lieu où ces figues avaient été cueillies ; sa chambrière,
ayant entendu la cause de ce remuement, lui dit en riant
qu'il ne se peinât plus pour cela, car c'était qu'elle les
avait mises en un vaisseau *a* où il y avait eu du miel. Il
se dépita de quoi elle lui avait ôté l'occasion de cette
recherche et dérobé matière à sa curiosité : « Va, lui
dit-il, tu m'as fait déplaisir ; je ne lairrai pourtant d'en
chercher la cause comme si elle était naturelle. » Et
volontiers ne faillit de trouver quelque raison vraie d'un
effet faux et supposé [180]. Cette histoire d'un fameux et

a. Vase.

* Citation du Livre de la Sagesse IX, 14 : « Les pensées des mortels sont timides, leurs inventions et leur prévoyance incertaines. »

grand philosophe nous représente bien clairement cette passion studieuse qui nous amuse à la poursuite des choses de l'acquêt desquelles nous sommes désespérés. Plutarque récite un pareil exemple de quelqu'un qui ne voulait pas être éclairci de ce de quoi il était en doute, pour ne perdre le plaisir de le chercher; comme l'autre qui ne voulait pas que son médecin lui ôtât l'altération de la fièvre, pour ne perdre le plaisir de l'assouvir en buvant. « *Satius est supervacua discere quam nihil* *. »

Tout ainsi qu'en toute pâture, il y a le plaisir souvent seul; et tout ce que nous prenons, qui est plaisant, n'est pas toujours nutritif ou sain. Pareillement, ce que notre esprit tire de la science, ne laisse pas d'être voluptueux, encore qu'il ne soit ni alimentant, ni salutaire.

Voici comme ils disent : « La considération de la nature est une pâture propre à nos esprits; elle nous élève et enfle, nous fait dédaigner les choses basses et terriennes par la comparaison des supérieures et célestes. La recherche même des choses occultes et grandes est très plaisante, voire à celui qui n'en acquiert que la révérence et crainte d'en juger. » Ce sont des mots de leur profession. La vaine image de cette maladive curiosité se voit plus expressément encore en cet autre exemple qu'ils ont par honneur si souvent en la bouche [181]. Eudoxe [182] souhaitait et priait les Dieux qu'il pût une fois voir le soleil de près, comprendre sa forme, sa grandeur et sa beauté, à peine d'en être brûlé soudainement. Il veut, au prix de sa vie, acquérir une science de laquelle l'usage et possession lui soit quand et quand ôtée, et, pour cette soudaine et volage connaissance, perdre toutes autres connaissances qu'il a et qu'il peut acquérir par après.

Je ne me persuade pas aisément qu'Épicure, Platon et Pythagore nous aient donné pour argent comptant leurs Atomes, leurs Idées et leurs Nombres. Ils étaient trop sages pour établir leurs articles de foi de chose si incertaine et si débattable. Mais, en cette obscurité et ignorance du monde, chacun de ces grands personnages s'est travaillé d'apporter une telle quelle image de lumière, et ont promené leur âme à des inventions qui eussent

---

* Sénèque, *Lettre 88* : « Il vaut mieux apprendre des choses inutiles que de ne rien apprendre. »

au moins une plaisante et subtile apparence : pourvu
que, toute fausse, elle se pût maintenir contre les oppositions contraires : « *unicuique ista pro ingenio finguntur,
non ex scientiæ vi* *. » Un ancien à qui on reprochait
qu'il faisait profession de la philosophie, de laquelle
pourtant en son jugement il ne tenait pas grand compte,
répondit que cela, c'était vraiment philosopher. Ils ont
voulu considérer tout, balancer tout, et ont trouvé cette
occupation propre à la naturelle curiosité qui est en
nous. Aucunes choses, ils les ont écrites pour le besoin
de la société publique comme leurs religions [183], et a été
raisonnable, pour cette considération, que les communes
opinions, ils n'aient voulu les éplucher au vif, aux fins
de n'engendrer du trouble en l'obéissance des lois et
coutumes de leur pays.

Platon traite ce mystère d'un jeu assez découvert.
Car, où il écrit selon soi, il ne prescrit rien à certes.
Quand il fait le législateur, il emprunte un style régentant
et assévérant *a*, et si y mêle hardiment les plus fantastiques de ses inventions, autant utiles à persuader à
la commune que ridicule à persuader à soi même,
sachant combien nous sommes propres à recevoir toutes
impressions, et, sur toutes, les plus farouches et énormes.
Et pourtant, en ses lois, il a grand soin qu'on ne chante
en public que des poésies desquelles les fabuleuses
feintes tendent à quelque utile fin [184]; et, étant si facile
d'imprimer tous fantômes en l'esprit humain, que c'est
injustice de ne le paître plutôt de mensonges profitables
que de mensonges ou inutiles ou dommageables. Il dit
tout détroussément *b* en sa *République* [185] que, pour le
profit des hommes, il est souvent besoin de les piper. Il
est aisé à distinguer les unes sectes avoir plus suivi la
vérité, les autres l'utilité, par où celles-ci ont gagné
crédit. C'est la misère de notre condition, que souvent
ce qui se présente à notre imagination pour le plus vrai,
ne s'y présente pas pour le plus utile à notre vie. Les
plus hardies sectes, Épicurienne, Pyrrhonienne, nouvelle

---

a. Affirmatif. — *b.* Franchement.
* Sénèque, *Suasoriae*, IV : « Ces systèmes sont les fictions du
génie de chaque philosophe, et non le résultat de leurs découvertes. »

Académique, encore sont-elles contraintes de se plier à la loi civile, au bout du compte.

Il y a d'autres sujets qu'ils ont blutés *a*, qui à gauche, qui à dextre, chacun se travaillant à y donner quelque visage, à tort ou à droit. Car, n'ayant rien trouvé de si caché de quoi ils n'aient voulu parler, il leur est souvent force de forger des conjectures faibles et folles, non qu'ils les prissent eux-mêmes pour fondement, ni pour établir quelque vérité, mais pour l'exercice de leur étude : « *Non tam id sensisse quod dicerent, quàm exercere ingenia materiæ difficultate videntur voluisse* *. »

Et, si on ne le prenait ainsi, comme couvririons-nous une si grande inconstance, variété et vanité d'opinions que nous voyons avoir été produites par ces âmes excellentes et admirables ? Car, pour exemple, qu'est-il plus vain que de vouloir deviner Dieu par nos analogies et conjectures, le régler et le monde à notre capacité et à nos lois, et nous servir aux dépens de la divinité de ce petit échantillon de suffisance qu'il lui a plu départir à notre naturelle condition ? Et, parce que nous ne pouvons étendre notre vue jusques en son glorieux siège, l'avoir ramené çà-bas à notre corruption et à nos misères ?

De toutes les opinions humaines et anciennes touchant la religion, celle-là me semble avoir eu plus de vraisemblance et plus d'excuse, qui reconnaissait Dieu comme une puissance incompréhensible, origine et conservatrice de toutes choses, toute bonté, toute perfection, recevant et prenant en bonne part l'honneur et la révérence que les humains lui rendaient sous quelque visage, sous quelque nom et en quelque manière que ce fût :

> *Jupiter omnipotens rerum, regumque deumque*
> *Progenitor genitrixque* **.

Ce zèle universellement a été vu du ciel de bon œil. Toutes polices *b* ont tiré fruit de leur dévotion : les

a. Passés au tamis. — *b*. Sociétés.

* « Ils semblent avoir écrit, moins par l'effet d'une conviction profonde que pour exercer leur esprit par la difficulté du sujet. » Citation d'auteur inconnu jusqu'à présent.

** Vers de Valerius Soranus que Montaigne a trouvé cité dans *La Cité de Dieu*, livre IX, chap. XI, de saint Augustin : « Jupiter tout-puissant, père et mère du monde, des rois et des dieux. »

hommes, les actions impies, ont eu partout les événements sortables *a*. Les histoires païennes reconnaissent de la dignité, ordre, justice et des prodiges et oracles employés à leur profit et instruction en leurs religions fabuleuses : Dieu, par sa miséricorde, daignant à l'aventure fomenter par ces bénéfices temporels les tendres principes d'une telle quelle brute connaissance que la raison naturelle nous a donnée de lui au travers des fausses images de nos songes.

Non seulement fausses, mais impies aussi et injurieuses sont celles que l'homme a forgées de son invention.

Et, de toutes les religions que saint Paul trouva en crédit à Athènes, celle qu'ils avaient dédiée à une divinité cachée et inconnue lui sembla la plus excusable [186].

Pythagore adombra *b* la vérité de plus près, jugeant que la connaissance de cette cause première et être des êtres devait être indéfinie, sans prescription, sans déclaration; que ce n'était autre chose que l'extrême effort de notre imagination vers la perfection, chacun en amplifiant l'idée selon sa capacité. Mais ni Numa n'entreprit de conformer à ce projet la dévotion de son peuple, l'attacher à une religion purement mentale, sans objet préfix *c* et sans mélange matériel, il entreprit chose de nul usage; l'esprit humain ne se saurait maintenir vaguant en cet infini de pensées informes; il les lui faut compiler en certaine image à son modèle. La majesté divine s'est ainsi pour nous aucunement laissé circonscrire aux limites corporelles : ses sacrements supernaturels et célestes ont des signes de notre terrestre condition; son adoration s'exprime par offices et paroles sensibles; car c'est l'homme, qui croit et qui prie. Je laisse à part les autres arguments qui s'emploient à ce sujet. Mais à peine me ferait-on accroire que la vue de nos crucifix et peinture de ce piteux supplice, que les ornements et mouvements cérémonieux de nos églises, que les voix accommodées à la dévotion de notre pensée, et cette émotion des sens n'échauffent l'âme des peuples, d'une passion religieuse, de très utile effet.

a. Conformes au sort. — *b*. Peignit. — *c*. Déterminé.

De celles [187] auxquelles on a donné corps, comme la nécessité l'a requis, parmi cette cécité universelle, je me fusse, ce me semble, plus volontiers attaché à ceux qui adoraient le Soleil,

> *la lumière commune,*
> *L'œil du monde ; et si Dieu au chef porte des yeux,*
> *Les rayons du Soleil sont ses yeux radieux,*
> *Qui donnent vie à tous, nous maintiennent et gardent,*
> *Et les faits des humains en ce monde regardent :*
> *Ce beau, ce grand Soleil qui nous fait les saisons,*
> *Selon qu'il entre ou sort de ses douze maisons ;*
> *Qui remplit l'univers de ses vertus connues ;*
> *Qui, d'un trait de ses yeux, nous dissipe les nues :*
> *L'esprit, l'âme du monde, ardent et flamboyant,*
> *En la course d'un jour tout le Ciel tournoyant ;*
> *Plein d'immense grandeur, rond, vagabond et ferme ;*
> *Lequel tient dessous lui tout le monde pour terme ;*
> *En repos sans repos ; oisif, et sans séjour ;*
> *Fils aîné de nature et le père du jour* [188].

D'autant qu'outre cette sienne grandeur et beauté, c'est la pièce de cette machine que nous découvrons la plus éloignée de nous, et par ce moyen, si peu connue, qu'ils étaient pardonnables d'en entrer en admiration et révérence.

Thalès [189], qui le premier s'enquêta de telle matière, estima Dieu un esprit qui fit d'eau toutes choses ; Anaximandre, que les dieux étaient mourants et naissants à diverses saisons, et que c'étaient des mondes infinis en nombre ; Anaximène, que l'air était Dieu, qu'il était produit et immense, toujours mouvant. Anaxagore, le premier, a tenu la description et manière de toutes choses être conduite par la force et raison d'un esprit infini. Alcméon a donné la divinité au soleil, à la lune, aux astres et à l'âme. Pythagore a fait Dieu un esprit épandu par la nature de toutes choses, d'où nos âmes sont déprises ; Parménide, un cercle entourant le ciel et maintenant le monde par l'ardeur de la lumière. Empédocle disait être des dieux les quatre natures desquelles toutes choses sont faites ; Protagoras, n'avoir que dire, s'ils sont ou non, ou quels ils sont ; Démocrite,

tantôt que les images et leurs circuitions *a* sont dieux,
tantôt cette nature qui élance ces images, et puis notre
science et intelligence. Platon dissipe sa créance à divers
visages; il dit, au *Timée,* le père du monde ne se pouvoir
nommer; aux *Lois,* qu'il ne se faut enquérir de son être;
et ailleurs, en ces mêmes livres, il fait le monde, le ciel,
les astres, la terre et nos âmes Dieux, et reçoit en outre
ceux qui ont été reçus par l'ancienne institution en chaque
république *b*. Xénophon rapporte un pareil trouble de
la discipline de Socrate; tantôt qu'il ne se faut enquérir
de la forme de Dieu, et puis il lui fait établir que le soleil
est Dieu, et l'âme Dieu; qu'il n'y en a qu'un, et puis
qu'il y en a plusieurs. Speusippe, neveu de Platon, fait
Dieu certaine force gouvernant les choses, et qu'elle
est animale; Aristote, asteure *c* que c'est l'esprit, asteure
le monde; asteure il donne un autre maître à ce monde, et
asteure fait Dieu l'ardeur du ciel. Zénocrate en fait huit :
les cinq nommés entre les planètes, le sixième composé
de toutes les étoiles fixes comme de ses membres, le
septième et huitième, le soleil et la lune. Héraclidès
Ponticus ne fait que vaguer entre les avis, et enfin privé
Dieu de sentiment et le fait remuant de forme à autre,
et puis dit que c'est le ciel et la terre. Théophraste se
promène de pareille irrésolution entre toutes ses fantaisies, attribuant l'intendance du monde tantôt à l'entendement, tantôt au ciel, tantôt aux étoiles; Straton, que
c'est Nature ayant la force d'engendrer, augmenter et
diminuer, sans forme et sentiment; Zénon, la loi naturelle, commandant le bien et prohibant le mal, laquelle
loi est un animant, et ôte les Dieux accoutumés, Jupiter,
Junon, Vesta; Diogènes Apolloniatès, que c'est l'âge [190].
Xénophane fait Dieu rond, voyant, oyant, non respirant,
n'ayant rien de commun avec l'humaine nature. Ariston
estime la forme de Dieu incomprenable, le prive de
sens et ignore s'il est animant ou autre chose; Cléanthe,
tantôt la raison, tantôt le monde, tantôt l'âme de Nature,
tantôt la chaleur suprême entournant et enveloppant
tout. Perseus, auditeur de Zénon, a tenu qu'on a surnommé Dieux ceux qui avaient apporté quelque notable utilité
à l'humaine vie et les choses mêmes profitables. Chrysippe

---

a. Mouvements circulaires. — *b.* État. — *c.* Tantôt... tantôt.

faisait un amas confus de toutes les précédentes sentences
et comptait, entre mille formes de Dieux qu'il fait, les
hommes aussi qui sont immortalisés. Diagoras et Théodore niaient tout sec qu'il y eût des Dieux. Épicure
fait les dieux luisants, transparents et perflables *a*, logés,
comme entre deux forts, entre deux mondes, à couvert
des coups, revêtus d'une humaine figure et de nos
membres, lesquels membres leur sont de nul usage.

> *Ego deûm genus esse semper duxi, et dicam cælitum ;*
> *Sed eos non curare opinor, quid agat humanum genus* *.

Fiez-vous à votre philosophie; vantez-vous d'avoir
trouvé la fève au gâteau, à voir ce tintamarre de tant de
cervelles philosophiques! Le trouble des formes mon-
daines a gagné sur moi que les diverses mœurs et fantaisies aux miennes ne me déplaisent pas tant comme
elles m'instruisent, ne m'enorgueillissent pas tant
comme elles m'humilient en les conférant; et tout autre
choix que celui qui vient de la main expresse de Dieu,
me semble choix de peu de prérogative. Je laisse à part
les trains de vie monstrueux et contre nature. Les polices *b*
du monde ne sont pas moins contraires en ce sujet que
les écoles; par où nous pouvons apprendre que la Fortune
même n'est pas plus diverse et variable que notre raison,
ni plus aveugle et inconsidérée.

Les choses les plus ignorées sont plus propres à être
déifiées. Par quoi de faire de nous des Dieux, comme
l'ancienneté, cela surpasse l'extrême faiblesse de discours *c*. J'eusse encore plutôt suivi ceux qui adoraient
le serpent, le chien et le bœuf; d'autant que leur nature
et leur être nous est moins connu; et avons plus de loi
d'imaginer ce qu'il nous plaît de ces bêtes-là et leur
attribuer des facultés extraordinaires. Mais d'avoir fait
des dieux de notre condition, de laquelle nous devons
connaître l'imperfection, leur avoir attribué le désir,

---

a. Perméables à l'air. — *b.* Gouvernements. — *c.* Raisonnement.
* Vers d'Ennius, cités par Cicéron, *De Divinatione,* livre II, chap.
L : « Quant à moi, j'ai toujours pensé qu'il existe une race céleste,
et je le dirai toujours, mais je crois que les dieux ne s'occupent pas
des actions humaines. »

la colère, les vengeances, les mariages, les générations et les parentelles, l'amour et la jalousie, nos membres et nos os, nos fièvres et nos plaisirs, nos morts, nos sépultures, il faut que cela soit parti d'une merveilleuse ivresse de l'entendement humain,

> *Quæ procul usque adeo divino ab numine distant,*
> *Inque Deum numero quæ sint indigna videri* *.

« *Formæ, ætates, vestitus, ornatus noti sunt : genera, conjugia, cognationes omniaque traducta ad similitudinem imbecillitatis humanæ : nam et perturbatis animis inducuntur ; accipimus enim deorum cupiditates, ægritudines, iracundias* **. » Comme d'avoir attribué la divinité non seulement à la foi, à la vertu, à l'honneur, concorde, liberté, victoire, piété; mais aussi à la volupté, fraude, mort, envie, vieillesse, misère, à la peur, à la fièvre et à la male fortune, et autres injures de notre vie frêle et caduque.

> *Qui juvat hoc, templis nostros inducere mores ?*
> *O curvæ in terris animæ et cœlestium inanes* *** !

Les Égyptiens, d'une impudente prudence, défendaient sous peine de la hart ᵃ que nul eût à dire que Sérapis et Isis, leurs Dieux, eussent autrefois été hommes; et nul n'ignorait qu'ils ne l'eussent été. Et leur effigie représentée le doigt sur la bouche signifiait, dit Varron, cette ordonnance mystérieuse à leurs prêtres de taire

---

a. Potence.

* Lucrèce, *De Natura Rerum*, chant V : « Ces choses sont tellement éloignées de la puissance divine, tellement indignes d'être mises au nombre des dieux. »

** Cicéron, *De Natura Deorum*, livre II, chap. XXVIII : « On connaît leur aspect, leur âge, leurs vêtements, leurs ornements, leur généalogie, leurs unions, leurs alliances, car tout est représenté sur le modèle de l'infirmité humaine; on leur attribue même des égarements; la tradition nous rapporte les passions des dieux, leurs chagrins, leurs colères. »

*** Perse, *Satire II* : « Pourquoi introduire nos mœurs dans les temples? O âmes courbées vers la terre et vides de pensées célestes! »

leur origine mortelle, comme par raison nécessaire
annulant toute leur vénération [191].

Puisque l'homme désirait tant de s'apparier à Dieu,
il eût mieux fait, dit Cicéron [192], de ramener à soi les conditions divines et les attirer çà-bas, que d'envoyer là-haut
sa corruption et sa misère; mais, à le bien prendre, il
a fait en plusieurs façons et l'un et l'autre, de pareille
vanité d'opinion.

Quand les philosophes épluchent la hiérarchie de leurs
dieux et font les empressés à distinguer leurs alliances,
leurs charges et leur puissance, je ne puis pas croire
qu'ils parlent à certes [a]. Quand Platon nous déchiffre
le verger de Pluton [193] et les commodités ou peines corporelles qui nous attendent encore après la ruine et
anéantissement de nos corps, et les accommode au ressentiment que nous avons en cette vie,

> *Secreti celant calles, et myrtea circum*
> *Sylva tegit; curæ non ipsa in morte relinquunt* * ;

quand Mahomet promet aux siens un paradis tapissé,
paré d'or et de pierreries, peuplé de garces d'excellente
beauté, de vins et de vivres singuliers, je vois bien que
ce sont des moqueurs qui se plient à notre bêtise pour
nous emmieller et attirer par ces opinions et espérances
convenables à notre mortel appétit. Si [b], sont aucuns des
nôtres tombés en pareille erreur, se promettant après
la résurrection une vie terrestre et temporelle, accompagnée de toutes sortes de plaisirs et commodités mon-
daines. Croyons-nous que Platon, lui qui a eu ses conceptions si célestes, et si grande accointance à la divinité,
que le surnom lui en est demeuré, ait estimé que l'homme,
cette pauvre créature, eût rien en lui applicable à cette
incompréhensible puissance? et qu'il ait cru que nos
prises languissantes fussent capables, ni la force de notre
sens assez robuste, pour participer à la béatitude ou

---

a. Sérieusement. — *b.* Pourtant.

* Virgile, *Énéide* chant VI : « Des sentiers secrets les cachent
et des forêts de myrtes les enveloppent; mais les tourments de
l'amour ne les quittent pas même dans la mort. »

peine éternelle ? Il faudrait lui dire de la part de la raison humaine :

« Si les plaisirs que tu nous promets en l'autre vie sont de ceux que j'ai sentis çà-bas, cela n'a rien de commun avec l'infinité. Quand tous mes cinq sens de nature seraient comble de liesse, et cette âme saisie de tout le contentement qu'elle peut désirer et espérer, nous savons ce qu'elle peut : cela, ce ne serait encore rien. S'il y a quelque chose du mien, il n'y a rien de divin. Si cela n'est autre que ce qui peut appartenir à cette nôtre condition présente, il ne peut être mis en compte. Tout contentement des mortels est mortel. La reconnaissance de nos parents, de nos enfants et de nos amis, si elle nous peut toucher et chatouiller en l'autre monde, si nous tenons encore à un tel plaisir, nous sommes dans les commodités terrestres et finies. Nous ne pouvons dignement concevoir la grandeur de ces hautes et divines promesses, si nous les pouvons aucunement concevoir : pour dignement les imaginer, il faut les imaginer inimaginables, indicibles et incompréhensibles, et parfaitement autres que celles de notre misérable expérience. « Œil ne saurait voir, dit saint Paul [194], et ne peut monter en cœur d'homme l'heur que Dieu a préparé aux siens. » Et si, pour nous en rendre capables, on reforme et rechange notre être (comme tu dis, Platon, par tes purifications [195]), ce doit être d'un si extrême changement et si universel que, par la doctrine physique, ce ne sera plus nous,

> *Hector erat tunc cum bello certabat ; at ille,*
> *Tractus ab Æmonio, non erat Hector, equo* *.

« Ce sera quelque autre chose qui recevra ces récompenses,

> *quod mutatur, dissolvitur ; interit ergo :*
> *Trajiciuntur enim partes atque ordine migrant* **.

* Ovide, *Tristes*, chant III, poème II : « C'était Hector qui combattait alors ; mais le cadavre qui fut traîné par les chevaux d'Achille, ce n'était plus Hector. » — *Æmonius* : d'Hémonie, nom ancien de la Thessalie, d'où Achille était originaire.

** Lucrèce, *De Natura Rerum*, chant III : « Tout ce qui change, se dissout, donc périt : les parties de l'âme, en effet, se déplacent et changent de fonction. »

« Car, en la métempsycose de Pythagore [196] et changement d'habitation qu'il imaginait aux âmes, pensons-
nous que le lion dans lequel est l'âme de César épouse les
passions qui touchaient César, ni que ce soit lui? Si
c'était encore lui, ceux-là auraient raison qui, combattant
cette opinion contre Platon, lui reprochent que le fils se
pourrait trouver à chevaucher sa mère, revêtue d'un
corps de mule, et semblables absurdités. Et pensons-nous
qu'ès mutations qui se font des corps des animaux en
autres de même espèce, les nouveaux venus ne soient
autres que leurs prédécesseurs? Des cendres d'un phénix
s'engendre, dit-on, un ver, et puis un autre phénix [197];
ce second phénix, qui peut imaginer qu'il ne soit autre
que le premier? Les vers qui font notre soie, on les voit
comme mourir et assécher, et de ce même corps se produire un papillon, et de là un autre ver, qu'il serait ridicule estimer être encore le premier. Ce qui a cessé une
fois d'être, n'est plus,

> *Nec si materiam nostram collegerit ætas*
> *Post obitum, rursúmque redegerit, ut sita nunc est,*
> *Atque iterum nobis fuerint data lumina vitæ,*
> *Pertineat quidquam tamen ad nos id quoque factum,*
> *Interrupta semel cum sit repetentia nostra* *.

« Et quand tu dis ailleurs [198], Platon, que ce sera la partie
spirituelle de l'homme à qui il touchera de jouir des
récompenses de l'autre vie, tu nous dis choses d'aussi
peu d'apparence,

> *Scilicet, avolsis radicibus, ut nequit ullam*
> *Dispicere ipse oculus rem, seorsum corpore toto* **.

« Car, à ce compte, ce ne sera plus l'homme, ni nous,
par conséquent, à qui touchera cette jouissance; car

---

* Lucrèce, *De Natura Rerum*, chant III : « Et même si, rassem-
blant toute notre matière, le temps après notre mort, la remettait
dans la disposition actuelle, et que de nouveau la lumière de la vie
nous fût donnée, cela ne serait rien pour nous, puisqu'il y aurait eu
interruption dans nos souvenirs. »

** Lucrèce, chant III, vers 563 : « Ainsi, l'œil arraché de ses
racines et détaché du reste du corps, ne peut par lui-même distinguer
aucun objet. »

nous sommes bâtis de deux pièces principales essentielles, desquelles la séparation, c'est la mort et ruine de notre être,

> *Inter enim jacta est vitai pausa, vagéque*
> *Deerrarunt passim motus ab sensibus omnes* *.

« Nous ne disons pas que l'homme souffre quand les vers lui rongent ses membres de quoi il vivait, et que la terre les consomme,

> *Et nihil hoc ad nos, qui coitu conjugióque*
> *Corporis atque animæ consistimus uniter apti* **. »

Davantage, sur quel fondement de leur justice peuvent les dieux reconnaître et récompenser à l'homme, après sa mort, ses actions bonnes et vertueuses, puisque ce sont eux-mêmes qui les ont acheminées et produites en lui ? Et pourquoi s'offensent-ils et vengent sur lui les vicieuses, puisqu'ils l'ont eux-mêmes produit en cette condition fautière, et que, d'un seul clin de leur volonté, ils le peuvent empêcher de faillir ? Épicure opposerait-il pas cela à Platon avec grand'apparence de l'humaine raison, s'il ne se couvrait souvent par cette sentence : Qu'il est impossible d'établir quelque chose de certain de l'immortelle nature par la mortelle ? Elle ne fait que fourvoyer partout, mais spécialement quand elle se mêle des choses divines. Qui le sent plus évidemment que nous ? Car, encore que nous lui ayons donné des principes certains et infaillibles, encore que nous éclairions ses pas par la sainte lampe de la vérité qu'il a plu à Dieu nous communiquer, nous voyons pourtant journellement, pour peu qu'elle se démente du sentier ordinaire et qu'elle se détourne ou écarte de la voie tracée et battue par l'Église, comme tout aussitôt elle se perd, s'embarrasse et s'entrave, tournoyant et flottant dans cette mer

---

* Lucrèce, *De Natura Rerum,* chant III : « En effet, il y a eu interruption de la vie et dans cet intervalle, les mouvements se sont dirigés çà et là, au hasard, sans être accompagnés de sensation. »
** *Ibid. :* « Rien en cela ne nous touche, puisque nous sommes constitués dans notre unité par le mariage du corps et de l'âme. »

vaste, trouble et ondoyante des opinions humaines, sans
bride et sans but. Aussitôt qu'elle perd ce grand et
commun chemin, elle va se divisant et dissipant en mille
routes diverses.

L'homme ne peut être que ce qu'il est, ni imaginer
que selon sa portée. C'est plus grande présomption,
dit Plutarque [199], à ceux qui ne sont qu'hommes d'entreprendre de parler et discourir des dieux et des demi-dieux
que ce n'est à un homme ignorant de musique, vouloir
juger de ceux qui chantent, ou à un homme qui ne fut
jamais au camp, vouloir disputer des armes et de la
guerre, en présumant comprendre par quelque légère
conjecture les effets d'un art qui est hors de sa connaissance. L'ancienneté *a* pensa, ce crois-je, faire quelque
chose pour la grandeur divine, de l'apparier à l'homme,
la vêtir de ses facultés et étrenner *b* de ses belles humeurs
et plus honteuses nécessités, lui offrant de nos viandes à
manger, de nos danses, mômeries et farces à la réjouir,
de nos vêtements à se couvrir et maisons à loger, la
caressant par l'odeur des encens et sons de la musique,
festons et bouquets, et, pour l'accommoder à nos
vicieuses passions, flattant sa justice d'une inhumaine
vengeance, l'éjouïssant de la ruine et dissipation des
choses par elle créées et conservées (comme Tib. Sempronius qui fit brûler, pour sacrifice à Vulcain, les riches
dépouilles et armes qu'il avait gagnées sur les ennemis en
la Sardaigne; et Paul Émile, celles de Macédoine à Mars
et à Minerve [200]; et Alexandre, arrivé à l'Océan Indique,
jeta en mer, en faveur de Thétis, plusieurs grands vases
d'or [201]); remplissant en outre ses autels d'une boucherie
non de bêtes innocentes seulement, mais d'hommes
aussi, ainsi que plusieurs nations, et entre autres la nôtre,
avaient en usage ordinaire. Et crois qu'il n'en est aucune
exempte d'en avoir fait essai,

> *Sulmone creatos*
> *Quattuor hic juvenes, totidem quos educat Ufens,*
> *Viventes rapit, inferias quos immolet umbris* *.

a. Antiquité. — *b.* Gratifier.
  * Virgile, *Énéide,* chant X : « Énée saisit quatre jeunes guerriers,
fils de Sulmone, et quatre autres nourris sur les bords de l'Ufens
pour les immoler à l'ombre de Pallas. »

Les Gètes se tiennent immortels, et leur mourir n'est que s'acheminer vers leur dieu Zamolxis. De cinq en cinq ans ils dépêchent vers lui quelqu'un d'entre eux pour le requérir des choses nécessaires. Ce député est choisi au sort. Et la forme de le dépêcher, après l'avoir de bouche informé de sa charge, est que, de ceux qui l'assistent, trois tiennent debout autant de javelines sur lesquelles les autres le lancent à force de bras. S'il vient à s'enferrer en lieu mortel et qu'il trépasse soudain, ce leur est certain argument de faveur divine; s'il en échappe, ils l'estiment méchant et exécrable, et en députent encore un autre de même [202].

Amestris, mère de Xerxès, devenue vieille, fit pour une fois ensevelir tout vifs quatorze jouvenceaux des meilleures maisons de Perse, suivant la religion du pays, pour gratifier à quelque Dieu souterrain [203].

Encore aujourd'hui, les idoles de Themistitan se cimentent du sang des petits enfants, et n'aiment sacrifice que de ces puériles et pures âmes : justice affamée du sang de l'innocence,

Tantum relligio potuit suadere malorum * !

Les Carthaginois immolaient leurs propres enfants à Saturne [204]; et qui n'en avait point, en achetait, étant cependant le père et la mère tenus d'assister à cet office avec contenance gaie et contente. C'était une étrange fantaisie de vouloir payer la bonté divine de notre affliction, comme les Lacédémoniens qui mignardaient leur Diane par le bourrellement *a* des jeunes garçons qu'ils faisaient fouetter en sa faveur, souvent jusques à la mort [205]. C'était une humeur farouche de vouloir gratifier l'architecte de la subversion de son bâtiment, et de vouloir garantir la peine due aux coupables par la punition des non-coupables; et que la pauvre Iphigénie, au port d'Aulide, par sa mort et immolation, déchargeât

a. Tortures.
* Vers célèbre de Lucrèce, *De Natura Rerum*, chant I : « Tant la superstition put conseiller de crimes! »

envers Dieu l'armée des Grecs des offenses qu'ils avaient commises :

> *Et casta inceste, nubendi tempore in ipso,*
> *Hostia concideret mactatu mæsta parentis* * ;

et ces deux belles et généreuses âmes des deux Decius père et fils, pour propitier [a] la faveur des Dieux envers les affaires romaines, s'allassent jeter à corps perdu à travers le plus épais des ennemis.

« *Quæ fuit tanta deorum iniquitas, ut placari populo Romano non possent, nisi tales viri occidissent* **. » Joint que ce n'est pas au criminel de se faire fouetter à sa mesure et à son heure; c'est au juge qui ne met en compte de châtiment que la peine qu'il ordonne, et ne peut attribuer à punition ce qui vient à gré à celui qui le souffre. La vengeance divine présuppose notre dissentiment entier pour sa justice et pour notre peine.

Et fut ridicule l'humeur de Polycrate, tyran de Samos, lequel, pour interrompre le cours de son continuel bonheur et le compenser, alla jeter en mer le plus cher et précieux joyau qu'il eût, estimant que, par ce malheur aposté [b], il satisfaisait à la révolution et vicissitude de la fortune; et elle, pour se moquer de son ineptie, fit que ce même joyau revînt encore en ses mains, trouvé au ventre d'un poisson [206]. Et puis à quel usage les déchirements et démembrements des Corybantes, des Ménades, et, en nos temps, des Mahométans qui se balafrent les visages, l'estomac, les membres, pour gratifier leur prophète, vu que l'offense consiste en la volonté, non en la poitrine, aux yeux, aux génitoires, en l'embonpoint, aux épaules et au gosier. « *Tantus est perturbatæ mentis et*

---

a. Rendre propices. — b. Choisi à dessein.

* Lucrèce, *De Natura Rerum*, chant I : « Et restée vierge criminellement au moment même de se marier, elle devait tomber, victime affligée, sous le couteau paternel. »

** Cicéron, *De Natura Deorum*, livre III, chap. VI : « Si grande fut l'injustice des dieux qu'ils ne purent être apaisés en faveur du peuple romain que par le sacrifice de tels hommes. »

*sedibus suis pulsæ furor, ut sic Dii placentur, quemadmodum ne
homines quidem sæviunt *.* »

Cette contexture naturelle regarde par son usage non
seulement nous, mais aussi le service de Dieu et des
autres hommes : c'est injustice de l'affoler à notre escient,
comme de nous tuer pour quelque prétexte que ce soit.
Ce semble être grande lâcheté et trahison de mâtiner *a*
et corrompre les fonctions du corps, stupides et serves,
pour épargner à l'âme la sollicitude de les conduire selon
raison.

*Ubi iratos deos timent, qui sic propitios habere meren-
tur ? In regiæ libidinis voluptatem castrati sunt quidam ;
sed nemo sibi, ne vir esset, jubente domino, manus intulit **.*

Ainsi remplissaient-ils leur religion de plusieurs mauvais effets,

> *sæpius olim
> Relligio peperit scelerosa atque impia facta ***.*

Or rien du nôtre ne se peut assortir ou rapporter,
en quelque façon que ce soit, à la nature divine qui ne
la tache et marque d'autant d'imperfection. Cette infinie
beauté, puissance et bonté, comment peut-elle souffrir
quelque correspondance et similitude à chose si abjecte
que nous sommes, sans un extrême intérêt et déchet de
sa divine grandeur ?

« *Infirmum dei fortius est hominibus, et stultum dei sapien-
tius est hominibus ****.* »

a. Déshonorer.
* Saint Augustin, *Cité de Dieu*, livre VI, chap. x : « Si grande
est la folie de leur esprit égaré et sorti de son siège, qu'ils pensent
apaiser les dieux en surpassant les cruautés des hommes. »
** Saint Augustin, *Cité de Dieu*, livre VI, chap. x : « Quand
craignent-ils la colère des dieux, eux qui croient se les rendre favorables par ces sacrifices ? Des hommes ont été châtrés pour les plaisirs des rois ; mais personne n'a porté la main sur lui-même, pour
ne plus être homme, même sur l'ordre de son maître. »
*** Lucrèce, *De Natura Rerum,* chant I : « Bien souvent la religion a donné naissance à des actes criminels et impies. »
**** Saint Paul, Première Épître *aux Corinthiens,* I, 25 : « La
faiblesse de Dieu est plus forte que les hommes et sa folie est
plus sage que leur sagesse. »

Stilpon le philosophe, interrogé si les Dieux s'éjouissent de nos honneurs et sacrifices : « Vous êtes indiscret,
répondit-il; retirons-nous à part, si vous voulez parler
de cela [207]. »

Toutefois nous lui prescrivons des bornes, nous
tenons sa puissance assiégée par nos raisons (j'appelle
raison nos rêveries et nos songes, avec la dispense de la
philosophie, qui dit le fol même et le méchant forcener [a]
par raison, mais que c'est une raison de particulière
forme); nous le voulons asservir aux apparences vaines
et faibles de notre entendement, lui qui a fait et nous et
notre connaissance. Parce que rien ne se fait de rien, Dieu
n'aura su bâtir le monde sans matière. Quoi! Dieu nous
a-t-il mis en mains les clés et les derniers ressorts de sa
puissance? s'est-il obligé à n'outrepasser les bornes de
notre science? Mets le cas, ô homme, que tu aies pu
remarquer ici quelques traces de ses effets : penses-tu
qu'il y ait employé tout ce qu'il a pu et qu'il ait mis
toutes ses formes et toutes ses idées en cet ouvrage?
Tu ne vois que l'ordre et la police de ce petit caveau
où tu es logé, au moins si tu la vois : sa divinité a une
juridiction infinie au-delà; cette pièce n'est rien au prix
du tout :

> *omnia cum cælo terraque marique*
> *Nil sunt ad summam summai totius omnem* * :

c'est une loi municipale que tu allègues, tu ne sais pas
quelle est l'universelle. Attache-toi à ce à quoi tu es
sujet, mais non pas lui; il n'est pas ton confrère, ou
concitoyen, ou compagnon; s'il s'est aucunement communiqué à toi, ce n'est pas pour se ravaler à ta petitesse,
ni pour te donner le contrôle de son pouvoir. Le corps
humain ne peut voler aux nues, c'est pour toi; le soleil
branle sans séjour sa course ordinaire; les bornes des
mers et de la terre ne se peuvent confondre; l'eau est
instable et sans fermeté; un mur est, sans froissure,

---

a. Être hors de soi.

* Lucrèce, *De Natura Rerum,* chant VI : « Le ciel, la terre, la
mer réunis ne sont rien en comparaison de la somme de toutes les
sommes. »

impénétrable à un corps solide; l'homme ne peut conserver sa vie dans les flammes; il ne peut être et au ciel
et en la terre, et en mille lieux ensemble corporellement.
C'est pour toi qu'il a fait ces règles; c'est toi qu'elles
attachent. Il a témoigné aux Chrétiens qu'il les a toutes
franchies, quand il lui a plu. De vrai, pourquoi, tout-
puissant comme il est, aurait-il restreint ses forces à
certaine mesure? en faveur de qui aurait-il renoncé
son privilège? Ta raison n'a en aucune autre chose plus
de vérisimilitude *a* et de fondement qu'en ce qu'elle te
persuade la pluralité des mondes :

> *Terrámque, et solem, lunam, mare, cætera quæ sunt*
> *Non esse unica, sed numero magis innumerali* *.

Les plus fameux esprits du temps passé l'ont crue, et
aucuns des nôtres mêmes, forcés par l'apparence de
la raison humaine. D'autant qu'en ce bâtiment que nous
voyons, il n'y a rien seul et un,

> *cum in summa res nulla sit una,*
> *Unica quæ gignatur, et unica soláque crecat* **,

et que toutes les espèces sont multipliées en quelque
nombre; par où il semble n'être pas vraisemblable que
Dieu ait fait ce seul voyage sans compagnon, et que la
matière de cette forme ait été tout épuisée en ce seul
individu :

> *Quare etiam atque etiam tales fateare necesse est*
> *Esse alios alibi congressus materiai,*
> *Qualis hic est avido complexu quem tenet æther* *** :

a. Vraisemblance.

* Lucrèce, *De Natura Rerum,* chant II : « La terre, le soleil, la
lune, la mer et tout ce qui est ne sont pas uniques en leur espèce,
mais en nombre infini. »

** *Ibid.* : « Dans la somme des choses, il n'y en a pas une qui
naisse unique, qui grandisse unique et seule de son espèce. »

*** *Ibid.,* « C'est pourquoi tu dois reconnaître qu'il y a ailleurs
d'autres assemblages de matière semblables à celui-ci, que l'éther
tient jalousement embrassés. »

notamment si c'est un animant, comme ses mouvements le rendent si croyable que Platon l'assure [208], et plusieurs des nôtres ou le confirment ou ne l'osent infirmer; non plus que cette ancienne opinion que le ciel, les étoiles, et autres membres du monde, sont créatures composées de corps et âme, mortelles en considération de leur composition, mais immortelles par la détermination du créateur. Or, s'il y a plusieurs mondes, comme Démocrite, Épicure et presque toute la philosophie a pensé [209], que savons-nous si les principes et les règles de celui-ci touchent pareillement les autres? Ils ont à l'aventure autre visage et autre police. Épicure les imagine ou semblables ou dissemblables. Nous voyons en ce monde une infinie différence et variété pour la seule distance des lieux. Ni le blé, ni le.vin ne se voient, ni aucun de nos animaux en ces nouvelles terres que nos pères ont découvertes; tout y est divers. Et, au temps passé, voyez en combien de parties du monde on n'avait connaissance ni de Bacchus ni de Cérès. Qui en voudra croire Pline et Hérodote [210] il y a des espèces d'hommes en certains endroits qui ont fort peu de ressemblance à la nôtre.

Et y a des formes métisses et ambiguës entre l'humaine nature et la brutale [a]. Il y a des contrées où les hommes naissent sans tête, portant les yeux et la bouche en la poitrine; où ils sont tous androgynes; où ils marchent de quatre pattes, où ils n'ont qu'un œil au front, et la tête plus semblable à celle d'un chien qu'à la nôtre; où ils sont moitié poissons par en bas et vivent en l'eau; où les femmes s'accouchent à cinq ans et n'en vivent que huit; où ils ont la tête si dure et la peau du front, que le fer n'y peut mordre et rebouche [b] contre; où les hommes sont sans barbe, des nations sans usage et connaissance de feu; d'autres qui rendent le sperme de couleur noire. Quoi, ceux qui naturellement se changent en loups, en juments, et puis encore en hommes? Et, s'il en est ainsi, comme dit Plutarque [211], que, en quelque endroit des Indes, il y ait des hommes sans bouche, se nourrissant de la senteur dè certaines odeurs, combien y a-t-il de nos descriptions fausses? il n'est plus risible,

a. Celle des bêtes. — *b.* S'émousse.

ni à l'aventure capable de raison et de société. L'ordonnance et la cause de notre bâtiment interne seraient,
pour la plupart, hors de propos.

Davantage, combien y a-t-il de choses en notre
connaissance, qui combattent ces belles règles que nous
avons taillées et prescrites à nature? et nous entrepren-
drons d'y attacher Dieu même! Combien de choses
appelons-nous miraculeuses et contre nature? Cela se fait
par chaque homme et par chaque nation selon la mesure
de son ignorance. Combien trouvons-nous de propriétés
occultes et de quintessences? car, aller selon nature,
pour nous, ce n'est qu'aller selon notre intelligence,
autant qu'elle peut suivre et autant que nous y voyons :
ce qui est au-delà, est monstrueux et désordonné. Or,
à ce compte, aux plus avisés et aux plus habiles tout
sera donc monstrueux : car à ceux-là l'humaine raison
a persuadé qu'elle n'avait ni pied, ni fondement quelconque, non pas seulement pour assurer si la neige
est blanche (et Anaxagore la disait être noire); s'il y a
quelque chose, ou s'il n'y a nulle chose; s'il y a science
ou ignorance (Metrodore de Chios niait l'homme le
pouvoir dire [212]); ou si nous vivons : comme Euripide
est en doute si la vie que nous vivons est vie, ou si c'est
ce que nous appelons mort, qui soit vie :

$$\text{Τίς δ'οἶδεν εἰ ζῆν τοῦθ' ὃ κέκληται θανεῖν,}$$
$$\text{Τὸ ζῆν δὲ θνέσκειν ἔστι [213].}$$

Et non sans apparence : car pourquoi prenons-nous
titre d'être, de cet instant qui n'est qu'une éloise *a* dans
le cours infini d'une nuit éternelle, et une interruption
si brève de notre perpétuelle et naturelle condition?
la mort occupant tout le devant et tout le derrière de
ce moment, et une bonne partie encore de ce moment.
D'autres jurent qu'il n'y a point de mouvement, que
rien ne bouge, comme les suivants de Melissus [214] (car,
s'il n'y a qu'un, ni le mouvement sphérique ne lui peut
servir, ni le mouvement de lieu à autre, comme Platon

a. Éclair.

prouve), d'autres qu'il n'y a ni génération ni corruption
en nature.

Protagoras dit [215] qu'il n'y a rien en nature que le
doute; que, de toutes choses, on peut également disputer,
et de cela même, si on peut également disputer de toutes
choses; Nausiphanez, que, des choses qui semblent,
rien est non plus que non est, qu'il n'y a autre certain
que l'incertitude; Parménide, que, de ce qu'il semble, il
n'est aucune chose en général, qu'il n'est qu'un; Zénon,
qu'un même n'est pas, et qu'il n'y a rien.

Si un était, il serait ou en un autre ou en soi-même;
s'il est en un autre, ce sont deux; s'il est en soi-même
ce sont encore deux, le comprenant et le compris [216].
Selon ces dogmes, la nature des choses n'est qu'une
ombre ou fausse ou vaine [217].

Il m'a toujours semblé qu'à un homme chrétien cette
sorte de parler est pleine d'indiscrétion et d'irrévérence :
·Dieu ne peut mourir, Dieu ne se peut dédire, Dieu ne
peut faire ceci ou cela. Je ne trouve pas bon d'enfermer
ainsi la puissance divine sous les lois de notre parole.
Et l'apparence qui s'offre à nous en ces propositions,
il la faudrait représenter plus revéremment et plus
religieusement.

Notre parler a ses faiblesses et ses défauts, comme
tout le reste. La plupart des occasions des troubles
du monde sont grammairiennes. Nos procès ne naissent
que du débat de l'interprétation des lois; et la plupart
des guerres, de cette impuissance de n'avoir su clairement exprimer les conventions et traités d'accord des
princes. Combien de querelles et combien importantes a
produit au monde le doute du sens de cette syllabe :
hoc [218]! Prenons la clause que la logique même nous
présentera pour la plus claire. Si vous dites : Il fait beau
temps, et que vous disiez vérité, il fait donc beau temps.
Voilà pas une forme de parler certaine? Encore nous
trompera-t-elle. Qu'il soit ainsi, suivons l'exemple. Si
vous dites : Je mens, et que vous disiez vrai, vous mentez
donc [219]. L'art, la raison, la force de la conclusion de
celle-ci sont pareilles à l'autre; toutefois nous voilà
embourbés. Je vois les philosophes Pyrrhoniens qui ne
peuvent exprimer leur générale conception en aucune
manière de parler; car il leur faudrait un nouveau

langage. Le nôtre est tout formé de propositions affirma-
tives, qui leur sont du tout *a* ennemies. De façon que,
quand ils disent : « Je doute », on les tient incontinent à la
gorge pour leur faire avouer qu'au moins assurent et
savent-ils cela, qu'ils doutent. Ainsi on les a contraints de
se sauver dans cette comparaison de la médecine, sans
laquelle leur humeur serait inexplicable; quand ils pro-
noncent : « J'ignore », ou : « Je doute », ils disent que
cette proposition s'emporte elle-même, quant et quant *b*
le reste, ni plus ni moins que la rhubarbe qui pousse
hors les mauvaises humeurs et s'emporte hors quant et
quant elle-même [220].

Cette fantaisie est plus sûrement conçue par inter-
rogation : « Que sais-je ? » comme je la porte à la devise
d'une balance [221].

Voyez comment on se prévaut de cette sorte de parler
pleine d'irrévérence. Aux disputes qui sont à présent
en notre religion, si vous pressez trop les adversaires,
ils vous diront tout détroussément *c* qu'il n'est pas en
la puissance de Dieu de faire que son corps soit en paradis
et en la terre, et en plusieurs lieux ensemble. Et ce
moqueur ancien [222], comment il en fait son profit! Au
moins, dit-il, est-ce une non légère consolation à l'homme
de ce qu'il voit Dieu ne pouvoir pas toutes choses; car
il ne se peut tuer quand il le voudrait, qui est la plus
grande faveur que nous ayons en notre condition; il
ne peut faire les mortels immortels; ni revivre les trépassés ni que celui qui a vécu, n'ait point vécu; celui qui
a eu des honneurs, ne les ait point eus; n'ayant autre droit
sur le passé que de l'oubliance. Et, afin que cette société
de l'homme à Dieu s'accouple encore par des exemples
plaisants, il ne peut faire que deux fois dix ne soient
vingt. Voilà ce qu'il dit, et qu'un Chrétien devrait éviter
de passer par sa bouche, là où, au rebours, il semble que
les hommes recherchent cette folle fierté de langage,
pour ramener Dieu à leur mesure,

> *cras vel atra*
> *Nube polum pater occupato,*
> *Vel sole puro ; non tamen irritum*

a. Tout à fait. — *b.* Avec. — *c.* Franchement.

Quodcumque retro est, efficiet, neque
Diffinget infectumque reddet
Quod fugiens semel hora vexit *.

Quand nous disons que l'infinité des siècles, tant passés qu'à venir, n'est à Dieu qu'un instant; que sa bonté, sapience, puissance sont même chose avec son essence, notre parole le dit, mais notre intelligence ne l'appréhende point. Et toutefois notre outrecuidance veut faire passer la divinité par notre étamine. Et de là s'engendrent toutes les rêveries et erreurs desquelles le monde se trouve saisi, ramenant et pesant à sa balance chose si éloignée de son poids. « *Mirum quo procedat improbitas cordis humani, parvulo aliquo invitata successu* **.

Combien insolemment rabrouent Épicure les Stoïciens [223] sur ce qu'il tient l'être véritablement bon et heureux n'appartenir qu'à Dieu, et l'homme sage n'en avoir qu'un ombrage et similitude! Combien témérairement ont-ils attaché Dieu à la destinée (à la mienne volonté, qu'aucuns du surnom de Chrétiens ne le fassent pas encore!) et Thalès, Platon et Pythagore l'ont asservi à la nécessité! Cette fierté de vouloir découvrir Dieu par nos yeux a fait qu'un grand personnage des nôtres [224] a donné à la divinité une forme corporelle. Et est cause de ce qui nous advient tous les jours d'attribuer à Dieu les événements d'importance, d'une particulière assignation. Parce qu'ils nous pèsent, il semble qu'ils lui pèsent aussi et qu'il y regarde plus entier et plus attentif qu'aux événements qui nous sont légers ou d'une suite ordinaire.

* Horace, *Ode 24* du livre III, : « Que demain Jupiter couvre le firmament d'une nuée noire ou d'un clair soleil, il ne peut toutefois rendre vain tout ce qui a été, ni changer ou empêcher l'achèvement de ce que l'heure a une fois entraîné dans sa fuite. »
** Pline l'Ancien, *Histoire naturelle,* livre II, chap. xxiii : « Il est surprenant de voir jusqu'où s'élève la malhonnêteté du cœur humain, lorsqu'il est encouragé par quelque petit succès. »
On a souvent remarqué que tout ce passage sceptique est en opposition avec la doctrine de Sebond que Montaigne prétend défendre : « L'homme, écrit Sebond, est par sa nature, en tant qu'il est homme, la vraie et vive image de Dieu... » (*Théologie naturelle,* chap. cxxi.)

« *Magna dii curant, parva negligunt* *. » Écoutez son exemple, il vous éclaircira de sa raison : « *Nec in regnis quidem reges omnia minima curant* **. »

Comme si ce lui était plus et moins de remuer un empire ou la feuille d'un arbre, et si la providence s'exerçait autrement, inclinant l'événement d'une bataille, que le saut d'une puce ! La main de son gouvernement se prête à toutes choses de pareille teneur, même force et même ordre ; notre intérêt n'y apporte rien ; nos mouvements et nos mesures ne le touchent pas.

« *Deus ita artifex magnus in magnis, ut minor non sit in parvis* ***. » Notre arrogance nous remet toujours en avant cette blasphémeuse appariation. Parce que nos occupations nous chargent, Straton a étrenné les Dieux de toute immunité d'offices, comme sont leurs prêtres. Il fait produire et maintenir toutes choses à Nature, et de ses poids et mouvements construit les parties du monde, déchargeant l'humaine nature de la crainte des jugements divins [225]. « *Quod beatum æternumque sit, id nec habere negotii quicquam, nec exhibere alteri* ****. » Nature veut qu'en choses pareilles il y ait relation pareille. Le nombre donc infini des mortels conclut un pareil nombre d'immortels. Les choses infinies qui tuent et nuisent, en présupposent autant qui conservent et profitent. Comme les âmes des Dieux, sans langue, sans yeux, sans oreilles, sentent entre eux chacun ce que l'autre sent, et jugent nos pensées : ainsi les âmes des hommes, quand elles sont libres et déprises du corps par le sommeil ou par quelque ravissement, devinent, pronostiquent et voient choses qu'elles ne sauraient voir, mêlées aux corps [226].

Les hommes, dit saint Paul [227], sont devenus fols,

---

* Cicéron, *De Natura Deorum,* livre II, chap. LXVI : « Les dieux s'occupent des grandes choses et négligent les petites. »

** *Ibid.,* livre III, chap. XXXV : « Les rois non plus ne s'abaissent pas aux détails du gouvernement. »

*** Saint Augustin, *Cité de Dieu,* livre XI, chap. XXII : « Dieu, si grand ouvrier dans les grandes choses, ne l'est pas moins dans les petites. »

**** Cicéron, *De Natura Deorum,* livre I, chap. XVII : « Un être heureux et éternel n'a aucun souci et n'en cause pas à autrui. »

cuidant être sages; et ont mué la gloire de Dieu incorruptible en l'image de l'homme corruptible.

Voyez un peu ce batelage des déifications anciennes. Après la grande et superbe pompe de l'enterrement, comme le feu venait à prendre au haut de la pyramide et saisir le lit du trépassé, ils laissaient en même temps échapper un aigle, lequel, s'envolant à mont [a], signifiait que l'âme s'en allait en paradis. Nous avons mille médailles [228], et notamment de cette honnête femme [229] de Faustine, où cet aigle est représenté emportant à la chèvre-morte [b] vers le ciel ces âmes déifiées. C'est pitié que nous nous pipons de nos propres singeries et inventions,

Quod finxere, timent * :

comme les enfants qui s'effraient de ce même visage qu'ils ont barbouillé et noirci à leur compagnon. « *Quasi quicquam infelicius sit homine cui sua figmenta dominantur* **. » C'est bien loin d'honorer celui qui nous a fait, que d'honorer celui que nous avons fait. Auguste eut plus de temples que Jupiter, servis avec autant de religion et créances de miracles. Les Thasiens, en récompense des bienfaits qu'ils avaient reçus d'Agésilas, lui vinrent dire qu'ils l'avaient canonisé : « Votre nation, leur dit-il, a-t-elle ce pouvoir de faire Dieu qui bon lui semble? Faites-en, pour voir, l'un d'entre vous, et puis, quand j'aurai vu comme il s'en sera trouvé, je vous dirai grand merci de votre offre [230]. »

L'homme est bien insensé. Il ne saurait forger un ciron, et forge des Dieux à douzaines.

Oyez Trismégiste [231] louant notre suffisance : De toutes les choses admirables a surmonté l'admiration, que l'homme ait pu trouver la divine nature et la faire.

Voici des arguments de l'école même de la philosophie,

---

a. En l'air. — *b.* Sur son dos.

* Lucain, *La Pharsale*, chant I : « Ils s'effrayent de leurs propres fictions. »

** « Qu'y a-t-il de plus malheureux que l'homme esclave de ses propres chimères » (Pline, II, 7.)

Nosse cui Divos et cœli numina soli,
Aut soli nescire, datum *.

Si Dieu est, il est animal; s'il est animal, il a sens; et s'il a sens, il est sujet à corruption. S'il est sans corps, il est sans âme, et par conséquent sans action; et, s'il a corps, il est périssable. Voilà pas triomphé?

Nous sommes incapables d'avoir fait le monde; il y a donc quelque nature plus excellente qui y a mis la main. — Ce serait une sotte arrogance de nous estimer la plus parfaite chose de cet univers; il y a donc quelque chose de meilleur; cela, c'est Dieu. — Quand vous voyez une riche et pompeuse demeure, encore que vous ne sachez qui en est le maître, si ne direz-vous pas qu'elle soit faite pour des rats. Et cette divine structure que nous voyons du palais céleste, n'avons-nous pas à croire que ce soit le logis de quelque maître plus grand que nous ne sommes? Le plus haut est-il pas toujours le plus digne? et nous sommes placés au bas. — Rien, sans âme et sans raison, ne peut produire, un animant [a] capable de raison. Le monde nous produit, il a donc âme et raison. — Chaque part de nous est moins que nous. Nous sommes part du monde. Le monde est donc fourni de sagesse et de raison, et plus abondamment que nous ne sommes. — C'est belle chose d'avoir un grand gouvernement. Le gouvernement du monde appartient donc à quelque heureuse nature. — Les astres ne nous font pas de nuisance; ils sont donc pleins de bonté. — Nous avons besoin de nourriture; aussi ont donc les Dieux, et se paissent des vapeurs de çà-bas. Les biens mondains ne sont pas biens à Dieu; ce ne sont donc pas biens à nous. — L'offenser et l'être offensé sont également témoignages d'imbécillité [b]; c'est donc folie de craindre Dieu. — Dieu est bon par sa nature, l'homme par son industrie, qui est plus. — La sagesse divine et l'humaine sagesse n'ont autre distinction, sinon que celle-là est éternelle. Or la durée n'est aucune accession à la sagesse; par quoi nous voilà compagnons. — Nous avons vie,

a. Être animé. — *b.* Faiblesse.
* Lucain, *La Pharsale*, chant I : « Qui seule peut connaître les dieux et les puissances célestes, ou savoir qu'on ne peut les connaître. »

raison et liberté, estimons la bonté, la charité et la justice;
ces qualités sont donc en lui [232]. Somme *a*, le bâtiment et
le débâtiment, les conditions de la divinité se forgent
par l'homme, selon la relation à soi. Quel patron et quel
modèle! Étirons, élevons et grossissons les qualités
humaines tant qu'il nous plaira; enfle-toi, pauvre homme,
et encore, et encore, et encore :

> *Non, si te ruperis, inquit* *.

    « *Profecto non Deum, quem cogitare non possunt, sed
semetipsos pro illo cogitantes, non illum sed se ipsos non
illi sed sibi comparant* **. »

Ès choses naturelles, les effets ne rapportent qu'à demi
leurs causes : quoi celle-ci ? elle est au-dessus de l'ordre
de nature; sa condition est trop hautaine, trop éloignée
et trop maîtresse, pour souffrir que nos conclusions
l'attachent et la garrottent. Ce n'est par nous qu'on y
arrive, cette route est trop basse. Nous ne sommes non
plus près du ciel sur le Mont-Cenis qu'au fond de la mer;
consultez-en, pour voir, avec votre astrolabe. Ils ramènent Dieu jusques à l'accointance charnelle des femmes :
à combien de fois, à combien de générations ? Paulina,
femme de Saturninus, matrone de grande réputation à
Rome, pensant coucher avec le Dieu Sérapis [233], se trouva
entre les bras d'un sien amoureux par le maquerellage
des prêtres de ce temple.

Varron [234], le plus subtil et le plus savant auteur latin,
en ses livres de la *Théologie*, écrit que le sacristin de
Hercule, jetant au sort, d'une main pour soi, de l'autre
pour Hercule, joua contre lui un souper et une garce :
s'il gagnait, aux dépens des offrandes; s'il perdait, aux
siens. Il perdit, paya son souper et sa garce. Son nom
fut Laurentine, qui vit de nuit ce dieu entre ses bras,

---

    a. Bref.

    * Horace, *Satire 2* du livre III : « Non pas même, quand tu
crèverais, tu n'en approcherais. »

    ** Saint Augustin, *Cité de Dieu*, livre XII, chap. XVII : « Assu-
rément, les hommes, en croyant se représenter Dieu, qu'il leur est
impossible de concevoir, se représentent eux-mêmes à sa place;
ils ne voient qu'eux et non lui; c'est à eux, non à lui qu'ils le comparent. »

lui disant au surplus que lendemain, le premier qu'elle rencontrerait, la paierait célestement de son salaire. Ce fut Taruntius, jeune homme riche, qui la mena chez lui et, avec le temps, la laissa héritière. Elle, à son tour, espérant faire chose agréable à ce dieu, laissa héritier le peuple romain : pourquoi on lui attribua des honneurs divins [235].

Comme s'il ne suffisait pas que, par double estoc, Platon fût originellement descendu des Dieux, et avoir pour auteur commun de sa race Neptune, il était tenu pour certain à Athènes que Ariston, ayant voulu jouir de la belle Périctione, n'avait su ; et fut averti en songe par le dieu Apollon de la laisser impolluée et intacte jusqu'à ce qu'elle fût accouchée ; c'étaient les père et mère de Platon [236]. Combien y a-t-il, ès histoires, de pareils cocuages procurés par les Dieux contre les pauvres humains ? et des maris injurieusement décriés en faveur des enfants ?

En la religion de Mahomet, il se trouve, par la croyance de ce peuple, assez de Merlins [237] : à savoir enfants sans père, spirituels, nés divinement au ventre des pucelles ; et portent un nom qui le signifie en leur langue.

Il nous faut noter qu'à chaque chose il n'est rien plus cher et plus estimable que son être (le lion, l'aigle, le dauphin ne prisent rien au-dessus de leur espèce [238]); et que chacune rapporte les qualités de toutes autres choses à ses propres qualités ; lesquelles nous pouvons bien étendre et raccourcir, mais c'est tout ; car, hors de ce rapport et de ce principe, notre imagination ne peut aller, ne peut rien deviner autre, et est impossible qu'elle sorte de là, et qu'elle passe au-delà. D'où naissent ces anciennes conclusions : De toutes les formes, la plus belle est celle de l'homme ; Dieu donc est de cette forme. Nul ne peut être heureux sans vertu, ni la vertu être sans raison, et nulle raison loger ailleurs qu'en l'humaine figure ; Dieu est donc revêtu de l'humaine figure.

« *Ita est informatum, anticipatum mentibus nostris ut homini, cum de deo cogitet, forma occurrat humana* *. »

* Cicéron, *De Natura Deorum* : I, Chap. xxii « C'est à tel point une habitude et un préjugé de notre esprit que nous ne pouvons penser à Dieu sans nous le représenter sous une forme humaine. »

Pourtant disait plaisamment Xénophane [239], que si les animaux se forgent des dieux, comme il est vraisemblable qu'ils fassent, ils les forgent certainement de même eux, et se glorifient, comme nous. Car pourquoi ne dira un oison ainsi : « Toutes les pièces de l'univers me regardent ; la terre me sert à marcher, le soleil à m'éclairer, les étoiles à m'inspirer leurs influences ; j'ai telle commodité des vents, telle des eaux ; il n'est rien que cette voûte regarde si favorablement que moi ; je suis le mignon de nature ; est-ce pas l'homme qui me traite, qui me loge, qui me sert ? c'est pour moi qu'il fait et semer et moudre ; s'il me mange, aussi fait-il bien l'homme son compagnon, et si fais-je moi les vers qui le tuent et qui le mangent. » Autant en dirait une grue, et plus magnifiquement encore pour la liberté de son vol et la possession de cette belle et haute région : « *tam blanda conciliatrix et tam sui est lena ipsa natura* * ».

Or donc, par ce même train, pour nous sont les destinées, pour nous le monde ; il luit, il tonne pour nous ; et le créateur et les créatures, tout est pour nous. C'est le but et le point où vise l'université des choses. Regardez le registre que la philosophie a tenu, deux mille ans et plus, des affaires célestes : les dieux n'ont agi, n'ont parlé que pour l'homme ; elle ne leur attribue autre consultation et autre vacation [a] : les voilà contre nous en guerre,

> *domitósque Herculea manu*
> *Telluris juvenes, unde periculum*
> *Fulgens contremuit domus*
> *Saturni veteris* ** ;

a. Fonction.

* Cicéron, *De Natura Deorum*, I, chap. xxvii I : « Tant la nature adroite et indulgente porte tous les êtres à s'aimer eux-mêmes ! » — Sebond, dans la *Théologie naturelle,* avait montré au contraire la nature au service de l'homme : « Le ciel te dit : Je te fournis de lumière le jour, afin que tu veilles, d'ombre la nuit, afin que tu dormes et reposes... L'air : Je te communique la respiration vitale... L'eau : Je te fournis de quoi boire... », etc.

** Horace, *Ode 12* du livre II : « Et domptés par le bras d'Hercule, les fils de la Terre, qui avaient fait trembler la demeure brillante du vieux Saturne. »

les voici partisans de nos troubles, pour nous rendre la
pareille de ce que, tant de fois, nous sommes partisans
des leurs,

> *Neptunus muros magnóque emota tridenti*
> *Fundamenta quatit, totámque a sedibus urbem*
> *Eruit. Hic Juno Scæas sævissima portas*
> *Prima tenet *.*

Les Cauniens, pour la jalousie de la domination de leurs
Dieux propres, prennent armes en dos le jour de leur
dévotion, et vont courant toute leur banlieue, frappant
l'air par-ci par-là atout *a* leurs glaives, pourchassant
ainsi à outrance et bannissant les dieux étrangers de
leur territoire [240]. Leurs puissances sont retranchées selon
notre nécessité : qui guérit les chevaux, qui les hommes,
qui la peste, qui la teigne, qui la toux, qui une sorte de
gale, qui une autre (« *adeo minimis etiam rebus prava*
relligio inserit deos ** »); qui fait naître les raisins, qui
les aulx; qui a la charge de la paillardise, qui de la marchandise (à chaque race d'artisans un dieu), qui a sa
province en orient et son crédit, qui en ponant :

> *hi illius arma,*
> *Hic currus fuit ***.*

O sancte Apollo, qui umbilicum certum terrarum obtines ****

> *Pallada Cecropidæ, Minoïa Creta Dianam,*
> *Vulcanum tellus Hipsipilea colit,*
> *Junonem Sparte Pelopeiadesque Mycenæ !*

a. Avec.
* Virgile, *Énéide,* chant II : « Neptune de son grand trident
secoue les remparts, en ébranle les fondations, fait sauter la ville
entière hors de son siège. Là, la cruelle Junon, la première, occupe
les portes Scées. »
** Tite-Live, *Histoire,* livre XXVII, chap. XXIII : « Tant la
superstition introduit la Divinité même dans les plus petites choses !»
*** Virgile, *Énéide,* chant I : « Là étaient ses armes, là son char. »
**** Cicéron, *De Divinatione,* livre II, chap. LVI : « O saint Apollon, toi qui habites le centre du monde ! » Les Grecs considéraient
que le temple d'Apollon Pythien à Delphes occupait le centre du
monde, d'où l'expression : le nombril du monde (grec ὀμφαλός;
latin : *umbilicus*).

Pinigerum Fauni Mænalis ora caput;
Mars Latio venerandus *.

Qui n'a qu'un bourg ou une famille en sa possession,
qui loge seul; qui en compagnie ou volontaire ou nécessaire.

>   *Junctaque sunt magno templa nepotis avo **.*

Il en est de si chétifs et populaires (car le nombre s'en
monte jusques à trente-six mille), qu'il en faut entasser
bien cinq ou six à produire un épi de blé, et en prennent
leurs noms divers : trois à une porte, celui de l'ais, celui
du gond, celui du seuil; quatre à un enfant, protecteurs de
son maillot, de son boire, de son manger, de son téter;
aucuns certains, aucuns incertains et douteux [241]; aucuns
qui n'entrent pas encore en paradis :

>   *Quos quoniam cœli nondum dignamur honore,*
>   *Quas dedimus certe terras habitare sinamus ***;*

il en est de physiciens, de poétiques, de civils; aucuns,
moyens entre la divine et l'humaine nature, médiateurs,
entremetteurs de nous à Dieu; adorés par certain second
ordre d'adoration et diminutif; infinis en titres et offices;
les uns bons, les autres mauvais. Il en est de vieux et
cassés, et en est de mortels : car Chrysippe [242] estimait
qu'en la dernière conflagration du monde tous les dieux
auraient à finir, sauf Jupiter. L'homme forge mille
plaisantes sociétés entre Dieu et lui. Est-il pas son
compatriote?

>   *Jovis incunabula Creten ****.*

* Ovide, *Fastes*, chant III : « Les descendants de Cécrops
adorent Pallas; la Crète, royaume de Minos, Diane; Lemnos, Vulcain; Sparte et Mycènes, cités du Péloponnèse, Junon; Pan cou-
ronné de pin est le dieu du Ménale, et Mars celui du Latium. »
** *Ibid.*, chant I : « Et le temple du petit-fils est réuni à celui
de son grand aïeul. »
*** Ovide, *Métamorphoses*, livre I : « Puisque nous ne les jugeons
pas encore dignes de l'honneur du ciel, permettons-leur d'habiter
les terres que nous leur avons accordées. »
**** Ovide, *Métamorphoses*, livre VIII : « Crète, berceau de
Jupiter. » On sait que Jupiter naquit sur le mont Ida en Crète.

Voici l'excuse que nous donnent, sur la considération de ce sujet, Scévola, grand pontife, et Varron, grand théologien, en leur temps : Qu'il est besoin que le peuple ignore beaucoup de choses vraies et en croie beaucoup de fausses : « *cum veritatem qua liberetur, inquirat, credatur ei expedire, quod fallitur * »*.

Les yeux humains ne peuvent apercevoir les choses que par les formes de leur connaissance. Et ne nous souvient pas quel saut prit le misérable Phaéton pour avoir voulu manier les rênes des chevaux de son père d'une main mortelle. Notre esprit retombe en pareille profondeur, se dissipe et se froisse de même, par sa témérité. Si vous demandez à la philosophie de quelle matière est le ciel et le soleil, que vous répondra-t-elle, sinon de fer, ou avec Anaxagore [243], de pierre, et telle étoffe de notre usage ? S'enquiert-on à Zénon que c'est que nature ? « Un feu, dit-il, artiste, propre à engendrer, procédant réglement [244]. » Archimède, maître de cette science qui s'attribue la préséance sur toutes les autres en vérité et certitude : « Le soleil, dit-il, est un Dieu de fer enflammé. » Voilà pas une belle imagination produite de la beauté et inévitable nécessité des démonstrations géométriques ! Non pourtant si inévitable et utile que Socrate n'ait estimé qu'il suffisait en savoir jusques à pouvoir arpenter la terre qu'on donnait et recevait [245], et que Poliænus, qui en avait été fameux et illustre docteur, ne les ait prises à mépris, comme pleines de fausseté et de vanité apparente, après qu'il eut goûté les doux fruits des jardins poltronesques *a* d'Épicure [246].

Socrate, en Xénophon [247], sur ce propos d'Anaxagore, estimé par l'antiquité entendu au-dessus tous autres ès choses célestes et divines, dit qu'il se troubla du cerveau, comme font tous les hommes qui perscrutent *b* immodérément les connaissances qui ne sont de leur

---

a. Amollis. — *b.* Scrutent à fond.

* Saint Augustin, *Cité de Dieu*, livre IV, chap. xxxi, rapporte les opinions de Scévola et de Varron : « Comme il ne cherche la vérité que pour s'affranchir, on peut croire qu'il est de son intérêt d'être trompé. »

appartenance. Sur ce qu'il faisait le soleil une pierre ardente, il ne s'avisait pas qu'une pierre ne luit point au feu, et, qui pis est, qu'elle s'y consomme [a]; en ce qu'il faisait un du soleil et du feu, que le feu ne noircit pas ceux qu'il regarde; que nous regardons fixement le feu; que le feu tue les plantes et les herbes. C'est, à l'avis de Socrate, et au mien aussi, le plus sagement jugé du ciel que n'en juger point.

Platon, ayant à parler des Démons au *Timée* [248] : « C'est entreprise, dit-il, qui surpasse notre portée. Il en faut croire ces anciens qui se sont dits engendrés d'eux. C'est contre raison de refuser foi aux enfants des Dieux, encore que leur dire ne soit établi par raisons nécessaires ni vraisemblables, puisqu'ils nous répondent de parler de choses domestiques et familières. »

Voyons si nous avons quelque peu plus de clarté en la connaissance des choses humaines et naturelles.

N'est-ce pas une ridicule entreprise, à celles auxquelles, par notre propre confession, notre science ne peut atteindre, leur aller forgeant un autre corps, et prêtant une forme fausse, de notre invention : comme il se voit au mouvement des planètes, auquel d'autant que notre esprit ne peut arriver, ni imaginer sa naturelle conduite, nous leur prêtons, du nôtre, des ressorts matériels lourds et corporels :

> *temo aureus, aurea summæ*
> *Curvatura rotæ, radiorum argenteus ordo* *.

Vous diriez que nous avons eu des cochers, des charpentiers et des peintres, qui sont allés dresser là-haut des engins à divers mouvements, et ranger les rouages et entrelacements des corps célestes bigarrés en couleur autour du fuseau de la nécessité, selon Platon [249] :

> *Mundus domus est maxima rerum,*
> *Quam quinque altitonæ fragmine zonæ*

a. Consume.
* Ovide, *Métamorphoses,* livre II : « Le timon était d'or, d'or le cercle des roues, et les rayons d'argent. »

Cingunt, perquam limbus pictus bis sex signis
Stellimicantibus, altus in obliquo œthere, lunœ
Bigas acceptat *.

Ce sont tous songes et fanatiques folies. Que ne plaît-il un jour à nature nous ouvrir son sein et nous faire voir au propre les moyens et la conduite de ses mouvements, et y préparer nos yeux ! O Dieu ! quels abus, quels mécomptes nous trouverions en notre pauvre science : je suis trompé si elle tient une seule chose droitement en son point ; et m'en partirai d'ici plus ignorant toute autre chose que mon ignorance.

Ai-je pas vu en Platon [250] ce divin mot, que nature n'est rien qu'une poésie énigmatique ? comme peut-être qui dirait une peinture voilée et ténébreuse, entreluisant d'une infinie variété de faux jours à exercer nos conjectures.

« *Latent ista omnia crassis occultata et circumfusa tenebris, ut nulla acies humani ingenii tanta sit, quœ penetrare in cœlum, terram intrare possit* **. »

Et certes la philosophie n'est qu'une poésie sophistiquée. D'où tirent ces auteurs anciens toutes leurs autorités, que des poètes ? Et les premiers furent poètes eux-mêmes et la traitèrent en leur art. Platon n'est qu'un poète décousu. Timon l'appelle, par injure, grand forgeur de miracles.

Tout ainsi que les femmes emploient des dents d'ivoire où les leurs naturelles leur manquent, et, au lieu de leur vrai teint, en forgent un de quelque matière étrangère ; comme elles font des cuisses de drap et de feutre, et de l'embonpoint de coton, et, au vu et su d'un chacun,

---

* Citation de Varron reproduite par Valerius Probus dans son commentaire de la VIᵉ *Bucolique* de Virgile : « Le monde est une maison immense, environnée de cinq zones et traversée de biais par la bande du Zodiaque, aux douze constellations étincelantes, tout en haut dans l'éther, où sont admis le char de la Lune et ses deux coursiers. »
** Cicéron, *Académiques,* livre II, chap. xxxix : « Toutes ces choses sont cachées et enveloppées des plus épaisses ténèbres, et il n'y a point d'esprit assez perçant pour pénétrer dans le ciel ou dans la terre. »

s'embellissent d'une beauté fausse et empruntée : ainsi
fait la science (et notre droit même a, dit-on, des fictions
légitimes sur lesquelles il fonde la vérité de sa justice);
elle nous donne en paiement et en présupposition les
choses qu'elle-même nous apprend être inventées : car
ces épicycles, excentriques, concentriques, de quoi
l'Astrologie s'aide à conduire le branle de ses étoiles,
elle nous les donne pour le mieux qu'elle ait su inventer
en ce sujet; comme aussi au reste la philosophie nous
présente non pas ce qui est, ou ce qu'elle croit, mais ce
qu'elle forge ayant plus d'apparence et de gentillesse.
Platon, sur le discours de l'état de notre corps et de
celui des bêtes [251] : « Que ce que nous avons dit soit vrai,
nous en assurerions, si nous avions sur ce la confirmation
d'un oracle; seulement nous assurons que c'est le plus
vraisemblablement que nous ayons su dire. »

Ce n'est pas au ciel seulement qu'elle envoie ses cor-
dages, ses engins et ses roues. Considérons un peu ce
qu'elle dit de nous-mêmes et de notre contexture. Il
n'y a pas plus de rétrogradation, trépidation, accession,
reculement, ravissement aux astres et corps célestes,
qu'ils en ont forgé en ce pauvre petit corps humain.
Vraiment ils ont eu par là raison de l'appeler le petit
monde [252], tant ils ont employé de pièces et de visages à
le maçonner et bâtir. Pour accommoder les mouvements
qu'ils voient en l'homme, les diverses fonctions et facultés
que nous sentons en nous, en combien de parties ont-ils
divisé notre âme ? en combien de sièges logée ? à combien
d'ordres et étages ont-ils départi ce pauvre homme,
outre les naturels et perceptibles ? et à combien d'offices
et de vacations [a] ? Ils en font une chose publique imaginaire. C'est un sujet qu'ils tiennent et qu'ils manient :
on leur laisse toute puissance de la découdre, ranger,
rassembler et étoffer, chacun à sa fantaisie; et si [b], ne
le possèdent pas encore. Non seulement en vérité, mais
en songe même, ils ne le peuvent régler, qu'il ne s'y
trouve quelque cadence ou quelque son qui échappe à
leur architecture, tout énorme qu'elle est et rapiécée
de mille lopins faux et fantastiques. Et ce n'est pas
raison de les excuser. Car, aux peintres, quand ils pei-

---

a. Fonctions. — *b.* Et pourtant.

gnent le ciel, la terre, les mers, les monts, les îles écartées, nous leur condonnons ^a qu'ils nous en rapportent seulement quelque marque légère ; et, comme de choses ignorées nous contentons d'un tel quel ombrage ^b et feinte. Mais quand ils nous tirent après le naturel en un sujet qui nous est familier et connu, nous exigeons d'eux une parfaite et exacte représentation des linéaments et des couleurs, et les méprisons s'ils y faillent [253].

Je sais bon gré à la garce Milésienne qui, voyant le philosophe Thalès s'amuser continuellement à la contemplation de la voûte céleste et tenir toujours les yeux élevés contremont ^c, lui mit en son passage quelque chose à le faire broncher ^d, pour l'avertir qu'il serait temps d'amuser son pensement aux choses qui étaient dans les nues, quand il aurait pourvu à celles qui étaient à ses pieds. Elle lui conseillait certes bien de regarder plutôt à soi qu'au ciel [254]. Car, comme dit Démocrite par la bouche de Cicéron,

Quod est ante pedes, nemo spectat ; cœli scrutantur plagas *.

Mais notre condition porte que la connaissance de ce que nous avons entre mains est aussi éloignée de nous, et aussi bien au-dessus des nues, que celle des astres. Comme dit Socrate, en Platon [255], qu'à quiconque se mêle de la philosophie, on peut faire le reproche que fait cette femme à Thalès, qu'il ne voit rien de ce qui est devant lui. Car tout philosophe ignore ce que fait son voisin, oui et ce qu'il fait lui-même, et ignore ce qu'ils sont tous deux, ou bêtes ou hommes.

Ces gens-ci, qui trouvent les raisons de Sebond trop faibles, qui n'ignorent rien, qui gouvernent le monde, qui savent tout,

Quæ mare compescant causæ ; quid temperet annum ;
Stellæ sponte sua jussæve vagentur et errent ;

---

a. Concédons. — b. Dessin. — c. En haut. — d. Trébucher.
* Vers d'une tragédie *Iphigénie* cité par Cicéron dans le *De Divinatione*, livre II, chap. XIII : « Personne ne regarde ce qu'il a devant ses pieds ; on scrute les voûtes célestes. »

Quid premat obscurum Lunæ, quid proferat orbem;
Quid velit et possit rerum concordia discors * ;*

n'ont-ils pas quelquefois sondé, parmi leurs livres,
les difficultés qui se présentent à connaître leur être
propre ? Nous voyons bien que le doigt se meut, et que
le pied se meut ; qu'aucunes parties se branlent d'elles-
mêmes sans notre congé, et que d'autres, nous les agitons
par notre ordonnance ; que certaine appréhension engendre la rougeur, certaine autre la pâleur ; telle imagination
agit en la rate seulement, telle autre au cerveau ; l'une
nous cause le rire, l'autre le pleurer ; telle autre transit
et étonne tous nos sens, et arrête le mouvement de nos
membres. A tel objet l'estomac se soulève ; à tel autre
quelque partie plus basse. Mais comme une impression
spirituelle fasse une telle faucée *ᵃ* dans un sujet massif
et solide, et la nature de la liaison et couture de ces
admirables ressorts, jamais homme ne l'a su, comme dit
Salomon. « *Omnia incerta ratione et in naturæ majestate*
abdita ** », dit Pline ; et saint Augustin : « *Modus quo*
corporibus adhærent spiritus, omnino mirus est, nec com-
prehendi ab homine potest : et hoc ipse homo est ***. » Et si *ᵇ*,
ne le met-on pas pourtant en doute, car les opinions des
hommes sont reçues à la suite des créances anciennes,
par autorité et à crédit, comme si c'était religion et loi.
On reçoit comme un jargon ce qui en est communément
tenu ; on reçoit cette vérité avec tout son bâtiment et
attelage d'arguments et de preuves, comme un corps
ferme et solide qu'on n'ébranle plus, qu'on ne juge plus.
Au contraire, chacun, à qui mieux mieux, va plâtrant

a. Percée. — b. Et pourtant.
   * Horace, *Épître 12* du livre I : « Les causes qui apaisent la mer ;
ce qui règle les saisons ; si les astres se meurent et errent de leur
propre mouvement ou selon un ordre extérieur ; pourquoi le disque
de la lune croît et décroît, quel est le but et l'effet de cet accord
d'éléments discordants ? »
   ** *Histoire naturelle,* livre II, chap. xxxvii : « Toutes ces choses
sont impénétrables pour la raison humaine et restent cachées dans
la majesté de la nature. »
   *** *Cité de Dieu,* livre XXI, chap. x : « La manière dont l'âme
est unie au corps est tout à fait merveilleuse et ne peut être comprise
par l'homme : et pourtant c'est cela même qui fait l'homme. »

et confortant *a* cette créance reçue, de tout ce que peut
sa raison, qui est un outil souple, contournable et accommodable à toute figure. Ainsi se remplit le monde et se
confit en fadaise et en mensonge.

Ce qui fait qu'on ne doute de guère de choses, c'est
que les communes impressions, on ne les essaie *b* jamais;
on n'en sonde point le pied, où gît la faute et la faiblesse;
on ne débat que sur les branches; on ne demande pas
si cela est vrai, mais s'il a été ainsi ou ainsi entendu.
On ne demande pas si Galien [256] a rien dit qui vaille,
mais s'il a dit ainsi ou autrement. Vraiment, c'était
bien raison que cette bride et contrainte de la liberté
de nos jugements, et cette tyrannie de nos créances,
s'étendit jusques aux écoles et aux arts. Le dieu de la
science scolastique, c'est Aristote [257]; c'est religion de
débattre de ses ordonnances, comme de celles de Lycurgue
à Sparte. Sa doctrine nous sert de loi magistrale, qui est
à l'aventure autant fausse qu'une autre. Je ne sais pas
pourquoi je n'acceptasse autant volontiers ou les idées
de Platon, ou les atomes d'Épicure, ou le plein et le
vide de Leucippe et Démocrite, ou l'eau de Thalès, ou
l'infinité de nature d'Anaximandre, ou l'air de Diogène [258],
ou les nombres et symétrie de Pythagore, ou l'infini de
Parménide, ou l'un de Musée, ou l'eau et le feu d'Apollodore, ou les parties similaires d'Anaxagore, ou la dis-
corde et amitié d'Empédocle, ou le feu d'Héraclite, ou
toute autre opinion de cette confusion infinie d'avis et de
sentences que produit cette belle raison humaine par
sa certitude et clairvoyance en tout ce de quoi elle se
mêle, que je ferais l'opinion d'Aristote, sur ce sujet des
principes des choses naturelles : lesquels principes il
bâtit de trois pièces, matière, forme et privation. Et
qu'est-il plus vain que de faire l'inanité même cause
de la production des choses ? La privation, c'est une
négative; de quelle humeur en a-t-il pu faire la cause
et origine des choses qui sont ? Cela toutefois ne s'oserait
ébranler, que pour l'exercice de la Logique. On n'y
débat rien pour le mettre en doute, mais pour défendre
l'auteur de l'école des objections étrangères : son autorité

a. Renforçant. — *b*. Met à l'épreuve.

c'est le but au-delà duquel il n'est pas permis de s'en quérir.

Il est bien aisé, sur des fondements avoués *a*, de bâtir ce qu'on veut; car, selon la loi et ordonnance de ce commencement, le reste des pièces du bâtiment se conduit aisément, sans se démentir. Par cette voie nous trouvons notre raison bien fondée, et discourons à boule vue *b*; car nos maîtres préoccupent et gagnent avant main autant de lieu *c* en notre créance qu'il leur en faut pour conclure après ce qu'ils veulent, à la mode des géométriens, par leurs demandes avouées; le consentement et approbation que nous leur prêtons leur donnant de quoi nous traîner à gauche et à dextre, et nous pirouetter à leur volonté. Quiconque est cru de ses présuppositions, il est notre maître et notre Dieu; il prendra le plan de ses fondements si ample et si aisé que, par iceux, il nous pourra monter, s'il veut, jusques aux nues. En cette pratique et négociation de science nous avons pris pour argent comptant le mot de Pythagore, que chaque expert doit être cru en son art [259]. Le dialecticien se rapporte au grammairien de la signification des mots : le rhétoricien emprunte du dialecticien les lieux des arguments; le poète, du musicien les mesures; le géométrien, de l'arithméticien les proportions; les métaphysiciens prennent pour fondement les conjectures de la physique. Car chaque science a ses principes présupposés par où le jugement humain est bridé de toutes parts. Si vous venez à choquer cette barrière en laquelle gît la principale erreur, ils ont incontinent cette sentence en la bouche, qu'il ne faut pas débattre contre ceux qui nient les principes.

Or n'y peut-il avoir des principes aux hommes, si la divinité ne les leur a révélés; de tout le demeurant, et le commencement, et le milieu et la fin, ce n'est que songe et fumée. A ceux qui combattent par présupposition, il leur faut présupposer au contraire le même axiome de quoi on débat. Car toute présupposition humaine et toute énonciation a autant d'autorité que l'autre, si la raison n'en fait la différence. Ainsi il les faut toutes mettre à la balance; et premièrement les générales,

a. Admis. — *b*. A coup sûr (terme de jeu). — *c*. Place.

et celles qui nous tyrannisent. L'impression de la certitude est un certain témoignage de folie et d'incertitude
extrême; et n'est point de plus folles gens, ni moins
philosophes que les *philodoxes* de Platon [260]. Il faut savoir
si le feu est chaud, si la neige est blanche, s'il y a rien de
dur ou de mol en notre connaissance. .

Et quant à ces réponses de quoi il se fait des contes
anciens : comme à celui qui mettait en doute la chaleur,
à qui on dit qu'il se jetât dans le feu; à celui qui niait
la froideur de la glace, qu'il s'en mît dans le sein : elles
sont très indignes de la profession philosophique. S'ils
nous eussent laissé en notre état naturel, recevant les
apparences étrangères selon qu'elles se présentent à
nous par nos sens, et nous eussent laissé aller après nos
appétits simples et réglés par la condition de notre naissance, ils auraient raison de parler ainsi; mais c'est
d'eux que nous avons appris de nous rendre juges du
monde; c'est d'eux que nous tenons cette fantaisie,
que la raison humaine est contrôleuse générale de tout
ce qui est au-dehors et au-dedans de la voûte céleste,
qui embrasse tout, qui peut tout, par le moyen de
laquelle tout se sait et connaît.

Cette réponse serait bonne parmi les Cannibales,
qui jouissent l'heur d'une longue vie, tranquille et paisible sans les préceptes d'Aristote, et sans la connaissance
du nom de la physique. Cette réponse vaudrait mieux
à l'aventure et aurait plus de fermeté que toutes celles
qu'ils emprunteront de leur raison et de leur invention.
De celle-ci seraient capables avec nous tous les animaux
et tout ce où le commandement est encore pur et simple
de la loi naturelle; mais eux, ils y ont renoncé. Il ne
faut pas qu'ils me disent : « Il est vrai, car vous le voyez
et sentez ainsi »; il faut qu'ils me disent si, ce que je
pense sentir, je le sens pourtant en effet; et, si je le sens,
qu'ils me disent après pourquoi je le sens, et comment,
et quoi; qu'ils me disent le nom, l'origine, les tenants
et aboutissants de la chaleur, du froid, les qualités de
celui qui agit et de celui qui souffre; ou qu'ils me quittent
leur profession, qui est de ne recevoir ni approuver rien
que par la voie de la raison; c'est leur touche à toutes
sortes d'essais; mais certes, c'est une touche pleine
de fausseté, d'erreur, de faiblesse et défaillance.

Par où la voulons-nous mieux éprouver que par elle-même ? S'il ne la faut croire parlant de soi, à peine sera-t-elle propre à juger des choses étrangères ; si elle connaît quelque chose, au moins sera-ce son être et son domicile. Elle est en l'âme, et partie ou effet d'icelle : car la vraie raison est essentielle, de qui nous dérobons le nom à fausses enseignes, elle loge dans le sein de Dieu ; c'est là son gîte et sa retraite, c'est de là où elle part quand il plaît à Dieu nous en faire voir quelque rayon, comme Pallas saillit de la tête de son père pour se communiquer au monde.

Or voyons ce que l'humaine raison nous a appris de soi et de l'âme ; non de l'âme en général, de laquelle quasi toute philosophie rend les corps célestes et les premiers corps participants ; ni de celle que Thalès attribuait aux choses mêmes qu'on tient inanimées, convié par la considération de l'aimant ; mais de celle qui nous appartient, que nous devons mieux connaître [261].

> *Ignoratur enim quæ sit natura animaï,*
> *Nata sit, an contra nascentibus insinuetur,*
> *Et simul intereat nobiscum morte dirempta,*
> *An tenebras orci visat vastásque lacunas,*
> *An pecudes alias divinitus insinuet se* *.

A Cratès [262] et Dicéarque, qu'il n'y en avait du tout point, mais que le corps s'ébranlait ainsi d'un mouvement naturel ; à Platon, que c'était une substance se mouvant de soi-même ; à Thalès, une nature sans repos ; à Asclépiade, une exercitation des sens ; à Hésiode et Anaximandre, chose composée de terre et d'eau ; à Parménide, de terre et de feu ; à Empédocle, de sang,

> *Sanguineam vomit ille animam* ** ;

---

* Lucrèce, *De Natura Rerum*, chant I : « On ignore, en effet, quelle est la nature de l'âme : si elle est née avec le corps ou si elle s'y glisse au moment de la naissance, si elle périt en même temps que nous, emportée par la mort ; si elle s'en va visiter les ténèbres d'Orcus et ses vastes abîmes, ou si elle s'introduit dans d'autres êtres par suite de la volonté divine. »

** Virgile, *Énéide*, chant IX : « Il vomit son âme de sang. »

à Possidonius, Cléante et Galien, une chaleur ou complexion chaleureuse,

> *Igneus est ollis vigor, et cælestis origo* * ;

à Hippocrate, un esprit épandu par le corps; à Varron, un air reçu par la bouche, échauffé au poumon, attrempé au cœur et épandu par tout le corps; à Zénon, la quintessence des quatre éléments; à Héraclide Ponticus, la lumière; à Xénocrate et aux Égyptiens, un nombre mobile; aux Chaldéens, une vertu sans forme déterminée,

> *habitum quemdam vitalem corporis esse,*
> *Harmoniam Græci quam dicunt* **.

N'oublions pas Aristote : ce qui naturellement fait mouvoir le corps, qu'il nomme entéléchie [263]; d'une autant froide invention que nulle autre, car il ne parle ni de l'essence, ni de l'origine, ni de la nature de l'âme mais en remarque seulement l'effet. Lucrance [264], Sénèque et la meilleure part entre les dogmatistes, ont confessé que c'était chose qu'ils n'entendaient pas. Et, après tout ce dénombrement d'opinions : « *Harum sententiarum quæ vera sit, deus aliquis viderit* *** », dit Cicéron. Je connais par moi, dit saint Bernard [265], combien Dieu est incompréhensible, puisque, les pièces de mon être propre, je ne les puis comprendre. Héraclite, qui tenait tout être plein d'âmes et de démons, maintenait pourtant qu'on ne pouvait aller tant avant vers la connaissance de l'âme, qu'on y pût arriver, si profonde être son essence [266].

Il n'y a pas moins de dissension ni de débat à la loger [267]. Hippocrate et Hiérophile la mettent au ventricule du cerveau; Démocrite et Aristote, par tout le corps,

---

* Virgile, *Énéide* chant VI : « Elles ont là la vigueur du feu, et leur origine est céleste. »
** Lucrèce, *De Natura Rerum,* chant III : « Une sorte de disposition vitale du corps nommée par les Grecs *harmonie.* »
*** Cicéron, *Tusculanes,* livre I, chap. II : « Quelle est la vraie de toutes ces opinions, c'est un dieu qui pourrait le dire. »

> *Ut bona sæpe valetudo cum dicitur esse*
> *Corporis, et non est tamen hæc pars ulla valentis* * ;

Épicure, en l'estomac,

> *Hic exultat enim pavor ac metus, hæc loca circum*
> *Lætitiæ   mulcent* **.

Les Stoïciens, autour et dedans le cœur; Érasistrate [268], joignant la membrane de l'épicrâne; Empédocle, au sang; comme aussi Moïse, qui fut la cause pourquoi il défendit de manger le sang des bêtes, auquel leur âme est jointe; Galien a pensé que chaque partie du corps ait son âme; Straton [269] l'a logée entre les deux sourcils. « *Qua facie quidem sit animus, aut ubi habitet, ne quærendum quidem est* *** », dit Cicéron. Je laisse volontiers à cet homme ses mots propres. Irais-je altérer à l'éloquence son parler ? Joint qu'il y a peu d'acquêt à dérober la matière de ses inventions : elles sont et peu fréquentes, et peu roides, et peu ignorées. Mais la raison pourquoi Chrysippe [270] l'argumente autour du cœur, comme les autres de sa secte, n'est pas pour être oubliée : « C'est par ce, dit-il, que, quand nous voulons assurer quelque chose, nous mettons la main sur l'estomac; et quand nous voulons prononcer ἐγω, qui signifie moi, nous baissons vers l'estomac la mâchoire d'en bas. » Ce lieu *a* ne se doit passer sans remarquer la vanité d'un si grand personnage. Car, outre ce que ces considérations sont d'elles-mêmes infiniment légères, la dernière ne prouve qu'aux Grecs, qu'ils aient l'âme en cet endroit-là. Il n'est jugement humain, si tendu, qui ne sommeille parfois. Voilà Platon qui définit l'homme.

Que craignons-nous à dire ? Voilà les Stoïciens, pères

---

a. Passage.

* Lucrèce, chant II : « De même qu'on parle souvent de la bonne santé du corps sans que celle-ci soit une partie de la personne en bonne santé. »

** Lucrèce, chant III : « C'est là que l'on sent palpiter la crainte et la terreur; c'est là que l'on éprouve les douces émotions du plaisir. »

*** Cicéron, *Tusculanes*, livre I, chap. XXVIII : « On ne doit pas même chercher quel est l'aspect de l'âme, ni où elle réside. »

de l'humaine prudence, qui trouvent que l'âme d'un homme accablé sous une ruine, traîne et ahane long-temps à sortir, ne se pouvant démêler *a* de la charge, comme une souris prise à la trapelle [271].

Aucuns [272] tiennent que le monde fut fait pour don-ner corps par punition aux esprits déchus, par leur faute, de la pureté en quoi ils avaient été créés, la pre-mière création n'ayant été qu'incorporelle; et que, selon qu'ils se sont plus ou moins éloignés de leur spi-ritualité, on les incorpore plus ou moins allégrement ou lourdement. De là vient la variété de tant de matière créée. Mais l'esprit qui fut, pour sa peine, investi du corps du soleil, devait avoir une mesure d'altération bien rare et particulière. Les extrémités de notre per-quisition tombent toutes en éblouissement : comme dit Plutarque de la tête des histoires [273], qu'à la mode des cartes l'orée des terres connues est saisie de marais, forêts profondes, déserts et lieux inhabitables. Voilà pourquoi les plus grossières et puériles rêvasseries se trouvent plus en ceux qui traitent les choses plus hautes et plus avant, s'abîmant en leur curiosité et présomp-tion. La fin et le commencement de science se tiennent en pareille bêtise. Voyez prendre à mont *b* l'essor à Platon en ses nuages poétiques; voyez chez lui le jargon des Dieux. Mais à quoi songeait-il quand il définit l'homme un animal à deux pieds, sans plume; fournissant à ceux qui avaient envie de se moquer de lui une plaisante occasion : car, ayant plumé un chapon vif, ils l'allaient nommant l'homme de Platon [274].

Et quoi les Épicuriens ? de quelle simplicité étaient-ils allés premièrement imaginer que leurs atomes, qu'ils disaient être des corps ayant quelque pesanteur et un mouvement naturel contre bas, eussent bâti le monde; jusques à ce qu'ils fussent avisés par leurs adversaires que, par cette description, il n'était pas possible qu'elles se joignissent et se prissent l'une à l'autre, leur chute étant ainsi droite et perpendiculaire, et engendrant par-tout des lignes parallèles ? Par quoi, il fut force qu'ils y ajoutassent depuis un mouvement de côté, fortuit, et qu'ils fournissent encore à leurs atomes des queues

a. Se dégager. — *b.* En haut.

courbes et crochues, pour les rendre aptes à s'attacher et se coudre.

Et lors même, ceux qui les poursuivent de cette autre considération, les mettent-ils pas en peine? Si les atomes ont, par sort, formé tant de sortes de figures, pourquoi ne se sont-ils jamais rencontrés à faire une maison, un soulier? Pourquoi, de même, ne croit-on qu'un nombre infini de lettres grecques versées emmi la place, seraient pour arriver à la contexture de l'*Iliade*? Ce qui est capable de raison, dit Zénon, est meilleur que ce qui n'en est point capable : il n'est rien meilleur que le monde; il est donc capable de raison. Cotta, par cette même argumentation, fait le monde mathématicien; et le fait musicien et organiste par cette autre argumentation, aussi de Zénon : le tout est plus que la partie; nous sommes capables de sagesse et sommes parties du monde : il est donc sage [275].

Il se voit infinis pareils exemples, non d'arguments faux seulement, mais ineptes, ne se tenant point, et accusant leurs auteurs non tant d'ignorance que d'imprudence, ès reproches que les philosophes se font les uns aux autres sur les dissensions de leurs opinions et de leurs sectes [276]. Qui fagoterait suffisamment un amas des âneries de l'humaine prudence, il dirait merveilles.

J'en assemble volontiers comme une montre [a], par quelque biais non moins utile à considérer que les opinions saines et modérées. Jugeons par là ce que nous avons à estimer de l'homme, de son sens et de sa raison, puisqu'en ces grands personnages, et qui ont porté si haut l'humaine suffisance, il s'y trouve des défauts si apparents et si grossiers. Moi, j'aime mieux croire qu'ils ont traité la science casuellement [b], ainsi qu'un jouet à toutes mains, et se sont ébattus de la raison comme d'un instrument vain et frivole, mettant en avant toutes sortes d'inventions et de fantaisies, tantôt plus tendues, tantôt plus lâches. Ce même Platon qui définit l'homme comme une poule, il le dit ailleurs, après Socrate, qu'il ne sait à la vérité que c'est que l'homme, et que c'est l'une des pièces du monde d'autant difficile connaissance. Par cette variété et instabilité d'opinions, ils nous mènent comme

a. Revue. — *b*. Par hasard.

par la main, tacitement, à cette résolution de leur irrésolution. Ils font profession de ne présenter pas toujours leur avis en visage découvert et apparent; ils l'ont caché tantôt sous des ombrages fabuleux de la poésie, tantôt sous quelque autre masque; car notre imperfection porte encore cela, que la viande crue n'est pas toujours propre à notre estomac : il la faut assécher, altérer et corrompre. Ils font de même : ils obscurcissent parfois leurs naïves opinions et jugements, et les falsifient, pour s'accommoder à l'usage public. Ils ne veulent pas faire profession expresse d'ignorance et de l'imbécillité de la raison humaine, pour ne faire peur aux enfants; mais ils nous la découvrent assez sous l'apparence d'une science trouble et inconstante.

Je conseillais, en Italie [277], à quelqu'un qui était en peine de parler italien, que, pourvu qu'il ne cherchât qu'à se faire entendre, sans y vouloir autrement exceller, qu'il employât seulement les premiers mots qui lui viendraient à la bouche, latins, français, espagnols ou gascons, et qu'en y ajoutant la terminaison italienne, il ne faudrait [a] jamais à rencontrer quelque idiome du pays, ou toscan, ou romain, ou vénitien, ou piémontais, ou napolitain, et de se joindre à quelqu'une de tant de formes. Je dis de même de la Philosophie; elle a tant de visages et de variété, et a tant dit, que tous nos songes et rêveries s'y trouvent. L'humaine fantaisie [b] ne peut rien concevoir en bien et en mal qui n'y soit. « *Nihil tam absurde dici potest quod non dicatur ab aliquo philosophorum* *. » Et j'en laisse plus librement aller mes caprices en public; d'autant que, bien qu'ils soient nés chez moi et sans patron, je sais qu'ils trouveront leur relation à quelque humeur ancienne; et ne faudra quelqu'un de dire : « Voilà d'où il le prit! »

Mes mœurs sont naturelles; je n'ai point appelé à les bâtir le secours d'aucune discipline. Mais, toutes imbéciles [c] qu'elles sont, quand l'envie m'a pris de les réciter [d], et que, pour les faire sortir en public un peu plus décemment, je me suis mis en devoir de les assis-

---

a. Manquerait. — *b*. Imagination. — *c*. Faibles. — *d*. Raconter.
* Cicéron, *De Divinatione*, livre II, chap. LVIII : « On ne peut rien dire de si absurde qui n'ait été dit par quelque philosophe. »

ter et de discours et d'exemples, ça a été merveille
à moi-même de les rencontrer, par cas d'aventure,
conformes à tant d'exemples et discours philosophiques.
De quel régiment *a* était ma vie, je ne l'ai appris qu'après
qu'elle est exploitée et employée.

Nouvelle figure : un philosophe imprémédité et
fortuit!

Pour revenir à notre âme, ce que Platon [278] a mis
la raison au cerveau, l'ire au cœur et la cupidité au
foie, il est vraisemblable que ç'a été plutôt une interprétation des mouvements de l'âme, qu'une division
et séparation qu'il en ait voulu faire, comme d'un corps
en plusieurs membres. Et la plus vraisemblable de leurs
opinions est que c'est toujours une âme qui, par sa
faculté, ratiocine, se souvient, comprend, juge, désire
et exerce toutes ses autres opérations par divers instruments du corps (comme le nocher gouverne son
navire selon l'expérience qu'il en a, ores *b* tendant ou
lâchant une corde, ores haussant l'antenne ou remuant
l'aviron, par une seule puissance conduisant divers
effets); et qu'elle loge au cerveau : ce qui appert de ce que
les blessures et accidents qui touchent cette partie,
offensent *c* incontinent les facultés de l'âme; de là, il n'est
pas inconvénient *d* qu'elle s'écoule par le reste du corps :

> *medium non deserit unquam*
> *Cæli Phœbus iter ; radiis tamen omnia lustrat* *,

comme le soleil épand du ciel en hors sa lumière et ses
puissances, et en remplit le monde :

> *Cætera pars animæ per totum dissita corpus*
> *Paret, et ad numen mentis momenque movetur* **.

---

a. Catégorie. — *b.* Tantôt... tantôt. — *c.* Blessent. — *d.* Extraordinaire.
* Claudien, *De sexto consulatu Honorius,* chant V : « Phébus ne
s'écarte jamais dans sa course du milieu du ciel : cependant, il
parcourt tout de ses rayons. »
** Lucrèce, chant III : « L'autre partie constituée par l'âme,
disséminée par tout le corps, obéit et se meut selon la volonté et
l'impulsion de l'esprit. »

Aucuns ont dit qu'il y avait une âme générale, comme un grand corps, duquel toutes les âmes particulières étaient extraites et s'y en retournaient, se remêlant toujours à cette matière universelle,

> *Deum namque ire per omnes*
> *Terrásque tractúsque maris cælumque profundum :*
> *Hinc pecudes, armenta, viros, genus omne ferarum*
> *Quemque sibi tenues nascentem arcessere vitas ;*
> *Scilicet huc reddi deinde, ac resoluta referri*
> *Omnia : nec morti esse locum* * ;

d'autres, qu'elles ne faisaient que s'y rejoindre et rattacher ; d'autres, qu'elles étaient produites de la substance divine ; d'autres, par les anges, de feu et d'air. Aucuns, de toute ancienneté ; aucuns, sur l'heure même du besoin. Aucuns les font descendre du rond de la lune et y retourner. Le commun des anciens, qu'elles sont engendrées de père en fils, d'une pareille manière et production que toutes autres choses naturelles argumentant cela par la ressemblance des enfants aux pères,

> *Instillata patris virtus tibi* **.

. . . .

> *Fortes creantur fortibus et bonis* ***,

et qu'on voit écouler des pères aux enfants, non seulement les marques du corps, mais encore une ressemblance d'humeurs, de complexions et inclinations de l'âme :

> *Denique cur acris violentia triste leonum*
> *Seminium sequitur ; dolus vulpibus, et fuga cervis*

---

* Virgile, *Géorgiques,* chant IV : « Dieu se répand dans toutes les terres, dans les espaces de la mer, dans les profondeurs du ciel ; c'est de lui que le bétail, petit et gros, que l'homme, toute l'espèce des bêtes sauvages, que tout être en naissant tire les éléments subtils de la vie ; c'est à lui vraisemblablement que sont rendues et retournées toutes choses après leur transformation : il n'y a pas de place pour la mort. »

** Vers d'origine inconnue jusqu'ici : « La vertu de ton père t'a été transmise avec la vie. »

*** Horace, *Ode 4* du livre IV : « Des enfants courageux sont créés par des pères courageux et vertueux. »

A patribus datur, et patrius pavor incitat artus;
Si non certa suo quia semine seminióque
Vis animi pariter crescit cum corpore toto * ?

que là-dessus se fonde la justice divine, punissant aux
enfants la faute des pères; d'autant que la contagion
des vices paternels est aucunement empreinte en l'âme
des enfants, et que le dérèglement de leur volonté les
touche.

Davantage, que si les âmes venaient d'ailleurs que
d'une suite naturelle, et qu'elles eussent été quelque
autre chose hors du corps, elles auraient recordation *a* de
leur être premier, attendu les naturelles facultés qui
lui sont propres de discourir, raisonner et se souvenir :

> *si in corpus nascentibus insinuatur,*
> *Cur superante actam ætatem meminisse nequimus,*
> *Nec vestigia gestarum rerum ulla tenemus* ** ?

Car, pour faire valoir la condition de nos âmes comme
nous voulons, il les faut présupposer toutes savantes,
lorsqu'elles sont en leur simplicité et pureté naturelle.
Par ainsi elles eussent été telles, étant exemptes de la
prison corporelle, aussi bien avant que d'y entrer, comme
nous espérons qu'elles seront après qu'elles en seront
sorties. Et de ce savoir, il faudrait qu'elles se ressouvins-
sent encore étant au corps, comme disait Platon que ce
que nous apprenions n'était qu'un ressouvenir de ce que
nous avions su [279] : chose que chacun, par expérience,
peut maintenir être fausse. En premier lieu, d'autant qu'il
ne nous ressouvient justement que de ce qu'on nous
apprend, et que, si la mémoire faisait purement son
office, au moins nous suggérerait-elle quelque trait

---

a. Souvenir.
* Lucrèce, chant III : « Pourquoi la férocité des lions se trans-
met-elle à leur descendance ? La ruse aux renards, la fuite aux cerfs,
transmises par leurs pères; une panique héréditaire fait tressaillir
leurs membres; la cause en est que pour chaque genre et espèce
existe une âme déterminée qui croît avec le corps tout entier. »
** Lucrèce, chant III : « Si l'âme s'insinue dans le corps à la nais-
sance, pourquoi n'avons-nous aucun souvenir de notre vie passée ?
Pourquoi n'avons-nous aucune trace de nos anciennes actions ? »

outre l'apprentissage. Secondement, ce qu'elle savait,
étant en sa pureté, c'était une vraie science, connaissant
les choses comme elles sont par sa divine intelligence, là
où ici on lui fait recevoir le mensonge et le vice, si on
l'en instruit! En quoi elle ne peut employer sa réminiscence, cette image et conception n'ayant jamais logé en
elle. De dire que la prison corporelle étouffe de manière
ses facultés naïves qu'elles y sont toutes éteintes, cela
est premièrement contraire à cette autre créance, de
reconnaître ses forces si grandes, et les opérations que
les hommes en sentent en cette vie, si admirables que
d'en avoir conclu cette divinité et éternité passée, et
l'immortalité à venir :

> *Nam, si tantopere est animi mutata potestas*
> *Omnis ut actarum exciderit retinentia rerum,*
> *Non, ut opinor, ea ab leto jam longior errat* *.

En outre, c'est ici, chez nous et non ailleurs, que
doivent être considérés les forces et les effets de l'âme;
tout le reste de ses perfections lui est vain et inutile :
c'est de l'état présent que doit être payée et reconnue
toute son immortalité, et de la vie de l'homme qu'elle
est comptable seulement. Ce serait injustice de lui avoir
retranché ses moyens et ses puissances; de l'avoir désar-
mée, pour, du temps de sa captivité et de sa prison, de
sa faiblesse et maladie, du temps où elle aurait été forcée
et contrainte, tirer le jugement et une condamnation
de durée infinie et perpétuelle; et de s'arrêter à la considération d'un temps si court, qui est à l'aventure d'une
ou de deux heures, ou, au pis aller, d'un siècle, qui n'a
non plus de proportion à l'infinité qu'un instant, pour,
de ce moment d'intervalle, ordonner et établir défini-
tivement de tout son être. Ce serait une disproportion
inique de tirer une récompense éternelle en conséquence
d'une si courte vie.

Platon [280], pour se sauver de cet inconvénient, veut
que les paiements futurs se limitent à la durée de cent

---

* Lucrèce, chant III : « Si les facultés de l'âme sont altérées au
point que tout souvenir du passé soit banni, cet état n'est pas bien
éloigné de la mort, selon moi. »

ans relativement à l'humaine durée; et des nôtres assez
leur ont donné bornes temporelles.

Par ainsi ils jugeaient que sa génération suivait la
commune condition des choses humaines, comme aussi
sa vie, par l'opinion d'Épicure et de Démocrite, qui a
été la plus reçue, suivant ces belles apparences, qu'on la
voyait naître à même que le corps en était capable; on
voyait élever ses forces comme les corporelles; on y
reconnaissait la faiblesse de son enfance, et, avec le
temps, sa vigueur et sa maturité; et puis sa déclinaison *a*
et sa vieillesse, et enfin sa décrépitude,

> *gigni pariter cum corpore, et una*
> *Crescere sentimus, paritérque senescere mentem* *.

Ils l'apercevaient capable de diverses passions et agitée
de plusieurs mouvements pénibles, d'où elle tombait
en lassitude et en douleur, capable d'altération et de
changement, d'allégresse, d'assoupissement et de langueur, sujette à ses maladies et aux offenses *b*, comme
l'estomac ou le pied,

> *mentem sanari, corpus ut ægrum*
> *Cernimus, et flecti medicina posse videmus* ** ;

éblouie et troublée par la force du vin; démue *c* de son
assiette par les vapeurs d'une fièvre chaude; endormie
par l'application d'aucuns médicaments, et réveillée
par d'autres :

> *corpoream naturam animi esse necesse est,*
> *Corporeis quoniam telis ictuque laborat* ***.

---

a. Déclin. — *b.* Dommages. — *c.* Écartée.

* Lucrèce, chant III : « Nous avons le sentiment que l'âme naît
avec le corps, qu'elle grandit et vieillit en même temps que lui. »

** Lucrèce, chant III : « Nous voyons l'esprit se guérir comme
un corps malade et se rétablir par les soins de la médecine. »

*** Lucrèce, chant III : « L'essence de l'âme est nécessairement
corporelle, puisqu'elle souffre des traits et des coups que reçoit le
corps. »

On lui voyait étonner et renverser toutes ses facultés par la seule morsure d'un chien malade, et n'y avoir nulle si grande fermeté de discours, nulle suffisance, nulle vertu, nulle résolution philosophique, nulle contention de ses forces qui la pût exempter de la sujétion de ces accidents; la salive d'un chétif mâtin, versée sur la main de Socrate, secouer toute sa sagesse et toutes ses grandes et si réglées imaginations, les anéantir de manière qu'il ne restât aucune trace de sa connaissance première :

> *vis animaï*
> *Conturbatur . . . .et divisa seorsum*
> *Disjectatur, eodem illo distracta veneno * ;*

et ce venin ne trouver non plus de résistance en cette âme qu'en celle d'un enfant de quatre ans; venin capable de faire devenir toute la philosophie, si elle était incarnée, furieuse et insensée; si que Caton, qui tordait le col à la mort même et à la fortune, ne peut souffrir la vue d'un miroir, ou de l'eau, accablé d'épouvantement et d'effroi, quand il serait tombé, par la contagion d'un chien enragé, en la maladie que les médecins nomment hydrophobie :

> *vis morbi distracta per artus*
> *Turbat agens animam, spumantes æquore salso*
> *Ventorum ut validis fervescunt viribus undæ **.*

Or, quant à ce point, la philosophie a bien armé l'homme pour la souffrance de tous autres accidents, ou de patience [a], ou, si elle coûte trop à trouver, d'une défaite infaillible, en se dérobant tout à fait du sentiment; mais ce sont moyens qui servent à une âme étant à soi et en ses forces, capables de discours et de délibération;

---

a. Endurance.
* Lucrèce, chant III : « La force de l'âme est bouleversée... et divisée, elle est mise en pièces, ses éléments étant disjoints par l'effet du même poison. »
** *Ibid.*, chant III : « La violence du mal répandue dans les membres bouleverse l'âme en la mettant en mouvement, de même que les flots écumants bouillonnent sur la plaine salée par l'effet des vents puissants. »

non pas à cet inconvénient où, chez un philosophe, une
âme devient l'âme d'un fol, troublée, renversée et perdue]:
ce que plusieurs occasions produisent comme une agitation trop véhémente que, par quelque forte passion, l'âme
peut engendrer en soi-même ou une blessure en certain
endroit de la personne, ou une exhalaison de l'estomac
nous jetant à un éblouissement et tournoiement de tête,

> *morbis in corporis, avius errat*
> *Sæpe animus : dementit enim, deliraque fatur ;*
> *Interdumque gravi Lethargo fertur in altum*
> *Æternumque soporem, oculis nutuque cadenti* *.

Les philosophes n'ont, ce me semble, guère touché
cette corde.

Non plus qu'une autre de pareille importance. Ils
ont ce dilemme toujours en la bouche pour consoler
notre mortelle condition : « Ou l'âme est mortelle, ou
immortelle. Si mortelle, elle sera sans peine; si immortelle, elle ira en amendant. » Ils ne touchent jamais
l'autre branche : « Quoi, si elle va en empirant ? » et
laissent aux poètes les menaces des peines futures.
Mais par là ils se donnent un beau jeu. Ce sont deux
omissions qui s'offrent à moi souvent en leurs discours.
Je reviens à la première.

Cette âme perd le goût du souverain bien stoïque,
si constant et si ferme. Il faut que notre belle sagesse
se rende en cet endroit et quitte les armes. Au demeurant,
ils considéraient aussi, par la vanité de l'humaine raison,
que le mélange et société de deux pièces si diverses,
comme est le mortel et l'immortel, est inimaginable :

> *Quippe etenim mortale æterno jungere, et una*
> *Consentire putare, et fungi mutua posse,*
> *Desipere est. Quid enim diversius esse putandum est,*
> *Aut magis inter se disjunctum discrepitánsque,*

---

* Lucrèce, chant III : « Dans les maladies du corps, souvent
l'esprit s'égare, battant la campagne; le malade déraisonne et
délire; parfois une pesante léthargie l'emporte dans les profondeurs
d'un sommeil éternel; les yeux se ferment; la tête penche. »

> *Quam mortale quod est, immortali atque perenni*
> *Junctum, in concilio sævas tolerare procellas * ?*

Davantage ils sentaient l'âme s'engager en la mort, comme le corps,

> *simul ævo fessa fatiscit ** :*

ce que, selon Zénon, l'image du sommeil nous montre assez; car il estime que c'est une défaillance et chute de l'âme aussi bien que du corps : « *Contrahi animum et quasi labi putat atque concidere ***.* » Et ce, qu'on apercevait en aucuns sa force et sa vigueur se maintenir en la fin de la vie, ils le rapportaient à la diversité des maladies, comme on voit les hommes en cette extrémité maintenir qui un sens, qui un autre, qui l'ouïr, qui le fleurer, sans altération; et ne se voit point d'affaiblissement si universel, qu'il n'y reste quelques parties entières et vigoureuses :

> *Non alio pacto quam si, pes cum dolet ægri,*
> *In nullo caput interea sit forte dolore ****.*

La vue de notre jugement se rapporte à la vérité, comme fait l'œil du chat-huant à la splendeur du soleil, ainsi que dit Aristote [281]. Par où le saurions-nous mieux convaincre que par si grossiers aveuglements en une si apparente lumière?

Car l'opinion contraire de l'immortalité de l'âme, laquelle Cicéron dit [282] avoir été premièrement intro-

---

* Lucrèce, chant III : « Assurément unir le mortel à l'éternel, et penser qu'ils ont des sentiments communs, des fonctions communes, c'est de la folie. Peut-on supposer quelque chose de plus différent, de plus éloigné et de plus discordant que ces deux substances, l'une périssable, l'autre immortelle et éternelle, qui supporteraient ensemble les cruelles tempêtes? »

** *Ibid.*, chant III : « Elle succombe avec lui sous le poids de l'âge. »

*** D'après Cicéron, *De Divinatione,* livre II, chap. LVIII : « Il» pense que l'âme se contracte, et en quelque sorte glisse et s'affaisse.

**** Lucrèce, chant III : « De la même façon qu'un malade peut avoir mal au pied sans souffrir de la tête. »

duite, au moins du témoignage des livres, par Phe-
récyde Syrus, du temps du roi Tullus (d'autres en attribuent l'invention à Thalès, et autres à d'autres), c'est
la partie de l'humaine science traitée avec plus de réservation et de doute. Les dogmatistes les plus fermes
sont contraints en cet endroit principalement de se
rejeter à l'abri des ombrages de l'Académie. Nul ne sait
ce qu'Aristote a établi de ce sujet [283] : non plus que tous
les Anciens en général, qui le manient d'une vaillante
créance : « *rem gratissimam promittentium magis quam
probantium* * ». Il s'est caché sous le nuage de paroles
et sens difficiles et non intelligibles, et a laissé à ses
sectateurs autant à débattre sur son jugement que sur
la matière. Deux choses leur rendaient cette opinion
plausible : l'une, que, sans l'immortalité des âmes, il
n'y aurait plus de quoi asseoir les vaines espérances
de la gloire, qui est une considération de merveilleux
crédit au monde; l'autre, que c'est une très utile impression, comme dit Platon [284], que les vices, quand ils se
déroberont à la vue obscure et incertaine de l'humaine
justice, demeurent toujours en butte à la divine, qui les
poursuivra, voire après la mort des coupables.

Un soin extrême tient l'homme d'allonger son être :
il y a pourvu par toutes ses pièces. Et pour la conservation du corps sont les sepultures; pour la conservation du nom, la gloire.

Il a employé toute son opinion à se rebâtir, impatient de sa fortune, et à s'étançonner [a] par ses inventions. L'âme, par son trouble et sa faiblesse ne pouvant tenir sur son pied, va quêtant de toutes parts des
consolations, espérances et fondements en des circonstances étrangères où elle s'attache et se plante; et, pour
légers et fantastiques que son invention les lui forge,
s'y repose plus sûrement qu'en soi, et plus volontiers.

Mais les plus aheurtés [b] à cette si juste et claire persuasion de l'immortalité de nos esprits, c'est merveille
comme ils se sont trouvés courts et impuissants à l'établir
par leurs humaines forces : « *Somnia sunt non docentis,*

---

a. S'étayer. — b. Obstinés.

* Sénèque, *Lettre 102 :* « Promesse fort agréable de gens qui font
espérer plutôt qu'ils ne prouvent. »

sed optantis * », disait un Ancien. L'homme peut reconnaître, par ce témoignage, qu'il doit à la fortune et à la rencontre, la vérité qu'il découvre lui seul, puisque, lors même qu'elle lui est tombée en main, il n'a pas de quoi la saisir et la maintenir, et que sa raison n'a pas la force de s'en prévaloir. Toutes choses produites par notre propre discours [a] et suffisance, autant vraies que fausses, sont sujettes à l'incertitude et débat. C'est pour le châtiment de notre fierté et instruction de notre misère et incapacité, que Dieu produisit le trouble et la confusion de l'ancienne tour de Babel. Tout ce que nous entreprenons sans son assistance, tout ce que nous voyons sans la lampe de sa grâce, ce n'est que vanité et folie; l'essence même de la vérité, qui est uniforme et constante, quand la fortune nous en donne la possession, nous la corrompons et abâtardissons par notre faiblesse. Quelque train que l'homme prenne de soi, Dieu permet qu'il arrive toujours à cette même confusion, de laquelle il nous représente si vivement l'image par le juste châtiment de quoi il battit l'outrecuidance de Nemrod et anéantit les vaines entreprises du bâtiment de sa pyramide : « *Perdam sapientiam sapientium, et prudentium reprobabo* **. » La diversité d'idiomes et de langues, de quoi il troubla cet ouvrage, qu'est-ce autre chose que cette infinie et perpétuelle altercation et discordance d'opinions et de raisons qui accompagne et embrouille le vain bâtiment de l'humaine science. Et l'embrouille utilement. Qui nous tiendrait [b], si nous avions un grain de connaissance? Ce saint m'a fait grand plaisir : « *Ipsa utilitatis occultatio aut humilitatis exercitatio est, aut elationis attritio* ***. » Jusques à quel point de présomption et d'insolence ne portons-nous notre aveuglement et notre bêtise?

Mais, pour reprendre mon propos, c'était vraiment

a. Raison. — *b.* Retiendrait.

* Cicéron, *Académiques*, livre II, chap. xxxviii : « Ce sont les rêves d'un homme qui fait des vœux, non d'un maître qui enseigne. »

** Saint Paul, Première Épître aux Corinthiens, i, 19 : « Je confondrai la sagesse des sages et je réprouverai la prudence des prudents. »

*** Saint Augustin, *Cité de Dieu*, livre XI, chap. xxii : « Le fait que notre intérêt reste caché exerce l'humilité et freine l'orgueil. »

bien raison que nous fussions tenus à Dieu seul, et au bénéfice de sa grâce, de la vérité d'une si noble créance, puisque de sa seule libéralité nous recevons le fruit de l'immortalité, lequel consiste en la jouissance de la béatitude éternelle.

Confessons ingénument que Dieu seul nous l'a dit, et la foi : car leçon n'est-ce pas de nature et de notre raison. Et qui retentera *a* son être et ses forces, et dedans et dehors, sans ce privilège divin; qui verra l'homme sans le flatter, il n'y verra ni efficace, ni faculté qui sente autre chose que la mort et la terre. Plus nous donnons, et devons, et rendons à Dieu, nous en faisons d'autant plus chrétiennement.

Ce que ce philosophe Stoïcien dit tenir du fortuit consentement de la voix populaire, valait-il pas mieux qu'il le tînt de Dieu ? « *Cum de animorum æternitate disserimus, non leve momentum apud nos habet consensus hominum aut timentium inferos, aut colentium. Utor hac publica persuasione* *. »

Or la faiblesse des arguments humains sur ce sujet se connaît singulièrement par les fabuleuses circonstances qu'ils ont ajoutées à la suite de cette opinion, pour trouver de quelle condition était cette nôtre immortalité. Laissons les Stoïciens — « *usuram nobis largiuntur tanquam cornicibus : diu mansuros aïunt animos; semper negant* ** » — qui donnent aux âmes une vie au-delà de celle-ci, mais finie. La plus universelle et plus reçue opinion, et qui dure jusques à nous en divers lieux, ç'a été celle de laquelle on fait auteur Pythagore, non qu'il en fût le premier inventeur, mais d'autant qu'elle reçut beaucoup de poids et de crédit par l'autorité de son approbation; c'est que les âmes, au partir de nous, ne faisaient que rouler d'un corps à un autre, d'un lion

---

a. Mettra à l'épreuve plusieurs fois.

* Sénèque, *Lettre 117* : « Lorsque nous traitons de l'immortalité de l'âme, le consentement des hommes qui redoutent ou qui vénèrent les dieux infernaux est un argument de poids près de nous. Je profite de cette conviction générale. »

** Cicéron, *Tusculanes*, livre I, chap. xxxi : « Ils nous accordent une longue durée comme aux corneilles; ils affirment que les âmes vivent longtemps, mais non toujours. »

à un cheval, d'un cheval à un roi, se promenant ainsi sans cesse de maison en maison.

Et lui, disait [285] se souvenir avoir été Éthalides, depuis Euphorbe, en après Hermotimus, enfin de Pyrrhus être passé en Pythagore, ayant mémoire de soi de deux cent six ans. Ajoutaient aucuns que ces âmes remontent au ciel parfois et après en dévalent encore :

> *O pater, anne aliquas ad cœlum hinc ire putandum est*
> *Sublimes animas iterumque ad tarda reverti*
> *Corpora ? Quœ lucis miseris tam dira cupido * ?*

Origène les fait aller et venir éternellement du bon au mauvais état [286]. L'opinion que Varron récite [a] est qu'en 440 ans de révolution elles se rejoignent à leur premier corps; Chrysippe, que cela doit advenir après certain espace de temps non limité.

Platon, qui dit [827] tenir de Pindare et de l'ancienne poésie cette créance des infinies vicissitudes de mutation auxquelles l'âme est préparée, n'ayant ni les peines ni les récompenses en l'autre monde que temporelles, comme sa vie en celui-ci n'est que temporelle, conclut en elle une singulière science des affaires du ciel, de l'enfer et d'ici où elle a passé, repassé et séjourné à plusieurs voyages : matière à sa réminiscence.

Voici son progrès [b] ailleurs [288] : « Qui a bien vécu, il se rejoint à l'astre auquel il est assigné; qui mal, il passe en femme, et si, lors même, il ne se corrige point, il se rechange en bête de condition convenable à ses mœurs vicieuses, et ne verra fin à ses punitions qu'il ne soit revenu à sa naïve constitution, s'étant par la force de la raison défait des qualités grossières, stupides et élémentaires qui étaient en lui. »

Mais je ne veux oublier l'objection que font à cette transmigration de corps à un autre les Épicuriens. Elle est plaisante. Ils demandent quel ordre il y aurait si la

---

a. Rapporte. — *b.* La marche de ses transformations.
* Virgile, *Énéide,* chant VI : « O mon père, doit-on penser qu'il y a des âmes qui remontent d'ici vers le ciel et qui aspirent à retrouver à nouveau le corps pesant? Pourquoi ces malheureuses éprouvent elles un désir si excessif de la lumière ? »

presse des mourants venait à être plus grande que des
naissants : car les âmes délogées de leur gîte seraient
à se fouler à qui prendrait place la première dans ce
nouvel étui. Et demandent aussi à quoi elles passeraient
leur temps, cependant qu'elles attendraient qu'un logis
leur fût apprêté. Ou, au rebours, s'il naissait plus d'animaux qu'il n'en mourait, ils disent que les corps seraient
en mauvais parti, attendant l'infusion de leur âme, et
en adviendrait qu'aucuns d'iceux se mourraient avant
que d'avoir été vivants :

> *Denique connubia ad veneris partúsque ferarum*
> *Esse animas præsto deridiculum esse videtur,*
> *Et spectare immortales mortalia membra*
> *Innumero numero, certaréque præproperanter*
> *Inter se, quæ prima potissimáque insinuetur* *.

D'autres ont arrêté l'âme au corps des trépassés
pour en animer les serpents, les vers et autres bêtes
qu'on dit s'engendrer de la corruption de nos membres,
voire et de nos cendres [289]. D'autres la divisent en une
partie mortelle, et l'autre immortelle. Autres la font
corporelle, et ce néanmoins immortelle. Aucuns la font
immortelle, sans science et sans connaissance. Il y en
a aussi qui ont estimé que des âmes des condamnés il
s'en faisait des diables (et aucuns des nôtres [290] l'ont
ainsi jugé); comme Plutarque pense qu'il se fasse des
dieux de celles qui sont sauvées; car il est peu de choses
que cet auteur-là établisse d'une façon de parler si
résolue qu'il fait celle-ci, maintenant partout ailleurs
une manière dubitatrice et ambiguë. « Il faut estimer
(dit-il [291]) et croire fermement que les âmes des hommes
vertueux selon nature et selon justice divine deviennent,
d'hommes, saints; et de saints, demi-dieux; et de demi-
dieux, après qu'ils sont parfaitement, comme ès sacrifices
de purgation, nettoyés et purifiés, étant délivrés de toute

---

* Lucrèce, chant III : « Il est tout à fait ridicule de croire que les
âmes guettent les unions et les naissances des bêtes et qu'elles, les
immortelles, convoitent en nombre innombrable des corps mortels
et luttent entre elles de vitesse pour s'y introduire les premières. »

passibilité *a* et de toute mortalité, ils deviennent, non par aucune ordonnance civile, mais à la vérité et selon raison vraisemblable, dieux entiers et parfaits, en recevant une fin très heureuse et très glorieuse. » Mais qui le voudra voir, lui qui est des plus retenus pourtant et modérés de la bande, s'escarmoucher avec plus de hardiesse et nous conter ses miracles sur ce propos, je le renvoie à son discours *de la Lune* et *du Démon de Socrate*, là où, aussi évidemment qu'en nul autre lieu, il se peut avérer les mystères de la philosophie avoir beaucoup d'étrangetés communes avec celles de la poésie [292] : l'entendement humain se perdant à vouloir sonder et contrôler toutes choses jusques au bout; tout ainsi comme, lassés et travaillés de la longue course de notre vie, nous retombons en enfantillage. — Voilà les belles et certaines instructions que nous tirons de la science humaine sur le sujet de notre âme.

Il n'y a point moins de témérité en ce qu'elle nous apprend des parties corporelles. Choisissons-en un ou deux exemples, car autrement nous nous perdrions dans cette mer trouble et vaste des erreurs médicinales. Sachons si on s'accorde au moins en ceci : de quelle matière les hommes se produisent les uns des autres. Car, quant à leur première production, ce n'est pas merveille si, en chose si haute et ancienne, l'entendement humain se trouble et dissipe. Archélaüs le physicien, duquel Socrate fut le disciple et le mignon selon Aristoxène, disait et les hommes et les animaux avoir été faits d'un limon laiteux, exprimé par la chaleur de la terre. Pythagore [293] dit notre semence être l'écume de notre meilleur sang; Platon, l'écoulement de la moelle de l'épine du dos, ce qu'il argumente de ce que cet endroit se sent le premier de la lasseté de la besogne; Alcméon, partie de la substance du cerveau; et qu'il soit ainsi, dit-il, les yeux troublent à ceux qui se travaillent outre mesure à cet exercice; Démocrite, une substance extraite de toute la masse corporelle; Épicure, extraite de l'âme et du corps; Aristote, un excrément tiré de l'aliment du sang, le dernier qui s'épand en nos membres; autres, du sang cuit et digéré par la chaleur des génitoires, ce qu'ils

a. Soumission à la douleur et au plaisir.

jugent de ce qu'aux extrêmes efforts on rend des gouttes de pur sang : en quoi il semble qu'il y ait plus d'apparence, si on peut tirer quelque apparence d'une confusion si infinie. Or, pour mener à effet cette semence, combien en font-ils d'opinions contraires? Aristote et Démocrite tiennent que les femmes n'ont point de sperme, et que ce n'est qu'une sueur qu'elles élancent par la chaleur du plaisir et du mouvement, qui ne sert de rien à la génération; Galien, au contraire, et ses suivants, que, sans la rencontre des semences, la génération ne se peut faire. Voilà les médecins, les philosophes, les jurisconsultes et les théologiens aux prises, pêle-mêle avec nos femmes, sur la dispute à quels termes les femmes portent leur fruit. Et moi je secours, par l'exemple de moi-même, ceux d'entre eux qui maintiennent la grossesse d'onze mois [294]. Le monde est bâti de cette expérience : il n'est si simple femmelette qui ne puisse dire son avis sur toutes ces contestations, et si, nous n'en saurions être d'accord.

En voilà assez pour vérifier que l'homme n'est non plus instruit de la connaissance de soi en la partie corporelle qu'en la spirituelle. Nous l'avons proposé lui-même à soi, et sa raison à sa raison, pour voir ce qu'elle nous en dirait. Il me semble assez avoir montré combien peu elle s'entend en elle-même.

Et qui ne s'entend en soi, en quoi se peut-il entendre?
« *Quasi vero mensuram ullius rei possit agere, qui sui nesciat* *. »
Vraiment Protagoras nous en contait de belles [295], faisant l'homme la mesure de toutes choses, qui ne sut jamais seulement la sienne. Si ce n'est lui, sa dignité ne permettra pas qu'autre créature ait cet avantage. Or, lui étant en soi si contraire et l'un jugement en subvertissant l'autre sans cesse, cette favorable proposition n'était qu'une risée qui nous menait à conclure par nécessité la néantise du compas et du compasseur.

Quand Thalès estime la connaissance de l'homme très difficile à l'homme, il lui apprend la connaissance de toute autre chose lui être impossible [296].

---

* Pline l'Ancien, *Histoire naturelle,* livre II : « Comme si on pouvait mesurer quoi que ce soit, alors qu'on ignore sa propre mesure. »

Vous [297], pour qui j'ai pris la peine d'étendre un si long corps contre ma coutume, ne refuirez [a] point de maintenir votre Sebond par la forme ordinaire d'argumenter de quoi vous êtes tous les jours instruits, et exercerez en cela votre esprit et votre étude : car ce dernier tour d'escrime-ci, il ne le faut employer que comme un extrême remède. C'est un coup désespéré, auquel il faut abandonner vos armes pour faire perdre à votre adversaire les siennes, et un tour secret, duquel il se faut servir rarement et réservément. C'est grande témérité de vous perdre vous-même pour perdre un autre.

Il ne faut pas vouloir mourir pour se venger, comme fit Gobrias [298] : car, étant aux prises bien étroites avec un seigneur de Perse, Darius y survenant l'épée au poing, qui craignait de frapper, de peur d'assener Gobrias, il lui cria qu'il donnât hardiment, quand il devrait donner au travers tous les deux.

Des armes et conditions de combat si désespérées qu'il est hors de créance que l'un ni l'autre se puisse sauver, je les ai vu condamner, ayant été offertes. Les Portugais prirent 14 Turcs en la mer des Indes, lesquels, impatients de leur captivité, se résolurent, et leur succéda [b], à mettre et eux et leurs maîtres, et le vaisseau en cendre, frottant des clous de navire l'un contre l'autre, tant qu'une étincelle de feu tomba sur les barils de poudre à canon qu'il y avait [299].

Nous secouons ici les limites et dernières clôtures des sciences, auxquelles l'extrémité est vicieuse, comme en la vertu. Tenez-vous dans la route commune, il ne fait mie bon être si subtil et si fin. Souvienne-vous de ce que dit le proverbe toscan : « *Chi troppo s'assottiglia si scavezza* *. » Je vous conseille en vos opinions et en vos discours, autant qu'en vos mœurs et en toute autre chose, la modération et l'attrempance [c], et la fuite de la nouvelleté et de l'étrangeté. Toutes les voies extravagantes me fâchent. Vous qui, par l'autorité que votre grandeur vous apporte, et encore plus par les avantages

---

a. Refuserez. — *b.* Et ils y parvinrent. — *c.* Mesure.

* Pétrarque, *Canzoniere*, XXII. Ce proverbe est fréquent chez les auteurs italiens contemporains de Montaigne : « A trop s'amincir on risque de casser. »

que vous donnent les qualités plus vôtres, pouvez d'un
clin d'œil commander à qui il vous plaît, deviez donner
cette charge à quelqu'un qui fît profession des lettres,
qui vous eût bien autrement appuyé et enrichi cette
fantaisie. Toutefois en voici assez pour ce que vous en
avez à faire.

Épicure [300] disait des lois que les pires nous étaient si
nécessaires que, sans elles, les hommes s'entremangeraient
les uns les autres [301]. Et Platon [302], à deux doigts près, que
sans lois, nous vivrions comme bêtes brutes; et s'essaie
à le vérifier. Notre esprit est un outil vagabond, dangereux et téméraire : il est malaisé d'y joindre l'ordre
et la mesure. Et, de mon temps, ceux qui ont quelque
rare excellence au-dessus des autres et quelque vivacité
extraordinaire, nous les voyons quasi tous débordés en
licence d'opinions et de mœurs. C'est miracle s'il s'en
rencontre un rassis et sociable. On a raison de donner
à l'esprit humain les barrières les plus contraintes qu'on
peut. En l'étude, comme au reste, il lui faut compter
et régler ses marches, il lui faut tailler par art les limites
de sa chasse. On le bride et garrotte de religions, de lois,
de coutumes, de science, de préceptes, de peines et récompenses mortelles et immortelles; encore voit-on que, par
sa volubilité et dissolution, il échappe à toutes ces
liaisons. C'est un corps vain, qui n'a par où être saisi
et assené [a]; un corps divers et difforme, auquel on ne
peut asseoir nœud ni prise. Certes il est peu d'âmes si
réglées, si fortes et bien nées, à qui on se puisse fier de
leur propre conduite, et qui puissent, avec modération
et sans témérité, voguer en la liberté de leurs jugements
au-delà des opinions communes. Il est plus expédient
de les mettre en tutelle.

C'est un outrageux glaive que l'esprit, à son possesseur
même, pour qui ne sait s'en armer ordonnément et
discrètement. Et n'y a point de bête à qui plus justement
il faille donner des orbières [b] pour tenir sa vue sujette
et contrainte devant ses pas, et la garder d'extravaguer
ni çà, ni là, hors les ornières que l'usage et les lois lui
tracent. Par quoi il vous siéra mieux de vous resserrer
dans le train accoutumé, quel qu'il soit, que de jeter

a. Frappé. — *b.* Œillères.

votre vol à cette licence effrénée. Mais si quelqu'un de ces nouveaux docteurs entreprend de faire l'ingénieux en votre présence, aux dépens de son salut et du vôtre; pour vous défaire de cette dangereuse peste qui se répand tous les jours en vos cours, ce préservatif à l'extrême nécessité, empêchera que la contagion de ce venin n'offensera ni vous, ni votre assistance.

La liberté donc et gaillardise de ces esprits anciens produisait en la philosophie et sciences humaines plusieurs sectes d'opinions différentes, chacun entreprenant de juger et de choisir pour prendre parti. Mais à présent [303] que les hommes vont tous un train, « *qui certis quibusdam destinatisque sententiis addicti et consecrati sunt, ut etiam quæ non probant, cogantur defendere* * », et que nous recevõns les arts par civile autorité et ordonnance si que les écoles n'ont qu'un patron et pareille institution et discipline circonscrite, on ne regarde plus ce que les monnaies pèsent et valent, mais chacun à son tour les reçoit selon le prix que l'approbation commune et le cours leur donnent. On ne plaide pas de l'aloi *a*, mais de l'usage : ainsi se mettent également toutes choses. On reçoit la médecine comme la géométrie; et les batclages, les enchantements, les liaisons *b*, le commerce des esprits des trépassés, les pronostications, les domifications [304], et jusques à cette ridicule poursuite de la pierre philosophale, tout se met sans contredit. Il ne faut que savoir que le lieu de Mars loge au milieu du triangle de la main, celui de Vénus au pouce, et de Mercure au petit doigt; et que quand la mensale coupe le tubercle de l'enseigneur [305], c'est signe de cruauté; quand elle faut sous le mitoyen et que la moyenne naturelle fait un angle avec la vitale sous même endroit [306] que c'est signe d'une mort misérable. Que si, à une femme, la naturelle est ouverte, et ne ferme point l'angle avec la vitale, cela dénote qu'elle sera mal chaste. Je vous appelle vous-même à témoin, si avec cette science

---

a. Alliage. — *b.* Noueries d'aiguillettes. (Cf. livre I, chap. xxi, *De la force de l'imaginaton*).

* Cicéron, *Tusculanes,* livre II, chap. ii : « Qui sont liés et voués à certaines opinions déterminées et inébranlables, si bien qu'ils sont contraints de défendre même ce qu'ils n'approuvent pas. »

un homme ne peut passer avec réputation et faveur
parmi toutes compagnies.

Théophraste disait que l'humaine connaissance, ache-
minée par les sens, pouvait juger des causes des choses
jusques à certaine mesure, mais qu'étant arrivée aux
causes extrêmes et premières, il fallait qu'elle s'arrêtât
et qu'elle rebouchât *a*, à cause ou de sa faiblesse ou de la
difficulté des choses [307]. C'est une opinion moyenne et
douce, que notre suffisance nous peut conduire jusques
à la connaissance d'aucunes choses, et qu'elle a certaines
mesures de puissance, outre lesquelles c'est témérité de
l'employer. Cette opinion est plausible et introduite par
gens de composition; mais il est malaisé de donner
bornes à notre esprit : il est curieux et avide, et n'a point
occasion de s'arrêter plutôt à mille pas qu'à cinquante.
Ayant essayé par expérience que ce à quoi l'un s'était
failli, l'autre y est arrivé; et que ce qui était inconnu à
un siècle, le siècle suivant l'a éclairci; et que les sciences
et les arts ne se jettent pas en moule, ains se forment
et figurent peu à peu en les maniant et polissant à plusieurs fois, comme les ours façonnent leurs petits en les
léchant à loisir : ce que ma force ne peut découvrir,
je ne laisse pas de le sonder et essayer; et, en retâtant et
pétrissant cette nouvelle matière, la remuant et l'échauffant, j'ouvre à celui qui me suit quelque facilité pour en
jouir plus à son aise, et la lui rends plus souple et plus
maniable,

> *ut hymettia sole*
> *Cera remollescit, tractatáque pollice, multas*
> *Vertitur in facies, ipsoque fit utilis usu* *.

Autant en fera le second au tiers : qui est cause que la
difficulté ne me doit pas désespérer, ni aussi peu mon
impuissance, car ce n'est que la mienne. L'homme est
capable de toutes choses, comme d'aucunes; et s'il avoue,
comme dit Théophraste, l'ignorance des causes premières

---

a. S'émoussât.

* Ovide, *Métamorphoses*, X : « Comme la cire de l'Hymette
s'amollit au soleil, et modelée par le pouce, se change en de nombreuses formes, et devient plus maniable à force d'être maniée. »

et des principes, qu'il me quitte hardiment tout le reste
de sa science : si le fondement lui faut *a*, son discours *b* est
par terre ; le disputer et l'enquérir n'a autre but et arrêt
que les principes ; si cette fin n'arrête son cours, il se jette
à une irrésolution infinie. « *Non potest aliud alio magis
minusve comprehendi, quoniam omnium rerum una est defi-
nitio comprehendendi* *. »

Or il est vraisemblable que, si l'âme savait quelque
chose, elle se saurait premièrement elle-même ; et, si elle
savait quelque chose hors d'elle, ce serait son corps et son
étui, avant toute autre chose. Si on voit jusques aujour-
d'hui les dieux de la médecine se débattre de notre
anatomie,

Mulciber in Trojam, pro Troja stabat Apollo **,

quand attendons-nous qu'ils en soient d'accord ? Nous
nous sommes plus voisins que ne nous est la blancheur
de la neige ou la pesanteur de la pierre. Si l'homme ne
se connaît, comment connaît-il ses fonctions et ses forces ?
Il n'est pas à l'aventure que quelque notice véritable ne
loge chez nous, mais c'est par hasard. Et d'autant que
par même voie, même façon et conduite, les erreurs se
reçoivent en notre âme, elle n'a pas de quoi les distinguer,
ni de quoi choisir la vérité du mensonge.

Les Académiciens recevaient quelque inclination de
jugement, et trouvaient trop cru de dire qu'il n'était pas
plus vraisemblable que la neige fût blanche que noire,
et que nous ne fussions non plus assurés du mouvement
d'une pierre qui part de notre main, que de celui de la
huitième sphère. Et pour éviter cette difficulté et étrangeté, qui ne peut à la vérité loger en notre imagination
que malaisément, quoiqu'ils établissent que nous n'étions
aucunement capables de savoir, et que la vérité est
engouffrée dans des profonds abîmes où la vie humaine

---

a. Manque. — *b.* Raisonnement.
* Cicéron, *Académiques*, livre II, chap. XLI : « Une chose ne peut
être plus ou moins comprise qu'une autre : la compréhension est la
même pour tout. »
** Ovide, *Tristes*, livre I, poème II : « Vulcain était contre
Troie, Apollon pour. »

ne peut pénétrer, si avouaient-ils les unes choses plus vraisemblables que les autres, et recevaient en leur jugement cette faculté de se pouvoir incliner plutôt à une apparence qu'à une autre : ils lui permettaient cette propension, lui défendant toute résolution.

L'avis des Pyrrhoniens est plus hardi et, quant et quant *a*, plus vraisemblable [308]. Car cette inclination Académique et cette propension à une proposition plutôt qu'à une autre, qu'est-ce autre chose que la reconnaissance de quelque plus apparente vérité en celle-ci qu'en celle-là ? Si notre entendement est capable de la forme, des linéaments, du port et du visage de la vérité, il la verrait entière aussi bien que demie, naissante et imparfaite. Cette apparence de vérisimilitude *b* qui les fait pendre plutôt à gauche qu'à droite, augmentez-la; cette once de vérisimilitude qui incline la balance, multipliez-la de cent, de mille onces, il en adviendra enfin que la balance prendra parti tout à fait, et arrêtera un choix et une vérité entière. Mais comment se laissent-ils plier à la vraisemblance, s'ils ne connaissent le vrai ? Comment connaissent-ils la semblance de ce de quoi ils ne connaissent pas l'essence ? Ou nous pouvons juger tout à fait, ou tout à fait nous ne le pouvons pas. Si nos facultés intellectuelles et sensibles sont sans fondement et sans pied, si elles ne font que flotter et venter *c*, pour néant laissons-nous emporter notre jugement à aucune partie de leur opération, quelque apparence qu'elle semble nous présenter; et la plus sûre assiette de notre entendement, et la plus heureuse, ce serait celle-là où il se maintiendrait rassis, droit, inflexible, sans branle et sans agitation. « *Inter visa vera aut falsa ad animi assensum nihil interest* *. »

Que les choses ne logent pas chez nous en leur forme et en leur essence, et n'y fassent leur entrée de leur force propre et autorité, nous le voyons assez : parce que, s'il était ainsi, nous les recevrions de même façon; le vin

---

a. Et en même temps. — *b.* Vraisemblance. — *c.* Tourner comme la girouette au vent.

* Cicéron, *Académiques,* livre II, chap. xxviii : « Entre les apparences vraies ou fausses, il n'y a pas de différences qui entraînent le jugement. »

serait tel en la bouche du malade qu'en la bouche du
sain. Celui qui a des crevasses aux doigts, ou qui les a
gourds, trouverait une pareille dureté au bois ou au fer
qu'il manie, que fait un autre. Les sujets étrangers se
rendent donc à notre merci ; ils logent chez nous comme
il nous plaît. Or si de notre part nous recevions quelque
chose sans altération, si les prises humaines étaient assez
capables et fermes pour saisir la vérité par nos propres
moyens, ces moyens étant communs à tous les hommes,
cette vérité se rejetterait de main en main de l'un à
l'autre. Et au moins se trouverait-il une chose au monde,
de tant qu'il y en a, qui se croirait par les hommes d'un
consentement universel. Mais ce, qu'il ne se voie aucune
proposition qui ne soit débattue et controversée entre
nous, ou qui ne le puisse être, montre bien que notre
jugement naturel ne saisit pas bien clairement ce qu'il
saisit. Car mon jugement ne le peut faire recevoir au
jugement de mon compagnon : qui est signe que je l'ai
saisi par quelque autre moyen que par une naturelle
puissance qui soit en moi et en tous les hommes.

Laissons à part cette infinie confusion d'opinions qui
se voit entre les philosophes mêmes, et ce débat perpétuel
et universel en la connaissance des choses. Car cela est
présupposé très véritablement, que d'aucune chose les
hommes, je dis les savants les mieux nés, les plus suffisants [a], ne sont d'accord, non pas que le ciel soit sur
notre tête ; car ceux qui doutent de tout, doutent aussi de
cela ; et ceux qui nient que nous puissions aucune chose
comprendre, disent que nous n'avons pas compris que
le ciel soit sur notre tête ; et ces deux opinions sont en
nombre, sans comparaison, les plus fortes.

Outre cette diversité et division infinie, par le trouble
que notre jugement nous donne à nous-mêmes, et l'incertitude que chacun sent en soi, il est aisé à voir qu'il a son
assiette bien mal assurée. Combien diversement jugeons-
nous des choses ? combien de fois changeons-nous nos
fantaisies ? Ce que je tiens aujourd'hui et ce que je crois,
je le tiens et le crois de toute ma croyance ; tous mes
outils et tous mes ressorts empoignent cette opinion et
m'en répondent sur tout ce qu'ils peuvent. Je ne saurais

a. Capables.

embrasser aucune vérité ni conserver avec plus de force
que je fais celle-ci. J'y suis tout entier, j'y suis voirement; mais ne m'est-il pas advenu, non une fois, mais
cent, mais mille, et tous les jours, d'avoir embrassé
quelque autre chose à tous ces mêmes instruments, en
cette même condition, que depuis j'aie jugée fausse ? Au
moins faut-il devenir sage à ses propres dépens. Si je
me suis trouvé souvent trahi sous cette couleur, si ma
touche se trouve ordinairement fausse et ma balance
inégale et injuste, quelle assurance en puis-je prendre à
cette fois plus qu'aux autres ? N'est-ce pas sottise de me
laisser tant de fois piper à un guide ? Toutefois que la
fortune nous remue cinq cents fois de place, qu'elle ne
fasse que vider et remplir sans cesse, comme dans un
vaisseau, dans notre croyance autres et autres opinions,
toujours la présente et la dernière c'est la certaine et
l'infaillible. Pour celle-ci il faut abandonner les biens,
l'honneur, la vie et le salut, et tout,

> *posterior res illa reperta,*
> *Perdit, et immutat sensus ad pristina quæque* *.

Quoi qu'on nous prêche, quoi que nous apprenions,
il faudrait toujours se souvenir que c'est l'homme qui
donne et l'homme qui reçoit; c'est une mortelle main
qui nous le présente, c'est une mortelle main qui
l'accepte. Les choses qui nous viennent du ciel ont seules
droit et autorité de persuasion; seules, marque de vérité;
laquelle aussi ne voyons-nous pas de nos yeux, ni ne la
recevons par nos moyens : cette sainte et grande image
ne pourrait pas en un si chétif domicile, si Dieu pour
cet usage ne le prépare, si Dieu ne le reforme et fortifie par
sa grâce et faveur particulière et supernaturelle.

Au moins devrait notre condition fautière nous faire
porter *a* plus modérément et retenuement en nos changements. Il nous devrait souvenir, quoi que nous reçus-
sions en l'entendement, que nous y recevons souvent des

---

a. Comporter.
* Lucrèce, chant V : « Une découverte plus récente discrédite la
plus ancienne et change notre opinion sur toutes les explications
antérieures. »

choses fausses, et que c'est par ces mêmes outils qui se démentent et qui se trompent souvent.

Or n'est-il pas merveille s'ils se démentent, étant si aisés à incliner et à tordre par bien légères occurrences. Il est certain que notre appréhension, notre jugement et les facultés de notre âme en général souffrent selon les mouvements et altérations du corps, lesquelles altérations sont continuelles. N'avons-nous pas l'esprit plus éveillé, la mémoire plus prompte, le discours plus vif en santé qu'en maladie? La joie et la gaieté ne nous font-elles pas recevoir les sujets qui se présentent à notre âme d'un tout autre visage que le chagrin et la mélancolie? Pensez-vous que les vers de Catulle ou de Sapho rient à un vieillard avaricieux et rechigné comme à un jeune homme vigoureux et ardent? Cléomène, fils d'Anaxandridas, étant malade, ses amis lui reprochaient qu'il avait des humeurs et fantaisies nouvelles et non accoutumées : « Je crois bien, fit-il; aussi ne suis-je pas celui que je suis étant sain; étant autre, aussi sont autres mes opinions et fantaisies [309]. » En la chicane de nos palais ce mot est en usage, qui se dit des criminels qui rencontrent les juges en quelque bonne trempe, douce et débonnaire : *gaudeat de bona fortuna,* qu'il jouisse de ce bonheur; car il est certain que les jugements se rencontrent parfois plus tendus à la condamnation, plus épineux et âpres, tantôt plus faciles, aisés et enclins à l'excuse. Tel qui rapporte de sa maison la douleur de la goutte, la jalousie, ou le larcin de son valet, ayant toute l'âme teinte et abreuvée de colère, il ne faut pas douter que son jugement ne s'en altère vers cette part-là. Ce vénérable sénat d'Aréopage jugeait de nuit, de peur que la vue des poursuivants corrompît sa justice [310]. L'air même et la sérénité du ciel nous apporte quelque mutation, comme dit ce vers grec en Cicéron,

Tales sunt hominum mentes, quali pater ipse
Jupiter auctifera lustravit lampade terras *.*

* Montaigne a déjà cité ces vers dans l'essai 1 du livre II, *De l'inconstance de nos actions* : « Les pensées des hommes varient au gré des rayons fécondants que le divin Jupiter répand sur la terre. » Ce sont des vers de l'*Odyssée*, traduits par Cicéron et cités ensuite par saint Augustin !

Ce ne sont pas seulement les fièvres, les breuvages et les grands accidents qui renversent notre jugement; les moindres choses du monde le tournevirent. Et ne faut pas douter, encore que nous ne le sentions pas, que, si la fièvre continue peut atterrer [a] notre âme, que la tierce [b] n'y apporte quelque altération selon sa mesure et proportion. Si l'apoplexie assoupit et éteint tout à fait la vue de notre intelligence, il ne faut pas douter que le morfondement [c] ne l'éblouisse; et, par conséquent, à peine se peut-il rencontrer une seule heure en la vie où notre jugement se trouve en sa due assiette, notre corps étant sujet à tant de continuelles mutations, et étoffé de tant de sortes de ressorts, que (j'en crois les médecins) combien il est malaisé qu'il n'y en ait toujours quelqu'un qui tire de travers.

Au demeurant, cette maladie ne se découvre pas si aisément, si elle n'est du tout extrême et irrémédiable, d'autant que la raison va toujours, et torte, et boiteuse, et déhanchée, et avec le mensonge comme avec la vérité. Par ainsi, il est malaisé de découvrir son mécompte et dérèglement. J'appelle toujours raison cette apparence de discours [d] que chacun forge en soi; cette raison, de la condition de laquelle il y en peut avoir cent contraires autour d'un même sujet, c'est un instrument de plomb et de cire, allongeable, ployable et accommodable à tout biais et à toutes mesures; il ne reste que la suffisance de le savoir contourner. Quelque bon dessein qu'ait un juge, s'il ne s'écoute de près, à quoi peu de gens s'amusent, l'inclination à l'amitié, à la parenté, à la beauté et à la vengeance, et non pas seulement choses si pesantes, mais cet instinct fortuit qui nous fait favoriser une chose plus qu'une autre, et qui nous donne, sans le congé de la raison, le choix en deux pareils sujets, ou quelque ombrage de pareille vanité, peuvent insinuer insensiblement en son jugement la recommandation ou défaveur d'une cause et donner pente à la balance.

Moi qui m'épie de plus près, qui ai les yeux incessamment tendus sur moi, comme celui qui n'a pas fort à faire ailleurs,

a. Abattre. — *b*. La fièvre terce. — *c*. Rhume de cerveau. — *d*. Raisonnement.

quis sub Arcto
Rex gelidæ metuatur oræ,
Quod Tyridatem terreat, unice
Securus *,

à peine oserais-je dire la vanité et la faiblesse que je
trouve chez moi. J'ai le pied si instable et si mal assis,
je le trouve si aisé à crouler et si prêt au branle, et ma
vue si déréglée, que à jeun je me sens autre qu'après
le repas; si ma santé me rit et la clarté d'un beau jour,
me voilà honnête homme; si j'ai un cor qui me presse
l'orteil, me voilà renfrogné, mal plaisant et inaccessible.
Un même pas de cheval me semble tantôt rude, tantôt
aisé, et même chemin à cette heure plus court, une autre
fois plus long, et une même forme ores plus, ores moins
agréable. Maintenant je suis à tout faire, maintenant
à rien faire; ce qui m'est plaisir à cette heure, me sera
quelque fois peine. Il se fait mille agitations indiscrètes
et casuelles chez moi. Ou l'humeur mélancolique me
tient, ou la colérique; et de son autorité privée à cette
heure le chagrin prédomine en moi, à cette heure l'allégresse. Quand je prends des livres, j'aurai aperçu en tel
passage des grâces excellentes et qui auront féru [a] mon
âme; qu'une autre fois j'y retombe, j'ai beau le tourner
et virer, j'ai beau le plier et le manier, c'est une masse
inconnue et informe pour moi.

En mes écrits mêmes, je ne retrouve pas toujours
l'air de ma première imagination; je ne sais ce que j'ai
voulu dire, et m'échaude souvent à corriger et y mettre
un nouveau sens, pour avoir perdu le premier, qui valait
mieux. Je ne fais qu'aller et venir : mon jugement ne
tire pas toujours avant; il flotte, il vague,

  velut minuta magno
  Deprensa navis in mari vesaniente vento **.

a. Frappé (de *férir*).

* Horace, *Ode* 26 du livre I : « Qui ne s'inquiète guère de savoir
quel roi fait tout trembler sous l'ourse glacée, ni ce qui effraye
Tiridate. »

** Catulle, élégie XXV : « Comme une faible barque surprise sur
la vaste mer par une violente bourrasque. »

Maintes fois (comme il m'advient de faire volontiers)
ayant pris pour exercice et pour ébat à maintenir une
contraire opinion à la mienne, mon esprit, s'appliquant
et tournant de ce côté-là, m'y attache si bien que je ne
trouve plus la raison de mon premier avis, et m'en dépars.
Je m'entraîne quasi où je penche, comment que ce soit,
et m'emporte de mon poids.

Chacun à peu près en dirait autant de soi, s'il se regardait comme moi. Les prêcheurs savent que l'émotion
qui leur vient en parlant, les anime vers la créance,
et qu'en colère nous nous adonnons plus à la défense
de notre proposition, l'imprimons en nous et l'embrassons avec plus de véhémence et d'approbation que nous
ne faisons étant en notre sens froid et reposé. Vous réci-
tez *a* simplement une cause à l'avocat, il vous y répond
chancelant et douteux : vous sentez qu'il lui est indifférent de prendre à soutenir l'un ou l'autre parti; l'avez-
vous bien payé pour y mordre et pour s'en formaliser,
commence-t-il d'en être intéressé, y a-t-il échauffé sa
volonté? sa raison et sa science s'y échauffent quant et
quant *b*; voilà une apparente et indubitable vérité qui se
présente à son entendement; il y découvre une toute
nouvelle lumière, et le croit à bon escient, et se le persuade ainsi. Voire, je ne sais si l'ardeur qui naît du dépit
et de l'obstination à l'encontre de l'impression et violence
du magistrat et du danger, ou l'intérêt de la réputation
n'ont envoyé tel homme soutenir jusques au feu l'opinion pour laquelle, entre ses amis, et en liberté, il n'eût
pas voulu s'échauder le bout du doigt.

Les secousses et ébranlements que notre âme reçoit
par les passions corporelles, peuvent beaucoup en elle,
mais encore plus les siennes propres, auxquelles elle est
si fort en prise qu'il est à l'aventure soutenable qu'elle
n'a aucune autre allure et mouvement que du souffle
de ses vents, et que, sans leur agitation, elle resterait
sans action, comme un navire en pleine mer que les vents
abandonnent de leur secours. Et qui maintiendrait cela
suivant le parti des Péripatéticiens ne nous ferait pas
beaucoup de tort, puisqu'il est connu que la plupart des
plus belles actions de l'âme procèdent et ont besoin de

a. Exposez. — *b*. En même temps.

cette impulsion des passions. La vaillance, disent-ils, ne se peut parfaire sans l'assistance de la colère.

> *Semper Ajax fortis, fortissimus tamen in furore* *.

Ni ne court-on sus aux méchants et aux ennemis assez vigoureusement, si on n'est courroucé. Et veulent que l'avocat inspire le courroux aux juges pour en tirer justice. Les cupidités *a* émurent Thémistocle, émurent Démosthène; et ont poussé les philosophes aux travaux, veillées et pérégrinations; nous mènent à l'honneur, à la doctrine, à la santé, fins utiles. Et cette lâcheté d'âme à souffrir l'ennui et la fâcherie sert à nourrir en la conscience la pénitence et la repentance et à sentir les fléaux de Dieu pour notre châtiment et les fléaux de la correction politique. La compassion sert d'aiguillon à la clémence, et la prudence de nous conserver et gouverner est éveillée par notre crainte; et combien de belles actions par l'ambition? combien par la présomption? Aucune éminente et gaillarde vertu enfin n'est sans quelque agitation déréglée. Serait-ce pas l'une des raisons qui aurait mû les Épicuriens à décharger Dieu de tout soin et sollicitude de nos affaires, d'autant que les effets mêmes de sa bonté ne se pouvaient exercer envers nous sans ébranler son repos par le moyen des passions, qui sont comme des piqûres et sollicitations acheminant l'âme aux actions vertueuses [311]? Ou bien ont-ils cru autrement et les ont prises comme tempêtes qui débauchent honteusement l'âme de sa tranquillité? « *Ut maris tranquillitas intelligitur, nulla, ne minima quidem, aura fluctus commovente : sic animi quietus et placatus status cernitur, quum perturbatio nulla est qua moveri queat* **. »

Quelles différences de sens et de raison, quelle contrariété d'imaginations nous présente la diversité de nos passions! Quelle assurance pouvons-nous donc prendre

a. Passions.

* Cicéron, *Tusculanes,* livre IV, chap. XXIII : « Ajax fut toujours brave, mais il ne le fut jamais tant que dans sa folie furieuse. » Tout le développement suivant est également tiré des *Tusculanes.*

** *Ibid.,* livre V, chap. VI : « De même que l'on estime la mer calme quand aucune brise, fût-ce la plus légère, n'agite ses flots, ainsi on peut affirmer que l'âme est tranquille et paisible quand n'existe aucune passion capable de l'émouvoir. »

de chose si instable et si mobile, sujette par sa condition
à la maîtrise du dérèglement et de la cécité, à la maîtrise
du trouble, n'allant jamais qu'un pas forcé et emprunté ?
Si notre jugement est en main à la maladie même et à
la perturbation; si c'est de la folie et de la témérité qu'il
est tenu de recevoir l'impression des choses, quelle
sûreté pouvons-nous attendre de lui ?

N'y a-t-il point de la hardiesse à la philosophie d'estimer des hommes qu'ils produisent leurs plus grands
effets et plus approchants de la divinité, quand ils sont
hors d'eux et furieux et insensés ? Nous nous amendons
par la privation de notre raison et son assoupissement.
Les deux voies naturelles pour entrer au cabinet des
dieux et y prévoir le cours des destinées sont la fureur
et le sommeil. Ceci est plaisant à considérer : par la
dislocation que les passions apportent à notre raison,
nous devenons vertueux; par son extirpation que la fureur
ou l'image de la mort apporte, nous devenons prophètes
et devins. Jamais plus volontiers je ne l'en crus. C'est
un pur enthousiasme que la sainte vérité a inspiré en
l'esprit philosophique, qui lui arrache, contre sa proposition, que l'état tranquille de notre âme, l'état rassis,
l'état plus sain que la philosophie lui puisse acquérir,
n'est pas son meilleur état. Notre veillée est plus endormie que le dormir; notre sagesse, moins sage que la folie;
nos songes valent mieux que nos discours; la pire place
que nous puissions prendre, c'est en nous. Mais pense-
t-elle pas que nous ayons l'avisement de remarquer que
la voix qui fait l'esprit, quand il est dépris de l'homme, si
clairvoyant, si grand, si parfait et, pendant qu'il est
en l'homme, si terrestre, ignorant et ténébreux, c'est
une voix partant de l'esprit qui est partie de l'homme
terrestre, ignorant et ténébreux, et à cette cause voix
infiable *a* et incroyable ?

Je n'ai point grande expérience de ces agitations
véhémentes (étant d'une complexion molle et pesante)
desquelles la plupart surprennent subitement notre
âme, sans lui donner loisir de se connaître. Mais cette
passion qu'on dit être produite par l'oisiveté au cœur
des jeunes hommes, quoiqu'elle s'achemine avec loisir

---

a. En qui on ne peut avoir confiance.

et d'un progrès mesuré, elle représente bien évidemment, à ceux qui ont essayé de s'opposer à son effort, la force de cette conversion et altération que notre jugement souffre. J'ai autrefois entrepris de me tenir bandé pour la soutenir et rabattre (car il s'en faut tant que je sois de ceux qui convient les vices, que je ne les suis pas seulement, s'ils ne m'entraînent); je la sentais naître, croître, et s'augmenter en dépit de ma résistance, et enfin, tout voyant et vivant, me saisir et posséder de façon que, comme d'une ivresse, l'image des choses me commençait à paraître autre que de coutume; je voyais évidemment grossir et croître les avantages du sujet que j'allais désirant, et agrandir et enfler par le vent de mon imagination; les difficultés de mon entreprise s'aiser et se planir, mon discours et ma conscience se tirer arrière; mais, ce feu étant évaporé, tout à un instant, comme de la clarté d'un éclair, mon âme reprendre une autre sorte de vue, autre état et autre jugement; les difficultés de la retraite me sembler grandes et invincibles, et les mêmes choses de bien autre goût et visage que la chaleur du désir ne me les avait présentées. Lequel plus véritablement? Pyrrhon n'en sait rien. Nous ne sommes jamais sans maladie. Les fièvres ont leur chaud et leur froid; des effets d'une passion ardente nous retombons aux effets d'une passion frileuse.

Autant que je m'étais jeté en avant, je me relance d'autant en arrière :

> *Qualis ubi alterno procurrens gurgite pontus*
> *Nunc ruit ad terras, scopulisque superjacit undam,*
> *Spumeus, extremámque sinu perfundit arenam ;*
> *Nunc rapidus retro atque æstu revoluta resorbens*
> *Saxa fugit, littúsque vado labente relinquit* *.

Or de la connaissance de cette mienne volubilité [a] j'ai par accident [b] engendré en moi quelque constance

---

a. Mobilité. — b. Hasard.

* Virgile, *Énéide*, chant XI : « Ainsi la mer, dans un mouvement alterné, tantôt se précipite vers la terre, recouvre les rochers d'écume et inonde l'extrémité de la plage; tantôt, revenant rapidement en arrière, elle entraîne les galets qu'elle a roulés et abandonne le rivage en le laissant à découvert. »

d'opinions, et n'ai guère altéré les miennes premières
et naturelles. Car, quelque apparence qu'il y ait en la
nouvelleté, je ne change pas aisément, de peur que j'ai
de perdre au change. Et puisque je ne suis pas capable
de choisir, je prends le choix d'autrui et me tiens en
l'assiette où Dieu m'a mis. Autrement, je ne me saurais
garder de rouler sans cesse. Ainsi me suis-je, par la grâce
de Dieu, conservé entier, sans agitation et trouble de
conscience, aux anciennes créances de notre religion, au
travers de tant de sectes et de divisions que notre siècle
a produites. Les écrits des anciens, je dis les bons écrits,
pleins et solides, me tentent et remuent quasi où ils
veulent; celui que j'ois me semble toujours le plus roide;
je les trouve avoir raison chacun à son tour, quoiqu'ils
se contrarient. Cette aisance que les bons esprits ont de
rendre ce qu'ils veulent vraisemblable, et qu'il n'est
rien si étrange à quoi ils n'entreprennent de donner assez
de couleur, pour tromper une simplicité pareille à la
mienne, cela montre évidemment la faiblesse de leur
preuve. Le ciel et les étoiles ont branlé trois mille ans;
tout le monde l'avait ainsi cru, jusques à ce que Cléan-
thes [312] le Samien ou, selon Théophraste, Nicétas Siracu-
sien, s'avisât de maintenir que c'était la terre qui se
mouvait par le cercle oblique du Zodiaque tournant à
l'entour de son essieu [313]; et, de notre temps, Copernic
a si bien fondé cette doctrine, qu'il s'en sert très réglément à toutes les conséquences astronomiques [314]. Que
prendrons-nous de là, sinon qu'il ne nous doit chaloir
lequel ce soit des deux? Et qui sait qu'une tierce opinion,
d'ici à mille ans, ne renverse les deux précédentes?

> *Sic volvenda œtas commutat tempora rerum :*
> *Quod fuit in pretio, fit nullo denique honore ;*
> *Porro aliud succedit, et è contemptibus exit,*
> *Inque dies magis appetitur, florétque repertum*
> *Laudibus, et miro est mortales inter honore* *.

---

* Lucrèce, chant V : « Ainsi le temps dans ses révolutions change
le prix des choses; ce qui fut précieux n'est plus du tout à l'honneur;
une autre chose lui succède, sort du mépris, est recherchée davantage de jour en jour; sa découverte est fleurie de louanges, et elle
jouit d'une considération extraordinaire parmi les mortels. »

Ainsi, quand il se présente à nous quelque doctrine nouvelle, nous avons grande occasion de nous en défier, et de considérer qu'avant qu'elle fût produite, sa contraire était en vogue; et, comme elle a été renversée par celle-ci, il pourra naître à l'avenir une tierce invention qui choquera de même la seconde. Avant que les principes qu'Aristote a introduits fussent en crédit, d'autres principes contentaient la raison humaine, comme ceux-ci nous contentent à cette heure. Quelles lettres ont ceux-ci, quel privilège particulier, que le cours de notre invention s'arrête à eux, et qu'à eux appartient pour tout le temps à venir la possession de notre créance ? ils ne sont non plus exempts du boute-hors qu'étaient leurs devanciers. Quand on me presse d'un nouvel argument, c'est à moi à estimer que, ce à quoi je ne puis satisfaire, un autre y satisfera; car de croire toutes les apparences desquelles nous ne pouvons nous défaire, c'est une grande simplesse. Il en adviendrait par là que tout le vulgaire, et nous sommes tous du vulgaire, aurait sa créance contournable comme une girouette; car leur âme, étant molle et sans résistance, serait forcée de recevoir sans cesse autres et autres impressions, la dernière effaçant toujours la trace de la précédente. Celui qui se trouve faible, il doit répondre, suivant la pratique qu'il en parlera à son conseil, ou s'en rapporter aux plus sages, desquels il a reçu son apprentissage. Combien y a-t-il que la médecine est au monde ? On dit qu'un nouveau venu, qu'on nomme Paracelse [315], change et renverse tout l'ordre des règles anciennes, et maintient que jusques à cette heure, elle n'a servi qu'à faire mourir les hommes. Je crois qu'il vérifiera aisément cela; mais de mettre ma vie à la preuve de sa nouvelle expérience, je trouve que ce ne serait pas grand'sagesse.

Il ne faut pas croire à chacun, dit le précepte, parce que chacun peut dire toutes choses.

Un homme de cette profession de nouvelletés et de réformations physiques me disait, il n'y a pas longtemps, que tous les anciens s'étaient évidemment mécomptés en la nature et mouvements des vents, ce qu'il me ferait très évidemment toucher à la main, si je voulais l'entendre. Après que j'eus eu un peu de patience à ouïr ses arguments, qui avaient tout plein de vérisimilitude : « Com-

ment donc, lui fis-je, ceux qui naviguaient sous les lois
de Théophraste, allaient-ils en occident, quand ils tiraient
en levant? allaient-ils à côté, ou à reculons? — C'est
la fortune, me répondit-il : tant y a qu'ils se mécomp-
taient. » Je lui répliquai lors que j'aimais mieux suivre
les effets que la raison.

Or ce sont choses qui se choquent souvent; et m'a-
t-on dit qu'en la Géométrie (qui pense avoir gagné le
haut point de certitude parmi les sciences) il se trouve
des démonstrations inévitables, subvertissant la vérité
de l'expérience : comme Jacques Peletier [316] me disait
chez moi qu'il avait trouvé deux lignes s'acheminant
l'une vers l'autre pour se joindre, qu'il vérifiait toutefois
ne pouvoir jamais, jusques à l'infinité, arriver à se
toucher [317]; et les Pyrrhoniens ne se servent de leurs
arguments et de leur raison que pour ruiner l'apparence
de l'expérience; et est merveille jusques où la souplesse
de notre raison les a suivis à ce dessein de combattre
l'évidence des effets : car ils vérifient que nous ne nous
mouvons pas, que nous ne parlons pas, qu'il n'y a point
de pesant ou de chaud, avec une pareille force d'argumentations que nous vérifions les choses plus vraisemblables. Ptolémée, qui a été un grand personnage, avait
établi les bornes de notre monde; tous les philosophes
anciens ont pensé en tenir la mesure, sauf quelques
îles écartées qui pouvaient échapper à leur connaissance; c'eût été Pyrrhoniser, il y a mille ans, que de
mettre en doute la science de la Cosmographie; et les
opinions qui en étaient reçues d'un chacun; c'était
hérésie d'avouer des antipodes [318]; voilà de notre siècle
une grandeur infinie de terre ferme, non pas une île ou
une contrée particulière, mais une partie égale à peu près
en grandeur à celle que nous connaissions, qui vient d'être
découverte. Les Géographes de ce temps ne faillent pas
d'assurer que méshui ^a tout est trouvé et que tout est vu,

Nam quod adest praesto, placet, et pollere videtur *.

a. Désormais.
* Lucrèce, chant V : « Car on se plaît dans ce qu'on a, et on le
croit préférable à tout le reste. »

Savoir mon [a], si Ptolomée s'y est trompé autrefois sur
les fondements de sa raison, si ce ne serait pas sottise de
me fier maintenant à ce que ceux-ci en disent [319], et s'il
n'est pas plus vraisemblable que ce grand corps que nous
appelons le monde, est chose bien autre que nous en
jugeons.

Platon tient [320] qu'il change de visage à tout sens; que
le ciel, les étoiles et le soleil renversent parfois le mouvement que nous y voyons, changeant l'Orient en Occident. Les prêtres égyptiens dirent à Hérodote [321] que
depuis leur premier roi, de quoi il y avait onze mille
tant d'ans (et de tous leurs rois ils lui firent voir les
effigies en statues tirées après le vif), le soleil avait changé
quatre fois de route; que la mer et la terre se changent
alternativement l'un en l'autre; que la naissance du
monde est indéterminée; Aristote, Cicéron, de même;
et quelqu'un d'entre nous [322], qu'il est, de toute éternité,
mortel et renaissant à plusieurs vicissitudes, appelant
à témoins Salomon et Isaïe, pour éviter ces oppositions
que Dieu a été quelquefois créateur sans créature, qu'il
a été oisif, qu'il s'est dédit de son oisiveté, mettant la
main à cet ouvrage, et qu'il est par conséquent sujet
à mutation. En la plus fameuse des Grecques écoles [323],
le monde est tenu un Dieu fait par un autre Dieu plus
grand, et est composé d'un corps et d'une âme qui loge
en son centre, s'épandant par nombres de musique à sa
circonférence, divin, très heureux, très grand, très sage,
éternel. En lui sont d'autres Dieux, la terre, la mer, les
astres, qui s'entretiennent d'une harmonieuse et perpétuelle agitation et danse divine, tantôt se rencontrant,
tantôt s'éloignant, se cachant, se montrant, changeant
de rang, ores devant et ores derrière. Héraclite établissait
le monde être composé par feu et, par l'ordre des destinées, se devoir enflammer et résoudre en feu quelque
jour, et quelque jour encore renaître [324]. Et des hommes
dit Apulée : « *Sigillatim mortales, cunctim, perpetui* * ».
Alexandre écrivit à sa mère la narration d'un prêtre

a. Il me reste à savoir.

* Citation d'Apulée, *De deo Socratis*, rapporté par saint Augustin
dans *la Cité de Dieu*, livre XII, chap. x : « Comme individus, ils sont
mortels; comme espèce, immortels. »

égyptien tirée de leurs monuments, témoignant l'ancienneté de cette nation infinie et comprenant la naissance
et progrès des autres pays au vrai [325]. Cicéron et Diodore
disent de leur temps que les Chaldéens tenaient registre
de quatre cent mille tant d'ans; Aristote, Pline et autres,
que Zoroastre vivait six mille ans avant l'âge de Platon.
Platon dit que ceux de la ville de Saïs ont des mémoires
par écrit de huit mille ans, et que la ville d'Athènes fut
bâtie mille ans avant ladite ville de Saïs [326]; Épicure,
qu'en même temps que les choses sont ici comme nous
les voyons, elles sont toutes pareilles, et en même façon,
en plusieurs autres mondes. Ce qu'il eût dit plus assurément, s'il eût vu les similitudes et convenances de ce
nouveau monde des Indes occidentales avec le nôtre,
présent et passé, en si étranges exemples.

En vérité, considérant ce qui est venu à notre science
du cours de cette police [a] terrestre, je me suis souvent
émerveillé de voir, en une très grande distance de lieux
et de temps, les rencontres d'un grand nombre d'opinions
populaires monstrueuses et des mœurs et créances
sauvages, et qui, par aucun biais, ne semblent tenir
à notre naturel discours [b]. C'est un grand ouvrier de
miracles que l'esprit humain; mais cette relation a je
ne sais quoi encore de plus hétéroclite; elle se trouve
aussi en noms, en accidents et en mille autres choses.
Car on y trouva des nations n'ayant, que nous sachions,
ouï de nouvelles de nous, où la circoncision était en crédit [327], où il y avait des États et grandes polices mainte-
nues par des femmes, sans hommes; où nos jeûnes et
notre carême étaient représentés, y ajoutant l'abstinence
des femmes; où nos croix étaient en diverses façons en
crédit : ici on en honorait les sépultures; on les appliquait
là, et nommément celle de saint André, à se défendre des
visions nocturnes et à les mettre sur les couches des
enfants contre les enchantements; ailleurs ils en rencontrèrent une de bois, de grande hauteur, adorée pour Dieu
de la pluie, et celle-là bien fort avant dans la terre
ferme; on y trouva une bien expresse image de nos
pénitenciers; l'usage des mitres, le célibat des prêtres,
l'art de deviner par les entrailles des animaux sacrifiés,

---

a. Organisation du monde, société. — *b.* Raison.

l'abstinence de toute sorte de chair et poisson à leur vivre ;
la façon aux prêtres d'user en officiant de langue particulière et non vulgaire ; et cette fantaisie, que le premier
dieu fut chassé par un second, son frère puîné ; qu'ils
furent créés avec toutes commodités, lesquelles on leur a
depuis retranchées pour leur péché, changé leur territoire
et empiré leur condition naturelle ; qu'autrefois ils ont été
submergés par l'inondation des eaux célestes ; qu'il ne
s'en sauva que peu de familles qui se jetèrent dans les
hauts creux des montagnes, lesquels creux ils bouchè-
rent, si que l'eau n'y entra point, ayant enfermé là-
dedans plusieurs sortes d'animaux ; que, quand ils sen-
tirent la pluie cesser, ils mirent hors des chiens, lesquels
étant revenus nets et mouillés, ils jugèrent l'eau n'être
encore guère abaissée ; depuis, en ayant fait sortir d'autres
et les voyant revenir bourbeux, ils sortirent repeupler
le monde, qu'ils trouvèrent plein seulement de serpents.

On rencontra en quelque endroit la persuasion du
jour du jugement [a], si qu'ils s'offensaient merveilleusement contre les Espagnols, qui épandaient les os des
trépassés en fouillant les richesses des sépultures, disant
que ces os écartés ne se pourraient facilement rejoindre ;
le trafic par échange, et non autre, foires et marchés pour
cet effet ; des nains et personnes difformes pour l'ornement des tables des princes ; l'usage de la fauconnerie
selon la nature de leurs oiseaux ; subsides tyranniques ;
délicatesses de jardinages ; danses, sauts bateleresques ;
musique d'instruments ; armoiries ; jeux de paume, jeu de
dés et de sort auquel ils s'échauffent souvent jusques à s'y
jouer eux-mêmes et leur liberté ; médecine non autre que
de charmes ; la forme d'écrire par figures ; créance d'un
seul premier homme, père de tous les peuples ; adoration
d'un dieu qui vécut autrefois homme en parfaite virginité,
jeûne et pénitence, prêchant la loi de nature et des cérémonies de la religion, et qui disparut du monde sans
mort naturelle ; l'opinion des géants ; l'usage de s'enivrer
de leurs breuvages et de boire d'autant [b], ornements
religieux peints d'ossements et têtes de morts, surplis,
eau bénite, aspergés ; femmes et serviteurs qui se présentent à l'envi à se brûler et enterrer avec le mari ou

a. Le Jugement dernier. — *b.* A la régalade.

maître trépassé; loi que les aînés succèdent à tout le bien, et n'est réservé aucune part au puîné, que d'obéissance; coutume, à la promotion de certain office de grande autorité, que celui qui est promu prend un *nouveau* nom et quitte le sien; de verser de la chaux sur le genou de l'enfant fraîchement né, en lui disant : « Tu es venu de poudre et retourneras en poudre »; l'art des augures.

Ces vains ombrages *a* de notre religion qui se voient en aucuns exemples, en témoignent la dignité et la divinité. Non seulement elle s'est aucunement insinuée en toutes les nations infidèles de deçà par quelque imitation, mais à ces barbares aussi comme par une commune et supernaturelle inspiration. Car on y trouva aussi la créance du purgatoire, mais d'une forme nouvelle; ce que nous donnons au feu, ils le donnent au froid, et imaginent les âmes et purgées et punies par la rigueur d'une extrême froidure. Et m'avertit cet exemple d'une autre plaisante diversité : car, comme il s'y trouva des peuples qui aimaient à défubler *b* le bout de leur membre et en retranchaient la peau à la mahométane et à la juive, il s'y en trouva d'autres qui faisaient si grande conscience de le défubler qu'à tout des petits cordons ils portaient leur peau bien soigneusement étirée et attachée au-dessus, de peur que ce bout ne vît l'air. Et de cette diversité aussi, que, comme nous honorons les rois et les fêtes en nous parant des plus honnêtes vêtements que nous ayons, en aucunes régions, pour montrer toute disparité et soumission à leur roi, les sujets se présentaient à lui en leurs plus vils habillements, et entrant au palais prennent quelque vieille robe déchirée sur la leur bonne, à ce que tout le lustre et l'ornement soit au maître. Mais suivons.

Si nature enserre dans les termes de son progrès ordinaire, comme toutes autres choses, aussi les créances, les jugements et opinions des hommes; si elles ont leur révolution, leur raison, leur naissance, leur mort, comme les choux; si le ciel les agite et les roule à sa poste, quelle magistrale autorité et permanente leur allons-nous attribuant? Si par expérience nous touchons à la main que la forme de notre être dépend de l'air, du climat et

a. Tableaux, images. — *b.* Dépouiller.

du terroir où nous naissons, non seulement le teint, la taille, la complexion et les contenances, mais encore les facultés de l'âme, « *et plaga cœli non solum ad robur corporum, sed etiam animorum facit* * », dit Végèce; et que la Déesse fondatrice de la ville d'Athènes choisit à la situer une température de pays qui fit les hommes prudents, comme les prêtres d'Égypte apprirent à Solon, « *Athenis tenue cœlum, ex quo etiam acutiores putentur Attici; crassum Thebis itaque pingues Thebani et valentes* ** »; en manière que, ainsi que les fruits naissent divers et les animaux, les hommes naissent aussi plus ou moins belliqueux, justes, tempérants et dociles : ici sujets au vin, ailleurs au larcin ou à la paillardise; ici enclins à superstition, ailleurs à la mécréance; ici à la liberté, ici à la servitude; capables d'une science ou d'un art, grossiers ou ingénieux, obéissants ou rebelles, bons ou mauvais, selon que porte l'inclination du lieu où ils sont assis, et prennent nouvelle complexion si on les change de place, comme les arbres; qui fut la raison pour laquelle Cyrus [328] ne voulut accorder aux Perses d'abandonner leur pays âpre et bossu pour se transporter en un autre doux et plain [a], disant que les terres grasses et molles font les hommes mols, et les fertiles les esprits infertiles; si nous voyons tantôt fleurir un art, une opinion, tantôt une autre, par quelque influence céleste; tel siècle produire telles natures et incliner l'humain genre à tel ou tel pli; les esprits des hommes tantôt gaillards, tantôt maigres, comme nos champs; que deviennent toutes ces belles prérogatives de quoi nous nous allons flattant? Puisqu'un homme sage se peut mécompter [b], et cent hommes, et plusieurs nations, voire et l'humaine nature selon nous se mécompte plusieurs siècles en ceci ou en cela, quelle sûreté avons-nous que parfois elle cesse de se mécompter et qu'en ce siècle elle ne soit en mécompte?

a. Plat. — b. Se tromper.

* Citation de Végèce prise dans les *Politiques* de Juste Lipse, livre V, chap. x : « Le climat ne contribue pas seulement à la vigueur du corps, mais aussi à celle de l'esprit. »

** Cicéron, *De Fato*, livre IV : « A Athènes, l'air est subtil et c'est à cause de cela, croit-on, que les Athéniens sont si fins; celui de Thèbes est dense; d'où la grossièreté et la vigueur des Thébains. »

Il me semble, entre autres témoignages de notre imbécillité *a*, que celui-ci ne mérite pas d'être oublié, que par désir même l'homme ne sache trouver ce qu'il lui faut; que, non par jouissance, mais par imagination et par souhait, nous ne puissions être d'accord de ce de quoi nous avons besoin pour nous contenter. Laissons à notre pensée tailler et coudre à son plaisir, elle ne pourra pas seulement désirer ce qui lui est propre, et se satisfaire :

> *quid enim ratione timemus*
> *Aut cupimus ? quid tam dextro pede concipis, ut te*
> *Conatus non pœniteat votique peracti* * ?

C'est pourquoi Socrate ne requérait les dieux sinon de lui donner ce qu'ils savaient lui être salutaire [329]. Et la prière des Lacédémoniens, publique et privée, portait simplement les choses bonnes et belles leur être octroyées, remettant à la discrétion divine le triage et choix d'icelles [330] :

> *Conjugium petimus partumque uxoris; at illi*
> *Notum qui pueri qualisque futura sit uxor* **.

Et le chrétien supplie Dieu *que sa volonté soit faite*, pour ne tomber en l'inconvénient que les poètes feignent du roi Midas. Il requit les dieux que tout ce qu'il toucherait se convertît en or. Sa penèse fut exaucée : son vin fut or, son pain or et la plume de sa couche, et d'or sa chemise et son vêtement; de façon qu'il se trouva accablé sous la jouissance de son désir et étrenné *b* d'une commodité insupportable. Il lui fallut déprier ses prières,

---

a. Faiblesse. — *b.* Gratifié.
* Juvénal, *Satire X :* « Est-ce la raison qui règle nos craintes et nos désirs ? Quels projets peux-tu concevoir avec assez de bonheur pour ne pas regretter de l'avoir tenté et même de l'avoir mené à terme ? »
** *Ibid. :* « Nous souhaitons le mariage et des enfants; mais ce sont les dieux qui savent ce que seront ces enfants et cette épouse. »

Attonitus nivitate mali, divesque miserque,
Effugere optat opes, et quæ modo voverat, odit *.

Disons de moi-même. Je demandais à la fortune, autant qu'autre chose, l'ordre Saint-Michel, étant jeune; car c'était lors l'extrême marque d'honneur de la noblesse française et très rare. Elle me l'a plaisamment accordé. Au lieu de me monter et hausser de ma place pour y aveindre, elle m'a bien plus gracieusement traité, elle l'a ravalé et rabaissé jusques à mes épaules et au-dessous [331].

Cléobis et Biton, Trophonius et Agamède, ayant requis, ceux-là leur déesse, ceux-ci leur dieu, d'une récompense digne de leur piété, eurent la mort pour présent, tant les opinions célestes sur ce qu'il nous faut sont diverses aux nôtres [332].

Dieu pourrait nous octroyer les richesses, les honneurs, la vie et la santé même, quelquefois à notre dommage; car tout ce qui nous est plaisant, ne nous est pas toujours salutaire. Si, au lieu de la guérison, il nous envoie la mort ou l'empirement de nos maux, « *Virga tua et baculus tuus ipsa me consolata sunt* ** », il le fait par les raisons de sa providence, qui regarde bien plus certainement ce qui nous est dû que nous ne pouvons faire; et le devons prendre en bonne part, comme d'une main très sage et très amie :

> *si consilium vis*
> *Permittes ipsis expendere numinibus, quid*
> *Conveniat nobis, rebusque sit utile nostris :*
> *Charior est illis homo quam sibi* ***.

Car de les requérir des honneurs, des charges, c'est les requérir qu'ils vous jettent à une bataille ou au jeu

---

* Ovide, *Métamorphoses,* livre XI : « Frappé de stupeur par un mal si étrange, riche et malheureux à la fois, il souhaite fuir ses richesses et il hait ce qu'il souhaitait à l'instant. »

** Psaume XXII : « Ta verge et ton bâton m'ont consolé. »

*** Juvénal, *Satire X :* « Veux-tu un bon conseil? Laisse aux dieux le soin de peser ce qui nous convient et ce qui est utile à nos affaires. L'homme leur est plus cher qu'il ne l'est à lui-même. »

de dés, ou telle autre chose de laquelle l'issue vous est
inconnue et le fruit douteux [333].

Il n'est point de combat si violent entre les philosophes,
et si âpre, que celui qui se dresse sur la question du souverain bien de l'homme, duquel, par le calcul de Varron,
naquirent 288 sectes [334].

« *Qui autem de summo bono dissentit, de tota philoso-
phiæ ratione dissentit* *. »

> *Tres mihi convivæ prope dissentire videntur,*
> *Poscentes vario multum diversa palato :*
> *Qui dem ? quid non dem ? Renuis tu quod jubet alter ;*
> *Quod petis, id sanè est invisum acidúmque duobus* **.

Nature devrait ainsi répondre à leurs contestations et
à leurs débats.

Les uns disent notre bien-être loger en la vertu,
d'autres en la volupté, d'autres au consentir à nature ; qui,
en la science ; qui, à n'avoir point de douleur ; qui, à ne se
laisser emporter aux apparences (et à cette fantaisie
semble retirer [a] cette autre, de l'ancien Pythagore,

> *Nil admirari prope res una, Numaci,*
> *Soláque quæ possit facere et servare beatum* ***.

qui est la fin de la secte Pyrrhonienne) ; Aristote attribue à magnanimité rien n'admirer. Et disait Archésilas
les soutènements [b] et l'état droit et inflexible du jugement être les biens, mais les consentements et applications être les vices et les maux [335]. Il est vrai qu'en ce
qu'il l'établissait par axiome certain, il se départait du

---

a. Ressembler à. — *b.* Soutiens (terme d'architecture).

* Cicéron, *De Finibus*, livre V, chap. v : « Or dès qu'on ne
s'accorde pas sur le souverain bien, on est en désaccord sur toute la
philosophie. »

** Horace, *Épître 2*, du livre II : « Il me semble voir trois
convives de goûts différents et qui réclament des mets opposés.
Que faut-il leur donner ou ne pas donner ? Tu refuses ce que l'autre
réclame ; ce que tu désires paraît odieux et aigre aux deux autres. »

*** Horace, *Épître 6*, du livre I : « Ne s'étonner de rien, Numa-
cius, est presque le seul et unique moyen qui puisse apporter et
conserver le bonheur. »

Pyrrhonisme. Les Pyrrhoniens, quand ils disent que le souverain bien c'est l'ataraxie, qui est l'immobilité du jugement, ils ne l'entendent pas dire d'une façon affirmative, mais le même branle de leur âme qui leur fait fuir les précipices et se mettre à couvert du serein, celui-là même leur présente cette fantaisie et leur en fait refuser une autre.

. Combien je désire que, pendant que je vis, ou quelque autre, ou Juste Lipse [336], le plus savant homme qui nous reste, d'un esprit très poli et judicieux, vraiment germain à mon Turnèbe [337], eût et la volonté, et la santé, et assez de repos pour ramasser en un registre, selon leurs divisions et leurs classes, sincèrement et curieusement, autant que nous y pouvons voir, les opinions de l'ancienne philosophie sur le sujet de notre être et de nos mœurs, leurs controverses, le crédit et suite des parts [a], l'application de la vie des auteurs et sectateurs à leurs préceptes ès accidents mémorables et exemplaires. Le bel ouvrage et utile que ce serait!

Au demeurant, si c'est de nous que nous tirons le règlement de nos mœurs, à quelle confusion nous rejetons-nous! Car ce que notre raison nous y conseille de plus vraisemblable, c'est généralement à chacun d'obéir aux lois de son pays, comme est l'avis de Socrate inspiré, dit-il, d'un conseil divin [338]. Et par là que veut-elle dire, sinon que notre devoir n'a autre règle que fortuite? La vérité doit avoir un visage pareil et universel. La droiture et la justice, si l'homme en connaissait qui eût corps et véritable essence, il ne l'attacherait pas à la condition des coutumes de cette contrée ou de celle-là; ce ne serait pas de la fantaisie des Perses ou des Indes que la vertu prendrait sa forme. Il n'est rien sujet à plus continuelle agitation que les lois. Depuis que je suis né, j'ai vu trois et quatre fois rechanger celles des Anglais, nos voisins, non seulement en sujet politique, qui est celui qu'on veut dispenser de constance, mais au plus important sujet qui puisse être, à savoir de la religion. De quoi j'ai honte et dépit, d'autant plus que c'est une nation à laquelle ceux de mon quartier [b]

a. Partis. — b. Ma région (la Guyenne).

ont eu autrefois une si privée accointance, qu'il reste encore en ma maison aucunes traces de notre ancien cousinage.

Et chez nous ici, j'ai vu telle chose qui nous était capitale [a], devenir légitime; et nous, qui en tenons d'autres, sommes à même, selon l'incertitude de la fortune guerrière, d'être un jour criminels de lèse-majesté humaine et divine, notre justice tombant à la merci de l'injustice, et, en l'espace de peu d'années de possession, prenant une essence contraire.

Comment pouvait ce dieu ancien [339] plus clairement accuser en l'humaine connaissance l'ignorance de l'être divin, et apprendre aux hommes que la religion n'était qu'une pièce de leur invention, propre à lier leur société, qu'en déclarant, comme il fit, à ceux qui en recherchaient l'instruction de son trépied, que le vrai culte à chacun était celui qu'il trouvait observé par l'usage du lieu où il était? O Dieu! quelle obligation n'avons-nous à la bénignité de notre souverain créateur pour avoir déniaisé notre créance de ces vagabondes et arbitraires dévotions et l'avoir logée sur l'éternelle base de sa sainte parole!

Que nous dira donc en cette nécessité la philosophie? Que nous suivons les lois de notre pays? c'est-à-dire cette mer flottante des opinions d'un peuple ou d'un prince, qui me peindront la justice d'autant de couleurs et la reformeront en autant de visages qu'il y aura en eux de changements de passion? Je ne puis pas avoir le jugement si flexible. Quelle bonté est-ce que je voyais hier en crédit, et demain plus, et que le trait d'une rivière fait crime [340]?

Quelle vérité que ces montagnes bornent, qui est mensonge au monde qui se tient au-delà?

Mais ils sont plaisants quand, pour donner quelque certitude aux lois, ils disent qu'il y en a aucunes fermes, perpétuelles et immuables, qu'ils nomment naturelles, qui sont empreintes en l'humain genre par la condition de leur propre essence. Et, de celles-là, qui en fait le nombre de trois, qui de quatre, qui plus, qui moins :

a. Punie de mort.

signe que c'est une marque aussi douteuse que le reste.
Or ils sont si défortunés *a* (car comment puis-je autrement nommer cela que défortune, que d'un nombre de
lois si infini il ne s'en rencontre au moins une que la fortune et témérité du sort ait permis être universellement
reçue par le consentement de toutes les nations?), ils
sont, dis-je, si misérables que de ces trois ou quatre lois
choisies il n'en y a une seule qui ne soit contredite et
désavouée, non par une nation, mais par plusieurs. Or
c'est la seule enseigne vraisemblable, par laquelle
ils puissent argumenter aucunes lois naturelles, que
l'universalité de l'approbation. Car ce que nature nous
aurait véritablement ordonné, nous l'ensuivrions sans
doute d'un commun consentement. Et non seulement
toute nation, mais tout homme particulier, ressentirait la
force et la violence que lui ferait celui qui le voudrait
pousser au contraire de cette loi. Qu'ils m'en montrent,
pour voir, une de cette condition. Protagoras et Ariston
ne donnaient autre essence à la justice des lois que
l'autorité et opinion du législateur; et que, cela mis à
part, le bon et l'honnête perdaient leurs qualités et
demeuraient des noms vains de choses indifférentes.
Thrasimaque, en Platon [341], estime qu'il n'y a point
d'autre droit que la commodité du supérieur. Il n'est
chose en quoi le monde soit si divers qu'en coutumes et
lois. Telle chose est ici abominable, qui apporte recommandation ailleurs, comme en Lacédémone la subtilité
de dérober. Les mariages entre les proches sont capitalement défendus entre nous, ils sont ailleurs en honneur,

> *gentes esse feruntur*
> *In quibus et nato genitrix, et nata parenti*
> *Jungitur, et pietas geminato crescit amore* *.

Le meurtre des enfants, meurtre des pères, communication de femmes, trafic de voleries, licence à toutes

---

a. Malheureux.

* Ovide, *Métamorphoses,* livre X : « On rapporte qu'il y a des
nations où la mère s'unit à son fils et le père à sa fille, et où l'affection familiale est doublée par l'amour. »

sortes de voluptés, il n'est rien en somme si extrême
qui ne se trouve reçu par l'usage de quelque nation.

Il est croyable qu'il y a des lois naturelles, comme
il se voit ès autres créatures ; mais en nous elles sont
perdues, cette belle raison humaine s'ingérant partout
de maîtriser et commander, brouillant et confondant
le visage des choses selon sa vanité et inconstance.
« *Nihil itaque amplius nostrum est : quod nostrum dico,
artis est* *. »

Les sujets ont divers lustres et diverses considérations ;
c'est de là que s'engendre principalement la diversité
d'opinions. Une nation regarde un sujet par un visage,
et s'arrête à celui-là ; l'autre, par un autre.

Il n'est rien si horrible à imaginer que de manger
son père [342]. Les peuples qui avaient anciennement cette
coutume, la prenaient toutefois pour témoignage de
piété et de bonne affection, cherchant par là à donner à
leurs progéniteurs la plus digne et honorable sépulture,
logeant en eux-mêmes et comme en leurs moelles les
corps de leurs pères et leurs reliques, les vivifiant aucunement et régénérant par la transmutation en leur chair
vive au moyen de la digestion et du nourrissement.
Il est aisé à considérer quelle cruauté et abomination
c'eût été, à des hommes abreuvés et imbus de cette
superstition, de jeter la dépouille des parents à la corruption de la terre et nourriture des bêtes et des vers.

Lycurgue considéra au larcin la vivacité, diligence,
hardiesse et adresse qu'il y a à surprendre quelque chose
de son voisin, et l'utilité qui revient au public, que chacun en regarde plus curieusement à la conservation de ce
qui est sien ; et estima que de cette double institution, à
assaillir et à défendre, il s'en tirait du fruit à la discipline
militaire (qui était la principale science et vertu à quoi
il voulait duire [a] cette nation) de plus grande considération que n'étaient le désordre et l'injustice de se prévaloir de la chose d'autrui [343].

---

  a. Exercer.
  * Cicéron, *De Finibus,* livre V, chap. xxi : « Il n'y a rien qui soit
véritablement nôtre ; ce que j'appelle nôtre n'est qu'une production
de l'art. »

Denys le tyran offrit à Platon une robe à la mode de Perse, longue, damasquinée et parfumée; Platon la refusa, disant qu'étant né homme, il ne se vêtirait pas volontiers de robe de femme; mais Aristippe l'accepta, avec cette réponse : « Que nul accoutrement ne pouvait corrompre un chaste courage. » Ses amis tançaient sa lâcheté de prendre si peu à cœur que Denys lui eût craché au visage : « Les pêcheurs, dit-il, souffrent bien d'être baignés des ondes de la mer depuis la tête jusqu'aux pieds pour attraper un goujon [344]. » Diogène lavait ses choux, et le voyant passer : « Si tu savais vivre de choux, tu ne ferais pas la cour à un tyran. » A quoi Aristippe : « Si tu savais vivre entre les hommes, tu ne laverais pas des choux. » Voilà comment la raison fournit d'apparence à divers effets. C'est un pot à deux anses, qu'on peut saisir à gauche et à dextre :

> *bellum, o terra hospita, portas,*
> *Bello armantur equi, bellum hæc armenta minantur.*
> *Sed tamen iidem olim curru succedere sueti*
> *Quadrupedes, et frena jugo concordia ferre :*
> *Spes est pacis* [*].

On prêchait Solon [345] de n'épandre pour la mort de son fils des larmes impuissantes et inutiles : « Et c'est pour cela, dit-il, que plus justement je les épands, qu'elles sont inutiles et impuissantes. » La femme de Socrate rengrégeait son deuil [a] par telle circonstance : « O qu'injustement le font mourir ces méchants juges! — Aimerais-tu donc mieux que ce fût justement? » lui répliqua-t-il [346].

Nous portons les oreilles percées [347]; les Grecs tenaient cela pour une marque de servitude. Nous nous cachons pour jouir de nos femmes, les Indiens le font en public.

---

a. Augmentait sa douleur.
* Virgile, *Énéide*, chant III : « O terre, qui nous accueilles en hôtes, nous apportes-tu la guerre? C'est pour la guerre qu'on harnache les coursiers; c'est de la guerre que nous menacent ces bêtes puissantes. Mais parfois elles s'habituent à traîner un char et supporter ensemble le même joug. Un espoir de paix subsiste! »

Les Scythes immolaient les étrangers en leurs temples, ailleurs les temples servent de franchise [348].

> *Inde furor vulgi, quod numina vicinorum*
> *Odit quisque locus, cum solos credat habendos*
> *Esse Deos quos ipse colit* *.

J'ai ouï parler d'un juge, lequel, où il rencontrait un âpre conflit entre Bartolus et Baldus [349], et quelque matière agitée de plusieurs contrariétés, mettait en marge de son livre : *Question pour l'ami ;* c'est-à-dire que la vérité était si embrouillée et débattue qu'en pareille cause il pourrait favoriser celle des parties que bon lui semblerait. Il ne tenait qu'à faute d'esprit et de suffisance qu'il ne pût mettre partout : *Question pour l'ami.* Les avocats et les juges de notre temps trouvent à toutes causes assez de biais pour les accommoder où bon leur semble. A une science si infinie, dépendant de l'autorité de tant d'opinions et d'un sujet si arbitraire, il ne peut être qu'il n'en naisse une confusion extrême de jugements. Aussi n'est-il guère si clair procès auquel les avis ne se trouvent divers. Ce qu'une compagnie a jugé, l'autre le juge au contraire, et elle-même au contraire une autre fois. De quoi nous voyons des exemples ordinaires par cette licence, qui tache merveilleusement la cérémonieuse autorité et lustre de notre justice, de ne s'arrêter aux arrêts, et courir des uns aux autres juges pour décider d'une même cause.

Quant à la liberté des opinions philosophiques touchant le vice et la vertu, c'est chose où il n'est besoin de s'étendre, et où il se trouve plusieurs avis qui valent mieux tus que publiés aux faibles esprits. Arcésilas disait n'être considérable en la paillardise, de quel côté et par où on le fût. « *Et obscœnas voluptates, si natura requirit, non genere, aut loco, aut ordine, sed forma, œtate, figura metiendas Epicurus putat* **. »

* Juvénal, *Satire XV :* « La haine populaire provient de ce que chacun hait les divinités du peuple voisin et n'estime dieux que ceux que lui-même vénère. »

** Cicéron, *Tusculanes,* livre V, chap. xxxiii : « Épicure pense nue dans les plaisirs d'amour, il ne faut mettre en compte, si la qature le demande, ni la race, ni le pays, ni le rang, mais la beauté, l'âge et la figure. »

« *Ne amores quidem sanctos a sapiente alienos esse arbi-
trantur* *. » — « *Quæramus ad quam usque ætatem juvenes
amandi sint* **. » Ces deux derniers lieux Stoïques
et, sur ce propos, le reproche de Dicéarque à Platon
même, montrent combien la plus saine philosophie
souffre de licences éloignées de l'usage commun et
excessives.

Les lois prennent leur autorité de la possession et de
l'usage; il est dangereux de les ramener à leur naissance;
elles grossissent et s'ennoblissent en roulant, comme
nos rivières; suivez-les contremont ^a jusques à leur
source, ce n'est qu'un petit surgeon d'eau à peine
reconnaissable, qui s'enorgueillit ainsi et se fortifie en
vieillissant. Voyez les anciennes considérations qui
ont donné le premier branle à ce fameux torrent, plein
de dignité, d'horreur et de révérence : vous les trouverez
si légères et si délicates, que ces gens-ci qui pèsent tout
et le ramènent à la raison, et qui ne reçoivent rien par
autorité et à crédit, il n'est pas merveille s'ils ont leurs
jugements souvent très éloignés des jugements publics.
Gens qui prennent pour patron l'image première de
nature, il n'est pas merveille si, en la plupart de leurs
opinions, ils gauchissent la voie commune. Comme, pour
exemple : peu d'entre eux eussent approuvé les
conditions contraintes de nos mariages; et la plupart ont
voulu les femmes communes et sans obligation. Ils
refusaient nos cérémonies. Chrysippe disait qu'un philosophe fera une douzaine de culbutes en public, voire sans
haut-de-chausses, pour une douzaine d'olives [350]. A
peine eut-il donné avis à Clisthène de refuser la belle
Agariste, sa fille, à Hippoclide, pour lui avoir vu faire
l'arbre fourché sur une table [351].

Métroclès lâcha un peu indiscrètement un pet en
disputant, en présence de son école, et se tenait en
sa maison, caché de honte jusques à ce que Cratès le

---

a. En remontant.

* Cicéron, *De Finibus*, livre III, chap. xx : « Les stoïciens pensent
que des amours saintement réglées ne sont pas interdites au sage. »

** Sénèque, *Lettre 123* : « Examinons jusqu'à quel âge il
convient d'aimer les jeunes gens. »

fut visiter; et ajoutant à ses consolations et raisons l'exemple de sa liberté, se mettant à péter à l'envi avec lui, il lui ôta ce scrupule, et de plus le retira à sa secte Stoïque, plus franche, de la secte Péripatétique, plus civile, laquelle jusques lors il avait suivie [352].

Ce que nous appelons honnêteté, de n'oser faire à découvert ce qui nous est honnête de faire à couvert, ils l'appelaient sottise; et de faire le fin à taire et désavouer ce que nature, coutume et notre désir publient et proclament de nos actions, ils l'estimaient vice. Et leur semblait que c'était affoler les mystères de Vénus que de les ôter du retiré sacraire [a] de son temple pour les exposer à la vue du peuple, et que tirer ses jeux hors du rideau, c'était les avilir (c'est une espèce de poix que la honte; la récélation, réservation, circonscription, parties de l'estimation); que la volupté très ingénieusement faisait instance, sous le masque de la vertu, de n'être prostituée au milieu des carrefours, foulée des pieds et des yeux de la commune, trouvant à dire la dignité et commodité de ses cabinets accoutumés. De là disent aucuns, que d'ôter les bordels publics, c'est non seulement épandre partout la paillardise qui était assignée à ce lieu-là, mais encore aiguillonner les hommes à ce vice par la malaisance :

> *Mœchus es Aufidiæ, qui vir, Corvine, fuisti;*
> *Rivalis fuerat qui tuus, ille vir est.*
> *Cur aliena placet tibi, quæ tua non placet uxor ?*
> *Nunquid securus non potes arrigere* * ?*

Cette expérience se diversifie en mille exemples :

> *Nullus in urbe fuit tota qui tangere vellet*
> *Uxorem gratis, Cœciliane, tuam,*

---

a. Sanctuaire caché.

* Martial, livre III : « Jadis mari d'Aufidie, te voilà, Corvinus, son amant maintenant qu'elle est la femme de celui qui était autrefois ton rival! Pourquoi te plaît-elle, maintenant qu'elle est la femme d'un autre alors qu'elle te déplaisait quand elle était la tienne? Es-tu impuissant dès que ton amour est en sûreté? »

Dum licuit ; sed nunc, positis custodibus, ingens
Turba fututorum est. Ingeniosus homo es *.

On demandait à un philosophe, qu'on surprit à même,
ce qu'il faisait. Il répondit tout froidement : « Je plante
un homme [353] », ne rougissant non plus d'être rencontré
en cela, que si on l'eût trouvé plantant des aulx.

C'est, comme j'estime, d'une opinion trop tendre et
respectueuse, qu'un grand et religieux auteur [354] tient
cette action si nécessairement obligée à l'occultation et
à la vergogne, qu'en la licence des embrassements
cyniques il ne se peut persuader que la besogne en vînt
à sa fin, ains qu'elle s'arrêtait à représenter des mouvements lascifs seulement, pour maintenir l'impudence de la
profession de leur école ; et que, pour élancer ce que la
honte avait contraint et retiré, il leur était encore après
besoin de chercher l'ombre. Il n'avait pas vu assez
avant en leur débauche. Car Diogène, exerçant en public
sa masturbation, faisait souhait en présence du peuple
assistant, qu'il pût ainsi saouler son ventre en le frottant.
A ceux qui lui demandaient pourquoi il ne cherchait
lieu plus commode à manger qu'en pleine rue : « C'est,
répondit il, que j'ai faim en pleine rue [355]. » Les femmes
philosophes, qui se mêlaient à leur secte, se mêlaient
aussi à leur personne en tout lieu, sans discrétion : et
Hipparchia [356] ne fut reçue en la société de Cratès qu'en
condition de suivre en toutes choses les us et coutumes
de sa règle. Ces philosophes-ci donnaient extrême prix
à la vertu et refusaient toutes autres disciplines que la
morale ; si est-ce qu'en toutes actions, ils attribuaient
la souveraine autorité à l'élection de leur sage et au-
dessus des lois ; et n'ordonnaient aux voluptés autre
bride que la modération et la conservation de la liberté
d'autrui [357].

Héraclite et Protagoras, de ce que le vin semble amer
au malade et gracieux au sain, l'aviron tortu dans l'eau
et droit à ceux qui le voient hors de là, et de pareilles

---

* Martial, livre I : « Il n'est personne dans toute la ville, Céci-
lianus, qui ait voulu toucher ta femme, quand c'était possible ; mais
maintenant, protégée par des gardes, la foule des galants est
immense. Tu es un habile homme ! »

apparences contraires qui se trouvent aux sujets, argu-
mentèrent que tous sujets avaient en eux les causes de ces
apparences; et qu'il y avait au vin quelque amertume
qui se rapportait au goût du malade, l'aviron certaine
qualité courbe se rapportant à celui qui le regarde dans
l'eau. Et ainsi de tout le reste. Qui est dire que tout est
en toutes choses, et par conséquent rien en aucune, car
rien n'est où tout est.

Cette opinion me ramentait *a* l'expérience que nous
avons, qu'il n'est aucun sens ni visage, ou droit, ou amer,
ou doux, ou courbe, que l'esprit humain ne trouve aux
écrits qu'il entreprend de fouiller [358]. En la parole la
plus nette, pure et parfaite qui puisse être, combien de
fausseté et de mensonge a-t-on fait naître? quelle hérésie
n'y a trouvé des fondements assez et témoignages, pour
entreprendre et pour se maintenir? C'est pour cela que
les auteurs de telles erreurs ne se veulent jamais départir
de cette preuve, du témoignage de l'interprétation des
mots. Un personnage de dignité [359], me voulant approuver par autorité cette quête de la pierre philosophale où
il est tout plongé, m'allégua dernièrement cinq ou six
passages de la Bible, sur lesquels il disait s'être premièrement fondé pour la décharge de sa conscience (car il
est de profession ecclésiastique); et, à la vérité, l'invention n'en était pas seulement plaisante, mais encore bien
proprement accommodée à la défense de cette belle
science.

Par cette voie se gagne le crédit des fables divinatrices.
Il n'est pronostiqueur, s'il a cette autorité qu'on le
daigne feuilleter, et rechercher curieusement tous les
plis et lustres de ses paroles, à qui on ne fasse dire tout ce
qu'on voudra, comme aux Sybilles: car il y a tant de
moyens d'interprétation qu'il est malaisé que, de biais
ou de droit fil, un esprit ingénieux ne rencontre en tout
sujet quelque air qui lui serve à son point.

Pourtant, se trouve un style nébuleux et douteux
en si fréquent et ancien usage! Que l'auteur puisse
gagner cela d'attirer et embesogner *b* à soi la postérité
(ce que non seulement la suffisance, mais autant ou
plus la faveur fortuite de la matière peut gagner); qu'au

a. Rappelait. — *b.* Occuper.

demeurant il se présente, par bêtise ou par finesse,
un peu obscurément et diversement : il ne lui chaille!
Nombre d'esprits, le blutant et secouant, en exprimeront
quantité de formes, ou selon, ou à côté, ou au contraire
de la sienne, qui lui feront toutes honneur. Il se verra
enrichi des moyens de ses disciples, comme les régents
du Lendit [360].

C'est ce qui a fait valoir plusieurs choses de néant [a],
qui a mis en crédit plusieurs écrits, et chargé de toute
sorte de matière qu'on a voulu : une même chose recevant mille et mille, et autant qu'il nous plaît d'images et
considérations diverses. Est-il possible qu'Homère ait
voulu dire tout ce qu'on lui fait dire [361]; et qu'il se soit
prêté à tant et si diverses figures que les théologiens,
législateurs, capitaines, philosophes, toute sorte de gens
qui traitent sciences, pour différemment et contrairement
qu'ils les traitent, s'appuient de lui, s'en rapportent à
lui : maître général à tous offices, ouvrages et artisans;
général conseiller à toutes entreprises. Quiconque a eu
besoin d'oracles et de prédictions, y en a trouvé pour
son fait. Un personnage savant, et de mes amis, c'est
merveille quelles rencontres et combien admirables
il en fait naître en faveur de notre religion; et ne se peut
aisément départir de cette opinion, que ce ne soit le
dessein d'Homère (si, lui est cet auteur aussi familier qu'à
homme de notre siècle). Et ce qu'il trouve en faveur de la
nôtre, plusieurs anciennement l'avaient trouvé en faveur
des leurs.

Voyez démener et agiter Platon. Chacun, s'hono-
rant de l'appliquer à soi, le couche du côté qu'il le veut.
On le promène et l'insère à toutes les nouvelles opinions
que le monde reçoit; et le différencie-t-on à soi-même
selon le différent cours des choses. On fait désavouer
à son sens les mœurs licites en son siècle, d'autant qu'elles
sont illicites au nôtre. Tout cela vivement et puisam-
ment, autant qu'est puissant et vif l'esprit de l'interprète.

Sur ce même fondement qu'avait Héraclite et cette
sienne sentence, que toutes choses avaient en elles les
visages qu'on y trouvait, Démocrite en tirait une toute

a. Sans valeur.

contraire conclusion, c'est que les sujets n'avaient du tout rien de ce que nous y trouvions; et de ce que le miel était doux à l'un et amer à l'autre, il argumentait qu'il n'était ni doux, ni amer [362]. Les Pyrrhoniens diraient qu'ils ne savent s'il est doux ou amer, ou ni l'un ni l'autre, ou tous les deux : car ceux-ci gagnent toujours le haut point de la dubitation.

Les Cyrénéens tenaient que rien n'était perceptible par le dehors, et que cela était seulement perceptible qui nous touchait par l'interne attouchement, comme la douleur et la volupté; ne reconnaissant ni ton, ni couleur, mais certaines affections seulement qui nous en venaient; et que l'homme n'avait autre siège de son jugement. Protagoras estimait être vrai à chacun ce qui semble à chacun. Les Épicuriens logent aux sens tout jugement et en la notice des choses et en la volupté. Platon a voulu le jugement de la vérité et la vérité même, retirée des opinions et des sens, appartenir à l'esprit et à la cogitation [363].

Ce propos m'a porté sur la considération des sens, auxquels gît le plus grand fondement et preuve de notre ignorance. Tout ce qui se connaît, il se connaît sans doute par la faculté du connaissant; car, puisque le jugement vient de l'opération de celui qui juge, c'est raison que cette opération il la parfasse par ses moyens et volonté, non par la contrainte d'autrui, comme il adviendrait si nous connaissions les choses par la force et selon la loi de leur essence. Or toute connaissance s'achemine en nous par les sens : ce sont nos maîtres.

> *via qua munita fidei*
> *Proxima fert humanum in pectus templáque mentis* *.

La science commence par eux et se résout en eux. Après tout, nous ne saurions non plus qu'une pierre, si nous ne savions qu'il y a son, odeur, lumière, saveur, mesure, poids, mollesse, dureté, âpreté, couleur, polissure, lar-

---

* Lucrèce, chant V : « La voie que se fraye la persuasion pour pénétrer directement dans le cœur de l'homme et dans le sanctuaire de son esprit. »

geur, profondeur. Voilà le plant *ᵃ* et les principes de tout
le bâtiment de notre science. Et, selon aucuns, science
n'est autre chose que sentiment. Quiconque me peut
pousser à contredire les sens, il me tient à la gorge, il
ne me saurait faire reculer plus arrière. Les sens sont le
commencement et la fin de l'humaine connaissance :

> *Invenies primis ab sensibus esse creatam*
> *Notitiam veri, neque sensus posse refelli...*
> *Quid majore fide porro quam sensus haberi*
> *Debet * ?*

Qu'on leur attribue le moins qu'on pourra, toujours
faudra-t-il leur donner cela, que par leur voie et entremise
s'achemine toute notre instruction. Cicéron dit [364] que
Chrysippe, ayant essayé de rabattre de la force des
sens et de leur vertu, se représenta à soi-même des
arguments au contraire et des oppositions si véhémentes,
qu'il n'y put satisfaire. Sur quoi Carnéade [365], qui maintenait le contraire parti, se vantait de se servir des armes
mêmes et paroles de Chrysippe pour le combattre, et
s'écriait à cette cause contre lui : « O misérable, ta
force t'a perdu ! » Il n'est aucun absurde selon nous plus
extrême que de maintenir que le feu n'échauffe point,
que la lumière n'éclaire point, qu'il n'y a point de pesanteur au fer, ni de fermeté, qui sont notices que nous
apportent les sens, ni créance ou science en l'homme
qui se puisse comparer à celle-là en certitude.

La première considération que j'ai sur le sujet des
sens, c'est que je mets en doute que l'homme soit pourvu
de tous sens naturels. Je vois plusieurs animaux qui
vivent une vie entière et parfaite, les uns sans la vue,
autres sans l'ouïe : qui sait si en nous aussi il ne manque
pas encore un, deux, trois et plusieurs autres sens ? car,
s'il en manque quelqu'un, notre discours *ᵇ* n'en peut
découvrir le défaut. C'est le privilège des sens d'être
l'extrême borne de notre apercevance; il n'y a rien

a. Fondement. — *b.* Raisonnement.
* Lucrèce, chant IV : « Tu trouveras que ce sont les sens qui les
premiers ont donné la notion de vérité et qu'ils ne peuvent être
réfutés... Quel témoignage est plus digne de foi que celui des sens ? »

au-delà d'eux qui nous puisse servir à les découvrir;
voire ni un sens n'en peut découvrir un autre,

> *An poterunt oculos aures reprehendere, an aures*
> *Tactus, an hunc porro tactum sapor arguet oris,*
> *An confutabunt nares, oculive revincent * ?*

Ils font trestous *a* la ligne extrême de notre faculté,

> *seorsum cuique potestas*
> *Divisa est, sua vis cuique est ***.

Il est impossible de faire concevoir à un homme naturellement aveugle qu'il n'y voit pas, impossible de lui faire
désirer la vue et regretter son défaut.

Par quoi nous ne devons prendre aucune assurance
de ce que notre âme est contente et satisfaite de ceux
que nous avons, vu qu'elle n'a pas de quoi sentir en
cela sa maladie et son imperfection, si elle y est. Il est
impossible de dire chose à cet aveugle, par discours *b*,
argument ni similitude *c*, qui loge en son imagination
aucune appréhension de lumière, de couleur et de vue.
Il n'y a rien plus arrière qui puisse pousser le sens en
évidence. Les aveugles-nés, qu'on voit désirer à y voir,
ce n'est pas pour entendre ce qu'ils demandent : ils ont
appris de nous qu'ils ont à dire quelque chose, qu'ils
ont quelque chose à désirer, qui est en nous, laquelle
ils nomment bien, et ses effets et conséquences; mais
ils ne savent pourtant pas que c'est, ne l'appréhendent
ni près ni loin [366].

J'ai vu un gentilhomme de bonne maison, aveugle-né,
au moins aveugle de tel âge qu'il ne sait que c'est que
de vue; il entend si peu ce qui lui manque, qu'il use et
se sert comme nous des paroles propres au voir, et les

---

a. Tous tant qu'ils sont. — *b.* Raisonnement. — *c.* Comparaison.

* Lucrèce, chant IV : « Les oreilles pourront-elles corriger les
yeux ? le toucher, les oreilles; le toucher sera-t-il convaincu d'erreur
par le goût? L'odorat confondra-t-il les autres sens ? Ou bien les
yeux ? »

** Lucrèce, chant IV : « A chacun des sens sont distribués des
pouvoirs déterminés, des fonctions propres.»

applique d'une mode toute sienne et particulière. On lui présentait un enfant duquel il était parrain; l'ayant pris entre ses bras : « Mon Dieu! dit-il, le bel enfant! qu'il le fait beau voir! qu'il a le visage gai! » Il dira comme l'un d'entre nous : « Cette salle a une belle vue; il fait clair, il fait beau soleil. » Il y a plus : car, parce que ce sont nos exercices que la chasse, la paume, la butte *a*, et qu'il l'a ouï dire, il s'y affectionne et s'y embesogne, et croit y avoir la même part que nous y avons; il s'y pique et s'y plaît, et ne les reçoit pourtant que par les oreilles. On lui crie que voilà un lièvre, quand on est en quelque esplanade où il puisse piquer *b*; et puis on lui dit encore que voilà un lièvre pris : le voilà aussi fier de sa prise, comme il oit dire aux autres qu'ils le sont. L'esteuf *c*, il le prend à la main gauche et le pousse à tout *d* sa raquette; de l'arquebuse, il en tire à l'aventure, et se paie de ce que ses gens lui disent qu'il est ou haut, ou à côté [367].

Que sait-on si le genre humain fait une sottise pareille, à faute de quelque sens, et que par ce défaut la plupart du visage des choses nous soit caché? Que sait-on si les difficultés que nous trouvons en plusieurs ouvrages de nature viennent de là? et si plusieurs effets des animaux qui excèdent notre capacité, sont produits par la faculté de quelque sens que nous ayons à dire? et si aucuns d'entre eux ont une vie plus pleine par ce moyen et entière que la nôtre? Nous saisissons la pomme quasi par tous nos sens; nous y trouvons de la rougeur, de la polissure, de l'odeur et de la douceur [368]; outre cela, elle peut avoir d'autres vertus, comme d'assécher ou restreindre, auxquelles nous n'avons point de sens qui se puisse rapporter. Les propriétés que nous appelons occultes en plusieurs choses, comme à l'aimant d'attirer le fer, n'est-il pas vraisemblable qu'il y a des facultés sensitives en nature, propres à les juger et à les apercevoir, et que le défaut de telles facultés nous apporte l'ignorance de la vraie essence de telles choses? C'est à l'aventure *e* quelque sens particulier qui découvre aux coqs l'heure du matin et de minuit, et les émeut *f* à

---

a. Tir à la cible.   *b*. Éperonner son cheval. — *c*. Balle. — *d*. Avec.   *e*. Peut-être. — *f*. Pousse.

chanter; qui apprend aux poules, avant tout usage et
expérience, de craindre un épervier, et non une oie, ni
un paon, plus grandes bêtes; qui avertit les poulets de la
qualité hostile qui est au chat contre eux et à ne se défier
du chien [369], s'armer contre le miaulement, voix aucunement flatteuse, non contre l'aboyer, voix âpre et querelleuse; aux frelons, aux fourmis et aux rats, de choisir
toujours le meilleur fromage et la meilleure poire avant
que d'y avoir tâté, et qui achemine le cerf, l'éléphant,
le serpent à la connaissance de certaine herbe propre à
leur guérison. Il n'y a sens qui n'ait une grande domination, et qui n'apporte par son moyen un nombre
infini de connaissances. Si nous avions à dire l'intelligence des sons, de l'harmonie et de la voix, cela apporterait une confusion inimaginable à tout le reste de
notre science. Car, outre ce qui est attaché au propre
effet de chaque sens, combien d'arguments, de conséquences et de conclusions tirons-nous aux autres choses
par la comparaison de l'un sens à l'autre! Qu'un homme
entendu imagine l'humaine nature produite originellement sans la vue, et discoure combien d'ignorance et de
trouble lui apporterait un tel défaut, combien de ténèbres
et d'aveuglement en notre âme : on verra par là combien
nous importe à la connaissance de la vérité la privation
d'un autre tel sens, ou de deux, ou de trois, si elle est en
nous. Nous avons formé une vérité par la consultation
et concurrence de nos cinq sens; mais à l'aventure [a]
fallait-il l'accord de huit ou de dix sens et leur contribution pour l'apercevoir certainement et en son essence.

Les sectes qui combattent la science de l'homme,
elles la combattent principalement par l'incertitude
et faiblesse de nos sens : car, puisque toute connaissance
vient en nous par leur entremise et moyen, s'ils faillent
au rapport qu'ils nous font, s'ils corrompent ou altèrent
ce qu'ils nous charrient du dehors, si la lumière qui par
eux s'écoule en notre âme est obscurcie au passage,
nous n'avons plus que tenir. De cette extrême difficulté
sont nées toutes ces fantaisies : que chaque sujet a en
soi tout ce que nous y trouvons; qu'il n'a rien de ce

a. Peut-être.

que nous y pensons trouver; et celle des Épicuriens,
que le Soleil n'est non plus grand que ce que notre vue
le juge,

> *Quicquid id est, nihilo fertur majore figura*
> *Quam nostris oculis quam cernimus, esse videtur* * ;

que les apparences qui représentent un corps grand à
celui qui en est voisin, et plus petit à celui qui en est
éloigné, sont toutes deux vraies,

> *Nec tamen hic oculis falli concedimus hilum*
> *Proinde animi vitium hoc oculis adfingere noli* ** ;

et résolument qu'il n'y a aucune tromperie aux sens;
qu'il faut passer à leur merci, et chercher ailleurs des
raisons pour excuser la différence et contradiction que
nous y trouvons; voire inventer tout autre mensonge
et rêverie (ils en viennent jusque-là) plutôt que d'accuser
les sens. Timagoras jurait [370] que, pour presser ou biaiser
son œil, il n'avait jamais aperçu doubler la lumière de
la chandelle, et que cette semblance [a] venait du vice de
l'opinion, non de l'instrument. De toutes les absurdités,
la plus absurde aux Épicuriens est désavouer la force et
effet des sens [370 bis].

> *Proinde quod in quoque est his visum tempore, verum est.*
> *Et, si non potuit ratio dissolvere causam,*
> *Cur ea quæ fuerint juxtim quadrata, procul sint*
> *Visa rotunda, tamen, præstat rationis egentem*
> *Reddere mendosè causas utriùsque figuræ,*
> *Quam manibus manifesta suis emittere quoquam,*
> *Et violare fidem primam, et convellere tota*
> *Fundamenta quibus nixatur vita salúsque.*
> *Non modo enim ration ruat omnis, vita quoque ipsa*

a. Apparence.

* Citation de Lucrèce, chant V, que Montaigne a traduite avant
de donner le texte latin.

** Lucrèce, chant IV : « Nous ne convenons pas pour cela que
les yeux se trompent. Ne leur imputons pas les erreurs de l'esprit. »

Concidat extemplo, nisi credere sensibus ausis,
Præcipitésque locos vitare, et cætera quæ sint
In genere hoc fugienda *.

Ce conseil désespéré et si peu philosophique ne représente autre chose, sinon que l'humaine science ne se
peut maintenir que par raison déraisonnable, folle et
forcenée; mais qu'encore vaut-il mieux que l'homme,
pour se faire valoir, s'en serve et de tout autre remède,
tant fantastique soit-il, que d'avouer sa nécessaire
bêtise : vérité si désavantageuse ! Il ne peut fuir que les
sens ne soient les souverains maîtres de sa connaissance;
mais ils sont incertains et falsifiables à toutes circonstances. C'est là où il faut se battre à outrance, et, si les
forces justes nous faillent, comme elles font, y employer
l'opiniâtreté, la témérité, l'impudence.

Au cas que ce que disent les Épicuriens [371] soit vrai,
à savoir que nous n'avons pas de science si les apparences
des sens sont fausses; et ce que disent les Stoïciens, s'il
est aussi vrai que les apparences des sens sont si fausses
qu'elles ne nous peuvent produire aucune science, nous
conclurons, aux dépens de ces deux grandes sectes dogmatistes, qu'il n'y a point de science.

Quant à l'erreur et incertitude de l'opération des
sens, chacun s'en peut fournir autant d'exemples qu'il
lui plaira, tant les fautes et tromperies qu'ils nous font
sont ordinaires. Au retentir d'un vallon, le son d'une
trompette semble venir devant nous, qui vient d'une
lieue derrière :

Extantesque procul medio de gurgite montes
Iidem apparent longè diversi licet...

* Lucrèce, chant IV : « En conséquence, les perceptions des sens
sont vraies en tout temps. Et si la raison est incapable d'expliquer
pourquoi les objets qui sont carrés de près paraissent ronds de loin,
il est préférable cependant, dans l'impuissance de la raison, de donner une justification inexacte de l'un et l'autre phénomène, que de
laisser échapper de nos mains des vérités manifestes, d'abjurer la
première de toutes les croyances et de ruiner les fondations sur
lesquelles reposent notre vie et notre salut. En effet, non seulement
la raison s'écroulerait tout entière, mais la vie même, si, n'osant
nous fier à nos sens, nous renoncions à éviter les précipices et tout
ce qui est de même nature. »

Et fugere ad puppim colles campique videntur
Quos agimus propter navim...
ubi in medio nobis equus acer obhæsit
Flumine, equi corpus transversum ferre videtur
Vis, et in adversum flumen contrudere raptim *.

A manier une balle d'arquebuse sous le second doigt, celui du milieu étant entrelacé par-dessus, il faut extrêmement se contraindre, pour avouer qu'il n'y en ait qu'une, tant le sens nous en représente deux. Car que les sens soient maintes fois maîtres du discours, et le contraignent de recevoir des impressions qu'il sait et juge être fausses, il se voit à tous coups. Je laisse à part celui de l'attouchement, qui a ses opérations plus voisines, plus vives et substantielles, qui renverse tant de fois, par l'effet de la douleur qu'il apporte au corps, toutes ces belles résolutions Stoïques, et contraint de crier au ventre celui qui a établi en son âme ce dogme avec toute résolution, que la colique, comme toute autre maladie et douleur, est chose indifférente, n'ayant la force de rien rabattre du souverain bonheur et félicité en laquelle le sage est logé par sa vertu. Il n'est cœur si mol que le son de nos tambourins et de nos trompettes n'échauffe; ni si dur que la douceur de la musique n'éveille et ne chatouille; ni âme si revêche qui ne se sente touchée de quelque révérence à considérer cette vastité sombre de nos églises, la diversité d'ornements et ordre de nos cérémonies, et ouïr le son dévotieux de nos orgues, et l'harmonie si posée et religieuse de nos voix. Ceux mêmes qui y entrent avec mépris, sentent quelque frisson dans le cœur, et quelque horreur qui les met en défiance de leur opinion.

Quant à moi, je ne m'estime point assez fort pour ouïr en sens rassis des vers d'Horace et de Catulle,

* Lucrèce, chant IV : « Des montagnes s'élevant du milieu des flots donnent de loin l'apparence de former une chaîne, bien que séparées... Les collines et les plaines que notre navire longe semblent fuir vers notre poupe... quand notre cheval fougueux s'arrête au milieu du fleuve, nous croyons qu'une force l'emporte à contre-courant. »

chantés d'une voix suffisante par une belle et jeune bouche.

Et Zénon avait raison [372] de dire que la voix était la fleur de la beauté. On m'a voulu faire accroire qu'un homme, que tous nous autres Français connaissons, m'avait imposé en me récitant des vers qu'il avait faits, qu'ils n'étaient pas tels sur le papier qu'en l'air, et que mes yeux en feraient contraire jugement à mes oreilles, tant la prononciation a de crédit à donner prix et façon aux ouvrages qui passent à sa merci. Sur quoi Philoxenus ne fut pas fâcheux, lequel oyant un donner mauvais ton à quelque sienne composition, se prit à fouler aux pieds et casser de la brique qui était à lui, disant : « Je romps ce qui est à toi, comme tu corromps ce qui est à moi [373]. »

À quoi faire ceux mêmes qui se sont donné la mort d'une certaine résolution, détournaient-ils la face pour ne voir le coup qu'ils se faisaient donner ? et ceux qui pour leur santé désirent et commandent qu'on les incise et cautérise, ne peuvent soutenir la vue des apprêts, outils et opération du chirurgien ? attendu que la vue ne doit avoir aucune participation à cette douleur. Cela ne sont-ce pas propres exemples à vérifier l'autorité que les sens ont sur le discours ? Nous avons beau savoir que ces tresses sont empruntées d'un page ou d'un laquais ; que cette rougeur est venue d'Espagne, et cette blancheur et polissure de la mer Océane, encore faut-il que la vue nous force d'en trouver le sujet plus aimable et plus agréable, contre toute raison. Car en cela il n'y a rien du sien.

> *Auferimur cultu ; gemmis auróque teguntur*
> *Crimina : pars minima est ipsa puella sui.*
> *Sæpe ubi sit quod ames inter tam multa requiras ;*
> *Decipit hac oculos Ægide, dives amor*.*

---

* Ovide, *Remèdes à l'amour*, chant I : « Nous sommes séduits par la parure ; l'or et les pierres précieuses cachent les défauts ; la jeune fille est la moindre partie d'elle-même. Souvent on a peine à trouver ce qu'on aime parmi tant de parures ; c'est l'égide avec laquelle l'amour opulent trompe nos yeux. »

Combien donnent à la force des sens les poètes, qui font
Narcisse éperdu de l'amour de son ombre,

> *Cunctáque miratur, quibus est mirabilis ipse;*
> *Se cupit imprudens; et qui probat, ipse probatur;*
> *Dúmque petit, petitur; paritérque accendit et ardet * ;*

et l'entendement de Pygmalion si troublé par l'impression
de la vue de sa statue d'ivoire, qu'il l'aime et la serve
pour vive!

> *Oscula dat reddíque putat, sequitúrque tenétque,*
> *Et credit tactis digitos insidere membris;*
> *Et metuit pressos veniat ne livor in artus **.*

Qu'on loge un philosophe dans une cage de menus
filets de fer clairsemés, qui soit suspendue au haut des
tours Notre-Dame de Paris, il verra par raison évidente
qu'il est impossible qu'il en tombe, et si, ne se saurait
garder (s'il n'a accoutumé le métier des recouvreurs) que
la vue de cette hauteur extrême ne l'épouvante et ne le
transisse. Car nous avons assez affaire de nous assurer aux
galeries qui sont en nos clochers, si elles sont façonnées
à jour, encore qu'elles soient de pierre. Il y en a qui n'en
peuvent pas seulement porter la pensée. Qu'on jette une
poutre entre ces deux tours, d'une grosseur telle qu'il
nous la faut à nous promener dessus : il n'y a sagesse philosophique de si grande fermeté qui puisse nous donner
courage d'y marcher comme nous le ferions, si elle était
à terre. J'ai souvent essayé *a* cela en nos montagnes de
deça (et si suis de ceux qui ne s'effraient que médiocre-

---

a. Éprouvé.

* Ovide, *Métamorphoses*, livre III : « Il admire tout ce qui le
rend admirable lui-même; à son insu, il se désire lui-même; il loue
et c'est lui-même qui est loué; en convoitant, il est lui-même convoi-
té; il embrase et brûle également. » On sait tout le parti que Paul
Valéry tirera du mythe de Narcisse dans ses poèmes *Narcisse parle*,
Fragments de Narcisse, *Cantate du Narcisse*. Narcisse devient non
l'exemple de la puissance des sens, mais du repliement sur soi-même.

** Ovide, *Métamorphoses*, livre X : « Il la couvre de baisers et
croit qu'elle y répond; il la saisit, l'embrasse, il croit sentir son corps
fléchir sous ses doigts; il craint, en la pressant, de laisser une empreinte livide. »

ment de telles choses) que je ne pouvais souffrir la vue
de cette profondeur infinie sans horreur et tremblement
de jarrets et de cuisses, encore qu'il s'en fallût bien ma
longueur que je ne fusse du tout au bord, et n'eusse su
choir si je ne me fusse porté à escient au danger. J'y
remarquai aussi, quelque hauteur qu'il y eût, pourvu
qu'en cette pente il s'y présentât un arbre ou bosse de
rocher pour soutenir un peu la vue et la diviser, que cela
nous allège et donne assurance, comme si c'était chose
de quoi à la chute nous pussions recevoir secours; mais
que les précipices coupés et unis, nous ne les pouvons
pas seulement regarder sans tournoiement de tête :
« *ut despici sine vertigine simul oculorum animique non possit* * »; qui est une évidente imposture de la vue. Ce
beau philosophe [374] se creva les yeux pour décharger
l'âme de la débauche qu'elle en recevait, et pouvoir
philosopher plus en liberté.

Mais, à ce compte, il se devait aussi faire étouper [a] les
oreilles, que Théophraste [375] dit être le plus dangereux
instrument que nous ayons pour recevoir des impressions
violentes à nous troubler et changer, et se devait priver
enfin de tous les autres sens, c'est-à-dire de son être et
de sa vie. Car ils ont tous cette puissance de commander
notre discours et notre âme. « *Fit etiam sæpe specie quadam,
sæpe vocum gravitate et cantibus, ut pellantur animi vehe-
mentius; sæpe etiam cura et timore* **. » Les médecins tiennent qu'il y a certaines complexions qui s'agitent par
aucuns sons et instruments jusques à la fureur. J'en ai
vu qui ne pouvaient ouïr ronger un os sous leur table
sans perdre patience; et n'est guère homme qui ne se
trouble à ce bruit aigre et poignant que font les limes
en raclant le fer; comme, à ouïr mâcher près de nous, ou
ouïr parler quelqu'un qui ait le passage du gosier ou du
nez empêché, plusieurs s'en émeuvent jusques à la colère

a. Boucher.
* Tite-Live, *Histoire,* livre XLIV, chap. VI : « De sorte qu'on
ne peut regarder en bas sans que les yeux et l'esprit ne soient victimes du vertige. »
** Cicéron, *De Divinatione,* livre I, chap. XXXVII : « Il arrive même
souvent que tel aspect, telle voix par sa gravité, tel chant trouble
fortement les esprits; souvent aussi un souci et une crainte font de
même. »

et la haine. Ce flûteur protocole [376] de Gracchus, qui amol-
lissait, roidissait et contournait *a* la voix de son maître
lorsqu'il haranguait à Rome, à quoi servait-il, si le mouvement et qualité du son n'avait force à émouvoir et altérer le jugement des auditeurs ? Vraiment, il y a bien de
quoi faire si grande fête de la fermeté de cette belle pièce,
qui se laisse manier et changer au branle et accidents d'un
si léger vent !

Cette même piperie que les sens apportent à notre
entendement, ils la reçoivent à leur tour. Notre âme
parfois s'en revanche de même ; ils mentent et se trompent
à l'envi. Ce que nous voyons et oyons agités de colère,
nous ne l'oyons pas tel qu'il est.

> *Et solem geminum, et duplices se ostendere Thebas* *.

L'objet que nous aimons nous semble plus beau qu'il
n'est,

> *Multimodis igitur pravas turpesque videmus*
> *Esse in delitiis, summóque in honore vigere* **,

et plus laid celui que nous avons à contre-cœur. A un
homme ennuyé et affligé, la clarté du jour semble obscurcie et ténébreuse. Nos sens sont non seulement altérés,
mais souvent hébétés du tout par les passions de l'âme.
Combien de choses voyons-nous, que nous n'apercevons
pas si nous avons notre esprit empêché ailleurs ?

> *In rebus quoque apertis noscere possis,*
> *Si non advertas animum, proinde esse, quasi omni*
> *Tempore semotæ fuerint, longéque remotæ* ***.

Il semble que l'âme retire au-dedans et amuse les puissances des sens. Par ainsi, et le dedans et le dehors de
l'homme sont pleins de faiblesse et de mensonge.

a. Dirigeait.
* Virgile, *Énéide,* chant IV : « On voit deux soleils et deux
Thèbes. »
** Lucrèce, chant IV : « Aussi voyons-nous des femmes laides
et difformes être adorées et recevoir les plus grands honneurs. »
*** Lucrèce, chant IV : « Même dans les objets bien visibles, tu
pourras remarquer que si tu n'y appliques pas ton esprit, ces objets
semblent être comme dans un très lointain recul. »

Ceux qui ont apparié notre vie à un songe, ont eu de la raison, à l'aventure *a* plus qu'ils ne pensaient. Quand nous songeons, notre âme vit, agit, exerce toutes ses facultés, ni plus ni moins que quand elle veille; mais si plus mollement et obscurément, non de tant certes que la différence y soit comme de la nuit à une clarté vive; oui, comme de la nuit à l'ombre : là elle dort, ici elle sommeille, plus et moins. Ce sont toujours ténèbres, et ténèbres Cimmériennes [377].

Nous veillons dormants, et veillants dormons. Je ne vois pas si clair dans le sommeil; mais, quant au veiller, je ne le trouve jamais assez pur et sans nuage. Encore le sommeil en sa profondeur endort parfois les songes. Mais notre veiller n'est jamais si éveillé qu'il purge et dissipe bien à point les rêveries, qui sont les songes des veillants, et pires que songes.

Notre raison et notre âme, recevant les fantaisies et opinions qui lui naissent en dormant, et autorisant les actions de nos songes de pareille approbation qu'elle fait celles du jour, pourquoi ne mettons-nous en doute si notre penser, notre agir, n'est pas un autre songer et notre veiller quelque espèce de dormir?

Si les sens sont nos premiers juges, ce ne sont pas les nôtres qu'il faut seuls appeler au conseil, car en cette faculté les animaux ont autant ou plus de droit que nous [378]. Il est certain qu'aucuns ont l'ouïe plus aiguë que l'homme, d'autres la vue, d'autres le sentiment *a*, d'autres l'attouchement ou le goût. Démocrite disait que les dieux et les bêtes avaient les facultés sensitives beaucoup plus parfaites que l'homme [379]. Or, entre les effets de leurs sens et les nôtres, la différence est extrême. Notre

Tantáque in his rebus distantia differitásque est,
Ut quod alis cibus est, aliis fuat acre venenum.
Sæpe etenim serpens, hominis contacta saliva,
Disperit, ac sese mandendo conficit ipsa *.

---

a. Peut-être. — *b.* Sens olfactif.
* Lucrèce, chant IV: « La variété et la différence sont si grandes en ces choses que ce qui est aliment pour les uns est un violent poison pour les autres. En effet, souvent un serpent, touché par la salive humaine, meurt et se tue en se déchirant lui-même. »

salive nettoie et assèche nos plaies, elle tue le serpent :
   Quelle qualité donnerons-nous à la salive? ou selon
nous, ou selon le serpent? Par quel des deux sens véri-
fierons-nous sa véritable essence que nous cherchons?
Pline dit [380] qu'il y a aux Indes certains lièvres marins qui
nous sont poison, et nous à eux, de manière que du seul
attouchement nous les tuons : qui sera véritablement
poison, ou l'homme ou le poisson? à qui en croirons-
nous, ou au poisson de l'homme, ou à l'homme du poisson? Quelque qualité d'air infecte l'homme, qui ne nuit
point au bœuf; quelque autre, le bœuf, qui ne nuit point
à l'homme : laquelle des deux sera, en vérité et en
nature, pestilente qualité? Ceux qui ont la jaunisse,
ils voient toutes choses jaunâtres et plus pâles que
nous :

> *Lurida præterea fiunt quæcunque tuentur*
> *Arquati* *.

Ceux qui ont cette maladie que les médecins nomment
Hyposphragma [381], qui est une suffusion de sang sous
la peau, voient toutes choses rouges et sanglantes. Ces
humeurs qui changent ainsi les opérations de notre vue,
que savons-nous si elles prédominent aux bêtes et leur
sont ordinaires? Car nous en voyons les unes qui ont les
yeux jaunes comme nos malades de jaunisse, d'autres qui
les ont sanglants de rougeur; à celles-là il est vraisemblable que la couleur des objets paraît autre qu'à nous :
quel jugement des deux sera le vrai? Car il n'est pas dit
que l'essence des choses se rapporte à l'homme seul. La
dureté, la blancheur, la profondeur et l'aigreur touchent
le service et science des animaux, comme la nôtre; nature
leur en a donné l'usage comme à nous. Quand nous pres-
sons l'œil [382], les corps que nous regardons, nous les apercevons plus longs et étendus; plusieurs bêtes ont l'œil
ainsi pressé : cette longueur est donc à l'aventure la
véritable forme de ce corps, non pas celle que nos
yeux lui donnent en leur assiette ordinaire. Si nous

---

* Lucrèce, chant IV : « Tout paraît jaune à ceux qui ont la
jaunisse. »

serrons l'œil par-dessous, les choses nous semblent doubles.

> *Bina lucernarum florentia lumina flammis*
> *Et duplices hominum facies, et corpora bina* *.

Si nous avons les oreilles empêchées de quelque chose, ou le passage de l'ouïe resserré, nous recevons le son autre que nous ne faisons ordinairement; les animaux qui ont les oreilles velues, ou qui n'ont qu'un bien petit trou au lieu de l'oreille, ils n'oient par conséquent pas ce que nous oyons et reçoivent le son autre. Nous voyons aux fêtes et aux théâtres que, opposant à la lumière des flambeaux une vitre teinte de quelque couleur, tout ce qui est en ce lieu nous appert *a* ou vert, ou jaune, ou violet,

> *Et vulgo faciunt id lutea russaque vela*
> *Et ferrugina, cum magnis intenta theatris*
> *Per malos volgata trabesque trementia pendent :*
> *Namque ibi consessum cavea subter, et omnem*
> *Scenai speciem, patrum, matrumque, deorumque*
> *Inficiunt, coguntque suo volitare colore* **,

il est vraisemblable que les yeux des animaux, que nous voyons être de diverse couleur, leur produisent les apparences des corps de même leurs yeux.

Pour le jugement de l'action des sens, il faudrait donc que nous en fussions premièrement d'accord avec les bêtes, secondement entre nous-mêmes. Ce que nous ne sommes aucunement; et entrons en débat tous les coups de ce que l'un oit, voit ou goûte quelque chose autrement qu'un autre; et débattons, autant que d'autre chose, de

---

a. Apparaît.

* Lucrèce, chant IV : « Les lampes ont une flamme double, les hommes double corps et double visage. »

** Lucrèce, chant IV : « C'est ce que font ces voiles jaunes, rouges et couleur de rouille qui, tendus dans nos vastes théâtres, flottent et ondulent le long des mâts et des poutres : tout ce qui est installé au-dessous d'eux, le décor de la scène, les sénateurs, les femmes, les statues des dieux sont teints d'une couleur mobile. »

la diversité des images que les sens nous rapportent. Autrement oit et voit, par la règle ordinaire de nature, et autrement goûte un enfant qu'un homme de trente ans, et celui-ci autrement qu'un sexagénaire. Les sens sont aux uns plus obscurs et plus sombres, aux autres plus ouverts et plus aigus. Nous recevons les choses autres et autres, selon que nous sommes et qu'il nous semble. Or notre sembler étant si incertain et controversé, ce n'est plus miracle si on nous dit que nous pouvons avouer que la neige nous apparaît blanche, mais que d'établir si de son essence elle est telle et à la vérité, nous ne nous en saurions répondre : et, ce commencement ébranlé, toute la science du monde s'en va nécessairement à vau-l'eau. Quoi, que nos sens mêmes s'entr'empêchent l'un l'autre ? Une peinture semble élevée à la vue, au maniement elle semble plate ; dirons-nous que le musc soit agréable ou non qui réjouit notre sentiment et offense notre goût ? Il y a des herbes et des onguents propres à une partie du corps, qui en blessent une autre ; le miel est plaisant au goût, mal plaisant à la vue. Ces bagues qui sont entaillées en forme de plumes, qu'on appelle en devise *a* : pennes sans fin, il n'y a œil qui en puisse discerner la largeur et qui se sût défendre de cette piperie, que d'un côté elles n'aillent en élargissant, et s'appointant *b* et étrécissant par l'autre, même quand on les roule autour du doigt ; toutefois au maniement, elles vous semblent égales en largeur et partout pareilles.

Ces personnes [383] qui, pour aider leur volupté, se servaient anciennement de miroirs propres à grossir et agrandir l'objet qu'ils représentent, afin que les membres qu'ils avaient à embesogner, leur plussent davantage par cette accroissance oculaire ; auquel des deux sens donnaient-ils gagné, ou à la vue qui leur représentait ces membres gros et grands à souhait, ou à l'attouchement qui les leur présentait petits et dédaignables ?

Sont-ce nos sens qui prêtent au sujet ces diverses conditions, et que les sujets n'en aient pourtant qu'une ? comme nous voyons du pain que nous mangeons ; ce

---

a. En terme de blason. — *b.* S'effilant.

n'est que pain, mais notre usage en fait des os, du sang,
de la chair, des poils et des ongles :

> *Ut cibus, in membra atque artus cum diditur omnes,*
> *Disperit, atque aliam naturam sufficit ex se* *.

L'humeur que suce la racine d'un arbre, elle se fait
tronc, feuille et fruit; et l'air n'étant qu'un, il se fait,
par l'application à une trompette, divers en mille sortes
de sons : sont-ce, dis-je, nos sens qui façonnent de même
de diverses qualités ces sujets, ou s'ils les ont telles?
Et sur ce doute, que pouvons-nous résoudre de leur
véritable essence? Davantage, puisque les accidents des
maladies, de la rêverie ou du sommeil nous font paraître
les choses autres qu'elles ne paraissent aux sains, aux
sages et à ceux qui veillent, n'est-il pas vraisemblable
que notre assiette droite et nos humeurs naturelles ont
aussi de quoi donner un être aux choses se rapportant
à leur condition, et les accommoder à soi, comme font
les humeurs déréglées? et notre santé aussi capable de
leur fournir son visage, comme la maladie? Pourquoi n'a
le tempéré quelque forme des objets relative à soi,
comme l'intempéré, et ne leur imprimera-t-il pareillement
son caractère?

Le dégoûté charge *a* la fadeur au vin : le sain, la saveur;
l'altéré, la friandise *b*.

Or, notre état accommodant les choses à soi et les
transformant selon soi, nous ne savons plus quelles sont
les choses en vérité; car rien ne vient à nous que falsifié
et altéré par nos sens. Où le compas, l'équerre et la règle
sont gauches, toutes les proportions qui s'en tirent, tous
les bâtiments qui se dressent à leur mesure, sont aussi
nécessairement manques *c* et défaillants. L'incertitude de
nos sens rend incertain tout ce qu'ils produisent :

> *Denique ut in fabrica, si prava est regula prima,*
> *Normaque si fallax rectis regionibus exit,*
> *Et libella aliqua si ex parte claudicat hilum,*
> *Omnia mendosè fieri atque obstipa necessum est,*
> *Prava, cubantia, prona, supina, atque absona tecta,*

---

a. Communique. — *b.* Le goût friand. — *c.* Imparfaits.
* Lucrèce, chant III : « De même, la nourriture distribuée dans
tout le corps et tous les membres, se détruit en changeant de nature. »

Jam ruere ut quædam videantur velle, ruántque
Prodita judiciis fallacibus omnia primis.
Hic igitur ratio tibi rerum prava necesse est
Falsaque sit, falsis quæcumque a sensibus orta est *.

Au demeurant, qui sera propre à juger de ces différences ? Comme nous disons, aux débats de la religion,
qu'il nous faut un juge non attaché à l'un ni à l'autre
parti, exempt de choix et d'affection, ce qui ne se peut
parmi les Chrétiens, il advient de même en ceci; car, s'il
est vieil, il ne peut juger du sentiment de la vieillesse,
étant lui-même partie en ce débat; s'il est jeune, de même;
sain, de même; de même, malade, dormant et veillant.
Il nous faudrait quelqu'un exempt de toutes ces qualités,
afin que, sans préoccupation de jugement, il jugeât de
ces propositions comme à lui indifférentes; et à ce compte
il nous faudrait un juge qui ne fût pas [384].

Pour juger des apparences que nous recevons des
sujets, il nous faudrait un instrument judicatoire; pour
vérifier cet instrument, il nous y faut de la démonstration; pour vérifier la démonstration, un instrument :
nous voilà au rouet [a]. Puisque les sens ne peuvent arrêter
notre dispute, étant pleins eux mêmes d'incertitude, il
faut que ce soit la raison; aucune raison ne s'établira
sans une autre raison : nous voilà à reculons jusques à
l'infini. Notre fantaisie ne s'applique pas aux choses
étrangères, ains elle est conçue par l'entremise des sens;
et les sens ne comprennent pas le sujet étranger, ains
seulement leurs propres passions; et par ainsi la fantaisie
et apparence n'est pas du sujet, ains seulement de la
passion et souffrance du sens, laquelle passion et sujet
sont choses diverses; par quoi qui juge par les apparences,
juge par chose autre que le sujet. Et de dire que les pas-

a. Dans un cercle vicieux.

* Lucrèce, chant IV : « Enfin, de même que dans la construction
d'un édifice, si la règle de l'architecte est fausse dès le début, si
l'équerre s'écarte de la verticale, si le niveau est quelque peu bôiteux,
tout est nécessairement faux et de travers; difforme, aplati, penchant
en avant, en arrière, sans proportion; certaines parties semblent
s'écrouler et s'écroulent en effet par l'erreur des premiers plans.
De même si les sens te trompent, tous tes jugements nés d'eux
seront faux. »

sions des sens rapportent à l'âme la qualité des sujets étrangers par ressemblance, comment se peut l'âme et l'entendement assurer de cette ressemblance, n'ayant de soi nul commerce avec les sujets étrangers ? Tout ainsi comme, qui ne connaît pas Socrate, voyant son portrait, ne peut dire qu'il lui ressemble. Or qui voudrait toutefois juger par les apparences : si c'est par toutes, il est impossible, car elles s'entr'empêchent par leurs contrariétés et discrepances *a*, comme nous voyons par expérience; sera-ce qu'aucunes apparences choisies règlent les autres ? Il faudra vérifier celle choisie par une autre choisie, la seconde par la tierce; et par ainsi ce ne sera jamais fait.

Finalement, il n'y a aucune constante existence, ni de notre être, ni de celui des objets. Et nous, et notre jugement, et toutes choses mortelles, vont coulant et roulant sans cesse. Ainsi il ne se peut établir rien de certain de l'un à l'autre, et le jugeant et le jugé étant en continuelle mutation et branle.

Nous n'avons aucune communication à l'être [385], parce que toute humaine nature est toujours au milieu entre le naître et le mourir, ne baillant de soi qu'une obscure apparence et ombre, et une incertaine et débile opinion. Et si, de fortune, vous fichez votre pensée à vouloir prendre son être, ce sera ni plus ni moins que qui voudrait empoigner l'eau : car tant plus il serrera et pressera ce qui de sa nature coule partout, tant plus, il perdra ce qu'il voulait tenir et empoigner. Ainsi, étant toutes choses sujettes à passer d'un changement en autre, la raison, y cherchant une réelle subsistance, se trouve déçue, ne pouvant rien appréhender de subsistant et permanent, parce que tout ou vient en être et n'est pas encore du tout, ou commence à mourir avant qu'il soit né. Platon disait [386] que les corps n'avaient jamais existence, ou bien *b* naissance, estimant qu'Homère eût fait l'océan père des dieux, et Thétis la mère, pour nous montrer que toutes choses sont en fluxion *c*, muance et variation perpétuelle : opinion commune à tous les philosophes avant son temps, comme il dit, sauf le seul Parménide, qui refusait mouvement aux choses, de la force duquel il fait grand cas; Pythagore, que toute matière

a. Discordances. — *b.* Mais bien. — *c.* Flux.

est coulante et labile *a* ; les Stoïciens, qu'il n'y a point de
temps présent, et que ce que nous appelons présent, n'est
que la jointure et assemblage du futur et du passé [387] ;
Héraclite, que jamais homme n'était deux fois entré en
même rivière ; Épicharme [388], que celui qui a piéça *b*
emprunté de l'argent ne le doit pas maintenant ; et que
celui qui cette nuit a été convié à venir ce matin dîner,
vient aujourd'hui non convié, attendu que ce ne sont
plus eux : ils sont devenus autres ; et qu'il ne se pouvait
trouver une substance mortelle deux fois en même
état, car, par soudaineté et légèreté de changement,
tantôt elle dissipe, tantôt elle rassemble ; elle vient et
puis s'en va. De façon que ce qui commence à naître
ne parvient jamais jusques à perfection d'être, pour
autant que ce naître n'achève jamais, et jamais n'arrête,
comme étant à bout, ains, depuis la semence, va toujours
se changeant et muant d'un à autre. Comme de semence
humaine se fait premièrement dans le ventre de la mère
un fruit sans forme, puis un enfant formé, puis, étant
hors du ventre, un enfant de mamelle ; après il devient
garçon ; puis conséquemment un jouvenceau ; après un
homme fait ; puis un homme d'âge ; à la fin décrépité
vieillard. De manière que l'âge et génération subséquente
va toujours défaisant et gâtant la précédente :

> *Mutat enim mundi naturam totius ætas,*
> *Ex alioque alius status excipere omnia debet,*
> *Nec manet ulla sui similis res : omnia migrant,*
> *Omnia commutat natura et vertere cogit* *.

Et puis nous autres sottement craignons une espèce de
mort, là où nous en avons déjà passé et en passons tant
d'autres. Car non seulement, comme disait Héraclite, la
mort du feu est génération de l'air, et la mort de l'air
génération de l'eau, mais encore plus manifestement
le pouvons-nous voir en nous-mêmes. La fleur d'âge se

a. Glissante. — *b.* Depuis longtemps.
* Lucrèce, chant V : « Le temps modifie la nature du monde
entier ; un nouvel ordre de choses succède nécessairement au premier, rien ne reste semblable à lui-même ; tout se transforme, la
nature change tout et oblige tout à se modifier. »

meurt et passe quand la vieillesse survient, et la jeunesse
se termine en fleur d'âge d'homme fait, l'enfance en la
jeunesse, et le premier âge meurt en l'enfance, et le
jour d'hier meurt en celui du jourd'hui, et le jourd'hui
mourra en celui de demain; et n'y a rien qui demeure
ni qui soit toujours un. Car, qu'il soit ainsi, si nous demeu-
rons toujours mêmes et uns, comment est-ce que nous
nous éjouissons maintenant d'une chose, et maintenant
d'une autre ? Comment est-ce que nous aimons choses
contraires ou les haïssons, nous les louons ou nous les
blâmons ? Comment avons-nous différentes affections, ne
retenant plus le même sentiment en la même pensée ?
Car il n'est pas vraisemblable que sans mutation nous
prenions autres passions *a*, et ce qui souffre mutation ne
demeure pas un même, et, s'il n'est pas un même, il n'est
donc pas aussi. Ains, quant et l'être tout un, change
aussi l'être simplement, devenant toujours autre d'un
autre. Et par conséquent se trompent et mentent les
sens de nature, prenant ce qui apparaît pour ce qui est,
à faute de bien savoir que c'est qui est. Mais qu'est-ce
donc qui est véritablement ? Ce qui est éternel, c'est-à-
dire qui n'a jamais eu de naissance, ni n'aura jamais fin;
à qui le temps n'apporte jamais aucune mutation. Car
c'est chose mobile que le temps, et qui apparaît comme
en ombre, avec la matière coulante et fluante toujours,
sans jamais demeurer stable ni permanente; à qui appartiennent ces mots : devant et après, et a été ou sera,
lesquels tout de prime face montrent évidemment que
ce n'est pas chose qui soit; car ce serait grande sottise
et fausseté toute apparente de dire que cela soit qui n'est
pas encore en être, ou qui déjà a cessé d'être. Et quant à
ces mots : présent, instant, maintenant, par lesquels il
semble que principalement nous soutenons et fondons
l'intelligence du temps, la raison le découvrant le détruit
tout sur-le-champ : car elle le fend incontinent et le
sépare en futur et en passé, comme le voulant voir
nécessairement départi en deux. Autant en advient-il
à la nature qui est mesurée, comme au temps qui la
mesure. Car il n'y a non plus en elle rien qui demeure,
ni qui soit subsistant; ains y sont toutes choses ou nées,

a. Impressions.

ou naissantes, ou mourantes. Au moyen de quoi ce serait péché de dire de Dieu, qui est le seul qui est, qu'il fut ou il sera. Car ces termes-là sont déclinaisons, passages ou vicissitudes de ce qui ne peut durer, ni demeurer en être. Par quoi il faut conclure que Dieu seul est, non point selon aucune mesure du temps, mais selon une éternité immuable et immobile, non mesurée par temps, ni sujette à aucune déclinaison *a*; devant lequel rien n'est, ni ne sera après, ni plus nouveau ou plus récent, ains *b* un réellement étant, qui, par un seul maintenant emplit toujours; et n'y a rien qui véritablement soit que lui seul, sans qu'on puisse dire : « Il a été », ou : « Il sera; sans commencement et sans fin ».

A cette conclusion si religieuse d'un homme païen je veux joindre seulement ce mot d'un témoin de même condition [389], pour la fin de ce long et ennuyeux discours qui me fournirait de matière sans fin : « O la vile chose, dit-il, et abjecte que l'homme, s'il ne s'élève au-dessus de l'humanité [390]! » Voilà un bon mot et un utile désir, mais pareillement absurde. Car de faire la poignée plus grande que le poing, la brassée plus grande que le bras, et d'espérer enjamber plus que de l'étendue de nos jambes, cela est impossible et monstrueux. Ni que l'homme se monte au-dessus de soi et de l'humanité : car il ne peut voir que de ses yeux, ni saisir que de ses prises. Il s'élèvera si Dieu lui prête extraordinairement la main; il s'élèvera, abandonnant et renonçant à ses propres moyens, et se laissant hausser et soulever [391] par les moyens purement célestes. C'est à notre foi chrétienne, non à sa vertu Stoïque de prétendre à cette divine et miraculeuse métamorphose.

a. Changements. — *b.* Mais.

CHAPITRE XIII

DE JUGER
DE LA MORT D'AUTRUI

Quand nous jugeons de l'assurance d'autrui en la mort, qui est sans doute la plus remarquable action de la vie humaine, il se faut prendre garde d'une chose : que mal aisément on croit être arrivé à ce point. Peu de gens meurent résolus que ce soit leur heure dernière, et n'est endroit où la piperie de l'espérance nous amuse plus. Elle ne cesse de corner aux oreilles : « D'autres ont bien été plus malades sans mourir; l'affaire n'est pas si désespérée qu'on pense; et, au pis aller, Dieu a bien fait d'autres miracles. » Et advient cela de ce que nous faisons trop de cas de nous. Il semble que l'université des choses souffre aucunement de notre anéantissement et qu'elle soit compassionnée [a] à notre état. D'autant que notre vue altérée se représente les choses de même; et nous est avis qu'elles lui faillent à mesure qu'elle leur faut : comme ceux qui voyagent en mer, à qui les montagnes, les campagnes, les villes, le ciel et la terre vont même branle, et quant et quant eux,

Provehimur portu, terræque urbesque recedunt *.

Qui vit jamais vieillesse qui ne louât le temps passé et ne blamât le présent, chargeant le monde et les mœurs des hommes de sa misère et de son chagrin ?

---

a. Compatissante.
* Virgile, *Énéide*, chant III : « Nous nous éloignons du port, et les terres et les villes reculent. »

Jamque caput quassans grandis suspirat arator,
Et cum tempora temporibus præsentia confert
Præteritis, laudat fortunas sæpe parentis,
Et crepat antiquum genus ut pietate repletum *

Nous entraînons tout avec nous.

D'où il s'ensuit que nous estimons grande chose notre mort, et qui ne passe pas si aisément, ni sans solennelle consultation des astres, « *tot circa unum caput tumultuantes deos* ** ». Et le pensons d'autant plus que plus nous nous prisons. Comment ? tant de science se perdrait-elle avec tant de dommage, sans particulier souci des destinées ? Une âme si rare et exemplaire ne coûte-t-elle non plus à tuer qu'une âme populaire et inutile ? Cette vie, qui en couvre tant d'autres, de qui tant d'autres vies dépendent, qui occupe tant de monde par son usage, remplit tant de places, se déplace-t-elle comme celle qui tient à son simple nœud ?

Nul de nous ne pense assez n'être qu'un.

De là viennent ces mots de César à son pilote, plus enflés que la mer qui le menaçait :

Italiam si, cœlo authore, recusas,
Me pete : sola tibi causa hæc est justa timoris,
Vectorem non nosse tuum...
perrumpe procellas
Tutela secure mei ***.

Et ceux-ci :

credit jam digna pericula Cæsar
Fatis esse suis : Tantúsque, evertere, dixit,

* Lucrèce, chant II : « Déjà, hochant la tête, le vieux laboureur soupire et quand il compare le présent au passé, il loue souvent le sort de son père... et gronde que les anciens étaient remplis de piété. »
** Sénèque, *Suasoriae*, livre I, chap. IV : « Tant de dieux s'agitant autour d'un seul homme. »
*** Lucain, *La Pharsale*, chant V : « Si tu refuses de gagner l'Italie avec le ciel pour garant, gagne-la sous ma propre garantie : le seul motif légitime de ta peur, c'est de ne pas connaître ton passager... Traverse les bourrasques, assuré par ma protection. »

Me superis labor est, parva quem puppe sedentem
*Tam magno petiere mari **.*

Et cette rêverie publique, que le soleil porta en son front, tout le long d'un an, le deuil de sa mort :

Ille etiam, extincto miseratus Cæsare Romam,
*Cum caput obscura nitidum ferrugine texit ** ;*

et mille semblables, de quoi le monde se laisse si aisément piper, estimant que nos intérêts altèrent le Ciel, et que son infinité se formalise de nos menues distinctions : « *Non tanta cælo societas nobiscum est, ut nostro fato mortalis sit ille quoque siderum fulgor ***.* »

Or, de juger la résolution et la constance en celui qui ne croit pas encore certainement être au danger, quoi-qu'il y soit, ce n'est pas raison; et ne suffit pas qu'il soit mort en cette démarche, s'il ne s'y était mis justement pour cet effet. Il advient à la plupart de roidir leur conte-nance et leurs paroles pour en acquérir réputation, qu'ils espèrent encore jouir vivants. D'autant que *ª* j'en ai vu mourir, la fortune a disposé les contenances, non leur dessein. Et de ceux mêmes qui se sont anciennement donné la mort, il y a bien à choisir si c'est une mort soudaine, ou mort qui ait du temps. Ce cruel empereur romain disait de ses prisonniers qu'il leur voulait faire sentir la mort; et si quelqu'un se défaisait en prison : « Celui-là m'est échappé », disait-il [1]. Il voulait étendre la mort, et la faire sentir par les tourments :

a. De tous ceux que.

* Lucain, *La Pharsale*, chant V : « César croit que le danger est maintenant digne de son destin : les dieux, dit-il, ont donc tant de peine à m'abattre, moi qu'ils attaquent avec une si grosse mer sur une petite barque. »

** Virgile, *Géorgiques,* chant I : « Lui aussi (le soleil), pris de pitié pour Rome à la mort de César, couvrit sa tête brillante d'une sombre nuée. »

*** Pline l'Ancien, *Histoire naturelle,* livre II, chap. VIII : « Il n'y a pas une si grande alliance entre le ciel et nous que l'éclat des astres doive disparaître à notre mort. »

Vidimus et toto quamvis in corpore cæso
Nil animæ letale datum, moremque nefandæ
Durum sævitiæ pereuntis parcere morti *.

De vrai ce n'est pas si grande chose d'établir, tout sain
et tout rassis, de se tuer; il est bien aisé de faire le mauvais avant que de venir aux prises : de manière que le plus
efféminé homme du monde, Héliogabale, parmi ses plus
lâches voluptés, desseignait [a] bien de se faire mourir
délicatement où l'occasion l'en forcerait; et, afin que
sa mort ne démentît point le reste de sa vie, avait fait
bâtir exprès une tour somptueuse, le bas et le devant
de laquelle était planché d'ais enrichis d'or et de pierrerie
pour se précipiter; et aussi fait faire des cordes d'or et
de soie cramoisie pour s'étrangler; et battre une épée
d'or pour s'enferrer; et gardait du venin dans des vaisseaux d'émeraude et de topaze pour s'empoisonner, selon
que l'envie lui prendrait de choisir de toutes ces façons
de mourir [2] :

Impiger et fortis virtute coacta **.

Toutefois, quant à celui-ci, la mollesse de ses apprêts
rend plus vraisemblable que le nez lui eût saigné, qui l'en
eût mis au propre. Mais de ceux mêmes qui, plus vigoureux, se sont résolus à l'exécution, il faut voir (dis-je) si
ç'a été d'un coup qui ôtât le loisir d'en sentir l'effet : car
c'est à deviner, à voir écouler la vie peu à peu, le sentiment du corps se mêlant à celui de l'âme, s'offrant le
moyen de se repentir, si la constance s'y fût trouvée et
l'obstination en une si dangereuse volonté.

Aux guerres civiles de César, Lucius Domitius, pris
en la Prusse [3], s'étant empoisonné, s'en repentit après. Il
est advenu de notre temps que tel, résolu de mourir,

---

a. Projetait.
* Lucain, *La Pharsale*, chant II : « Nous avons vu ce corps, qui,
tout couvert de blessures, n'avait cependant pas reçu de coup mortel, cruel raffinement qui évite de donner la mort à celui qu'on fait
périr. »
** *Ibid.*, chant IV : « Courageux et vaillant par nécessité. »

et de son premier essai n'ayant donné assez avant, la démangeaison de la chair lui repoussant le bras, se reblessa bien fort à deux ou trois fois après, mais ne put jamais gagner sur lui d'enfoncer le coup. Pendant qu'on faisait le procès à Plautius Silvanus, Urgulania, sa mère-grand, lui envoya un poignard, duquel n'ayant pu venir à bout de se tuer, il se fit couper les veines à *a* ses gens [4]. Albucilla [5], du temps de Tibère, s'étant pour se tuer frappée trop mollement, donna encore à ses parties *b* moyen de l'emprisonner et faire mourir à leur mode. Autant en fit le capitaine Démosthène après sa route *c* en la Sicile [6]. Et C. Fimbria, s'étant frappé trop faiblement, impétra *d* de son valet de l'achever [7]. Au rebours, Ostorius, lequel, ne se pouvant servir de son bras, dédaigna d'employer celui de son serviteur à autre chose qu'à tenir le poignard droit et ferme, et, se donnant le branle, porta lui-même sa gorge à l'encontre, et la transperça [8]. C'est une viande, à la vérité, qu'il faut engloutir sans mâcher, qui n'a le gosier ferré à glace; et pourtant l'empereur Adrien fit que son médecin marquât et circonscrît en son tétin justement l'endroit mortel où celui eut à viser, à qui il donna la charge de le tuer [9]. Voilà pourquoi César, quand on lui demandait quelle mort il trouvait la plus souhaitable : « La moins préméditée, répondit-il, et la plus courte [10]. »

Si César l'a osé dire, ce ne m'est plus lâcheté de le croire.

Une mort courte, dit Pline [11], est le souverain heur de la vie humaine. Il leur fâche de le reconnaître. Nul ne se peut dire être résolu à la mort, qui craint à la marchander, qui ne peut la soutenir les yeux ouverts. Ceux qu'on voit aux supplices courir à leur fin, et hâter l'exécution et la presser, ils ne le font pas de résolution : ils se veulent ôter le temps de la considérer. L'être mort ne les fâche pas, mais oui bien le mourir,

Emori nolo, sed me esse mortuum nihili æstimo *.

a. Par. — b. Adversaires. — c. Déroute. — d. Obtint.
* Cicéron, *Tusculanes*, livre I, chap. VIII : « Je ne veux pas mourir, mais j'estime qu'être mort n'a pas d'importance. » Cicéron a traduit un vers d'Épicharme.

C'est un degré de fermeté auquel j'ai expérimenté que je pourrais arriver [12], ainsi que ceux qui se jettent dans les dangers comme dans la mer, à yeux clos.

Il n'y a rien, selon moi, plus illustre en la vie de Socrate que d'avoir eu trente jours entiers à ruminer le décret de sa mort; de l'avoir digérée tout ce temps-là d'une très certaine espérance, sans émoi, sans altération, et d'un train d'actions et de paroles ravalé plutôt et anonchali que tendu et relevé par le poids d'une telle cogitation [13].

Ce Pomponius Atticus à qui Cicéron écrit, étant malade, fit appeler Agrippa son gendre, et deux ou trois autres de ses amis, et leur dit qu'ayant essayé qu'il ne gagnait rien à se vouloir guérir, et que tout ce qu'il faisait pour allonger sa vie, allongeait aussi et augmentait sa douleur, il était délibéré [a] de mettre fin à l'un et à l'autre, les priant de trouver bonne sa délibération et, au pis aller, de ne perdre point leur peine à l'en détourner. Or, avant choisi de se tuer par abstinence, voilà sa maladie guérie par accident : ce remède qu'il avait employé pour se défaire [b], le remet en santé. Les médecins et ses amis, faisant fête d'un si heureux événement et s'en réjouissant avec lui, se trouvèrent bien trompés; car il ne leur fut possible pour cela de lui faire changer d'opinion, disant qu'ainsi comme ainsi lui fallait-il un jour franchir ce pas, et qu'en étant si avant, il se voulait ôter la peine de recommencer une autre fois. Celui-ci, ayant reconnu la mort tout à loisir, non seulement ne se décourage pas au joindre, mais il s'y acharne; car, étant satisfait en ce pourquoi il était entré en combat, il se pique par braverie d'en voir la fin. C'est bien loin au-delà de ne craindre point la mort, que de la vouloir tâter et savourer.

L'histoire du philosophe Cléanthe est fort pareille [14]. Les gencives lui étaient enflées et pourries; les médecins lui conseillèrent d'user d'une grande abstinence. Ayant jeûné deux jours, il est si bien amendé qu'ils lui déclarent sa guérison et permettent de retourner à son train de vivre accoutumé. Lui, au rebours, goûtant déjà quelque douceur en cette défaillance, entreprend de ne se retirer plus arrière et franchit le pas qu'il avait si fort avancé.

a. Décidé.   b. Se tuer.

Tullius Marcellinus [15], jeune homme romain, voulant anticiper l'heure de sa destinée pour se défaire d'une maladie qui le gourmandait plus qu'il ne voulait souffrir, quoique les médecins lui en promissent guérison certaine, sinon si soudaine, appela ses amis pour en délibérer. Les uns, dit Sénèque, lui donnaient le conseil que par lâcheté ils eussent pris pour eux-mêmes ; les autres, par flatterie, celui qu'ils pensaient lui devoir être plus agréable. Mais un Stoïcien lui dit ainsi : « Ne te travaille pas, Marcellinus, comme si tu délibérais de chose d'importance : ce n'est pas grand-chose que vivre ; tes valets et les bêtes vivent ; mais c'est grand-chose de mourir honnêtement, sagement et constamment. Songe combien il y a que tu fais même chose : manger, boire, dormir ; boire, dormir et manger. Nous rouons *a* sans cesse en ce cercle ; non seulement les mauvais accidents et insupportables, mais la satiété même de vivre donne envie de la mort. » Marcellinus n'avait besoin d'homme qui le conseillât, mais d'homme qui le secourût. Les serviteurs craignaient de s'en mêler, mais ce philosophe leur fit entendre que les domestiques sont soupçonnés, lors seulement qu'il est en doute si la mort du maître a été volontaire ; autrement, qu'il serait d'aussi mauvais exemple de l'empêcher que de le tuer, d'autant que

Invitum qui servat idem facit occidenti *.

Après il avertit Marcellinus qu'il ne serait pas messéant, comme le dessert des tables se donne aux assistants, nos repas faits, aussi la vie finie, de distribuer quelque chose à ceux qui en ont été les ministres.

Or était Marcellinus de courage franc et libéral : il fit départir *b* quelque somme à ses serviteurs, et les consola. Au reste, il n'y eut besoin de fer ni de sang ; il entreprit de s'en aller de cette vie, non de s'enfuir ; non d'échapper à la mort, mais de l'essayer. Et, pour se donner loisir de la marchander, ayant quitté toute nourriture, le troisième jour après, s'étant fait arroser d'eau tiède, il défaillit

a. Tournons (cf. roue). — *b.* Partager.
* Horace, *Art poétique* : « C'est tuer un homme que de le sauver malgré lui. »

peu à peu, et non sans quelque volupté, à ce qu'il disait. De vrai, ceux qui ont eu ces défaillances de cœur qui prennent par faiblesse, disent n'y sentir aucune douleur, voire plutôt quelque plaisir, comme d'un passage au sommeil et au repos.

Voilà des morts étudiées et digérées.

Mais, afin que le seul Caton [16] pût fournir à tout exemple de vertu, il semble que son bon destin lui fit avoir mal en la main de quoi il se donna le coup, pour qu'il eût loisir d'affronter la mort et de la colleter, renforçant le courage au danger, au lieu de l'amollir. Et si c'eût été à moi à le représenter en sa plus superbe assiette, c'eût été déchirant tout ensanglanté ses entrailles, plutôt que l'épée au poing, comme firent les statuaires de son temps. Car ce second meurtre fut bien plus furieux que le premier.

CHAPITRE XIV

COMME NOTRE ESPRIT
S'EMPÊCHE SOI-MÊME

C'est une plaisante imagination de concevoir un esprit balancé justement entre deux pareilles envies. Car il est indubitable qu'il ne prendra jamais parti, d'autant que l'application et le choix portent inégalité de prix ; et qui nous logerait entre la bouteille et le jambon, avec égal appétit de boire et de manger, il n'y aurait sans doute remède que de mourir de soif et de faim. Pour pourvoir à cet inconvénient, les Stoïciens, quand on leur demande d'où vient en notre âme l'élection de deux choses indifférentes, et qui fait que d'un grand nombre d'écus nous en prenions plutôt l'un que l'autre, étant tous pareils, et n'y ayant aucune raison qui nous incline à la préférence, répondent que ce mouvement de l'âme est extraordinaire et déréglé, venant en nous d'une impulsion étrangère, accidentelle et fortuite [1]. Il se pourrait dire, ce me semble, plutôt, qu'aucune chose ne se présente à nous où il n'y ait quelque différence, pour légère qu'elle soit ; et que, ou à la vue ou à l'attouchement, il y a toujours quelque plus qui nous attire, quoique ce soit imperceptiblement. Pareillement qui présupposera une ficelle également forte partout, il est impossible de toute impossibilité qu'elle rompe ; car par où voulez-vous que la faucée [a] commence ? et de rompre partout ensemble, il n'est pas en nature. Qui joindrait encore à ceci les proportions géométriques qui concluent par la certitude de leurs démonstrations le

a. Rupture.

contenu plus grand que le contenant, le centre aussi grand que sa circonférence, et qui trouvent deux lignes s'approchant sans cesse l'une de l'autre et ne se pouvant jamais joindre [2], et la pierre philosophale, et quadrature du cercle, où la raison et l'effet sont si opposites, en tirerait à l'aventure quelque argument pour secourir ce mot hardi de Pline, « *solum certum nihil esse certi, et homine nihil miserius aut superbius* * ».

---

* Pline l'Ancien, *Histoire naturelle*, livre II, chap. VII ; Montaigne l'avait gravé sur les travées de sa « librairie » : « La seule certitude est qu'il n'y a rien de certain, et qu'il n'y a rien de plus misérable et de plus orgueilleux que l'homme. » Montaigne l'a traduit dans l'édition de 1580 : « Il n'y a rien de certain que l'incertitude, et rien de plus misérable et plus fier que l'homme. »

CHAPITRE XV

QUE NOTRE DÉSIR
S'ACCROÎT PAR LA MALAISANCE

Il n'y a raison qui n'en ait une contraire, dit le plus sage parti des philosophes [1]. Je remâchais tantôt ce beau mot qu'un Ancien [2] allègue pour le mépris de la vie : « Nul bien nous peut apporter plaisir, si ce n'est celui à la perte duquel nous sommes préparés. » « *In æquo est dolor amissæ rei et timor amittendæ* * » ; voulant gagner par là que la fruition [a] de la vie ne nous peut être vraiment plaisante, si nous sommes en crainte de la perdre. Il se pourrait toutefois dire, au rebours, que nous serrons et embrassons ce bien, d'autant plus étroit et avec plus d'affection que nous le voyons nous être moins sûr et craignons qu'il nous soit ôté. Car il se sent évidemment, comme le feu se pique à l'assistance du froid, que notre volonté s'aiguise aussi par le contraste :

> *Si nunquam Danaen habuisset ahenea turris,*
> *Non esset Danæ de Jove facta parens* **,

et qu'il n'est rien naturellement si contraire à notre goût que la satiété qui vient de l'aisance, ni rien qui l'ai-

---

a. Jouissance.

* Sénèque, *Lettre 88* : « Le chagrin d'avoir perdu une chose et la crainte de la perdre affectent également l'esprit. »

** Ovide, *Amours,* livre II, poème XIX : « Si Danaé n'avait pas été enfermée dans une tour d'airain, jamais Jupiter ne l'aurait rendue mère. »

guise tant que la rareté et difficulté. « *Omnium rerum voluptas ipso quo debet fugare periculo crescit* *. »

Galla, nega : satiatur amor, nisi gaudia torquent **.

Pour tenir l'amour en haleine, Lycurgue [3] ordonna que les mariés de Lacédémone ne se pourraient pratiquer qu'à la dérobée, et que ce serait pareille honte de les rencontrer couchés ensemble, qu'avec autres. La difficulté des assignations [a], le danger des surprises, la honte du lendemain,

> *et languor, et silentium,*
> *Et latere petitus imo spiritus* ***,

c'est ce qui donne pointe à la sauce. Combien de jeux très lascivement plaisants naissent de l'honnête et vergogneuse manière de parler des ouvrages de l'amour! La volupté même cherche à s'irriter par la douleur. Elle est bien plus sucrée quand elle cuit et quand elle écorche. La courtisane Flora disait n'avoir jamais couché avec Pompée, qu'elle ne lui eût fait porter les marques de ses morsures [4] :

> *Quod petiere premunt arctè, faciúntque dolorem*
> *Corporis, et dentes inlidunt sœpe labellis :*
> *Et stimuli subsunt, qui instigant lœdere idipsum,*
> *Quodcunque est, rabies unde illœ germina surgunt* ****.

Il en va ainsi partout; la difficulté donne prix aux choses.

Ceux de la marche [5] d'Ancône font plus volontiers

---

a. Rendez-vous.

* Sénèque, *De Beneficiis*, livre VII, chap. IX : « En toute chose, le plaisir croît en raison du danger qui devrait nous mettre en fuite. »

** Martial, *Épigrammes*, livre IV : « Galla, refuse : l'amour est vite rassasié si les joies ne sont pas mêlées de tourments. »

*** Horace, *Épode XI* : « La langueur, le silence et les soupirs tirés du fond de la poitrine. »

**** Lucrèce, chant IV : « Ils pressent étroitement l'objet de leur désir, ils lui font mal et leurs dents s'impriment souvent sur leurs lèvres gracieuses; ils sont poussés par des aiguillons secrets à blesser l'objet aimé, quel qu'il soit, qui fait lever en eux ces germes de fureur. »

leurs vœux à saint Jacques [6], et ceux de Galice à Notre-Dame de Lorette; on fait à Liège grande fête des bains de Lucques, et en la Toscane de ceux d'Aspa [7]; il ne se voit guère de Romain en l'école de l'escrime à Rome [8], qui est pleine de Français. Ce grand Caton se trouva, aussi bien que nous, dégoûté de sa femme tant qu'elle fut sienne, et la désira quand elle fut à un autre.

J'ai chassé au haras un vieux cheval duquel, à la senteur des juments, on ne pouvait venir à bout. La facilité l'a incontinent saoulé envers les siennes; mais envers les étrangères et la première qui passe le long de son patis, il revient à ses importuns hennissements et à ses chaleurs furieuses comme devant. Notre appétit méprise et outrepasse ce qui lui est en main, pour courir après ce qu'il n'a pas :

Transvolat in medio posita, et fugientia captat *.

Nous défendre quelque chose, c'est nous en donner envie :

nisi tu servare puellam
Incipis, incipiet desinere esse mea **.

Nous l'abandonner tout à fait, c'est nous en engendrer mépris. La faute et l'abondance retombent en même inconvénient,

Tibi quod superest, mihi quod defit, dolet ***.

Le désir et la jouissance nous mettent pareillement en peine. La rigueur des maîtresses est ennuyeuse, mais l'aisance et la facilité l'est, à dire vérité, encore plus : d'autant que le mécontentement et la colère naissent de l'estimation en quoi nous avons la chose désirée, aiguisent l'amour et le réchauffent; mais la satiété

* Horace, *Satire 2* du livre I : « Il dédaigne ce qui est à sa portée et poursuit ce qui fuit. »
** Ovide, *Amours*, livre II, poème xix : « Si tu ne fais garder ta maîtresse, elle cessera bientôt d'être à moi. »
*** Térence, *Phormion*, acte I, scène iii : « Tu te plains de ton superflu et moi de mon indigence. »

engendre le dégoût : c'est une passion mousse, hébétée, lasse et endormie.

> *Si qua volet regnare diu, contemnat amentem* * :

> Contemnite, amantes,
> *Sic hodie veniet si qua negavit heri* **.

Pourquoi inventa Poppée [9] de masquer les beautés de son visage, que pour les renchérir à ses amants ? Pourquoi a-t-on voilé jusques au-dessous des talons ces beautés que chacune désire montrer, que chacun désire voir ? Pourquoi couvrent-elles de tant d'empêchements les uns sur les autres les parties où loge principalement notre désir et le leur ? Et à quoi servent ces gros bastions, de quoi les nôtres viennent d'armer leurs flancs [10], qu'à leurrer notre appétit par la difficulté et nous attirer à elles en nous éloignant ?

> *Et fugit ad salices, et se cupit ante videri* ***.

> *Interdum .... operta moram* ****.

A quoi sert l'art de cette honte virginale ? cette froideur rassise, cette contenance sévère, cette profession d'ignorance des choses qu'elles savent mieux que nous qui les en instruisons, qu'à nous accroître le désir de vaincre, gourmander et fouler à notre appétit toute cette cérémonie et ces obstacles ? Car il y a non seulement du plaisir, mais de la gloire encore, d'affoler et débaucher cette molle douceur et cette pudeur enfantine, et de ranger à la merci de notre ardeur une gravité fière et magistrale : « C'est gloire, disent-ils, de triompher de

---

* Ovide, *Amours*, livre II, poème XIX : « Si elle veut régner longtemps, qu'elle dédaigne son amant ! »

** Properce, *Élégie XIV* du livre II : « Faites les dédaigneux, amants, celle qui vous refusa hier, viendra aujourd'hui. »

*** Virgile, *Troisième Bucolique* : « Elle s'enfuit vers les saules, mais elle désire être vue auparavant. »

**** Properce, *Élégie XV* du livre II : « Souvent, la tunique qui la recouvrait retarda mon ardeur. »

la rigueur, de la modestie, de la chasteté et de la tempérance; et qui déconseille aux dames ces parties-là, il les
trahit et soi-même. » Il faut croire que le cœur leur frémit
d'effroi, que le son de nos mots blesse la pureté de leurs
oreilles, qu'elles nous en haïssent et s'accordent à notre
importunité d'une force forcée. La beauté, toute puissante qu'elle est, n'a pas de quoi se faire savourer sans
cette entremise. Voyez en Italie, où il y a plus de beauté
à vendre, et de la plus fine, comment il faut qu'elle
cherche d'autres moyens étrangers et d'autres arts pour
se rendre agréable; et si, à la vérité, quoi qu'elle fasse,
étant vénale et publique, elle demeure faible et languissante : tout ainsi que, même en la vertu, de deux effets
pareils, nous tenons ce néanmoins celui-là le plus beau
et plus digne auquel il y a plus d'empêchement et de
hasard proposé.

C'est un effet de la Providence divine de permettre sa
sainte Église être agitée, comme nous la voyons, de tant
de troubles et d'orages, pour éveiller par ce contraste
les âmes pies, et les ravoir de l'oisiveté et du sommeil où
les avait plongées une si longue tranquillité. Si nous
contrepesons la perte que nous avons faite par le nombre
de ceux qui se sont dévoyés, au gain qui nous vient pour
nous être remis en haleine, ressuscité notre zèle et nos
forces à l'occasion de ce combat, je ne sais si l'utilité ne
surmonte point le dommage.

Nous avons pensé attacher plus ferme le nœud de
nos mariages pour avoir ôté tout moyen de les dissoudre; mais d'autant s'est dépris et relâché le nœud de la
volonté et de l'affection, que celui de la contrainte s'est
étréci. Et, au rebours, ce qui tint les mariages à Rome si
longtemps en honneur et en sûreté, fut la liberté de les
rompre qui voudrait. Ils aimaient mieux leurs femmes
d'autant qu'ils les pouvaient perdre; et, en pleine licence
de divorces, il se passa cinq ans et plus [11], avant que
nul s'en servît.

Quod licet ingratum est ; quod non licet, acrius urit *.

---

* Ovide, *Amours*, livre II, poème xix : » Ce qui est permis n'a
aucun attrait; ce qui est défendu brûle plus vivement. »

A ce propos se pourrait joindre l'opinion d'un Ancien [12], que les supplices aiguisent les vices plutôt qu'ils ne les amortissent; qu'ils n'engendrent point le soin de bien faire, c'est l'ouvrage de la raison et de la discipline, mais seulement un soin de n'être surpris en faisant mal :

> *Latius excisæ pestis contagia serpunt* *.

Je ne sais pas qu'elle soit vraie, mais ceci sais-je par expérience que jamais police ne se trouva réformée par là. L'ordre et le règlement des mœurs dépend de quelque autre moyen.

Les histoires grecques font mention des Argippées, voisins de la Scythie, qui vivent sans verge et sans bâton à offenser; que non seulement nul n'entreprend d'aller attaquer, mais quiconque s'y peut sauver, il est en franchise, à cause de leur vertu et sainteté de vie; et n'est aucun si osé d'y toucher. On recourt à eux pour appointer [a] les différends qui naissent entre les hommes d'ailleurs [13].

Il y a nation [14] où la clôture des jardins et des champs qu'on veut conserver se fait d'un filet de coton, et se trouve bien plus sûre et plus ferme que nos fossés et nos haies.

« *Furem signata sollicitant. Aperta effractarius præterit* **. » A l'aventure sert entre autres moyens l'aisance à couvrir ma maison de la violence de nos guerres civiles. La défense attire l'entreprise, et la défiance l'offense. J'ai affaibli le dessein des soldats, ôtant à leur exploit le hasard et toute matière de gloire militaire qui a accoutumé de leur servir de titre et d'excuse. Ce qui est fait courageusement, est toujours fait honorablement, en temps où la justice est morte. Je leur rends la conquête de ma maison lâche et traîtresse. Elle n'est close à personne qui y heurte. Il n'y a pour toute provision qu'un portier d'ancien usage et cérémonie, qui ne sert pas tant à défen-

---

a. Régler.
 * Rutilius, *Itinerarium,* chant I : « Le mal qu'on croyait extirpé se répand plus largement. »
 ** Sénèque, *Lettre 68* : « Les serrures excitent le voleur. Le voleur avec effraction laisse de côté les maisons ouvertes. »

dre ma porte qu'à l'offrir plus décemment et gracieusement. Je n'ai ni garde, ni sentinelle que celle que les
astres font pour moi.

Un gentilhomme a tort de faire montre d'être en
défense, s'il ne l'est parfaitement. Qui est ouvert d'un
côté, l'est partout. Nos pères ne pensèrent pas à bâtir
des places frontières. Les moyens d'assaillir, je dis sans
batterie et sans armée, et de surprendre nos maisons,
croissent tous les jours au-dessus des moyens de se
garder. Les esprits s'aiguisent généralement de ce côté-
là. L'invasion touche tous. La défense non, que les
riches. La mienne était forte selon le temps qu'elle fut
faite. Je n'y ai rien ajouté de ce côté-là, et craindrais
que sa force se tournât contre moi-même ; joint qu'un
temps paisible requerra qu'on les défortifie. Il est dangereux de ne les pouvoir regagner. Et est difficile de s'en
assurer.

Car en matière de guerres intestines, votre valet
peut être du parti que vous craignez. Et où la religion
sert de prétexte, les parentés mêmes deviennent infiables [a]
avec couverture [b] de justice. Les finances publiques
n'entretiendront pas nos garnisons domestiques : elles
s'y épuiseraient. Nous n'avons pas de quoi le faire sans
notre ruine, ou, plus incommodément et injurieusement,
sans celle du peuple. L'état de ma perte ne serait de
guère pire. Au demeurant, vous y perdez-vous ? vos amis
mêmes s'amusent, plus qu'à vous plaindre, à accuser
votre invigilance et improvidence [c] et l'ignorance ou
nonchalance aux offices de votre profession. Ce que tant
de maisons gardées se sont perdues, où celle-ci dure, me
fait soupçonner qu'elles se sont perdues de ce qu'elles
étaient gardées. Cela donne et l'envie et la raison à
l'assaillant. Toute garde porte visage de guerre. Qui se
jettera, si Dieu veut, chez moi ; mais tant y a que je ne l'y
appellerai pas. C'est la retraite à me reposer des guerres.
J'essaie de soustraire ce coin à la tempête publique, comme je fais un autre coin en mon âme. Notre guerre a beau
changer de formes, se multiplier et diversifier en nouveaux partis ; pour moi, je ne bouge. Entre tant de mai-

a. Indignes qu'on s'y fie. — *b.* Apparence de justice. —
c. Imprévoyance.

sons armées, moi seul, que je sache en France, de ma condition, ai fié purement au ciel la protection de la mienne. Et n'en ai jamais ôté ni cuiller d'argent, ni titre [a]. Je ne veux ni me craindre, ni me sauver à demi. Si une pleine reconnaissance acquiert la faveur divine, elle me durera jusqu'au bout; sinon, j'ai toujours assez duré pour rendre ma durée remarquable et enregistrable. Comment? Il y a bien trente ans [15].

a. Titre de propriété.

CHAPITRE XVI

DE LA GLOIRE

Il y a le nom et la chose; le nom, c'est une voix qui remarque et signifie la chose; le nom, ce n'est pas une partie de la chose ni de la substance, c'est une pièce étrangère jointe à la chose, et hors d'elle.

Dieu [1], qui est en soi toute plénitude et le comble de toute perfection, il ne peut s'augmenter et accroître au-dedans; mais son nom se peut augmenter et accroître par la bénédiction et louange que nous donnons à ses ouvrages extérieurs. Laquelle louange, puisque nous ne la pouvons incorporer en lui, d'autant qu'il n'y peut avoir accession de bien, nous l'attribuons à son nom, qui est la pièce hors de lui la plus voisine. Voilà comment c'est à Dieu seul à qui gloire et honneur appartiennent; et il n'est rien si éloigné de raison que de nous en mettre en quête pour nous : car, étant indigents et nécessiteux au-dedans, notre essence étant imparfaite et ayant continuellement besoin d'amélioration, c'est là à quoi nous nous devons travailler. Nous sommes tous creux et vides; ce n'est pas de vent et de voix que nous avons à nous remplir; il nous faut de la substance plus solide à nous réparer. Un homme affamé serait bien simple de chercher à se pourvoir plutôt d'un beau vêtement que d'un bon repas : il faut courir au plus pressé. Comme disent nos ordinaires prières : « *Gloria in excelsis Deo, et in terra pax hominibus* *. » Nous sommes en

---

* Évangile selon saint Luc, II : « Gloire à Dieu au plus haut des cieux, et paix aux hommes sur la terre. »

disette de beauté, santé, sagesse, vertu, et telles parties essentielles; les ornements externes se chercheront après que nous aurons pourvu aux choses nécessaires. La théologie traite amplement et plus pertinemment ce sujet, mais je n'y suis guère versé.

Chrysippe et Diogène ont été les premiers auteurs et les plus fermes du mépris de la gloire [2], et, entre toutes les voluptés, ils disaient qu'il n'y en avait point de plus dangereuse ni plus à fuir que celle qui nous vient de l'approbation d'autrui. De vrai, l'expérience nous en fait sentir plusieurs trahisons bien dommageables. Il n'est chose qui empoisonne tant les princes que la flatterie, ni rien par où les méchants gagnent plus aisément crédit autour d'eux; ni maquerellage si propre et si ordinaire à corrompre la chasteté des femmes, que de les paître [a] et entretenir de leurs louanges.

Le premier enchantement que les Sirènes emploient à piper Ulysse, est de cette nature,

> *Deçà vers nous, deçà, ô très louable Ulisse,*
> *Et le plus grand honneur dont la Grèce fleurisse*.*

Ces philosophes-là [b] disaient que toute la gloire du monde ne méritait pas qu'un homme d'entendement étendît seulement le doigt pour l'acquérir :

> *Gloria quantalibet quid erit, si gloria tantum est** ?*

je dis pour elle seule : car elle tire souvent à sa suite plusieurs commodités pour lesquelles elle se peut rendre désirable. Elle nous acquiert de la bienveillance; elle nous rend moins exposés aux injures et offenses d'autrui, et choses semblables.

C'était aussi des principaux dogmes d'Épicure; car ce précepte de sa secte : CACHE TA VIE [4], qui défend aux hommes de s'empêcher des charges et négociations

---

a. Repaître.

* Vers traduit de l'*Odyssée*, chant XII, vers 184. Cicéron l'avait déjà traduit dans le *De Finibus*, livre V, chap. XVIII.

** Juvénal, *Satire VIII* : « Que sera la plus grande gloire, si elle n'est que de la gloire? »

publiques, présuppose aussi nécessairement qu'on méprise la gloire, qui est une approbation que le monde fait des actions que nous mettons en évidence. Celui qui nous ordonne de nous cacher et de n'avoir soin que de nous, et qui ne veut pas que nous soyons connus d'autrui, il veut encore moins que nous en soyons honorés et glorifiés. Aussi conseille-t-il à Idoménée [5] de ne régler aucunement ses actions par l'opinion ou réputation communes, si ce n'est pour éviter les autres incommodités accidentelles que le mépris des hommes lui pourrait apporter.

Ces discours-là sont infiniment vrais, à mon avis, et raisonnables. Mais nous sommes, je ne sais comment, doubles en nous-mêmes, qui fait que ce que nous croyons, nous ne le croyons pas, et ne nous pouvons défaire de ce que nous condamnons. Voyons les dernières paroles d'Épicure, et qu'il dit en mourant : elles sont grandes et dignes d'un tel philosophe, mais si ont-elles quelque marque de la recommandation de son nom, et de cette humeur qu'il avait décriée par ses préceptes. Voici une lettre qu'il dicta un peu avant son dernier soupir [6] :

ÉPICURE A HERMACHUS, SALUT

« *Cependant que je passais l'heureux et celui-là même le dernier jour de ma vie, j'écrivais ceci, accompagné toutefois de telle douleur en la vessie et aux intestins, qu'il ne peut rien être ajouté à sa grandeur. Mais elle était compensée par le plaisir qu'apportait à mon âme la souvenance de mes inventions et de mes discours. Or toi, comme requiert l'affection que tu as eue dès ton enfance envers moi et la philosophie, embrasse la protection des enfants de Métrodore* [7]. »

Voilà sa lettre. Et ce qui me fait interpréter que ce plaisir qu'il dit sentir en son âme, de ses inventions, regarde aucunement la réputation qu'il en espérait acquérir après sa mort, c'est l'ordonnance de son testament, par lequel il veut que Aminomachus et Thimocratès, ses héritiers, fournissent, pour la célébration de son jour natal, tous les mois de janvier, les frais que Hermachus ordonnerait et aussi pour la dépense qui se ferait, le vingtième jour de chaque lune, au traitement des philosophes ses familiers, qui s'assembleraient à l'honneur de la mémoire de lui et de Métrodore [8].

Carnéade [9] a été chef de l'opinion contraire et a maintenu que la gloire était pour elle-même désirable : tout ainsi que nous embrassons nos posthumes pour eux-mêmes, n'en ayant aucune connaissance ni jouissance. Cette opinion n'a pas failli d'être plus communément suivie, comme sont volontiers celles qui s'accommodent le plus à nos inclinations. Aristote lui donne le premier rang entre les biens externes [10] : Évite comme deux extrêmes vicieux l'immodération et à la rechercher et à la fuir. Je crois que, si nous avions les livres que Cicéron avait écrits sur ce sujet, il nous en conterait de belles : car cet homme-là fut si forcené de cette passion que, s'il eût osé, il fût, ce crois-je, volontiers tombé en l'excès où tombèrent d'autres : que la vertu même n'était désirable que pour l'honneur qui se tenait toujours à sa suite,

*Paulum sepultæ distat inertiæ
Celata virtus* *.

Qui est une opinion si fausse que je suis dépit qu'elle ait jamais pu entrer en l'entendement d'homme qui eut cet honneur de porter le nom de philosophe.

Si cela était vrai, il ne faudrait être vertueux qu'en public; et les opérations de l'âme, où est le vrai siège de la vertu, nous n'aurions que faire de les tenir en règle et en ordre, sinon autant qu'elles devraient venir à la connaissance d'autrui.

N'y va-t-il donc que de faillir [a] finement et subtilement ? « Si tu sais, dit Carnéade, un serpent [11] caché en ce lieu, auquel, sans y penser, se va seoir celui de la mort duquel tu espères profit, tu fais méchamment si tu ne l'en avertis; et d'autant plus que ton action ne doit être connue que de toi. » Si nous ne prenons de nous-mêmes la loi de bien faire, si l'impunité nous est justice, à combien de sortes de méchancetés avons-nous tous les jours à nous abandonner ! Ce que Sextus Peduceus fit, de rendre

---

a. Commettre des fautes.
* Horace, *Ode 3* du livre IV : « La vertu cachée diffère peu de l'oisiveté obscure. »

fidèlement ce que C. Plotius avait commis à sa seule science de ses richesses [12], et ce que j'en ai fait souvent de même, je ne le trouve pas tant louable comme je trouverais exécrable qu'il y eût failli. Et trouve bon et utile à ramentevoir *a* en nos jours l'exemple de P. Sextilius Rufus, que Cicéron accuse pour avoir recueilli une hérédité [13] contre sa conscience, non seulement non contre les lois, mais par les lois mêmes. Et M. Crassus et Q. Hortensius, lesquels à cause de leur autorité et puissance ayant été pour certaines quotités appelés par un étranger à la succession d'un testament faux, afin que par ce moyen il y établisse sa part, se contentèrent de n'être participants de la fausseté et ne refusèrent d'en tirer quelque fruit, assez couverts s'ils se tenaient à l'abri des accusateurs, et des témoins, et des lois. « *Meminerint Deum se habere testem, id est (ut ego arbitror) mentem suam* *. »

La vertu est chose bien vaine et frivole, si elle tire sa recommandation de la gloire. Pour néant entreprendrions-nous de lui faire tenir son rang à part, et la déjoindrions de la fortune; car qu'est-il plus fortuit que la réputation ? « *Profecto fortuna in omni re dominatur : ea res cunctas ex libidine magis quam ex vero celebrat obscuratque* **. » De faire que les actions soient connues et vues, c'est le pur ouvrage de la fortune [14].

C'est le sort qui nous applique la gloire selon sa témérité. Je l'ai vue fort souvent marcher avant le mérite et souvent outrepasser le mérite d'une longue mesure. Celui qui, premier, s'avisa de la ressemblance de l'ombre à la gloire, fit mieux qu'il ne voulait. Ce sont choses excellemment vaines.

Elle va aussi quelquefois devant son corps, et quelquefois l'excède de beaucoup en longueur.

Ceux qui apprennent à la noblesse de ne chercher en la vaillance que l'honneur, « *quasi non sit honestum quod*

---

a. Rappeler.

* Cicéron, *De Officiis,* livre III, chap. x : « Qu'ils se souviennent qu'ils ont Dieu pour témoin, c'est-à-dire, à mon sens, leur propre conscience. »

** Salluste, *Conjuration de Catilina,* chap. viii : « Assurément, la fortune règne en toute chose : elle élève ou rabaisse tout à sa fantaisie et non d'après la véritable valeur. »

nobilitatum non sit * », que gagnent-ils par là que de
les instruire de ne se hasarder jamais si on ne les voit, et
de prendre bien garde s'il y a des témoins qui puissent
rapporter nouvelles de leur valeur, là où il se présente
mille occasions de bien faire sans qu'on en puisse être
remarqué ? Combien de belles actions particulières s'ense-
velissent dans la foule d'une bataille ? Quiconque s'amuse
à contrôler autrui pendant une telle mêlée, il n'y est
guère embesogné, et produit contre soi-même le témoignage qu'il rend des déportements *a* de ses compagnons.

« *Vera et sapiens animi magnitudo honestum illud quod
maxime naturam sequitur, in factis positum, non in gloria,
judicat* **. » Toute la gloire que je prétends de ma
vie, c'est de l'avoir vécue tranquille : tranquille non selon
Métrodore, ou Arcésilas, ou Aristippe, mais selon moi.
Puisque la philosophie n'a su trouver aucune voie pour
la tranquillité qui fût bonne en commun, que chacun
la cherche en son particulier !

A qui doivent César et Alexandre cette grandeur
infinie de leur renommée, qu'à la fortune ? Combien
d'hommes a-t-elle éteints sur le commencement de leur
progrès, desquels nous n'avons aucune connaissance,
qui y apportaient même courage que le leur, si le malheur
de leur sort ne les eût arrêtés tout court sur la naissance
de leurs entreprises ! Au travers de tant et si extrêmes
dangers, il ne me souvient point avoir lu que César ait
été jamais blessé. Mille sont morts de moindres périls
que le moindre de ceux qu'il franchit. Infinies belles
actions se doivent perdre sans témoignage avant qu'il
en vienne une à profit. On n'est pas toujours sur le haut
d'une brèche ou à la tête d'une armée, à la vue de son
général, comme sur un échafaud *b*. On est surpris entre
la haie et le fossé ; il faut tenter fortune contre un pou-
lailler ; il faut dénicher quatre chétifs arquebusiers d'une
grange ; il faut seul s'écarter de la troupe et entreprendre
seul, selon la nécessité qui s'offre. Et si on prend garde,

a. Actions d'éclat. — *b*. Estrade.
* Cicéron, *De Officiis*, livre I, chap. IV : « Comme si une action
n'était vertueuse que lorsqu'elle est connue. »
** *Ibid.*, livre I, chap. XIX : « Une âme vraiment sage et grande
place l'honneur, principal but de notre nature, dans les actions
vertueuses, non dans la gloire. »

on trouvera qu'il advient par expérience que les moins éclatantes occasions sont les plus dangereuses; et qu'aux guerres qui se sont passées de notre temps, il s'est perdu plus de gens de bien aux occasions légères et peu importantes et à la contestation de quelque bicoque, qu'ès lieux dignes et honorables.

Qui tient sa mort pour mal employée si ce n'est en occasion signalée, au lieu d'illustrer sa mort, il obscurcit volontiers sa vie, laissant échapper cependant plusieurs justes occasions de se hasarder. Et toutes les justes sont illustres assez, sa conscience les trompettant suffisamment à chacun. « *Gloria nostra est testimonium conscientiæ nostræ* *. »

Qui n'est homme de bien que parce qu'on le saura, et parce qu'on l'en estimera mieux après l'avoir su; qui ne veut bien faire qu'en condition que sa vertu vienne à la connaissance des hommes, celui-là n'est pas homme de qui on puisse tirer beaucoup de service.

> *Credo che'l resto di quel verno cose*
> *Facesse degne di tenerne conto;*
> *Ma fur sin'a quel tempo sì nascose,*
> *Che non è colpa mia s'hor' non le conto:*
> *Perchè Orlando a far opre virtuose,*
> *Piu ch'a narrarle poi, sempre era pronto,*
> *Ne mai fu alcun de li suoi fatti espresso,*
> *Senon quando hebbe i testimonii apresso* **.

Il faut aller à la guerre pour son devoir, et en attendre cette récompense, qui ne peut faillir à toutes belles actions, pour occultes qu'elles soient, non pas même aux vertueuses pensées : c'est le contentement qu'une conscience bien réglée reçoit en soi de bien faire. Il faut être vaillant pour soi-même et pour l'avantage que c'est

* Saint Paul, Deuxième Épître aux Corinthiens, I, 12 : « Notre gloire, c'est le témoignage de notre conscience. »
** Arioste, *Roland furieux*, chant XI : « Je crois que le reste de cet hiver, Roland fit des choses très dignes de mémoire; mais elles sont demeurées si secrètes jusqu'ici, que ce n'est point ma faute si je ne les raconte point : car Roland a toujours été plus prompt à faire de telles choses qu'à les publier; et jamais ses exploits n'ont été divulgués, que lorsqu'il en a eu des témoins. »

d'avoir son courage logé en une assiette ferme et assurée contre les assauts de la fortune :

> *Virtus, repulsæ nescia sordidæ,*
> *Intaminatis fulget honoribus,*
> *Nec sumit aut ponit secures*
> *Arbitrio popularis auræ* *.

Ce n'est pas pour la montre que notre âme doit jouer son rôle, c'est chez nous au-dedans, où nuls yeux ne donnent que les nôtres : là elle nous couvre de la crainte de la mort, des douleurs et de la honte même; elle nous assure *a* là de la perte de nos enfants, de nos amis et de nos fortunes; et quand l'opportunité s'y présente, elle nous conduit aussi aux hasards de la guerre. « *Non emolumento aliquo, sed ipsius honestatis decore* **. » Ce profit est bien plus grand et bien plus digne d'être souhaité et espéré que l'honneur et la gloire, qui n'est qu'un favorable jugement qu'on fait de nous.

Il faut trier de toute une nation une douzaine d'hommes pour juger d'un arpent de terre ; et le jugement de nos inclinations et de nos actions, la plus difficile matière et la plus importante qui soit, nous la remettons à la voix de la commune et de la tourbe, mère d'ignorance, d'injustice et d'inconstance. Est-ce raison faire dépendre la vie d'un sage du jugement des fols ?

« *An quidquam stultius quam quos singulos contemnas, eos aliquid putare esse universos* *** ? »

Quiconque vise à leur plaire, il n'a jamais fait; c'est une butte *b* qui n'a ni forme ni prise.

« *Nihil tam inæstimabile est quam animi multitudinis* ****. »

Démétrius disait plaisamment de la voix du peuple,

---

a. Nous donne de l'assurance contre. — *b.* Cible.

* Horace, *Ode 2* du livre III : « La vertu ignore les échecs honteux et brille d'honneurs intacts; elle ne prend ni ne dépose les haches des licteurs au gré du souffle populaire. »

** Cicéron, *De Finibus,* livre I, chap. x : « Non pour quelque profit, mais pour l'honneur attaché à la vertu. »

*** Cicéron, *Tusculanes,* livre V, chap. xxxvi : « Qu'y a-t-il de plus insensé que d'estimer tous ensemble ceux que l'on méprise pris chacun séparément ?

**** Tite-Live, livre XXXI, chap. xxxiv : « Rien d'aussi difficile à prévoir que les jugements de la foule. »

qu'il ne faisait non plus de recette de celle qui lui sortait par en haut, que de celle qui lui sortait par en bas [15].

Celui-là dit encore plus : « *Ego hoc judico, si quando turpe non sit, tamen non esse non turpe, quum id a multitudine ladetur* *. »

Nul art, nulle souplesse d'esprit ne pourraient conduire nos pas à la suite d'un guide si dévoyé et si déréglé. En cette confusion venteuse de bruits de rapports et opinions vulgaires qui nous poussent, il ne se peut établir aucune route qui vaille. Ne nous proposons point une fin si flottante et vagabonde; allons constamment après la raison; que l'approbation publique nous suive par là, si elle veut; et comme elle dépend toute de la fortune, nous n'avons point loi de l'espérer plutôt par une autre voie que par celle-là. Quand pour sa droiture je ne suivrais le droit chemin, je le suivrais pour avoir trouvé par expérience qu'au bout du compte, c'est communément le plus heureux et le plus utile. « *Dedit hoc providentia hominibus munus ut honesta magis juvarent* **. » Le marinier ancien disait ainsi à Neptune en une grande tempête : « O Dieu, tu me sauveras, si tu veux; tu me perdras, si tu veux : mais si tiendrai-je toujours droit mon timon. » J'ai vu de mon temps mille hommes souples, métis [a], ambigus, et que nul ne doutait plus prudents mondains que moi; se perdre où je me suis sauvé :

Risi successu posse carere dolos ***.

Paul-Émile, allant en sa glorieuse expédition de Macédoine, avertit surtout le peuple de Rome de contenir leur langue de ses actions pendant son absence. Que la licence des jugements est un grand détourbier [b] aux grandes affaires! D'autant que chacun n'a pas la fermeté

---

a. Des deux partis. — *b.* Une grande entrave.

* Cicéron, *De Finibus,* livre II, chap. xv : « Moi, je suis d'avis qu'une chose, bien qu'elle ne soit pas honteuse en elle-même, semble cependant l'être puisqu'elle est louée par la foule. »

** Quintilien, *Institution oratoire,* livre I, chap. xii : « La Providence a accordé aux hommes la faveur que ce qui est honnête est aussi utile. »

*** Ovide, *Héroïdes,* chant I : « J'ai ri de voir que les ruses pouvaient échouer. »

de Fabius à l'encontre des voix communes, contraires et injurieuses, qui aima mieux laisser démembrer son autorité aux vaines fantaisies des hommes, que faire moins bien sa charge avec favorable réputation et populaire consentement [16].

Il y a je ne sais quelle douceur naturelle à se sentir louer, mais nous lui prêtons trop de beaucoup.

Laudari haud metuam, neque enim mihi cornea fibra est;
Sed recti finemque extremumque esse recuso
Euge tuum et belle *.*

Je ne me soucie pas tant quel je sois chez autrui comme je me soucie quel je sois en moi-même. Je veux être riche [17] par moi non par emprunt. Les étrangers ne voient que les événements et apparences externes; chacun peut faire bonne mine par le dehors, plein au-dedans de fièvre et d'effroi. Ils ne voient pas mon cœur, ils ne voient que mes contenances. On a raison de décrier l'hypocrisie qui se trouve en la guerre : car qu'est-il plus aisé à un homme pratique que de gauchir aux dangers et de contrefaire le mauvais, ayant le cœur plein de mollesse? Il y a tant de moyens d'éviter les occasions de se hasarder en particulier, que nous aurons trompé mille fois le monde avant que de nous engager à un dangereux pas; et lors même, nous y trouvant empêtrés, nous saurons bien pour ce coup couvrir notre jeu d'un bon visage et d'une parole assurée, quoique l'âme nous tremble au-dedans. Et qui aurait l'usage de l'anneau Platonique [18], rendant invisible celui qui le portait au doigt, si on lui donnait le tour vers le plat de la main, assez de gens souvent se cacheraient où il se faut présenter le plus, et se repentiraient d'être placés en lieu si honorable, auquel la nécessité les rend assurés.

Falsus honor juvat, et mendax infamia terret
Quem, nisi mendosum et mendacem **.*

* Perse, *Satire I :* « Je ne redoute pas la louange, et je n'ai pas un cœur de pierre, mais je refuse de croire que le terme et le but du bien soient un " Bravo! " et " Que cela est beau! " »

** Horace, *Épître 16* du livre I : « Un faux honneur ne plaît, une menteuse accusation ne fait peur qu'à celui qui est faux et menteur. »

Voilà comment tous ces jugements qui se font des apparences externes sont merveilleusement incertains et douteux ; et n'est aucun si assuré témoin comme chacun à soi-même.

En celles-là combien avons-nous de goujats *a*, compagnons de notre gloire ? Celui qui se tient ferme dans une tranchée découverte, que fait-il en cela que ne fassent devant lui cinquante pauvres pionniers qui lui ouvrent le pas et le couvrent de leurs corps pour cinq sous de paye par jour ?

> *non, quicquid turbida Roma*
> *Elevet, accedas, examenque improbum in illa*
> *Castiges trutina : nec te quæsiveris extra* *.

Nous appelons agrandir notre nom, l'étendre et semer en plusieurs bouches ; nous voulons qu'il y soit reçu en bonne part, et que cette sienne accroissance lui vienne à profit : voilà ce qu'il y peut avoir de plus excusable en ce dessein. Mais l'excès de cette maladie en va jusque-là que plusieurs cherchent de faire parler d'eux en quelque façon que ce soit, Trogue-Pompée dit de Hérostratus, et Tite-Live de Manlius Capitolinus [19], qu'ils étaient plus désireux de grande que de bonne réputation. Ce vice est ordinaire. Nous nous soignons plus qu'on parle de nous, que comment on en parle ; et nous est assez que notre nom coure par la bouche des hommes, en quelque condition qu'il y coure. Il semble que l'être connu, ce soit aucunement avoir sa vie et sa durée en la garde d'autrui. Moi, je tiens que je ne suis que chez moi ; et, de cette autre mienne vie qui loge en la connaissance de mes amis, à la considérer nue et simplement en soi, je sais bien que je n'en sens fruit ni jouissance que par la vanité d'une opinion fantastique. Et quand je serai mort, je m'en ressentirai encore beaucoup moins ; et si *b*, perdrai tout net l'usage des vraies utilités qui accidentellement

---

a. Valets d'armée. — *b*. Et encore.
* Perse, *Satire I* : « Ce que Rome dans son agitation rabaisse, tu ne le jugeras pas mauvais ; ni tu ne redresseras pas l'aiguille faussée de la balance populaire : ne te cherche pas hors de toi. »

la suivent parfois; je n'aurai plus de prise par où saisir la
réputation, ni par où elle puisse me toucher ni arriver à
moi.

Car de m'attendre que mon nom la reçoive, premièrement je n'ai point de nom qui soit assez mien : de deux
que j'ai, l'un est commun à toute ma race, voire encore
à d'autres. Il y a une famille à Paris et à Montpellier qui
se surnomme Montaigne; une autre en Bretagne et en
Saintonge, de la Montaigne. Le remuement d'une seule
syllabe mêlera nos fusées [20], de façon que j'aurai part à
leur gloire, et eux, à l'aventure, à ma honte; et si, les
miens se sont autrefois surnommés [21] Eyquem, surnom
qui touche encore une maison connue en Angleterre.
Quant à mon autre nom [22], il est à quiconque aura envie
de le prendre. Ainsi j'honorerai peut-être un crocheteur
en ma place. Et puis, quand j'aurais une marque particulière pour moi, que peut-elle marquer quand je n'y
suis plus? Peut-elle désigner et favoriser l'inanité?

> *nunc levior cyppus non imprimit ossa?*
> *Laudat posteritas : nunc non è manibus illis,*
> *Nunc non è tumulo fortunataque favilla*
> *Nascuntur violæ * ?*

Mais de ceci j'en ai parlé ailleurs [23].

Au demeurant, en toute une bataille où dix mille
hommes sont estropiés ou tués, il n'en est pas quinze de
quoi on parle. Il faut que ce soit quelque grandeur bien
éminente, ou quelque conséquence d'importance que la
fortune y ait jointe, qui fasse valoir une action privée,
non d'un arquebusier seulement, mais d'un capitaine.
Car de tuer un homme, ou deux, ou dix, de se présenter
courageusement à la mort, c'est à la vérité quelque chose
à chacun de nous, car il y va de tout; mais pour le monde,
ce sont choses si ordinaires, il s'en voit tant tous les
jours, et en faut tant de pareilles pour produire un effet

---

* Perse, *Satire I* : « Est-ce que maintenant le cippe pèse plus
légèrement sur ses os? La postérité le loue : est-ce que maintenant
de ces mânes glorieuses, de ce tombeau, de cette cendre heureuse
naissent des violettes? »

notable, que nous n'en pouvons attendre aucune particulière recommandation,

> *casus multis hic cognitus ac jam*
> *Tritus, et e medio fortunæ ductus acervo* *.

De tant de milliasses de vaillants hommes qui sont morts depuis quinze cents ans en France, les armes en la main, il n'y en a pas cent qui soient venus à notre connaissance. La mémoire non des chefs seulement, mais des batailles et victoires, est ensevelie.

Les fortunes de plus de la moitié du monde, à faute de registre, ne bougent de leur place et s'évanouissent sans durée.

Si j'avais en ma possession les événements inconnus, j'en penserais très facilement supplanter les connus en toute espèce d'exemples.

Quoi, que des Romains même et des Grecs, parmi tant d'écrivains et de témoins, et tant de rares et nobles exploits, il en est venu si peu jusques à nous ?

> *Ad nos vix tenuis famæ perlabitur aura* **.

Ce sera beaucoup si, d'ici à cent ans, on se souvient en gros que, de notre temps, il y a eu des guerres civiles en France.

Les Lacédémoniens sacrifiaient aux muses, entrant en bataille, afin que leurs gestes fussent bien et dignement écrits [24], estimant que ce fût une faveur divine et non commune que les belles actions trouvassent des témoins qui leur sussent donner vie et mémoire.

Pensons-nous qu'à chaque arquebusade qui nous touche, et à chaque hasard que nous courons, il y ait soudain un greffier qui l'enrôle [a] ? et cent greffiers, outre cela, le pourront écrire, desquels les commentaires ne dureront que trois jours et ne viendront à la vue de

---

a. Enregistre.

* Juvénal, *Satire XIII :* « C'est un accident arrivé à beaucoup d'autres, banal, et pris dans les mille chances de la fortune. »

** Virgile, *Énéide,* chant VII : « A peine un souffle léger nous transmet leur gloire. »

personne. Nous n'avons pas la millième partie des écrits
anciens; c'est la fortune qui leur donne vie, ou plus
courte, ou plus longue, selon sa faveur; et ce que nous en
avons, il nous est loisible de douter si c'est le pire, n'ayant
pas vu le demeurant. On ne fait pas des histoires de choses de si peu : il faut avoir été chef à conquérir un Empire
ou un Royaume; il faut avoir gagné cinquante-deux
batailles assignées, toujours plus faible en nombre, comme
César. Dix mille bons compagnons et plusieurs grands
capitaines moururent à sa suite, vaillamment et courageusement, desquels les noms n'ont duré qu'autant que leurs
femmes et leurs enfants vécurent,

> *quos fama obscura recondit *.*

De ceux mêmes que nous voyons bien faire, trois mois
ou trois ans après qu'ils y sont demeurés, il ne s'en parle
non plus que s'ils n'eussent jamais été. Quiconque considérera avec juste mesure et proportion de quelles gens
et de quels faits la gloire se maintient en la mémoire des
livres, il trouvera qu'il y a de notre siècle fort peu
d'actions et fort peu de personnes qui y puissent prétendre nul droit. Combien avons-nous vu d'hommes vertueux survivre à leur propre réputation, qui ont vu et
souffert éteindre en leur présence l'honneur et la gloire
très justement acquise en leurs jeunes ans ? Et, pour trois
ans de cette vie fantastique et imaginaire, allons-nous
perdant notre vraie vie et essentielle, et nous engager à
une mort perpétuelle ? Les sages se proposent une plus
belle et plus juste fin à une si importante entreprise.
« *Recte facti, fecisse merces est **.* » — « *Officii fructus
ipsum officium est ***.* »

Il serait à l'aventure excusable à un peintre ou autre
artisan, ou encore à un rhétoricien ou grammairien, de
se travailler pour acquérir nom par ses ouvrages; mais
les actions de la vertu, elles sont trop nobles d'elles-

---

* Virgile, *Énéide*, chant V : « Qu'une gloire obscure a ensevelis. »

** Sénèque, *Épître 81* : « La récompense d'une bonne action,
c'est d'avoir bien agi. »

*** Cicéron, *De Finibus :* « Le fruit d'un service, c'est le service
même. »

mêmes pour rechercher autre loyer *ᵃ* que de leur propre
valeur, et notamment pour la chercher en la vanité des
jugements humains.

Si toutefois cette fausse opinion sert au public à contenir les hommes en leur devoir; si le peuple en est
éveillé à la vertu; si les princes sont touchés de voir le
monde bénir la mémoire de Trajan et abominer celle de
Néron; si cela les émeut de voir le nom de ce grand
pendard, autrefois si effroyable et si redouté, maudit
et outragé si librement par le premier écolier qui l'entreprend *ᵇ* : qu'elle accroisse hardiment et qu'on la nourrisse
entre nous le plus qu'on pourra.

Et Platon ²⁵, employant toutes choses à rendre ses
citoyens vertueux, leur conseille aussi de ne mépriser
la bonne réputation et estimation des peuples; et dit
que, par quelque divine inspiration, il advient que les
méchants mêmes savent souvent tant de parole que
d'opinion, justement distinguer les bons des mauvais.
Ce personnage et son pédagogue ²⁶ sont merveilleux et
hardis ouvriers à faire joindre les opérations et révéla-
tions divines tout partout où faut l'humaine force;
« *ut tragici poetæ confugiunt ad deum, cum explicare argu-
menti exitum non possunt* * ».

Pourtant à l'aventure l'appelait Timon l'injuriant :
« *le grand forgeur de miracles* ²⁷. »

Puisque les hommes, par leur insuffisance, ne se peuvent assez payer d'une bonne monnaie, qu'on y emploie
encore la fausse. Ce moyen a été pratiqué par tous les
législateurs, et n'est police où il n'y ait quelque mélange
ou de vanité cérémonieuse, ou d'opinion mensongère, qui
serve de bride à tenir le peuple en office. C'est pour
cela que la plupart ont leurs origines et commencements fabuleux et enrichis de mystères supernaturels.
C'est cela qui a donné crédit aux religions bâtardes et les
a fait favoriser aux *ᶜ* gens d'entendement; et pour cela
que Numa et Sertorius, pour rendre leurs hommes de
meilleure créance, les paissaient de cette sottise, l'un que

---

a. Récompense. — *b.* L'attaque. — *c.* Par.

* Cicéron, *De Natura Deorum*, livre I, chap. xx : « Comme les
poètes tragiques qui ont recours à un dieu lorsqu'ils ne peuvent
débrouiller le dénouement de leur pièce. »

la nymphe Egeria, l'autre que sa biche blanche lui apportait de la part des dieux tous les conseils qu'il prenait [28].

Et l'autorité que Numa donna à ses lois sous titre du patronage de cette déesse, Zoroastre, législateur des Bactriens et des Perses, la donna aux siennes sous le nom du dieu Oromasis; Trismégiste, des Égyptiens, de Mercure; Zamolxis, des Scythes, de Vesta; Charondas, des Chalcides, de Saturne; Minos, des Candiots [a], de Jupiter; Lycurgue, des Lacédémoniens, d'Apollon; Dracon et Solon, des Athéniens, de Minerve. Et toute police a un dieu à sa tête, faussement les autres, véritablement celle que Moïse dressa au peuple de Judée sorti d'Égypte.

La religion des Bédouins, comme dit le sire de Joinville, portait entre autres choses que l'âme de celui d'entre eux qui mourait pour son prince, s'en allait en un autre corps plus heureux, plus beau et plus fort que le premier; au moyen de quoi ils en hasardaient beaucoup plus volontiers leur vie [29] :

> *In ferrum mens prona viris, animaque capaces*
> *Mortis, et ignavum est redituræ parcere vitæ* *.

Voilà une créance très salutaire, toute vaine qu'elle puisse être. Chaque nation a plusieurs tels exemples chez soi; mais ce sujet mériterait un discours à part.

Pour dire encore un mot sur mon premier propos, je ne conseille non plus aux dames d'appeler honneur leur devoir : « *ut enim consuetudo loquitur, id solum dicitur honestum quod est populari fama gloriosum* ** »; leur devoir est le marc [b], leur honneur n'est que l'écorce. Ni ne leur conseille de nous donner cette excuse en payement de leur refus : car je présuppose que leurs intentions, leur désir et leur volonté, qui sont pièces où l'honneur n'a

---

a. Les habitants de Candie en Crète. — b. Le capital, l'essentiel.

* Lucain, *La Pharsale,* chant I ; « L'âme des guerriers était prompte à s'élancer sur le fer et capable de supporter la mort; c'était une lâcheté d'épargner une vie qui devait renaître. »

** Cicéron, *De Finibus,* livre II, chap. xv : « De même que, dans le langage ordinaire, on appelle seulement honnête ce qui est glorifié par l'opinion publique. »

que voir, d'autant qu'il n'en paraît rien au-dehors, soient encore plus réglées que les effets.

> *Quæ, quia non liceat, non facit, illa facit* *.

L'offense et envers Dieu et en la conscience serait aussi grande de le désirer que de l'effectuer. Et puis ce sont actions d'elles-mêmes cachées et occultes; il serait bien aisé qu'elles en dérobassent quelqu'une à la connaissance d'autrui, d'où l'honneur dépend, si elles n'avaient autre respect à leur devoir, et à l'affection qu'elles portent à la chasteté pour elle-même.

Toute personne d'honneur choisit de perdre plutôt son honneur, que de perdre sa conscience.

---

* Ovide, *Amours*, livre III, poème IV : « Celle-là succombe, qui refuse, parce qu'il ne lui est pas permis de succomber. »

CHAPITRE XVII

DE LA PRÉSOMPTION

Il y a une sorte de gloire, qui est une trop bonne opinion que nous concevons de notre valeur. C'est une affection inconsidérée, de quoi nous nous chérissons, qui nous représente à nous-mêmes autres que nous ne sommes : comme la passion amoureuse prête des beautés et des grâces au sujet qu'elle embrasse, et fait que ceux qui en sont épris, trouvent, d'un jugement trouble et altéré, ce qu'ils aiment autre et plus parfait qu'il n'est.

Je ne veux pas que, de peur de faillir de ce côté-là, un homme se méconnaisse pourtant, ni qu'il pense être moins que ce qu'il est. Le jugement doit tout partout maintenir son droit : c'est raison qu'il voie en ce sujet, comme ailleurs, ce que la vérité lui présente. Si c'est César, qu'il se trouve hardiment le plus grand capitaine du monde. Nous ne sommes que cérémonie; la cérémonie nous emporte, et laissons la substance des choses; nous nous tenons aux branches et abandonnons le tronc et le corps. Nous avons appris aux dames de rougir oyant seulement nommer ce qu'elles ne craignent aucunement à faire; nous n'osons appeler à droit *a* nos membres, et ne craignons pas de les employer à toute sorte de débauche. La cérémonie nous défend d'exprimer par paroles les choses licites et naturelles, et nous l'en croyons; la raison nous défend de n'en faire point d'illicites et mauvaises, et personne ne l'en croit. Je me trouve ici empêtré ès lois de la cérémonie, car elle ne permet ni qu'on parle bien

a. Directement.

de soi, ni qu'on en parle mal. Nous la lairrons là pour
ce coup.

Ceux que la fortune (bonne ou mauvaise qu'on la
doive appeler) a fait passer la vie en quelque éminent
degré, ils peuvent par leurs actions publiques témoigner
quels ils sont. Mais ceux qu'elle n'a employés qu'en foule,
et de qui personne ne parlera, si eux-mêmes n'en parlent,
ils sont excusables s'ils prennent la hardiesse de parler
d'eux-mêmes envers ceux qui ont intérêt de les connaître,
à l'exemple de Lucilius :

> *Ille velut fidis arcana sodalibus olim*
> *Credebat libris, neque, si malè cesserat, usquam*
> *Decurrens alio, neque si benè : quo fit ut omnis*
> *Votiva pateat veluti descripta tabella*
> *Vita senis* *.

Celui-là commettait à son papier ses actions et ses
pensées, et s'y peignait tel qu'il se sentait être. « *Nec
id Rutilio et Scauro citra fidem aut obtrectationi fuit* **. »

Il me souvient donc que, dès ma plus tendre enfance,
on remarquait en moi je ne sais quel port de corps et des
gestes témoignant quelque vaine et sotte fierté. J'en
veux dire premièrement ceci, qu'il n'est pas inconvénient *a* d'avoir des conditions et des propensions si propres et si incorporées en nous, que nous n'ayons pas
moyen de les sentir et reconnaître. Et de telles inclinations naturelles, le corps en retient volontiers quelque pli
sans notre· su et consentement. C'était une certaine
afféterie consente *b* de sa beauté, qui faisait un peu pencher la tête d'Alexandre sur un côté et qui rendait le
parler d'Alcibiade mol et gras [1]. Jules César se grattait
la tête d'un doigt, qui est la contenance d'un homme
rempli de pensements pénibles; et Cicéron, ce me semble,

---

a. Malséant. — *b.* Coquetterie conforme à.

* Horace, *Satire 1* du livre II : « Celui-là confiait, comme à de
fidèles compagnons, ses secrets à ses livres, seuls confidents de ses
échecs ou de ses réussites : aussi voit-on toute la vie du vieillard
dépeinte comme sur un tableau votif. »

** Tacite, *Vie d'Agricola*, chap. 1 : « Rutilius et Scaurus n'en ont
été ni moins crus, ni moins estimés. »

avait accoutumé de rincer le nez, qui signifie un naturel moqueur. Tels mouvements peuvent arriver imperceptiblement en nous. Il y en a d'autres, artificiels, de quoi je ne parle point, comme les salutations et les révérences, par où on acquiert, le plus souvent à tort, l'honneur d'être bien humble et courtois : on peut être humble de gloire. Je suis assez prodigue de bonnetades *a*, notamment en été, et n'en reçois jamais sans revanche *b*, de quelque qualité d'homme que ce soit, s'il n'est à mes gages. Je désirasse d'aucuns princes que je connais, qu'ils en fussent plus épargnants et justes dispensateurs; car, ainsi indiscrètement épandues, elles ne portent plus de coup. Si elles sont sans égard, elles sont sans effet. Entre les contenances déréglées, n'oublions pas la morgue de Constance l'empereur [2], qui en public tenait toujours la tête droite, sans la contourner ou fléchir ni çà ni là, non pas seulement pour regarder ceux qui le saluaient à côté, ayant le corps planté immobile, sans se laisser aller au branle de son coche, sans oser ni cracher, ni se moucher, ni essuyer le visage devant les gens.

Je ne sais si ces gestes qu'on remarquait en moi, étaient de cette première condition, et si à la vérité j'avais quelque occulte propension à ce vice, comme il peut bien être, et ne puis pas répondre des branles du corps; mais, quant aux branles de l'âme, je veux ici confesser ce que j'en sens.

Il y a deux parties en cette gloire : savoir est, de s'estimer trop, et n'estimer pas assez autrui. Quant à l'une, il me semble premièrement ces considérations devoir être mises en compte, que je me sens pressé d'une erreur d'âme qui me déplaît, et comme inique, et encore plus comme importune. J'essaie à la corriger; mais l'arracher, je ne puis. C'est que je diminue du juste prix des choses que je possède, de ce que je les possède; et hausse le prix aux choses, d'autant qu'elles sont étrangères, absentes et non miennes. Cette humeur s'épand bien loin. Comme la prérogative de l'autorité fait que les maris regardent les femmes propres *c* d'un vicieux dédain, et plusieurs pères leurs enfants; ainsi fais-je, et entre deux

---

a. Saluts du bonnet. — *b.* Réciprocité. — *c.* Leurs propres femmes.

pareils ouvrages pèserais toujours contre le mien. Non
tant que la jalousie de mon avancement et amendement
trouble mon jugement et m'empêche de me satisfaire,
comme que, d'elle-même, la maîtrise *a* engendre mépris
de ce qu'on tient et régente. Les polices *b*, les mœurs
lointaines me flattent, et les langues ; et m'aperçois que
le latin me pipe à sa faveur par sa dignité, au-delà de ce
qui lui appartient, comme aux enfants et au vulgaire.
L'économie *c*, la maison, le cheval de mon voisin, en
égale valeur, vaut mieux que le mien, de ce qu'il n'est pas
mien. Davantage que *d* je suis très ignorant en mon fait.
J'admire l'assurance et promesse que chacun a de soi, là
où il n'est quasi rien que je sache savoir, ni que j'ose me
répondre pouvoir faire. Je n'ai point mes moyens en
proposition et par état ; et n'en suis instruit qu'après
l'effet : autant douteux de moi que de toute autre chose.
D'où il advient, si je rencontre louablement en une besogne, que je le donne plus à ma fortune qu'à ma force :
d'autant que je les desseigne toutes au hasard et en
crainte. Pareillement j'ai en général ceci que, toutes les
opinions que l'Ancienneté a eues de l'homme en gros,
celles que j'embrasse plus volontiers et auxquelles je
m'attache le plus, ce sont celles qui nous méprisent,
avilissent et anéantissent le plus. La philosophie ne me
semble jamais avoir si beau jeu que quand elle combat
notre présomption et vanité, quand elle reconnaît de
bonne foi son irrésolution, sa faiblesse et son ignorance.
Il me semble que la mère nourrice des plus fausses
opinions et publiques et particulières, c'est la trop bonne
opinion que l'homme a de soi. Ces gens qui se perchent
à chevauchons sur l'épicycle de Mercure, qui voient si
avant dans le ciel, ils m'arrachent les dents ; car en
l'étude que je fais, duquel le sujet, c'est l'homme, trouvant une si extrême variété de jugements, un si profond
labyrinthe de difficultés les unes sur les autres, tant de
diversité et incertitude en l'école même de la sapience,
vous pouvez penser, puisque ces gens-là n'ont pu se
résoudre de la connaissance d'eux-mêmes et de leur
propre condition, qui est continuellement présente à

---

a. Propriété. — *b*. Sociétés. — *c*. L'administration domestique. — *d*. D'autant plus que.

leurs yeux, qui est dans eux; puisqu'ils ne savent comment branle ce qu'eux-mêmes font branler, ni comment nous peindre et déchiffrer les ressorts qu'ils tiennent et manient eux-mêmes, comment je les croirais de la cause du mouvement de la huitième sphère, du flux et reflux de la rivière du Nil. La curiosité de connaître les choses a été donnée aux hommes pour fléau, dit la Sainte Parole [3].

Mais, pour venir à mon particulier, il est bien difficile, ce me semble, qu'aucun autre s'estime moins, voire qu'aucun autre m'estime moins, que ce que je m'estime.

Je me tiens [a] de la commune sorte, sauf en ce que je m'en tiens : coupable des défectuosités plus basses et populaires, mais non désavouées, non excusées; et ne me prise seulement que de ce que je sais mon prix.

S'il y a de la gloire, elle est infuse en moi superficiellement par la trahison de ma complexion, et n'a point de corps qui comparaisse à la vue de mon jugement.

J'en suis arrosé, mais non pas teint.

Car, à la vérité, quant aux effets de l'esprit, en quelque façon que ce soit, il n'est jamais parti de moi chose qui me remplît; et l'approbation d'autrui ne me paye pas. J'ai le goût tendre et difficile, et notamment en mon endroit; je me désavoue sans cesse; et me sens partout flotter et fléchir de faiblesse [4]. Je n'ai rien du mien de quoi satisfaire mon jugement. J'ai la vue assez claire et réglée, mais, à l'ouvrer [b], elle se trouble : comme j'essaie [c] plus évidemment en la poésie. Je l'aime infiniment; je me connais assez aux ouvrages d'autrui; mais je fais, à la vérité, l'enfant quand j'y veux mettre la main; je ne me puis souffrir. On peut faire le sot partout ailleurs, mais non en la poésie,

mediocribus esse poetis
Non dii, non homines, non concessere columnæ *.

Plût à Dieu que cette sentence se trouvât au front des boutiques de tous nos imprimeurs, pour en défendre l'entrée à tant de versificateurs,

---

a. Je me considère. — b. Ouvrage. — c. Comme je l'expérimente.
* Horace, *Art poétique* : « Tout interdit aux poètes de rester dans la médiocrité: dieux, hommes, colonnes où on expose leurs œuvres. »

> *verum*
> *Nil securius est malo Poeta* *.

Que n'avons-nous de tels peuples? Denys le père n'estimait rien tant de soi que sa poésie. A la saison des jeux Olympiques, avec des chariots surpassant tous les autres en magnificence, il envoya aussi des poètes et des musiciens pour présenter ses vers, avec des tentes et pavillons dorés et tapissés royalement. Quand on vint à mettre ses vers en avant, la faveur et excellence de la prononciation attira sur le commencement l'attention du peuple; mais quand, par après, il vint à peser l'ineptie de l'ouvrage, il entra premièrement en mépris, et, continuant d'aigrir son jugement, il se jeta tantôt en furie, et courut abattre et déchirer par dépit tous ses pavillons. Et ce que ses chariots ne firent non plus rien qui vaille en la course, et que le navire qui rapportait ses gens faillit la Sicile et fut par la tempête poussé et fracassé contre la côte de Tarente, il tint pour certain que c'était l'ire des Dieux irrités comme lui contre ce mauvais poème. Et les mariniers même échappés du naufrage allaient secondant l'opinion de ce peuple.

A laquelle l'oracle qui prédit sa mort sembla aussi aucunement souscrire. Il portait que Denys serait près de sa fin quand il aurait vaincu ceux qui vaudraient mieux que lui; ce qu'il interpréta des Carthaginois, qui le surpassaient en puissance. Et, ayant affaire à eux, gauchissait [a] souvent la victoire et la tempérait, pour n'encourir le sens de cette prédiction. Mais il l'entendait mal : car le dieu marquait le temps de l'avantage que, par faveur et injustice, il gagna à Athènes sur les poètes tragiques meilleurs que lui, ayant fait jouer à l'envi la sienne, intitulée *Les Lenéïens* [b] ; soudain après laquelle victoire il trépassa, et en partie pour l'excessive joie qu'il en conçut.

---

a. Évitait. — b. Confusion entre les *Lénéennes,* fête en l'honneur de Bacchus, et une tragédie, *La Rançon d'Hector.* L'erreur est déjà dans Amyot, traducteur de Diodore de Sicile.

* Martial, *Épigrammes,* livre XII, LXIII : « Rien n'est si confiant qu'un mauvais poète. »

Ce que je trouve excusable du mien, ce n'est pas de soi et à la vérité, mais c'est à la comparaison d'autres choses pires, auxquelles je vois qu'on donne crédit. Je suis envieux du bonheur de ceux qui se savent réjouir et gratifier en leur besogne, car c'est un moyen aisé de se donner du plaisir, puisqu'on le tire de soi-même. Spécialement, s'il y a un peu de fermeté en leur opiniâtrise. Je sais un poète à qui forts, faibles, en foule et en chambre, et le ciel et la terre crient qu'il n'y entend guère. Il n'en rabat pour tout cela rien de la mesure à quoi il s'est taillé, toujours recommence, toujours reconsulte, et toujours persiste ; d'autant plus fort en son avis et plus raide qu'il touche à lui seul de le maintenir. Mes ouvrages, il s'en faut tant qu'ils me rient, qu'autant de fois que je les retâte, autant de fois je m'en dépite :

> *Cum relego, scripsisse pudet, quia plurima cerno,*
> *Me quoque qui feci judice, digna lini* *.

J'ai toujours une idée en l'âme et certaine image trouble, qui me présente comme en songe une meilleure forme que celle que j'ai mise en besogne, mais je ne la puis saisir et exploiter [5]. Et cette idée même n'est que du moyen étage. Ce que j'argumente par là, que les productions de ces riches et grandes âmes du temps passé sont bien loin au-delà de l'extrême étendue de mon imagination et souhait. Leurs écrits ne me satisfont pas seulement et me remplissent ; mais ils m'étonnent et transissent d'admiration [6]. Je juge leur beauté ; je la vois, sinon jusques au bout, au moins si avant qu'il m'est impossible d'y aspirer. Quoi que j'entreprenne, je dois un sacrifice aux grâces, comme dit Plutarque de quelqu'un, pour pratiquer leur faveur,

> *si quid enim placet,*
> *Si quid dulce hominum sensibus influit,*
> *Debentur lepidis omnia gratiis* **.

---

* Ovide, *Pontiques,* chant I, poème v : « Quand je les relis, je vois de nombreux passages, qui même à mes yeux, méritent d'être effacés. »

** Citation d'auteur inconnu jusqu'ici : « Car tout ce qui plaît, tout ce qui charme le sens des mortels, c'est aux grâces aimables que nous le devons. »

Elles m'abandonnent partout. Tout est grossier chez moi; il y a faute de gentillesse et de beauté. Je ne sais faire valoir les choses pour le plus que ce qu'elles valent. Ma façon n'aide rien à la matière. Voilà pourquoi il me la faut forte, qui ait beaucoup de prise et qui luise d'elle-même. Quand j'en saisis des populaires et plus gaies, c'est pour me suivre à moi, qui n'aime point une sagesse cérémonieuse et triste, comme fait le monde, et pour m'égayer, non pour égayer mon style, qui les veut plutôt graves et sévères (au moins si je dois nommer style un parler informe et sans règle, un jargon populaire et un procéder sans définition, sans partition *a*, sans conclusion, trouble, à la guise de celui d'Amafanius et de Rabirius). Je ne sais ni plaire, ni réjouir, ni chatouiller : le meilleur conte du monde se sèche entre mes mains et se ternit. Je ne sais parler qu'en bon escient, et suis du tout dénué de cette facilité, que je vois en plusieurs de mes compagnons, d'entretenir les premiers venus et tenir en haleine toute une troupe, ou amuser, sans se lasser, l'oreille d'un prince de toute sorte de propos, la matière ne leur faillant *b* jamais, pour cette grâce qu'ils ont de savoir employer la première venue, et l'accommoder à l'humeur et portée de ceux à qui ils ont affaire. Les princes n'aiment guère les discours fermes, ni moi à faire des contes [7]. Les raisons premières et plus aisées, qui sont communément les mieux prises, je ne sais pas les employer : mauvais prêcheur de commune *c*. De toute matière je dis volontiers les dernières choses que j'en sais. Cicéron estime que ès traités de la philosophie le plus difficile membre ce soit l'exorde. S'il est ainsi, je me prends à la conclusion.

Si faut-il conduire la corde à toute sorte de tons; et le plus aigu est celui qui vient le moins souvent en jeu. Il y a pour le moins autant de perfection à relever une chose vide qu'à en soutenir une pesante. Tantôt il faut superficiellement manier les choses, tantôt les profonder. Je sais bien que la plupart des hommes se tiennent en ce bas étage, pour ne concevoir les choses que par cette première écorce; mais je sais aussi que les plus grands maîtres et Xénophon et Platon, on les voit souvent se

a. Division. — *b.* Manquant. — *c.* Prêcheur publique.

relâcher à cette basse façon, et populaire, de dire et traiter les choses, la soutenant des grâces qui ne leur manquent jamais.

Au demeurant, mon langage n'a rien de facile et poli : il est âpre et dédaigneux, ayant ses dispositions libres et déréglées; et me plaît ainsi, sinon par mon jugement, par mon inclination. Mais je sens bien que parfois je m'y laisse trop aller, et qu'à force de vouloir éviter l'art et l'affectation, j'y retombe d'une autre part :

> *brevis esse laboro,*
> *Obscurus fio* *.

Platon dit [8] que le long ou le court ne sont propriétés qui ôtent ni donnent prix au langage.

Quand j'entreprendrais de suivre cet autre style égal, uni et ordonné, je n'y saurais advenir; et encore que les coupures et cadences de Salluste reviennent plus à mon humeur, si est-ce que je trouve César et plus grand et moins aisé à représenter [a]; et si mon inclination me porte plus à l'imitation du parler de Sénèque, je ne laisse pas d'estimer davantage celui de Plutarque. Comme à faire, à dire aussi je suis tout simplement ma forme naturelle : d'où c'est à l'aventure [b] que je puis plus à parler qu'à écrire. Le mouvement et l'action animent les paroles, notamment à ceux qui se remuent brusquement, comme je fais, et qui s'échauffent. Le port, le visage, la voix, la robe, l'assiette [c], peuvent donner quelque prix aux choses qui d'elles-mêmes n'en ont guère, comme le babil. Messala se plaint en Tacite [9] de quelques accoutrements étroits de son temps, et de la façon des bancs où les orateurs avaient à parler, qui affaiblissaient leur éloquence.

Mon langage français est altéré [10], et en la prononciation et ailleurs, par la barbarie de mon cru; je ne vis jamais homme des contrées de deçà qui ne sentît bien évidemment son ramage et qui ne blessât les oreilles pures françaises. Si n'est-ce pas pour être fort entendu

---

a. Imiter. — b. Peut-être. — c. L'attitude.

* Horace, *Art poétique* : « Je m'efforce d'être bref, je deviens obscur. »

en mon périgourdin, car je n'en ai non plus d'usage que de l'allemand; et ne m'en chaut guère. C'est un langage comme sont autour de moi, d'une bande et d'autre *a*, le poitevin, saintongeois, angoumoisin, limousin, auvergnat : brode *b*, traînant, éfoiré *c*. Il y a bien au-dessus de nous, vers les montagnes, un gascon que je trouve singulièrement beau, sec, bref, signifiant, et à la vérité un langage mâle et militaire plus qu'autre que j'entende; autant nerveux, puissant et pertinent *d*, comme le français est gracieux, délicat et abondant.

Quant au latin, qui m'a été donné pour maternel, j'ai perdu par désaccoutumance la promptitude de m'en pouvoir servir à parler : oui, et *e* à écrire, en moi autrefois je me faisais appeler Maître-Jean [11]. Voilà combien peu je vaux de ce côté-là.

La beauté est une pièce de grande recommandation au commerce des hommes; n'est le premier moyen de conciliation des uns aux autres, et n'est homme si barbare et si rechigné, qui ne se sente aucunement frappé de sa douceur. Le corps a une grande part à notre être, il y tient un grand rang; ainsi sa structure et composition sont de bien juste considération. Ceux qui veulent déprendre nos deux pièces principales et les séquestrer l'une de l'autre, ils ont tort. Au rebours, il les faut réaccoupler et rejoindre. Il faut ordonner à l'âme non de se tirer à quartier *f*, de s'entretenir à part, de mépriser et abandonner le corps (aussi ne le saurait-elle faire que par quelque singerie contrefaite), mais de se rallier à lui, de l'embrasser, le chérir, lui assister, le contrôler, le conseiller, le redresser et ramener quand il fourvoie, l'épouser en somme et lui servir de mari; à ce que leurs effets ne paraissent pas divers et contraires, ains accordants et uniformes. Les Chrétiens ont une particulière instruction de cette liaison : car ils savent que la justice divine embrasse cette société et jointure du corps et de l'âme, jusques à rendre le corps capable des récompenses éternelles; et que Dieu regarde agir tout l'homme, et veut qu'entier il reçoive le châtiment, ou le loyer *g*, selon ses mérites.

a. De part et d'autre. — *b.* Mou. — *c.* Prolixe. — *d.* Approprié. — *e.* Et même à... — *f.* Se mettre à l'écart. — *g.* Récompense.

La secte Péripatétique, de toutes les sectes la plus civilisée, attribue à la sagesse ce seul soin de pourvoir et procurer en commun le bien de ces deux parties associées : et montre les autres sectes, pour ne pas s'être assez attachées à la considération de ce mélange, s'être partialisées, celle-ci pour le corps, cette autre pour l'âme, d'une pareille erreur, et avoir écarté leur sujet, qui est l'homme, et leur guide, qu'ils avouent en général être nature [12].

La première distinction qui ait été entre les hommes, et la première considération, qui donna les prééminences aux uns sur les autres, il est vraisemblable que ce fut l'avantage de la beauté :

> *agros divisere atque dedere*
> *Pro facie cujúsque et viribus ingenióque :*
> *Nam facies multum valuit viresque vigebant* *.

Or je suis d'une taille un peu au-dessous de la moyenne. Ce défaut n'a pas seulement de la laideur, mais encore de l'incommodité, à ceux mêmement qui ont des commandements et des charges : car l'autorité que donne une belle présence *a* et majesté corporelle en est à dire *b*.

C. Marius ne recevait pas volontiers des soldats qui n'eussent six pieds de hauteur [13]. *Le Courtisan* [14] a bien raison de vouloir, pour ce gentilhomme qu'il dresse, une taille commune plutôt que toute autre, et de refuser pour lui toute étrangeté qui le fasse montrer au doigt. Mais de choisir s'il faut à cette médiocrité qu'il soit plutôt au deçà qu'au-delà d'icelle, je ne le ferais pas à un homme militaire.

Les petits hommes, dit Aristote [15], sont bien jolis, mais non pas beaux; et se connaît en la grandeur la grande âme, comme la beauté en un grand corps et haut.

Les Éthiopiens et les Indiens, dit-il [16], élisant leurs rois et magistrats, avaient égard à la beauté et procé-

---

a. Prestance. — *b.* Fait défaut.

* Lucrèce, chant V : « Ils partagèrent les terres et les répartirent selon la beauté, la force et les dons intellectuels de chacun. Car la beauté eut beaucoup d'importance et la force était estimée. »

rité *a* des personnes. Ils avaient raison : car il y a du
respect pour ceux qui le suivent, et pour l'ennemi de
l'effroi, de voir à la tête d'une troupe marcher un chef
de belle et riche taille :

> *Ipse inter primos præstanti corpore Turnus*
> *Vertitur, arma tenens, et toto vertice supra est* *.

Notre grand roi divin et céleste, duquel toutes les
circonstances doivent être remarquées avec soin, religion et révérence, n'a pas refusé la recommandation
corporelle, « *speciosus forma præ filiis hominum* ** ».

Et Platon, avec la tempérance et la fortitude *b*, désire
la beauté aux conservateurs de sa république [17].

C'est un grand dépit qu'on s'adresse à vous parmi
vos gens, pour vous demander : « Où est monsieur ? »
et que vous n'ayez que le reste de la bonnetade *c* qu'on
fait à votre barbier ou à votre secrétaire. Comme il
advint au pauvre Philopœmen [18]. Étant arrivé le premier
de sa troupe en un logis où on l'attendait, son hôtesse,
qui ne le connaissait pas et le voyait d'assez mauvaise
mine, l'employa d'aller un peu aider à ses femmes à
puiser de l'eau ou attiser du feu, pour le service de
Philopœmen. Les gentilshommes de sa suite étant
arrivés et l'ayant surpris embesogné à cette belle vacation *d* (car il n'avait pas failli d'obéir au commandement
qu'on lui avait fait), lui demandèrent ce qu'il faisait là :
« Je paie, leur répondit-il, la peine de ma laideur. »

Les autres beautés sont pour les femmes; la beauté
de la taille est la seule beauté des hommes. Où est la
petitesse, ni la largeur et rondeur du front, ni la blancheur et douceur des yeux, ni la médiocre *e* forme du
nez, ni la petitesse de l'oreille et de la bouche, ni l'ordre
et blancheur des dents, ni l'épaisseur bien unie d'une
barbe brune à écorce de châtaigne, ni le poil relevé, ni

---

a. Haute taille. — *b.* Courage. — *c.* Salut. — *d.* Occupation. —
e. Moyenne.

* Virgile, *Énéide,* chant VII : « Au premier rang, s'avance
Turnus, d'une magnifique prestance, les armes à la main et dépas-
sant de la tête tout son entourage. »

** Psaume XLV, 3 : « Beau entre les fils des hommes. »

11

la juste rondeur de tête [19], ni la fraîcheur du teint, ni l'air du visage agréable, ni un corps sans senteur, ni la proportion légitime des membres peuvent faire un bel homme.

J'ai au demeurant la taille forte et ramassée; le visage, non pas gras, mais plein; la complexion, entre le jovial et le mélancolique, moyennement sanguine et chaude,

Unde rigent setis mihi crura, et pectora villis * ;

la santé forte et allègre, jusques bien avant en mon âge rarement troublée par les maladies. J'étais tel, car je ne me considère pas à cette heure, que je suis engagé dans les avenues de la vieillesse, ayant piéça [a] franchi les quarante ans :

minutatim vires et robur adultum
Frangit, et in partem pejorem liquitur œtas ** .

Ce que je serai dorénavant, ce ne sera plus qu'un demi-être, ce ne sera plus moi. Je m'échappe tous les jours et me dérobe à moi.

Singula de nobis anni prœdantur euntes *** .

D'adresse et de disposition [b], je n'en ai point eu; et si, suis fils d'un père très dispos et d'une allégresse qui lui dura jusques à son extrême vieillesse [20]. Il ne trouva guère homme de sa condition qui s'égalât à lui en tout exercice de corps : comme je n'en ai trouvé guère aucun qui ne me surmontât, sauf au courir (en quoi j'étais des médiocres). De la musique, ni pour la voix que j'y ai très inepte, ni pour les instruments, on ne m'y a jamais su rien apprendre. A la danse, à la paume, à la lutte, je n'y ai pu acquérir qu'une bien fort légère et vulgaire suffisance; à nager, à escrimer, à voltiger et à sauter, nulle du tout. Les mains, je les ai si gourdes que je ne

---

a. Depuis longtemps. — b. Agilité.

* Martial, *Épigrammes*, livre II, xxxvi . « Aussi ai-je les jambes et la poitrine hérissés de poils. »

** Lucrèce, chant II : « Insensiblement les forces et la vigueur de la jeunesse s'épuisent et l'âge les fait décliner. »

*** Horace, *Épître 2* du livre II : « Un à un, nos biens sont pillés par les années qui passent. »

sais pas écrire seulement pour moi : de façon que, ce que
j'ai barbouillé, j'aime mieux le refaire que de me donner
la peine de le démêler; et ne lis guère mieux. Je me sens
peser aux écoutants. Autrement, bon clerc. Je ne sais
pas clore à droit *a* une lettre [21], ni ne sus jamais tailler
plume, ni trancher à table, qui vaille, ni équiper un
cheval de son harnais, ni porter à poing un oiseau et le
lâcher, ni parler aux chiens, aux oiseaux, aux chevaux.

Mes conditions corporelles sont en somme très bien
accordantes à celles de l'âme. Il n'y a rien d'allègre :
il y a seulement une vigueur pleine et ferme. Je dure
bien à la peine; mais j'y dure, si je m'y porte moi-même,
et autant que mon désir m'y conduit,

> *Molliter austerum studio fallente laborem* *.

Autrement, si je n'y suis alléché par quelque plaisir,
et si j'ai autre guide que ma pure et libre volonté, je
n'y vaux rien. Car j'en suis là que, sauf la santé et la
vie, il n'est chose pourquoi je veuille ronger mes ongles,
et que je veuille acheter au prix du tourment d'esprit
et de la contrainte,

> *tanti mihi non sit opaci*
> *Omnis arena Tagi, quodque in mare volvitur aurum* ** :

extrêmement oisif, extrêmement libre, et par nature et
par art [22]. Je prêterais aussi volontiers mon sang que
mon soin.

J'ai une âme toute sienne, accoutumée à se conduire
à sa mode. N'ayant eu jusques à cette heure ni commandant ni maître forcé, j'ai marché aussi avant et le pas
qu'il m'a plu. Cela m'a amolli et rendu inutile au service
d'autrui, et ne m'a fait bon qu'à moi. Et pour moi, il
n'a été besoin de forcer ce naturel pesant, paresseux et
fainéant. Car, m'étant trouvé en tel degré de fortune
dès ma naissance, que j'ai eu occasion de m'y arrêter [23],

---

a. Adroitement.
* Horace, *Satire 2* du livre II : « Le plaisir qui accompagne le
travail, en fait oublier la fatigue. »
** Juvénal, *Satire III* : « A ce prix, je ne voudrais pas de tout
l'or que roulent dans la mer les sables du Tage ombragé. »

et en tel degré de sens que j'ai senti en avoir occasion,
je n'ai rien cherché et n'ai aussi rien pris :

> *Non agimur tumidis velis Aquilone secundo ;*
> *Non tamen adversis ætatem ducimus austris :*
> *Viribus, ingenio, specie, virtute, loco, re,*
> *Extremi primorum, extremis usque priores* *.

Je n'ai eu besoin que de la suffisance de me contenter [24],
qui est pourtant un règlement d'âme, à le bien prendre,
également difficile en toute sorte de condition, et que
par usage nous voyons se trouver plus facilement encore
en la nécessité qu'en l'abondance; d'autant à l'aventure
que, selon le cours de nos autres passions, la faim des
richesses est plus aiguisée par leur usage que par leur
disette, et la vertu de la modération plus rare que celle
de la patience. Et n'ai eu besoin que de jouir doucement
des biens que Dieu par sa libéralité m'avait mis entre
mains. Je n'ai goûté aucune sorte de travail ennuyeux.
Je n'ai eu guère en maniement que mes affaires; ou, si
j'en ai eu, ç'a été en condition de les manier à mon
heure et à ma façon, commis par gens qui s'en fiaient
à moi et qui ne me pressaient pas et me connaissaient.
Car encore tirent les experts quelque service d'un cheval
rétif et poussif.

   Mon enfance même a été conduite d'une façon molle
et libre, et exempte de sujétion rigoureuse. Tout cela m'a
formé une complexion délicate et incapable de sollicitude.
Jusque-là que j'aime qu'on me cache mes pertes et les
désordres qui me touchent : au chapitre de mes mises, je
loge ce que ma nonchalance me coûte à nourrir et entretenir,

> *hæc nempe supersunt,*
> *Quæ dominum fallant, quæ prosint furibus* **.

---

* Horace, *Épître 2* du livre II : « L'aquilon favorable n'enfle
pas mes voiles; en revanche l'auster ne s'oppose pas à ma course.
En force, en talent, en beauté, en vertu, en naissance, en biens je
fais partie des derniers de la première classe, mais aussi des premiers
de la dernière. »
** Horace, *Épître 6* du livre I : « C'est assurément ce superflu,
qui échappe aux yeux de son propriétaire, profit pour les voleurs! »

J'aime à ne savoir pas le compte de ce que j'ai, pour sentir moins exactement ma perte. Je prie ceux qui vivent avec moi, où l'affection leur manque et les bons effets, de me piper et payer de bonnes apparences. A faute d'avoir assez de fermeté pour souffrir l'importunité des accidents contraires auxquels nous sommes sujets, et pour ne me pouvoir tenir tendu à régler et ordonner les affaires, je nourris autant que je puis en moi cette opinion, m'abandonnant du tout à la fortune, de prendre toutes choses au pis; et, ce pis là, me résoudre à le porter doucement et patiemment. C'est à cela seul que je travaille, et le but auquel j'achemine tous mes discours.

A un danger, je ne songe pas tant comment j'en échapperai, que combien peu il importe que j'en échappe. Quand j'y demeurerais, que serait-ce ? Ne pouvant régler les événements, je me règle moi-même, et m'applique à eux s'ils ne s'appliquent à moi. Je n'ai guère d'art pour savoir gauchir *a* la fortune et lui échapper ou la forcer, et pour dresser et conduire par prudence les choses à mon point. J'ai encore moins de tolérance pour supporter le soin âpre et pénible qu'il faut à cela. Et la plus pénible assiette pour moi, c'est être suspens *b* ès choses qui pressent, et agité entre la crainte et l'espérance. Le délibérer, voire ès choses plus légères, m'importune; et sens mon esprit plus empêché à souffrir le branle et les secousses diverses du doute et de la consultation, qu'à se rasseoir et résoudre à quelque parti que ce soit, après que la chance est livrée. Peu de passions m'ont troublé le sommeil; mais, des délibérations, la moindre me le trouble. Tout ainsi que des chemins, j'en évite volontiers les côtés pendants et glissants, et me jette dans le battu le plus boueux et enfondrant *c*, d'où je ne puisse aller plus bas, et y cherche sûreté; aussi j'aime les malheurs tout purs, qui ne m'exercent et tracassent plus après l'incertitude de leur rhabillage *d*, et qui, du premier saut, me poussent droitement en la souffrance.

dubia plus torquent mala *.

a. Esquisser. — *b.* Suspendu. — *c.* Défoncé. — *d.* Réparation*
* Sénèque, *Agamemnon*, acte III, scène 1 : « Ce sont les maux incertains qui nous tourmentent le plus. »

Aux événements je me porte virilement; en la conduite, puérilement. L'horreur de la chute me donne plus de fièvre que le coup. Le jeu ne vaut pas la chandelle. L'avaricieux a plus mauvais compte de sa passion que n'a le pauvre, et le jaloux que le cocu. Et y a moins de mal souvent à perdre sa vigne qu'à la plaider. La plus basse marche est la plus ferme. C'est le siège de la constance. Vous n'y avez besoin que de vous. Elle se fonde là et appuie toute en soi. Cet exemple d'un gentilhomme que plusieurs ont connu, a-t-il pas quelque air philosophique? Il se maria bien avant en l'âge, ayant passé en bon compagnon sa jeunesse : grand diseur, grand gaudisseur. Se souvenant combien la matière de cornardise lui avait donné de quoi parler et se moquer des autres, pour se mettre à couvert, il épousa une femme qu'il prit au lieu où chacun en trouve pour son argent, et dressa avec elle ses alliances : « Bonjour, putain. — Bonjour, cocu! » Et n'est chose de quoi plus souvent et ouvertement il entretint chez lui les survenants, que de ce sien dessein : par où il bridait les occultes caquets des moqueurs et émoussait la pointe de ce reproche.

Quant à l'ambition, qui est voisine de la présomption ou fille plutôt, il eût fallu, pour m'avancer, que la fortune me fût venue quérir par le poing. Car, de me mettre en peine pour une espérance incertaine et me soumettre à toutes les difficultés qui accompagnent ceux qui cherchent à se pousser en crédit sur le commencement de leur progrès, je ne l'eusse su faire;

> *spem pretio non emo* *.

Je m'attache à ce que je vois et que je tiens, et ne m'éloigne guère du port,

> *Alter remus aquas, alter tibi radat arenas* **.

Et puis on arrive peu à ces avancements, qu'en hasardant premièrement le sien : et je suis d'avis que, si ce

---

* Térence, *Les Adelphes*, acte II, scène II : « Je n'achète pas l'espérance à ce prix. »

** Properce, *Élégie 3* du livre III : « Qu'une rame fende les flots et que l'autre touche la grève. »

qu'on a suffit à maintenir la condition en laquelle on est né et dressé, c'est folie d'en lâcher la prise sur l'incertitude de l'augmenter. Celui à qui la fortune refuse de quoi planter son pied et établir un être tranquille et reposé, il est pardonnable s'il jette au hasard ce qu'il a, puisqu'ainsi comme ainsi la nécessité l'envoie à la quête.

Capienda rebus in malis præceps via est *.

Et j'excuse plutôt un cadet de mettre sa légitime au vent, que celui à qui l'honneur de la maison est en charge, qu'on ne peut voir nécessiteux qu'à sa faute.

J'ai bien trouvé le chemin le plus court et plus aisé, avec le conseil de mes bons amis du temps passé, de me défaire de ce désir et de me tenir coi,

Cui sit conditio dulcis sine pulvere palmæ **,

jugeant aussi bien sainement de mes forces qu'elles n'étaient pas capables de grandes choses, et me souvenant de ce mot du feu chancelier Olivier, que les Français semblent des guenons qui vont grimpant contremont un arbre, de branche en branche, et ne cessent d'aller jusques à ce qu'elles sont arrivées à la plus haute branche, et y montrent le cul quand elles y sont.

Turpe est, quod nequeas, capiti committere pondus,
Et pressum inflexo mox dare terga genu ***.

Les qualités mêmes qui sont en moi non reprochables, je les trouvais inutiles en ce siècle. La facilité de mes mœurs, on l'eût nommée lâcheté et faiblesse; la foi et la conscience s'y fussent trouvées scrupuleuses et superstitieuses; la franchise et la liberté, importune, inconsi-

---

* Sénèque, *Agamemnon,* acte II, scène 1 : « Dans l'adversité, il faut choisir des chemins hasardeux. »

** Horace, *Épître 1* du livre I : « Qui remporte la douce palme, sans être couvert de poussière. »

*** Properce, *Élégie 9* du livre III : « Il est honteux de se charger la tête d'un poids qu'on ne saurait porter, pour fléchir bientôt le genou et déposer le fardeau. »

dérée et téméraire. A quelque chose sert le malheur. Il
fait bon naître en un siècle fort dépravé ; car, par comparaison d'autrui, vous êtes estimé vertueux à bon marché.
Qui n'est que parricide en nos jours, et sacrilège, il est
homme de bien et d'honneur :

> *Nunc, si depositum non inficiatur amicus,*
> *Si reddat veterem cum tota œrugine follem,*
> *Prodigiosa fides et Tuscis digna libellis*
> *Quæque coronata lustrari debeat agna* *.

Et ne fut jamais temps et lieu où il y eut pour les
princes loyer [a] plus certain et plus grand proposé à la
bonté et à la justice. Le premier qui s'avisera de se
pousser en faveur et en crédit par cette voie-là, je suis
bien déçu si, à bon compte, il ne devance ses compagnons. La force, la violence peuvent quelque chose, mais
non pas toujours tout.

Les marchands, les juges de village, les artisans, nous
les voyons aller à pair de vaillance et science militaire
avec la noblesse : ils rendent des combats honorables,
et publics et privés, ils battent, ils défendent villes en
nos guerres. Un prince étouffe sa recommandation emmi
cette presse. Qu'il reluise d'humanité, de vérité, de
loyauté, de tempérance et surtout de justice : marques
rares, inconnues et exilées. C'est la seule volonté des peu
ples de quoi il peut faire ses affaires, et nulles autres
qualités ne peuvent tant flatter leur volonté comme celles-
là : leur étant bien plus utiles que les autres.

> *Nihil est tam populare quam bonitas* **.

Par cette proportion, je me fusse trouvé grand et rare,
comme je me trouve pygmée et populaire à la proportion

---

a. Récompense.

* Juvénal, *Satire XIII :* « Maintenant, si un ami ne nie pas
un dépôt, s'il te rend ta vieille bourse avec ses sous couverts de
vert-de-gris, c'est un prodige de loyauté, digne qu'on ait recours
aux oracles étrusques, et qui doit être expié par le sacrifice d'une
brebis couronnée. »
** Cicéron, *Pro Ligario,* chap. XII : « Rien n'est si populaire que
la bonté. »

d'aucuns siècles passés, auxquels il était vulgaire, si
d'autres plus fortes qualités n'y concurraient, de voir
un homme modéré en ses vengeances, mol au ressentiment des offenses, religieux en l'observance de sa parole,
ni double, ni souple, ni accommodant sa foi à la volonté
d'autrui et aux occasions. Plutôt lairrais-je rompre le
col aux affaires que de tordre ma foi pour leur service [25].
Car, quant à cette nouvelle vertu de feintise et de dissimulation qui est à cette heure si fort en crédit, je la
hais capitalement; et, de tous les vices, je n'en trouve
aucun qui témoigne tant de lâcheté et bassesse de cœur.
C'est une humeur couarde et servile de s'aller déguiser
et cacher sous un masque, et de n'oser se faire voir tel
qu'on est. Par là nos hommes se dressent à la perfidie :
étant duits [a] à produire des paroles fausses, ils ne font
pas conscience d'y manquer. Un cœur généreux ne doit
point démentir ses pensées; il se veut faire voir jusques
au-dedans. Ou tout y est bon, ou au moins tout y est
humain.

Aristote estime [26] office de magnanimité haïr et aimer
à découvert, juger, parler avec toute franchise, et, au
prix de la vérité, ne faire cas de l'approbation ou répro-
bation d'autrui.

Apollonius [27] disait que c'était aux serfs de mentir,
et aux libres de dire vérité.

C'est la première et fondamentale partie de la vertu.
Il la faut aimer pour elle-même. Celui qui dit vrai, parce
qu'il y est d'ailleurs obligé et parce qu'il sert, et qui ne
craint point à dire mensonge, quand il n'importe à
personne, n'est pas véritable suffisamment. Mon âme, de
sa complexion, refuit la menterie et hait même à la
penser.

J'ai une interne vergogne [b] et un remords piquant, si
parfois elle m'échappe, comme parfois elle m'échappe,
les occasions me surprenant et agitant impréméditément.

Il ne faut pas toujours dire tout, car ce serait sottise;
mais ce qu'on dit, il faut qu'il soit tel qu'on le pense,
autrement, c'est méchanceté. Je ne sais quelle commodité
ils attendent de se feindre et contrefaire sans cesse,
si ce n'est de n'en être pas crus lors même qu'ils disent

a. Entraînés. — b. Pudeur.

vérité; cela peut tromper une fois ou deux les hommes;
mais de faire profession de se tenir couvert, et se vanter
comme ont fait aucuns de nos princes [28], qu'ils jetteraient
leur chemise au feu si elle était participante de leurs vraies
intentions (qui est un mot de l'ancien Metellus Macedo-
nicus [29]), et que, qui ne sait se feindre, ne sait pas régner,
c'est tenir avertis ceux qui ont à les pratiquer, que ce
n'est que piperie et mensonge qu'ils disent. « *Quo quis
versutior et callidior est, hoc invisior et suspectior, detracta
opinione probitatis* *. » Ce serait une grande simplesse à
qui se lairrait amuser ni au visage ni aux paroles de celui
qui fait état d'être toujours autre au-dehors qu'il n'est
au-dedans, comme faisait Tibère [30]; et ne sais quelle
part telles gens peuvent avoir au commerce des hommes,
ne produisant rien qui soit reçu pour comptant.

Qui est déloyal envers la vérité l'est aussi envers le
mensonge.

Ceux qui, de notre temps [31], ont considéré, en l'établissement du devoir d'un prince, le bien de ses affaires
seulement, et l'ont préféré au soin de sa foi et conscience,
diraient quelque chose à un prince de qui la fortune
aurait rangé à tel point les affaires que pour tout jamais
il les pût établir par un seul manquement et faute à sa
parole. Mais il n'en va pas ainsi. On rechoit souvent en
pareil marché; on fait plus d'une paix, plus d'un traité
en sa vie. Le gain qui les convie à la première déloyauté
(et quasi toujours il s'en présente comme à toutes autres
méchancetés : les sacrilèges, les meurtres, les rébellions,
les trahisons s'entreprennent pour quelque espèce de
fruit), mais ce premier gain apporte infinis dommages
suivants, jetant ce prince hors de tout commerce et de
tout moyen de négociation par l'exemple de cette infi-
délité. Soliman, de la race des Ottomans, race peu soi-
gneuse de l'observance des promesses et pactes, lorsque,
de mon enfance [32], il fit descendre son armée à Otrante,
ayant su que Mercurin de Gratinare et les habitants
de Castro étaient détenus prisonniers, après avoir rendu
la place, contre ce qui avait été capitulé avec eux, manda
qu'on les relâchât; et qu'ayant en main d'autres grandes

* Cicéron, *De Officiis*, livre II, chap. ix : « Plus on est fin et adroit,
plus on est odieux et suspect, si on perd sa réputation d'honnêteté.

entreprises en cette contrée-là, cette déloyauté, quoiqu'elle eût quelque apparence d'utilité présente, lui
apporterait pour l'avenir un décri et une défiance d'infini
préjudice [33].

Or, de moi, j'aime mieux être importun et indiscret
que flatteur et dissimulé.

J'avoue qu'il se peut mêler quelque pointe de fierté
et d'opiniâtreté à se tenir ainsi entier et découvert sans
considération d'autrui; et me semble que je deviens un
peu plus libre où il le faudrait moins être, et que je
m'échauffe par l'opposition du respect. Il peut être aussi
que je me laisse aller après ma nature, à faute d'art.
Présentant aux grands cette même licence de langue et
de contenance que j'apporte de ma maison, je sens combien elle décline vers l'indiscrétion et incivilité. Mais,
outre ce que je suis ainsi fait, je n'ai pas l'esprit assez
souple pour gauchir *a* à une prompte demande et pour en
échapper par quelque détour, ni pour feindre une vérité,
ni assez de mémoire [34] pour la retenir ainsi feinte, ni
certes assez d'assurance pour la maintenir; et fais le
brave par faiblesse. Par quoi je m'abandonne à la naïveté,
et à toujours dire ce que je pense, et par complexion
et par discours, laissant à la fortune d'en conduire
l'événement.

Aristippe disait le principal fruit qu'il eût tiré de la
philosophie, être qu'il parlait librement et ouvertement
à chacun [35].

C'est un outil de merveilleux service que la mémoire,
et sans lequel le jugement fait bien à peine son office : elle
me manque du tout. Ce qu'on me veut proposer, il faut
que ce soit à parcelles. Car de répondre à un propos où
il y eut plusieurs divers chefs, il n'est pas en ma puissance. Je ne saurais recevoir une charge sans tablettes.
Et quand j'ai un propos de conséquence à tenir, s'il est
de longue haleine, je suis réduit à cette vile et misérable
nécessité d'apprendre par cœur mot à mot ce que j'ai
à dire; autrement, je n'aurai ni façon ni assurance, étant
en crainte que ma mémoire vînt à me faire un mauvais
tour. Mais ce moyen m'est non moins difficile. Pour
apprendre trois vers, il me faut trois heures; et puis,

a. Esquiver.

en un mien ouvrage, la liberté et autorité de remuer
l'ordre, de changer un mot, variant sans cesse la matière,
la rend plus malaisée à concevoir [36]. Or, plus je m'en
défie, plus elle se trouble; elle me sert mieux par rencontre, il faut que je la sollicite nonchalamment : car,
si je la presse, elle s'étonne; et depuis qu'elle a commencé
à chanceler, plus je la sonde, plus elle s'empêtre et
embarrasse; elle me sert à son heure, non pas à la
mienne.

Ceci que je sens en la mémoire, je le sens en plusieurs
autres parties. Je fuis le commandement, l'obligation et
la contrainte. Ce que je fais aisément et naturellement,
si je m'ordonne de le faire par une expresse et prescrite
ordonnance, je ne le sais plus faire. Au corps même, les
membres qui ont quelque liberté et juridiction plus
particulière sur eux, me refusent parfois leur obéissance,
quand je les destine et attache à certain point et heure de
service nécessaire. Cette préordonnance contrainte et
tyrannique les rebute; ils se croupissent d'effroi ou de
dépit, et se transissent. Autrefois, étant en lieu où c'est
discourtoisie barbaresque de ne répondre à ceux qui vous
convient à boire, quoiqu'on m'y traitât avec toute
liberté, j'essayai de faire le bon compagnon en faveur
des dames qui étaient de la partie, selon l'usage du pays.
Mais il y eut du plaisir, car cette menace et préparation
d'avoir à m'efforcer outre ma coutume et mon naturel,
m'étoupa de manière le gosier, que je ne sus avaler une
seule goutte, et fus privé de boire pour le besoin même
de mon repas. Je me trouvai saoul et désaltéré par tant
de breuvage que mon imagination avait préoccupé.
Cet effet est plus apparent en ceux qui ont l'imagination
plus véhémente et puissante; mais il est pourtant naturel,
et n'est aucun qui ne s'en ressente aucunement. On
offrait à un excellent archer condamné à la mort de lui
sauver la vie, s'il voulait faire quelque notable preuve
de son art : il refusa de s'en essayer, craignant que la
trop grande contention de sa volonté lui fît fourvoyer
la main, et qu'au lieu de sauver sa vie, il perdît encore
la réputation qu'il avait acquise au tirer de l'arc. Un
homme qui pense ailleurs ne faudra point, à un pouce
près, de refaire toujours un même nombre et mesure de
pas au lieu où il se promène; mais, s'il y est avec atten-

tion de les mesurer et compter, il trouvera que ce qu'il faisait par nature et par hasard, il ne le fera pas si exactement par dessein.

Ma librairie, qui est des belles entre les librairies de village, est assise à un coin de ma maison; s'il me tombe en fantaisie chose que j'y veuille aller chercher ou écrire, de peur qu'elle ne m'échappe en traversant seulement ma cour, il faut que je la donne en garde à quelqu'autre. Si je m'enhardis, en parlant, à me détourner tant soit peu de mon fil, je ne faux jamais de le perdre : qui fait que je me tiens, en mes discours, contraint, sec et resserré. Les gens qui me servent, il faut que je les appelle par le nom de leurs charges ou de leur pays, car il m'est très malaisé de retenir des noms. Je dirai bien qu'il a trois syllabes, que le son en est rude, qu'il commence ou termine par telle lettre. Et si je durais à vivre longtemps, je ne crois pas que je n'oubliasse mon nom propre, comme ont fait d'autres. Messala Corvinus fut deux ans n'ayant trace aucune de mémoire [37]; ce qu'on dit aussi [38] de George de Trébizonde; et, pour mon intérêt, je rumine souvent quelle vie c'était que la leur, et si sans cette pièce il me restera assez pour me soutenir avec quelque aisance; et, y regardant de près, je crains que ce défaut, s'il est parfait, perde toutes les fonctions de l'âme. « *Memoria certe non modo philosophiam, sed omnis vitæ usum omnesque artes una maxime continet* *. »

Plenus rimarum sum, hac atque illac effluo **.

Il m'est advenu plus d'une fois d'oublier le mot du guet que j'avais trois heures auparavant donné ou reçu d'un autre, et d'oublier où j'avais caché ma bourse, quoi qu'en dise Cicéron [39]. Je m'aide à perdre ce que je serre particulièrement. C'est le réceptacle et l'étui de la science que la mémoire : l'ayant si défaillante, je n'ai pas fort à me plaindre, si je ne sais guère. Je sais en général le nom des

---

* Cicéron, *Académiques,* livre II, chap. VII : « Assurément, la mémoire renferme non seulement la philosophie, mais la pratique de toute la vie et tous les arts. »

** Térence, *Eunuque,* acte I, scène II : « Je suis plein de trous, je perds de tous les côtés. »

arts et ce de quoi ils traitent, mais rien au-delà [40]. Je feuillette les livres, je ne les étudie pas : ce qui m'en demeure, c'est chose que je ne reconnais plus être d'autrui; c'est cela seulement de quoi mon jugement a fait son profit, les discours et les imaginations de quoi il s'est imbu; l'auteur, le lieu, les mots et autres circonstances, je les oublie incontinent.

Et suis si excellent en l'oubliance, que mes écrits mêmes et compositions, je ne les oublie pas moins que le reste. On m'allègue tous les coups à moi-même sans que je le sente. Qui voudrait savoir d'où sont les vers et exemples que j'ai ici entassés, me mettrait en peine de le lui dire; et si, ne les ai mendiés qu'ès portes connues et fameuses, ne me contentant pas qu'ils fussent riches, s'ils ne venaient encore de main riche et honorable : l'autorité y concourt quant et la raison. Ce n'est pas grand' merveille si mon livre suit la fortune des autres livres et si ma mémoire désempare ce que j'écris comme ce que je lis, et ce que je donne comme ce que je reçois.

Outre le défaut de la mémoire, j'en ai d'autres qui aident beaucoup à mon ignorance. J'ai l'esprit tardif et mousse; le moindre nuage lui arrête sa pointe, en façon que (pour exemple) je ne lui proposai jamais énigme si aisée qu'il sût développer. Il n'est si vaine subtilité qui ne m'empêche. Aux jeux, où l'esprit a sa part, des échecs, des cartes, des dames et autres, je n'y comprends que les plus grossiers traits. L'appréhension, je l'ai lente et embrouillée; mais ce qu'elle tient une fois, elle le tient bien et l'embrasse bien universellement, étroitement et profondément, pour le temps qu'elle le tient. J'ai la vue longue, saine et entière, mais qui se lasse aisément au travail et se charge; à cette occasion, je ne puis avoir long commerce avec les livres que par le moyen du service d'autrui. Le jeune Pline [41] instruira ceux qui ne l'ont essayé, combien ce retardement est important à ceux qui s'adonnent à cette occupation.

Il n'est point âme si chétive et brutale en laquelle on ne voie reluire quelque faculté particulière; il n'y en a point de si ensevelie qui ne fasse une saillie par quelque bout. Et comment il advienne qu'une âme, aveugle et endormie à toutes autres choses, se trouve vive, claire et excellente à certain particulier effet, il s'en faut enquérir aux maîtres. Mais les belles âmes, ce sont les âmes universelles, ouvertes et prêtes à tout, sinon instruites, au moins instruisables : ce que je dis pour accuser la mienne; car, soit par faiblesse ou nonchalance (et de mettre à nonchaloir ce qui est à nos pieds, ce que nous avons entre mains, ce qui regarde de plus près l'usage de la vie, c'est chose bien éloignée de mon dogme), il n'en est point une si inapte et si ignorante que la mienne de plusieurs telles choses vulgaires et qui ne se peuvent sans honte ignorer. Il faut que j'en conte quelques exemples.

Je suis né et nourri aux champs et parmi le labourage; j'ai des affaires et du ménage en main, depuis que ceux qui me devançaient en la possession des biens que je jouis m'ont quitté leur place. Or je ne sais compter ni à jet [42], ni à plume; la plupart de nos monnaies, je ne les connais pas; ni ne sais la différence d'un grain à l'autre, ni en la terre, ni au grenier, si elle n'est pas trop apparente; ni à peine celle d'entre les choux et les laitues de mon jardin. Je n'entends pas seulement les noms des premiers outils du ménage, ni les plus grossiers principes de l'agriculture, et que les enfants savent; moins aux arts mécaniques, en le trafic et en la connaissance des marchandises, diversité et nature des fruits, de vins, de viandes; ni à dresser un oiseau, ni à médeciner un cheval ou un chien. Et, puisqu'il me faut faire la honte tout entière, il n'y a pas un mois qu'on me surprit ignorant de quoi le levain servait à faire du pain, et que c'était que faire cuver du vin. On conjectura anciennement à Athènes [43] une aptitude à la mathématique en celui à qui on voyait ingénieusement agencer et fagoter une charge de broussailles. Vraiment, on tirerait de moi une bien contraire conclusion : car, qu'on me donne tout l'apprêt d'une cuisine, me voilà à la faim [44].

Par ces traits de ma confession, on en peut imaginer d'autres à mes dépens. Mais, quel que je me fasse connaître, pourvu que je me fasse connaître tel que je suis, je fais mon effet. Et si, ne m'excuse pas d'oser mettre par écrit des propos si bas et frivoles que ceux-ci. La bassesse du sujet m'y contraint. Qu'on accuse, si on veut, mon projet; mais mon progrès *a*, non. Tant y a que, sans

a. Procédé.

l'avertissement d'autrui, je vois assez ce peu que tout ceci vaut et pèse, et la folie de mon dessein. C'est prou [a] que mon jugement ne se déferre [b] point, duquel ce sont ici les essais :

> *Nasutus sis usque licet, sis denique nasus,*
> *Quantum noluerit ferre rogatus Athlas,*
> *Et possis ipsum tu deridere Latinum,*
> *Non potes in nugas dicere plura meas,*
> *Ipse ego quam dixi : quid dentem dente juvabit*
> *Rodere ? carne opus est, si satur esse velis.*
> *Ne perdas operam : qui se mirantur, in illos*
> *Virus habe ; nos hæc novimus esse nihil* *.

Je ne suis pas obligé à ne dire point de sottises, pourvu que je ne me trompe pas à les connaître. Et de faillir à mon escient, cela m'est si ordinaire que je ne faux guère d'autre façon : je ne faux jamais fortuitement. C'est peu de chose de prêter à la témérité de mes humeurs les actions ineptes, puisque je ne me puis pas défendre d'y prêter ordinairement les vicieuses.

Je vis un jour [45], à Bar-le-Duc, qu'on présentait au Roi François second, pour la recommandation de la mémoire de René, Roi de Sicile, un portrait qu'il avait lui-même fait de soi. Pourquoi n'est-il loisible de même à un chacun de se peindre de la plume, comme il se peignait d'un crayon ?

Je ne veux donc pas oublier encore cette cicatrice, bien mal propre à produire en public : c'est l'irrésolution, défaut très incommode à la négociation des affaires du

---

a. Assez. — *b.* Ne s'embarrasse pas.

* Martial, *Épigrammes*, livre XIII, 11, chap. 1 : « Ayez du nez autant qu'il est possible, fût-il si long qu'Atlas n'aurait pas voulu le porter et parviendriez-vous à confondre par vos plaisanteries Latinus lui-même, vous ne pourrez pas dire pis de ces bagatelles que j'en ai dit moi-même. A quoi bon se ronger les dents ? Il faut de la viande pour être rassasié. Ne perdez pas votre peine : conservez votre venin contre ceux qui s'admirent; moi, je sais que tout ceci n'est rien. »

monde. Je ne sais pas prendre parti ès entreprises douteuses :

> *Ne si, ne no, nel cor mi suona intero* *.

Je sais bien soutenir une opinion, mais non pas la
choisir.

Parce que ès choses humaines, à quelque bande qu'on
penche, il se présente force apparences qui nous y
confirment (et le philosophe Chrysippe [46] disait qu'il ne
voulait apprendre de Zénon et Cléanthe, ses maîtres, que
les dogmes simplement : car, quant aux preuves et raisons, qu'il en fournirait assez de lui-même), de quelque
côté que je me tourne, je me fournis toujours assez de
cause et de vraisemblance pour m'y maintenir. Ainsi
j'arrête chez moi le doute et la liberté de choisir, jusques
à ce que l'occasion me presse. Et lors, à confesser la
vérité, je jette le plus souvent la plume au vent, comme
on dit, et m'abandonne à la merci de la fortune : une bien
légère inclination et circonstance m'emporte,

> *Dum in dubio est animus, paulo momento huc atque illuc
> mpellitur* **.

L'incertitude de mon jugement est si également
balancée en la plupart des occurrences, que je compro-
mettrais volontiers à la décision du sort et des dés ; et
remarque avec grande considération de notre faiblesse
humaine les exemples que l'histoire divine même nous
a laissés de cet usage de remettre à la fortune et au hasard
la détermination des élections [a] ès choses douteuses :
« *Sors cecidit super Mathiam* ***[47]. » La raison humaine est
un glaive double et dangereux. Et en la main même de
Socrate, son plus intime et plus familier ami, voyez à
quant de bouts [b] c'est un bâton.

---

a. Choix. — b. Combien de bouts.
* Pétrarque, sonnet cxxxv : « Mon cœur ne me dit ni oui, ni
non. »
** Térence, *Andrienne,* acte I, scène vi : « Quand l'esprit est dans
le doute, le moindre poids le fait pencher d'un côté ou de l'autre. »
*** Les Actes des Apôtres, i, 26 : « Le sort tomba sur Matthias. »

Ainsi, je ne suis propre qu'à suivre, et me laisse aisément emporter à la foule : je ne me fie pas assez en mes forces pour entreprendre de commander, ni guider; je suis bien aise de trouver mes pas tracés par les autres. S'il faut courir le hasard d'un choix incertain, j'aime mieux que ce soit sous tel, qui s'assure plus de ses opinions et les épouse plus que je ne fais les miennes, auxquelles je trouve le fondement et le plant *a* glissant. Et si, ne suis pas trop facile au change, d'autant que j'aperçois aux opinions contraires une pareille faiblesse. « *Ipsa consuetudo assentiendi periculosa esse videtur et lubrica* *. » Notamment aux affaires politiques, il y a un beau champ ouvert au branle et à la contestation :

> *Justa pari premitur veluti cum pondere libra*
> *Prona, nec hac plus parte sedet, nec surgit ab illa* **.

Les discours de Machiavel, pour exemple, étaient assez solides pour le sujet; si, y a-t-il eu grand'aisance à les combattre [48], et ceux qui l'ont fait, n'ont pas laissé moins de facilité à combattre les leurs. Il s'y trouverait toujours, à un tel argument, de quoi y fournir réponses, dupliques, répliques, tripliques, quadrupliques, et cette infinie contexture de débats que notre chicane a allongée tant qu'elle a pu en faveur des procès.

> *Cædimur, et totidem plagis consumimus hostem* ***,

les raisons n'y avant guère autre fondement que l'expérience, et la diversité des événements humains nous présentant infinis exemples à toute sorte de formes. Un savant personnage de notre temps dit qu'en nos almanachs, où ils disent chaud, qui voudra dire froid, et, au lieu de sec, humide, et mettre toujours le rebours de ce

---

a. Terrain.

* Cicéron, *Académiques,* livre II, chap. XXI : « L'habitude même de donner son assentiment paraît dangereuse et glissante. »

** Tibulle, *Élégie 1* du livre IV : « Ainsi lorsque les deux plateaux sont chargés d'un poids égal, la balance ne s'abaisse, ni ne s'élève d'aucun côté. »

*** Horace, *Épître 2* du livre II : « Nous recevons des coups de l'ennemi et nous les lui rendons. »

qu'ils pronostiquent, s'il devait entrer en gageure de l'événement de l'un ou de l'autre, qui ne se soucierait pas quel parti il prît, sauf ès choses où il n'y peut échoir incertitude, comme de promettre à Noël des chaleurs extrêmes, et à la Saint-Jean des rigueurs de l'hiver. J'en pense de même de ces discours politiques : à quelque rôle qu'on vous mette, vous avez aussi beau jeu que votre compagnon, pourvu que vous ne veniez à choquer les principes trop grossiers et apparents. Et pourtant, selon mon humeur, ès affaires publiques, il n'est aucun si mauvais train, pourvu qu'il ait de l'âge et de la constance, qui ne vaille mieux que le changement et le remuement. Nos mœurs sont extrêmement corrompues, et penchent d'une merveilleuse inclination vers l'empirement ; de nos lois et usances, il y en a plusieurs barbares et monstrueuses ; toutefois, pour la difficulté de nous mettre en meilleur état, et le danger de ce croulement, si je pouvais planter une cheville à notre roue et l'arrêter en ce point, je le ferais de bon cœur :

> *nunquam adeo fœdis adeoque pudendis*
> *Utimur exemplis, ut non pejora supersint* *.

Le pis que je trouve en notre état, c'est l'instabilité, et que nos lois, non plus que nos vêtements, ne peuvent prendre aucune forme arrêtée. Il est bien aisé d'accuser d'imperfection une police, car toutes choses mortelles en sont pleines ; il est bien aisé d'engendrer à un peuple le mépris de ses anciennes observances : jamais homme n'entreprit cela, qui n'en vînt à bout ; mais d'y établir un meilleur état en la place de celui qu'on a ruiné, à ceci plusieurs se sont morfondus, de ceux qui l'avaient entrepris.

Je fais peu de part à la prudence de ma conduite ; je me laisse volontiers mener à l'ordre public du monde. Heureux peuple, qui fait ce qu'on commande mieux que ceux qui commandent, sans se tourmenter des causes ; qui se laisse mollement rouler après le roulement céleste.

---

* Juvénal, *Satire VIII* : « Nous ne citons jamais d'actions si honteuses et si infâmes, qu'on n'en puisse trouver de pires. »

L'obéissance n'est puré ni tranquille en celui qui raisonne et qui plaide.

Somme *ᵃ*, pour revenir à moi, ce seul par où je m'estime quelque chose, c'est ce en quoi jamais homme ne s'estima défaillant : ma recommandation est vulgaire, commune et populaire, car qui a jamais cuidé avoir faute de sens ? Ce serait une proposition qui impliquerait en soi de la contradiction : c'est une maladie qui n'est jamais où elle se voit; elle est bien tenace et forte, mais laquelle pourtant le premier rayon de la vue du patient perce et dissipe, comme le regard du soleil un brouillard opaque; s'accuser serait s'excuser en ce sujet-là; et se condamner, ce serait s'absoudre. Il ne fut jamais crocheteur ni femmelette qui ne pensât avoir assez de sens pour sa provision. Nous reconnaissons aisément ès autres l'avantage du courage, de la force corporelle, de l'expérience, de la disposition, de la beauté; mais l'avantage du jugement, nous ne le cédons à personne; et les raisons qui partent du simple discours naturel *ᵇ* en autrui, il nous semble qu'il n'a tenu qu'à regarder de ce côté-là, que nous les ayons trouvées. La science, le style, et telles parties que nous voyons ès ouvrages étrangers, nous touchons bien aisément s'ils surpassent les nôtres; mais les simples productions de l'entendement, chacun pense qu'il était en lui de les rencontrer toutes pareilles, et en aperçoit malaisément le poids et la difficulté, si ce n'est, et à peine, en une extrême et incomparable distance. Ainsi, c'est une sorte d'exercitation de laquelle je dois espérer fort peu de recommandation et de louange, et une manière de composition de peu de nom [49].

Et puis, pour qui écrivez-vous ? Les savants à qui touche la juridiction livresque, ne connaissent autre prix que de la doctrine *ᶜ*, et n'avouent autre procédé en nos esprits que celui de l'érudition et de l'art : si vous avez pris l'un des Scipions pour l'autre, que nous reste-t-il à dire qui vaille ? Qui ignore Aristote, selon eux s'ignore quant et quant soi-même. Les âmes communes et populaires ne voient pas la grâce et le poids d'un discours hautain et délié. Or ces deux espèces occupent le monde. La tierce, à qui vous tombez en partage, des âmes

a. Bref. — *b.* Bon sens inné. — *c.* Science.

réglées et fortes d'elles-mêmes est si rare, que justement elle n'a ni nom, ni rang entre nous : c'est à demi temps perdu d'aspirer et de s'efforcer à lui plaire.

On dit communément que le plus juste partage que nature nous ait fait de ses grâces, c'est celui du sens : car il n'est aucun qui ne se contente de ce qu'elle lui en a distribué. N'est-ce pas raison ? Qui verrait au-delà, il verrait au-delà de sa vue. Je pense avoir les opinions bonnes et saines; mais qui n'en croit autant des siennes ? L'une des meilleures preuves que j'en aie, c'est le peu d'estime que je fais de moi; car si elles n'eussent été bien assurées, elles se fussent aisément laissé piper à l'affection que je me porte singulière, comme celui qui la ramène quasi tout à moi, et qui ne l'épand guère hors de là. Tout ce que les autres en distribuent à une infinie multitude d'amis et de connaissants, à leur gloire, à leur grandeur, je le rapporte tout au repos de mon esprit et à moi. Ce qui m'en échappe ailleurs, ce n'est pas proprement de l'ordonnance de mon discours,

> *mihi nempe valere et vivere doctus* *.

Or mes opinions, je les trouve infiniment hardies et constantes à condamner mon insuffisance. De vrai, c'est aussi un sujet auquel j'exerce mon jugement autant qu'à nul autre. Le monde regarde toujours vis-à-vis; moi, je replie ma vue au-dedans, je la plante, je l'amuse là. Chacun regarde devant soi; moi, je regarde dedans moi : je n'ai affaire qu'à moi, je me considère sans cesse, je me contrôle, je me goûte. Les autres vont toujours ailleurs, s'ils y pensent bien; ils vont toujours avant :

> *nemo in sese tentat descendere* **,

moi je me roule en moi-même.

Cette capacité de trier le vrai, quelle qu'elle soit en moi, et cette humeur libre de n'assujettir aisément ma créance, je la dois principalement à moi : car les plus

---

* Lucrèce, chant V : « Instruit à vivre et à me bien porter. »
** Perse, *Satire IV* : « Personne ne tente de descendre en soi-même. »

fermes imaginations que j'aie, et générales, sont celles qui, par manière de dire, naquirent avec moi. Elles sont naturelles et toutes miennes. Je les produisis crues et simples, d'une production hardie et forte, mais un peu trouble et imparfaite; depuis je les ai établies et fortifiées par l'autorité d'autrui, et par les sains discours des anciens, auxquels je me suis rencontré conforme en jugement : ceux-là m'en ont assuré la prise, et m'en ont donné la jouissance et possession plus entière.

La recommandation que chacun cherche, de vivacité et promptitude d'esprit, je la prétends du règlement [a]; d'une action éclatante et signalée, ou de quelque particulière suffisance, je la prétends de l'ordre, correspondance et tranquillité d'opinions et de mœurs. « *Omnino, si quidquam est decorum, nihil est profecto magis quam æquabilitas universæ vitæ, tum singularum actionum : quam conservare non possis, si, aliorum naturam imitans ; omittas tuam* *. »

Voilà donc jusques où je me sens coupable de cette première partie, que je disais être au vice de la présomption. Pour la seconde, qui consiste à n'estimer point assez autrui, je ne sais si je m'en puis si bien excuser; car, quoi qu'il me coûte, je délibère de dire ce qui en est.

A l'aventure [b] que le commerce continuel que j'ai avec les humeurs anciennes, et l'idée de ces riches âmes du temps passé me dégoûte, et d'autrui et de moi-même; ou bien que, à la vérité, nous vivons en un siècle qui ne produit les choses que bien médiocres; tant y a que je ne connais rien digne de grande admiration; aussi ne connais-je guère d'hommes avec telle privauté qu'il faut pour en pouvoir juger; et ceux auxquels ma condition me mêle plus ordinairement sont, pour la plupart, gens qui ont peu de soin de la culture de l'âme, et auxquels on ne propose pour toute béatitude que l'honneur, et pour toute perfection que la vaillance. Ce que je vois de beau en autrui, je le loue et l'estime très volontiers :

a. Ordre (de mes pensées). — *b.* Peut-être.

* Cicéron, *De Officiis,* livre I, chap. XXXI : « S'il y a quelque chose de beau, rien ne l'est assurément plus que l'égalité de conduite aussi bien dans l'ensemble de la vie que dans les actions particulières ; or tu ne pourrais la conserver, si, en imitant la nature d'autrui, tu abandonnes la tienne. »

voire, j'enchéris souvent sur ce que j'en pense, et me permets de mentir jusque-là. Car je ne sais point inventer un sujet faux. Je témoigne volontiers de mes amis par ce que j'y trouve de louable; et d'un pied de valeur, j'en fais volontiers un pied et demi. Mais de leur prêter les qualités qui n'y sont pas, je ne puis, ni les défendre ouvertement des imperfections qu'ils ont.

Voire à mes ennemis je rends nettement ce que je dois de témoignage d'honneur. Mon affection se change; mon jugement, non. Et ne confonds point ma querelle avec autres circonstances qui n'en sont pas; et suis tant jaloux de la liberté de mon jugement, que malaisément la puis-je quitter pour passion que ce soit. Je me fais plus d'injure en mentant, que je n'en fais à celui de qui je mens. On remarque cette louable et généreuse coutume de la nation persienne, qu'ils parlent de leurs mortels ennemis et qu'ils font guerre à outrance, honorablement et équitablement, autant que porte le mérite de leur vertu.

Je connais des hommes assez, qui ont diverses parties belles : qui, l'esprit; qui, le cœur; qui, l'adresse; qui, la conscience; qui, le langage; qui, une science; qui, une autre. Mais de grand homme en général, et ayant tant de belles pièces ensemble, ou une en tel degré d'excellence qu'on s'en doive étonner, ou le comparer à ceux que nous honorons du temps passé, ma fortune ne m'en a fait voir nul. Et le plus grand que j'aie connu au vif, je dis des parties naturelles de l'âme, et le mieux né, c'était Étienne de la Boétie; c'était vraiment une âme pleine et qui montrait un beau visage à tout sens; une âme à la vieille marque et qui eût produit de grands effets, si sa fortune l'eût voulu, ayant beaucoup ajouté à ce riche naturel par science et étude. Mais je ne sais comment il advient (et si *a*, advient sans doute) qu'il se trouve autant de vanité et de faiblesse d'entendement en ceux qui font profession d'avoir plus de suffisance, qui se mêlent de vacations *b* lettrées et de charges qui dépendent des livres, qu'en nulle autre sorte de gens : ou bien parce qu'on en requiert et attend plus d'eux, et qu'on ne peut excuser en eux les fautes communes; ou bien que l'opinion du savoir

a. Et pourtant. — *b*. Professions.

leur donne plus de hardiesse de se produire et se découvrir trop avant, par où ils se perdent et se trahissent. Comme un artisan témoigne bien mieux sa bêtise en une riche matière qu'il a entre mains, s'il l'accommode et mêle sottement et contre les règles de son ouvrage, qu'en une matière vile, et s'offense-t-on plus du défaut en une statue d'or qu'en celle qui est de plâtre. Ceux-ci en font autant lorsqu'ils mettent en avant des choses qui d'elles-mêmes et en leur lieu seraient bonnes : car ils s'en servent sans discrétion [a], faisant honneur à leur mémoire aux dépens de leur entendement. Ils font honneur à Cicéron, à Galien, à Ulpian [50] et à saint Jérôme, et eux se rendent ridicules.

Je retombe volontiers sur ce discours de l'ineptie de notre institution [51]. Elle a eu pour sa fin de nous faire non bons et sages, mais savants : elle y est arrivée. Elle ne nous a pas appris de suivre et embrasser la vertu et la prudence, mais elle nous en a imprimé la dérivation et l'étymologie. Nous savons décliner vertu, si nous ne savons l'aimer; si nous ne savons que c'est que prudence par effet et par expérience, nous le savons par jargon et par cœur. De nos voisins, nous ne nous contentons pas d'en savoir la race, les parentelles et les alliances, nous les voulons avoir pour amis et dresser avec eux quelque conversation [b] et intelligence; elle nous a appris les définitions, les divisions et partitions de la vertu, comme des surnoms et branches d'une généalogie, sans avoir autre soin de dresser entre nous et elle quelque pratique de familiarité et privée accointance. Elle nous a choisi pour notre apprentissage non les livres qui ont les opinions plus saines et plus vraies, mais ceux qui parlent le meilleur grec et latin, et, parmi ses beaux mots, nous a fait couler en la fantaisie les plus vaines humeurs de l'Antiquité. Une bonne institution, elle change le jugement et les mœurs, comme il advint à Polémon, ce jeune homme grec débauché, qui, étant allé ouïr par rencontre une leçon de Xénocrate, ne remarqua pas seulement l'éloquence et la suffisance [c] du lecteur, et n'en rapporta pas seulement en la maison la science de quelque belle matière, mais un fruit plus apparent et plus

a. Choix. — *b*. Société. — *c*. Talent.

solide, qui fut le soudain changement et amendement
de sa première vie. Qui a jamais senti un tel effet de notre
discipline ?

> *faciasne quod olim*
> *Mutatus Polemon ? ponas insignia morbi,*
> *Fasciolas, cubital, focalia, potus ut ille*
> *Dicitur ex collo furtim carpsisse coronas,*
> *Postquam est impransi correptus voce magistri * ?*

La moins dédaignable condition de gens me semble
être celle qui par simplesse tient le dernier rang, et nous
offrir un commerce plus réglé. Les mœurs et les propos
des paysans, je les trouve communément plus ordonnés
selon la prescription de la vraie philosophie, que ne
sont ceux de nos philosophes. « *Plus sapit vulgus, quia
tantum quantum opus est, sapit **.* »
Les plus notables hommes que j'aie jugés par les
apparences externes (car, pour les juger à ma mode,
il les faudrait éclairer de plus près), ç'ont été, pour le
fait de la guerre et suffisance militaire, le duc de Guise [52],
qui mourut à Orléans, et le feu maréchal Strozzi [53]. Pour
gens suffisants, et de vertu non commune, Olivier et
l'Hôpital, chanceliers de France. Il me semble aussi
de la poésie qu'elle a eu sa vogue en notre siècle. Nous
avons foison de bons artisans de ce métier-là : Aurat [54],
Bèze [55], Buchanan [56], l'Hôpital, Montdoré [57], Turnèbe [58].
Quant aux Français, je pense qu'ils l'ont montée au plus
haut degré où elle sera jamais ; et aux parties en quoi
Ronsard et du Bellay excellent, je ne les trouve guère
éloignés de la perfection ancienne. Adrien Turnèbe
savait plus et savait mieux ce qu'il savait, qu'homme
qui fût de son siècle, ni loin au-delà.
Les vies du duc d'Albe dernier mort [59] et de notre

---

* Horace, *Satire 3* du livre II : « Ferais-tu ce que fit jadis Polémon, une fois converti ? Déposerais-tu les marques de ta folie, les
embarras, les coussins, les cravates, comme on raconte qu'après
boire, il arracha de son cou à la dérobée ses couronnes de fleurs
après avoir entendu la voix d'un maître à jeun. » Diogène Laërce a
raconté cette anecdote dans la *Vie de Polémon,* chap. IV.
** Citation de Lactance, *Institutions divines,* livre III, chap. V,
trouvée par Montaigne dans Juste Lipse, *Politiques,* livre I, chap. X.

connétable de Montmorency [60] ont été des vies nobles et qui ont eu plusieurs ressemblances de fortune; mais la beauté et la gloire de la mort de celui-ci, à la vue de Paris et de son Roi, pour leur service, contre ses plus proches, à la tête d'une armée victorieuse par sa conduite, et d'un coup de main, en si extrême vieillesse, me semble mériter qu'on la loge entre les remarquables événements de mon temps.

Comme aussi la constante bonté, douceur de mœurs et facilité consciencieuse de monsieur de La Noue [61], en une telle injustice de parts *a* armées, vraie école de trahison, d'inhumanité et de brigandage, où toujours il est nourri, grand homme de guerre et très expérimenté.

J'ai pris plaisir à publier en plusieurs lieux l'espérance que j'ai de Marie de Gournay le Jars, ma fille d'alliance, et certes aimée de moi beaucoup plus que paternellement, et enveloppée en ma retraite et solitude, comme l'une des meilleures parties de mon propre être. Je ne regarde plus qu'elle au monde. Si l'adolescence peut donner présage, cette âme sera quelque jour capable des plus belles choses, et entre autres de la perfection de cette très sainte amitié où nous ne lisons point que son sexe ait pu monter encore. La sincérité et la solidité de ses mœurs y sont déjà bastantes *b*, son affection vers moi plus que surabondante, et telle en somme qu'il n'y a rien à souhaiter, sinon que l'appréhension qu'elle a de ma fin, par les cinquante et cinq ans auxquels elle m'a rencontré [62], la travaillât moins cruellement. Le jugement qu'elle fit des premiers *Essais,* et femme, et en ce siècle, et si jeune, et seule en son quartier *c*, et la véhémence fameuse dont elle m'aima et me désira longtemps sur la seule estime qu'elle en prit de moi, avant m'avoir vu, c'est un accident *d* de très digne considération [63].

Les autres vertus ont eu peu ou point de mise en cet âge; mais la vaillance, elle est devenue populaire par nos guerres civiles, et en cette partie il se trouve parmi nous des âmes fermes jusques à la perfection, et en grand nombre, si que le triage en est impossible à faire.

Voilà tout ce que j'ai connu, jusques à cette heure, d'extraordinaire grandeur et non commune.

a. Factions. — *b.* Suffisantes. — *c.* Pays. — *d.* Particularité.

CHAPITRE XVIII

DU DÉMENTIR

Voire, mais *a* on me dira que ce dessein de se servir de soi pour sujet à écrire serait excusable à des hommes rares et fameux qui, par leur réputation, auraient donné quelque désir de leur connaissance. Il est certain; je l'avoue; et sais bien que, pour voir un homme de la commune façon, à peine qu'un artisan lève les yeux de sa besogne, là où, pour voir un personnage grand et signalé arriver en une ville, les ouvroirs *b* et les boutiques s'abandonnent. Il messied à tout autre de se faire connaître, qu'à celui qui a de quoi se faire imiter, et duquel la vie et les opinions peuvent servir de patron. César et Xénophon ont eu de quoi fonder et fermir *c* leur narration en la grandeur de leurs faits comme en une base juste et solide. Ainsi sont à souhaiter les papiers journaux du grand Alexandre, les commentaires qu'Auguste, Caton, Sylla, Brutus et autres avaient laissés de leurs gestes. De telles gens on aime et étudie les figures, en cuivre même et en pierre.

Cette remontrance est très vraie, mais elle ne me touche que bien peu :

> *Non recito cuiquam, nisi amicis, idque rogatus,*
> *Non ubivis, corámve quibuslibet. In medio qui*
> *Scripta foro recitent, sunt multi, quique lavantes* *.

---

a. Oui, mais. — *b*. Ateliers. — *c*. Corroborer.

* Horace, *Satire 4* du livre I : « Je ne fais pas une lecture publique pour tout le monde; je ne communique mes œuvres qu'aux amis

Je ne dresse pas ici une statue à planter au carrefour d'une ville, ou dans une église, ou place publique :

> *Non equidem hoc studeo, bullatis ut mihi nugis*
> *Pagina turgescat...*
> *Secreti loquimur* *.

C'est pour le coin d'une librairie, et pour en amuser un voisin, un parent, un ami, qui aura plaisir à me raccointer et repratiquer en cette image. Les autres ont pris cœur de parler d'eux pour y avoir trouvé le sujet digne et riche; moi, au rebours, pour l'avoir trouvé si stérile et si maigre qu'il n'y peut échoir soupçon d'ostentation.

Je juge volontiers des actions d'autrui; des miennes, je donne peu à juger à cause de leur nihilité.

Je ne trouve pas tant de bien en moi que je ne le puisse dire sans rougir.

Quel contentement me serait-ce d'ouïr ainsi quelqu'un qui me récitât les mœurs [1], le visage, la contenance, les paroles communes et les fortunes de mes ancêtres! Combien j'y serais attentif! Vraiment cela partirait d'une mauvaise nature, d'avoir à mépris les portraits mêmes de nos amis et prédécesseurs [2], la forme de leurs vêtements et de leurs armes. J'en conserve l'écriture, le seing, des heures [a] et une épée péculière [b] qui leur a servi, et n'ai point chassé de mon cabinet des longues gaules que mon père portait ordinairement en la main.

« *Paterna vestis et annulus tanto charior est posteris, quanto erga parentes major affectus* **. »

---

a. Livres de prières. — b. Personnelle.
et sur leur demande, non en tout lieu ni devant n'importe qui; tandis qu'il y a beaucoup d'auteurs pour déclamer leurs ouvrages en plein forum ou dans les bains. »

* Perse, *Satire V* : « Je ne vise pas à gonfler mes pages de bagatelles emphatiques : nous parlons en tête à tête. »

** Saint Augustin, *Cité de Dieu*, livre I, chap. XIII : « Le vêtement d'un père, son anneau, sont d'autant plus chers à ses descendants qu'ils avaient plus d'affection pour lui. »

Si toutefois ma postérité est d'autre appétit, j'aurai
bien de quoi me revancher : car ils ne sauraient faire
moins de compte de moi que j'en ferai d'eux en ce temps-
là. Tout le commerce que j'ai en ceci avec le public, c'est
que j'emprunte les outils de son écriture, plus soudaine
et plus aisée [3]. En récompense, j'empêcherai peut-être
que quelque coin de beurre ne se fonde au marché.

> *Ne toga cordyllis, ne penula desit olivis* *,
>
> *Et laxas scombris sæpe dabo tunicas* **.

Et quand personne ne me lira, ai-je perdu mon temps
de m'être entretenu tant d'heures oisives à pensements
si utiles et agréables ? Moulant sur moi cette figure, il
m'a fallu si souvent dresser et composer pour m'extraire,
que le patron s'en est fermi et aucunement formé soi-
même. Me peignant pour autrui, je me suis peint en moi
de couleurs plus nettes que n'étaient les miennes premières. Je n'ai pas plus fait mon livre que mon livre
m'a fait, livre consubstantiel à son auteur, d'une occupation propre, membre de ma vie ; non d'une occupation
et fin tierce et étrangère comme tous autres livres.
Ai-je perdu mon temps de m'être rendu compte de
moi si continuellement, si curieusement ? Car ceux qui se
repassent par fantaisie seulement et par langue quelque
heure, ne s'examinent pas si primement, ni ne se pénè-
trent, comme celui qui en fait son étude, son ouvrage
et son métier, qui s'engage à un registre de durée, de
toute sa foi, de toute sa force.
Les plus délicieux plaisirs, si se digèrent-ils au-dedans,
fuient [a] à laisser trace de soi, et fuient la vue non seulement du peuple, mais d'un autre.
Combien de fois m'a cette besogne diverti de cogitations ennuyeuses ! et doivent être comptées pour
ennuyeuses toutes les frivoles. Nature nous a étrennés

---

a. Évitent.
* Martial, *Épigrammes,* livre XIII, I : « J'empêcherai que les
olives et le poisson ne manquent d'enveloppe. »
** Catulle, poème XCIV : « Souvent je fournirai des habits
confortables aux maquereaux. »

d'une large faculté à nous entretenir à part, et nous y
appelle souvent pour nous apprendre que nous nous
devons en partie à la société, mais en la meilleure partie
à nous. Aux fins de ranger ma fantaisie à rêver même
par quelque ordre et projet, et la garder de se perdre
et extravaguer au vent, il n'est que de donner corps et
mettre en registre tant de menues pensées qui se présentent à elle. J'écoute *a* à mes rêveries parce que j'ai à
les enrôler *b*. Quant de fois, étant marri de quelque action
que la civilité et la raison me prohibaient de reprendre
à découvert, m'en suis-je ici dégorgé, non sans dessein
de publique instruction! Et si, ces verges poétiques :

> *Zon dessus l'œil, zon sur le groin,*
> *Zon sur le dos du Sagouin* [4] *!*

s'impriment encore mieux en papier qu'en la chair
vive. Quoi, si je prête un peu plus attentivement l'oreille
aux livres, depuis que je guette si j'en pourrai friponner
quelque chose de quoi émailler ou étayer le mien?

Je n'ai aucunement étudié pour faire un livre; mais
j'ai aucunement étudié pour ce que j'avais fait, si c'est
aucunement étudier qu'effleurer et pincer par la tête
ou par les pieds tantôt un auteur, tantôt un autre;
nullement pour former mes opinions; oui pour les
assister pièça *c* formées, seconder et servir.

Mais, à qui croirons-nous parlant de soi, en une saison
si gâtée? vu qu'il en est peu, ou point, à qui nous puissions croire parlant d'autrui, où il y a moins d'intérêt
à mentir. Le premier trait de la corruption des mœurs,
c'est le bannissement de la vérité [5] : car, comme disait
Pindare, l'être véritable est le commencement d'une
grande vertu [6] et le premier article que Platon [7] demande
au gouverneur de sa république. Notre vérité de maintenant, ce n'est pas ce qui est, mais ce qui se persuade à
autrui : comme nous appelons monnaie non celle qui
est loyale seulement, mais la fausse aussi qui a mise.
Notre nation est de longtemps reprochée de ce vice;
car Salvianus Massiliensis, qui était du temps de Valen-
tinien l'Empereur, dit [8] qu'aux Français le mentir

a. Je prends garde à. — *b.* Écrire sur un registre. — *c.* Depuis
longtemps.

et se parjurer n'est pas vice, mais une façon de parler. Qui voudrait enchérir sur ce témoignage, il pourrait dire que ce leur est à présent vertu. On s'y forme, on s'y façonne, comme à un exercice d'honneur; car la dissimulation est des plus notables qualités de ce siècle.

Ainsi, j'ai souvent considéré d'où pouvait naître cette coutume, que nous observons si religieusement, de nous sentir plus aigrement offensés du reproche de ce vice, qui nous est si ordinaire, que de nul autre; que ce soit l'extrême injure qu'on nous puisse faire de parole, que de nous reprocher le mensonge. Sur cela, je trouve qu'il est naturel de se défendre le plus des défauts de quoi nous sommes le plus entachés. Il semble qu'en nous ressentant de l'accusation et nous en émouvant, nous nous déchargeons aucunement de la coulpe; si nous l'avons par effet, au moins nous la condamnons par apparence.

Serait-ce pas aussi que ce reproche semble envelopper la couardise et lâcheté de cœur? En est-il de plus expresse que se dédire de sa parole? quoi, se dédire de sa propre science?

C'est un vilain vice que le mentir et qu'un Ancien peint bien honteusement quand il dit que c'est donner témoignage de mépriser Dieu, et quant et quant de craindre les hommes. Il n'est pas possible d'en représenter plus richement l'horreur, la vilité et le dérèglement. Car que peut-on imaginer plus vilain que d'être couard à l'endroit des hommes et braves à l'endroit de Dieu? Notre intelligence se conduisant par la seule voie de la parole, celui qui la fausse, trahit la société publique. C'est le seul outil par le moyen duquel se communiquent nos volontés et nos pensées, c'est le truchement de notre âme : s'il nous faut *a*, nous ne nous tenons plus, nous ne nous entreconnaissons plus. S'il nous trompe, il rompt tout notre commerce et dissout toutes les liaisons de notre police.

Certaines nations des nouvelles Indes (on n'a que faire d'en remarquer les noms, ils ne sont plus; car jusques à l'entière abolition des noms et ancienne connaissance des lieux s'est étendue la désolation de cette conquête, d'un merveilleux exemple et inouï) offraient

a. Manque.

à leurs dieux du sang humain, mais non autre que tiré de leur langue et oreilles, pour expiation du péché du mensonge, tant ouï que prononcé [9].

Ce bon compagnon [10] de Grèce disait que les enfants s'amusent par les osselets, les hommes par les paroles.

Quant aux divers usages de nos démentirs, et les lois de notre honneur en cela, et les changements qu'elles ont reçus, je remets à une autre fois d'en dire ce que j'en sais, et apprendrai cependant, si je puis, en quel temps prit commencement cette coutume de si exactement peser et mesurer les paroles, et d'y attacher notre honneur. Car il est aisé à juger qu'elle n'était pas anciennement entre les Romains et les Grecs. Et m'a semblé souvent nouveau et étrange de les voir se démentir et s'injurier, sans entrer pourtant en querelle. Les lois de leur devoir prenaient quelque autre voie que les nôtres. On appelle César [11] tantôt voleur, tantôt ivrogne, à sa barbe. Nous voyons la liberté des invectives qu'ils font les uns contre les autres, je dis les plus grands chefs de guerre de l'une et l'autre nation, où les paroles se revanchent seulement par les paroles et ne se tirent à autre conséquence.

CHAPITRE XIX

DE LA LIBERTÉ DE CONSCIENCE

Il est ordinaire de voir les bonnes intentions, si elles sont conduites sans modération, pousser les hommes à des effets très vicieux. En ce débat par lequel la France est à présent agitée de guerres civiles, le meilleur et le plus sain parti est sans doute celui qui maintient et la religion et la police anciennes du pays. Entre les gens de bien toutefois qui le suivent (car je ne parle point de ceux qui s'en servent de prétexte pour, ou exercer leurs vengeances particulières, ou fournir à leur avarice, ou suivre la faveur des princes; mais de ceux qui le font par vrai zèle envers leur religion, et sainte affection à maintenir la paix et l'état de leur patrie), de ceux-ci, dis-je, il s'en voit plusieurs que la passion pousse hors les bornes de la raison, et leur fait parfois prendre des conseils injustes, violents et encore téméraires.

Il est certain qu'en ces premiers temps que notre religion commença de gagner autorité avec les lois, le zèle en arma plusieurs contre toute sorte de livres païens, de quoi les gens de lettres souffrent une merveilleuse perte. J'estime que ce désordre ait plus porté de nuisance aux lettres que tous les feux des barbares. Cornelius Tacite en est un bon témoin : car, quoique l'empereur Tacite [1], son parent, en eût peuplé par ordonnances expresses toutes les librairies du monde, toutefois un seul exemplaire entier n'a pu échapper la curieuse recherche de ceux qui désiraient l'abolir pour cinq ou six vaines clauses contraires à notre créance. Ils ont aussi eu ceci, de prêter aisément des louanges fausses à tous les empereurs qui faisaient pour nous, et condamner universellement toutes les actions de ceux qui nous étaient adversaires, comme il est aisé à voir en l'empereur Julien, surnommé l'Apostat [2].

C'était, à la vérité, un très grand homme et rare, comme celui qui avait son âme vivement teinte des discours de la philosophie, auxquels il faisait profession de régler toutes ses actions; et, de vrai, il n'est aucune sorte de vertu de quoi il n'ait laissé de très notables exemples. En chasteté (de laquelle le cours de sa vie donne bien clair témoignage), on lit de lui un pareil trait à celui d'Alexandre et de Scipion, que de plusieurs très belles captives il n'en voulut pas seulement voir une, étant en la fleur de son âge; car il fut tué par les Parthes âgé de trente et un ans seulement. Quant à la justice, il prenait lui-même la peine d'ouïr les parties; et encore que par curiosité il s'informât à ceux qui se présentaient à lui de quelle religion ils étaient, toutefois l'inimitié qu'il portait à la nôtre ne donnait aucun contrepoids à la balance. Il fit lui-même plusieurs bonnes lois, et retrancha une grande partie des subsides et impositions que levaient ses prédécesseurs [3].

Nous avons deux bons historiens témoins oculaires de ses actions : l'un desquels, Ammien Marcellin, reprend aigrement en divers lieux de son histoire cette sienne ordonnance par laquelle il défendit l'école et interdit l'enseigner à tous les rhétoriciens et grammairiens chrétiens, et dit qu'il souhaiterait cette sienne action être ensevelie sous le silence. Il est vraisemblable, s'il eût fait quelque chose de plus aigre contre nous, qu'il ne l'eût pas oublié, étant bien affectionné à notre parti. Il nous était âpre, à la vérité, mais non pourtant cruel ennemi; car nos gens [4] mêmes récitent de lui cette histoire, que, se promenant un jour autour de la ville de Chalcédoine [5], Maris, évêque du lieu, osa bien l'appeler méchant traître à Christ, et qu'il n'en fit autre chose, sauf lui répondre : « Va, misérable, pleure la perte de tes yeux. » A quoi l'évêque encore répliqua : « Je rends grâces à Jésus-Christ de m'avoir ôté la vue, pour ne voir ton visage impudent »; affectant, disent-ils, en cela une patience philosophique. Tant y a que ce fait-là ne se peut pas bien rapporter aux cruautés qu'on le dit avoir exercées

contre nous. Il était (dit Eutrope [6], mon autre témoin)
ennemi de la Chrétienté, mais sans toucher au sang [7].

Et, pour revenir à sa justice, il n'est rien qu'on y puisse
accuser que les rigueurs de quoi il usa, au commencement
de son empire, contre ceux qui avaient suivi le parti
de Constance [8], son prédécesseur. Quant à sa sobriété,
il vivait toujours un vivre soldatesque, et se nourrissait
en pleine paix comme celui qui se préparait et accoutumait à l'austérité de la guerre. La vigilance était telle
en lui qu'il départait [a] la nuit à trois ou à quatre parties,
dont la moindre était celle qu'il donnait au sommeil;
le reste, il l'employait à visiter lui-même en personne
l'état de son armée et ses gardes, ou à étudier; car,
entre autres siennes rares qualités, il était très excellent en toute sorte de littérature. On dit d'Alexandre
le Grand, qu'étant couché, de peur que le sommeil ne le
débauchât de ses pensements et de ses études, il faisait
mettre un bassin joignant son lit, et tenait l'une de ses
mains au-dehors avec une boulette de cuivre, afin que,
le dormir le surprenant et relâchant les prises de ses
doigts, cette boulette, par le bruit de sa chute dans le
bassin, le réveillât. Celui-ci avait l'âme si tendue à ce
qu'il voulait, et si peu empêchée de fumées par sa singulière abstinence, qu'il se passait bien de cet artifice.
Quant à la suffisance militaire, il fut admirable en toutes
les parties d'un grand capitaine; aussi fut-il quasi toute
sa vie en continuel exercice de guerre, et la plupart avec
nous en France contre les Allemands et Francons. Nous
n'avons guère mémoire d'homme qui ait vu plus de
hasards, ni qui ait plus souvent fait preuve de sa personne.
Sa mort a quelque chose de pareil à celle d'Épaminondas;
car il fut frappé d'un trait, et essaya de l'arracher, et
l'eût fait sans ce que, le trait étant tranchant, il se coupa
et affaiblit sa main. Il demandait incessamment qu'on
le rapportât en ce même état en la mêlée pour y encourager ses soldats, lesquels contestèrent cette bataille
sans lui, très courageusement, jusques à ce que la nuit
séparât les armées. Il devait à la philosophie un singulier
mépris en quoi il avait sa vie et les choses humaines. Il
avait ferme créance de l'éternité des âmes.

a. Partageait.

En matière de religion, il était vicieux partout; on
l'a surnommé « Apostat » pour avoir abandonné la nôtre;
toutefois cette opinion me semble plus vraisemblable,
qu'il ne l'avait jamais eue à cœur, mais que, pour l'obéissance des lois, il s'était feint jusques à ce qu'il tînt
l'Empire en sa main. Il fut si superstitieux en la sienne
que ceux mêmes qui en étaient de son temps, s'en
moquaient; et, disait-on, s'il eût gagné la victoire contre
les Parthes, qu'il eût fait tarir la race des bœufs au monde
pour satisfaire à ses sacrifices; il était aussi embabouiné
de la science divinatrice, et donnait autorité à toute
façon de pronostics. Il dit entre autres choses, en mourant, qu'il savait bon gré aux dieux et les remerciait de
quoi ils ne l'avaient pas voulu tuer par surprise, l'ayant de
longtemps averti du lieu et heure de sa fin, ni d'une mort
molle ou lâche, mieux convenable aux personnes oisives
et délicates, ni languissante, longue et douloureuse; et
qu'ils l'avaient trouvé digne de mourir de cette noble
façon, sur le cours de ses victoires et en la fleur de sa
gloire. Il avait eu une pareille vision à celle de Marcus
Brutus, qui *a* premièrement le menaça en Gaule et depuis
se représenta à lui en Perse sur le point de sa mort.

Ce langage qu'on lui fait tenir, quand il se sentit
frappé : « Tu as vaincu, Nazaréen », ou, comme d'autres :
« Contente-toi, Nazaréen », n'eût été oublié, s'il eût été
cru par mes témoins, qui étant présents en l'armée,
ont remarqué jusques aux moindres mouvements et
paroles de sa fin, non plus que certains autres miracles
qu'on y attache.

Et, pour venir au propos de mon thème, il couvait,
dit Marcellin, de longtemps en son cœur le paganisme;
mais, parce que toute son armée était de chrétiens, il
ne l'osait découvrir. Enfin, quand il se vit assez fort pour
oser publier sa volonté, il fit ouvrir les temples des dieux,
et s'essaya par tous moyens de mettre sus *b* l'idolâtrie.
Pour parvenir à son effet, ayant rencontré en Constantinople le peuple décousu *c* avec les prélats de l'Église
chrétienne divisés, les ayant fait venir à lui au palais,
les admonesta instamment d'assoupir ces dissensions
civiles, et que chacun sans empêchement et sans crainte

a. Vision qui. — *b.* Établir. — *c.* Divisé.

servît à sa religion. Ce qu'il sollicitait avec grand soin, pour l'espérance que cette licence augmenterait les parts *a* et les brigues de la division, et empêcherait le peuple de se réunir et de se fortifier par conséquent contre lui par leur concorde et unanime intelligence; ayant essayé par la cruauté d'aucuns chrétiens qu'il n'y a point de bête au monde tant à craindre à l'homme que l'homme.

Voilà ses mots à peu près : en quoi cela est digne de considération, que l'empereur Julien se sert, pour attiser le trouble de la dissension civile, de cette même recette de liberté de conscience que nos rois viennent d'employer pour l'éteindre. On peut dire, d'un côté, que de lâcher la bride aux parts d'entretenir leur opinion, c'est épandre et semer la division; c'est prêter quasi la main à l'augmenter, n'y ayant aucune barrière ni coercition des lois qui bride et empêche sa course. Mais, d'autre côté, on dirait aussi que de lâcher la bride aux parts d'entretenir leur opinion, c'est les amollir et relâcher par la facilité et par l'aisance, et que c'est émousser l'aiguillon qui s'affine par la rareté, la nouvelleté et la difficulté. Et si, crois mieux, pour l'honneur de la dévotion de nos rois, c'est que, n'ayant pu ce qu'ils voulaient, ils ont fait semblant de vouloir ce qu'ils pouvaient.

a. Factions.

CHAPITRE XX

NOUS NE GOÛTONS
RIEN DE PUR

La faiblesse de notre condition fait que les choses, en leur simplicité et pureté naturelle, ne puissent pas tomber en notre usage. Les éléments que nous jouissons sont altérés, et les métaux de même; et l'or, il le faut empirer par quelque autre matière pour l'accommoder à notre service.

Ni la vertu ainsi simple, qu'Ariston et Pyrrhon et encore les Stoïciens faisaient fin de la vie, n'y a pu servir sans composition, ni la volupté Cyrénaïque et Aristippique [1].

Des plaisirs et biens que nous avons, il n'en est aucun exempt de quelque mélange de mal et d'incommodité,

> *medio de fonte leporum*
> *Surgit amari aliquid, quod in ipsis floribus angat* *.

Notre extrême volupté a quelque air de gémissement et de plainte. Diriez-vous pas qu'elle se meurt d'angoisse ? Voire quand nous en forgeons l'image en son excellence, nous la fardons d'épithètes et qualités maladives et douloureuses : langueur, mollesse, faiblesse, défaillance, *morbidezza*; grand témoignage de leur consanguinité et consubstantialité.

La profonde joie a plus de sévérité que de gaieté,

---

* Lucrèce, chant IV : « De la source même des plaisirs, surgit je ne sais quelle amertume, qui vous angoisse même au milieu des fleurs. »

l'extrême et plein contentement, plus de rassis que d'enjoué. « *Ipsa fælicitas, se nisi temperat, premit* *. » L'aise nous mâche [a].

C'est ce que dit un verset grec ancien de tel sens : « Les dieux nous vendent tous les biens qu'ils nous donnent [2] », c'est-à-dire ils ne nous en donnent aucun pur et parfait, et que nous n'achetions au prix de quelque mal.

Le travail et le plaisir, très dissemblables de nature, s'associent pourtant de je ne sais quelle jointure naturelle.

Socrate dit [3] que quelque dieu essaya de mettre en masse et confondre la douleur et la volupté, mais que, n'en pouvant sortir, il s'avisa de les accoupler au moins par la queue.

Métrodore disait [4] qu'en la tristesse il y a quelque alliage de plaisir. Je ne sais s'il voulait dire autre chose; mais moi, j'imagine bien qu'il y a du dessein, du consentement et de la complaisance à se nourrir en la mélancolie; je dis outre l'ambition, qui s'y peut encore mêler. Il y a quelque ombre de friandise et délicatesse qui nous rit et qui nous flatte au giron même de la mélancolie. Y a-t-il pas des complexions qui en font leur aliment ?

est quædam flere voluptas **.

Et dit un Attalus, en Sénèque [5], que la mémoire de nos amis perdus nous agrée comme l'amer au vin trop vieux,

Minister vetuli, puer, Falerni,
Ingere mi calices amariores *** ;

et comme des pommes doucement aigres.

Nature nous découvre cette confusion : les peintres

a. Nous meurtrit. La mâche est un instrument à broyer.
* Sénèque, *Épître 74* : « La félicité qui ne se modère pas se détruit elle-même. »
** Ovide, *Tristes*, livre IV : « Il y a un certain plaisir à pleurer. »
*** Catulle, *Élégie XXVII* : « Jeune esclave, toi qui nous verses le vieux Falerne, remplis-moi les coupes d'un vin plus amer. »

tiennent que les mouvements et plis du visage qui servent au pleurer, servent aussi au rire. De vrai, avant que l'un ou l'autre soient achevés d'exprimer, regardez à la conduite de la peinture : vous êtes en doute vers lequel c'est qu'on va. Et l'extrémité du rire se mêle aux larmes. « *Nullum sine auctoramento malum est* *. » Quand j'imagine l'homme assiégé de commodités désirables (mettons le cas que tous ses membres fussent saisis pour toujours d'un plaisir pareil à celui de la génération en son point plus excessif), je le sens fondre sous la charge de son aise, et le vois du tout incapable de porter une si pure, si constante volupté et si universelle. De vrai, il fuit quand il y est, et se hâte naturellement d'en échapper, comme d'un pas où il ne se peut fermir, où il craint d'enfondrer *a*.

Quand je me confesse à moi religieusement, je trouve que la meilleure bonté que j'aie a de la teinture vicieuse. Et crains que Platon en sa plus verte vertu (moi qui en suis autant sincère et loyal estimateur, et des vertus de semblable marque, qu'autre puisse être), s'il y eût écouté de près, et il y écoutait de près, il y eût senti quelque ton gauche de mixtion humaine, mais ton obscur et sensible seulement à soi. L'homme, en tout et partout, n'est que rapiècement et bigarrure.

Les lois mêmes de la justice ne peuvent subsister sans quelque mélange d'injustice; et dit Platon que ceux-là entreprennent de couper la tête de Hydra *b* qui prétendent ôter des lois toutes incommodités et inconvénients. « *Omne magnum exemplum habet aliquid ex iniquo, quod contra singulos utilitate publica rependitur* ** », dit Tacite.

Il est pareillement vrai que, pour l'usage de la vie et service du commerce public, il y peut avoir de l'excès en la pureté et perspicacité de nos esprits; cette clarté pénétrante a trop de subtilité et de curiosité. Il les faut appesantir et émousser pour les rendre plus obéissants à 'exemple et à la pratique, et les épaissir et obscurcir

---

a. S'effondrer.
* Sénèque, *Épître 69* : « Il n'y a pas de mal sans compensation. »
** Tacite *Annales*, livre XIV, chap. XLIV : « Dans toute punition exemplaire, il y a une part d'injustice au détriment des particuliers, mais au bénéfice de l'État. » Citation prise également chez Bodin.

pour les proportionner à cette vie ténébreuse et terrestre.
Pourtant se trouvent les esprits communs et moins
tendus plus propres et plus heureux à conduire affaires.
Et les opinions de la philosophie élevées et exquises se
trouvent ineptes à l'exercice [7]. Cette pointue vivacité
d'âme et cette volubilité souple et inquiète trouble nos
négociations. Il faut manier les entreprises humaines plus
grossièrement et superficiellement, et en laisser bonne et
grande part pour les droits de la fortune. Il n'est pas
besoin d'éclairer les affaires si profondément et si subtilement. On s'y perd, à la considération de tant de lustres [a]
contraires et formes diverses : « *Volutantibus res inter
se pugnantes obtorpuerant animi* [*]. »

C'est ce que les anciens disent de Simonide : parce que
son imagination lui présentait (sur la demande que lui
avait faite le roi Hiéron pour à laquelle satisfaire il avait
eu plusieurs jours de pensement) diverses considérations
aiguës et subtiles, doutant laquelle était la plus vraisemblable, il désespéra du tout de la vérité [8].

Qui en recherche et embrasse toutes les circonstances
et conséquences, il empêche son élection [b]. Un engin [c]
moyen conduit également, et suffit aux exécutions de
grand et de petit poids. Regardez que les meilleurs
ménagers [d] sont ceux qui nous savent moins dire comment ils le sont, et que ces suffisants conteurs n'y font le
plus souvent rien qui vaille. Je sais un grand diseur et
très excellent peintre de toute sorte de ménage, qui a
laissé bien piteusement couler par ses mains cent mille
livres de rente. J'en sais un autre qui dit, qui consulte
mieux qu'homme de son conseil, et n'est point au monde
une plus belle montre [e] d'âme et de suffisance : toutefois,
aux effets, ses serviteurs trouvent qu'il est tout autre, je
dis sans mettre le malheur en compte.

a. Points de vue. — *b.* Choix. — *c.* Esprit (latin : *ingenium*).
— *d.* Administrateurs. — *e.* Apparence.
* Tite-Live, *Histoire,* livre XXXIII, chap. xx : « Roulant dans
leur esprit des solutions contradictoires ils en étaient devenus
abrutis. »

CHAPITRE XXI

CONTRE LA FAINÉANTISE

L'empereur Vespasien, étant malade de la maladie de quoi il mourut, ne laissait pas de vouloir entendre l'état de l'Empire, et dans son lit même, dépêchait sans cesse plusieurs affaires de conséquence. Et son médecin l'en tançant comme de chose nuisible à sa santé : « Il faut, disait-il, qu'un empereur meure debout [1]. » Voilà un beau mot, à mon gré, et digne d'un grand prince. Adrien, l'empereur, s'en servit depuis à ce même propos [2]; et le devrait-on souvent ramentevoir aux rois, pour leur faire sentir que cette grande charge qu'on leur donne du commandement de tant d'hommes n'est pas une charge oisive, et qu'il n'est rien qui puisse si justement dégoûter un sujet de se mettre en peine et en hasard pour le service de son prince, que de le voir apoltronni [a] cependant lui-même à des occupations lâches et vaines, et d'avoir soin de sa conservation, le voyant si nonchalant de la nôtre [3].

Quand quelqu'un voudra maintenir qu'il vaut mieux que le prince conduise ses guerres par autre que par soi, la fortune lui fournira assez d'exemples de ceux à qui leurs lieutenants ont mis à chef [b] des grandes entreprises, et de ceux encore desquels la présence y eût été plus nuisible qu'utile. Mais nul prince vertueux et courageux ne pourra souffrir qu'on l'entretienne de si honteuses instructions. Sous couleur de conserver sa tête comme la statue d'un saint à la bonne fortune de son

---

a. Amolli, inactif. — b. Ont exécuté.

État, ils le dégradent justement de son office, qui est tout en action militaire, et l'en déclarent incapable. J'en sais un [4] qui aimerait bien mieux être battu que de dormir pendant qu'on se battrait pour lui, qui ne vit jamais sans jalousie ses gens mêmes faire quelque chose de grand en son absence. Et Sélim premier [5] disait avec grande raison, ce me semble, que les victoires qui se gagnent sans le maître, ne sont pas complètes ; d'autant plus volontiers, eût-il dit, que ce maître devrait rougir de honte d'y prétendre part pour son nom, n'y ayant embesogné que sa voix et sa pensée ; ni cela même, vu qu'en telle besogne les avis et commandements qui apportent honneur sont ceux-là seulement qui se donnent sur la place et au milieu de l'affaire. Nul pilote n'exerce son office de pied ferme. Les princes de la race Ottomane, la première race du monde en fortune guerrière, ont chaudement embrassé cette opinion. Et Bajazet second avec son fils, qui s'en départirent, s'amusant aux sciences et autres occupations casanières, donnèrent aussi de bien grands soufflets à leur Empire ; et celui qui règne à présent, Amurat troisième, à leur exemple, commence assez bien de s'en trouver de même. Fut-ce pas le roi d'Angleterre, Édouard troisième [6], qui dit de notre Charles cinquième ce mot : « Il n'y eut oncques roi qui moins s'armât, et si, n'y eut oncques roi qui tant me donna à faire ? » Il avait raison de le trouver étrange, comme un effet du sort plus que de la raison. Et cherchent autre adhérent que moi, ceux qui veulent nombrer entre les belliqueux et magnanimes conquérants les rois de Castille et de Portugal de ce qu'à douze cents lieues de leur oisive demeure, par l'escorte de leurs facteurs [a], ils se sont rendus maîtres des Indes d'une et d'autre part : desquelles c'est à savoir s'ils auraient seulement le courage d'aller jouir en présence.

L'empereur Julien disait encore plus, qu'un philosophe et un galant homme ne devaient pas seulement respirer [7] : c'est-à-dire ne donner aux nécessités corporelles que ce qu'on ne leur peut refuser, tenant toujours l'âme et le corps embesognés à choses belles, grandes et vertueuses. Il avait honte si en public on le voyait cracher

a. Agents.

ou suer (ce qu'on dit aussi de la jeunesse lacédémonienne,
et Xénophon de la persienne [8]), parce qu'il estimait que
l'exercice, le travail continuel et la sobriété devaient
avoir cuit et asséché toutes ces superfluités. Ce que dit
Sénèque [9] ne joindra pas mal en cet endroit, que les
anciens Romains maintenaient leur jeunesse droite :
« Ils n'apprenaient, dit-il, rien à leurs enfants qu'ils
dussent apprendre assis. »

C'est une généreuse envie de vouloir mourir même,
utilement et virilement; mais l'effet n'en gît pas tant en
notre bonne résolution qu'en notre bonne fortune. Mille
ont proposé de vaincre ou de mourir en combattant, qui
ont failli à l'un et à l'autre : les blessures, les prisons
leur traversant ce dessein et leur prêtant une vie forcée.
Il y a des maladies qui atterrent jusques à nos désirs et
à notre connaissance [10]. Mouley Abd-el-Melik, roi de
Fez [11], qui vient de gagner contre Sébastien, roi de Portugal, cette journée fameuse par la mort de trois rois et
par la transmission de cette grande couronne à celle de
Castille, se trouva grièvement malade dès lors que les
Portugais entrèrent à main armée en son État, et alla
toujours depuis en empirant vers la mort, et la prévoyant. Jamais homme ne se servit de soi plus vigoureusement et plus glorieusement. Il se trouva faible pour
soutenir la pompe cérémonieuse de l'entrée de son camp,
qui est, selon leur mode, pleine de magnificence et
chargée de tout plein d'action, et résigna cet honneur
à son frère. Mais ce fut aussi le seul office de capitaine
qu'il résigna; tous les autres, nécessaires et utiles, il les
fit très laborieusement et exactement; tenant son corps
couché, mais son entendement et son courage debout et
ferme, jusques au dernier soupir, et aucunement au-delà.
Il pouvait miner ses ennemis, indiscrètement [a] avancés en
ses terres; et lui pesa merveilleusement qu'à faute d'un
peu de vie, et pour n'avoir qui substituer à la conduite
de cette guerre, et affaires d'un État troublé, il eût à
chercher la victoire sanglante et hasardeuse, en ayant une
autre sûre et nette entre ses mains. Toutefois il ménagea
miraculeusement la durée de sa maladie à faire consom-
mer [b] son ennemi et l'attirer loin de l'armée de mer et des

---

a. Sans discernement. — b. Consumer.

places maritimes qu'il avait en la côte d'Afrique, jusques au dernier jour de sa vie, lequel, par dessein, il employa et réserva à cette grande journée. Il dressa sa bataille [a] en rond, assiégeant de toutes parts l'ost des Portugais; lequel rond, venant à se courber et serrer, les empêcha non seulement au conflit, qui fut très âpre par la valeur de ce jeune roi assaillant, vu qu'ils avaient à montrer visage à tous sens, mais aussi les empêcha à la fuite après leur route [b]. Et, trouvant toutes les issues saisies et closes, furent contraints de se rejeter à eux-mêmes (« *coacervanturque non solum cæde, sed etiam fuga* [*] ») et s'amonceler les uns sur les autres, fournissant aux vainqueurs une très meurtrière victoire et très entière. Mourant, il se fit porter et tracasser où le besoin l'appelait, et, coulant le long des files, exhortait ses capitaines et soldats les uns après les autres. Mais un coin de sa bataille se laissant enfoncer, on ne le put tenir qu'il ne montât à cheval, l'épée au poing. Il s'efforçait pour s'aller mêler, ses gens l'arrêtant qui par la bride, qui par sa robe et par ses étriers. Cet effort acheva d'accabler ce peu de vie qui lui restait. On le recoucha. Lui, se ressuscitant comme en sursaut de cette pâmoison, toute autre faculté lui défaillant, pour avertir qu'on tût sa mort, qui était le plus nécessaire commandement qu'il eût lors à faire, pour n'engendrer quelque désespoir aux siens par cette nouvelle, expira, tenant le doigt contre sa bouche close, signe ordinaire de faire silence. Qui vécut oncques si longtemps et si avant en la mort ? Qui mourut oncques si debout ?

L'extrême degré de traiter courageusement la mort, et le plus naturel, c'est la voir non seulement sans étonnement, mais sans soin, continuant libre le train de la vie jusque dans elle. Comme Caton qui s'amusait à dormir et à étudier, en ayant une, violente et sanglante, présente en sa tête et en son cœur, et la tenant en sa main.

a. Armée. — *b.* Déroute.
[*] Tite-Live, *Histoire,* livre II, chap. IV : « Ils sont entassés non seulement par le carnage, mais aussi par la fuite. »

CHAPITRE XXII

DES POSTES

Je n'ai pas été des plus faibles en cet exercice [1], qui est propre à gens de ma taille, ferme et courte ; mais j'en quitte le métier ; il nous essaie *a* trop pour y durer longtemps.

Je lisais à cette heure que le roi Cyrus [2], pour recevoir plus facilement nouvelles de tous les côtés de son empire, qui était d'une fort grande étendue, fit regarder combien un cheval pouvait faire de chemin en un jour tout d'une traite, et à cette distance il établit des hommes qui avaient charge de tenir des chevaux prêts pour en fournir à ceux qui viendraient vers lui. Et disent aucuns que cette vitesse d'aller vient à la mesure du vol des grues.

César dit [3] que Lucius Vibulus Rufus, ayant hâte de porter un avertissement à Pompée, s'achemina vers lui jour et nuit, changeant de chevaux pour faire diligence. Et lui-même, à ce que dit Suétone [4], faisait cent milles par jour sur un coche de louage. Mais c'était un furieux courrier, car là où les rivières lui tranchaient son chemin, il les franchissait à nage ; et ne se détournait du droit pour aller quérir un pont ou un gué. Tibère, allant voir son frère Drusus, malade en Allemagne, fit deux cents milles en vingt-quatre heures, ayant trois coches [5].

En la guerre des Romains contre le roi Antiochus, T. Sempronius Gracchus, dit Tite-Live, « *per dispositos equos prope incredibili celeritate ab Amphissa tertio die*

a. Éprouve.

Pellam pervenit * »; et appert [a] à voir le lieu, que c'étaient postes assises [b], non ordonnées fraîchement pour cette course.

L'invention de Cecinna [6] à renvoyer des nouvelles à ceux de sa maison avait bien plus de promptitude; il emporta quand et soi [c] des arondelles, et les relâchait vers leurs nids quand il voulait renvoyer de ses nouvelles, en les teignant de marque de couleur propre à signifier ce qu'il voulait, selon qu'il avait concerté avec les siens. Au théâtre, à Rome, les maîtres de famille avaient des pigeons dans leur sein, auxquels ils attachaient des lettres quand ils voulaient mander quelque chose à leurs gens au logis; et étaient dressés à en rapporter réponse. D. Brutus en usa, assiégé à Mutine [7], et autres ailleurs.

Au Pérou [8], ils couraient sur les hommes, qui les chargeaient sur les épaules à tout des portoires [d], par telle agilité que, tout en courant, les premiers porteurs rejetaient aux seconds leur charge sans arrêter un pas.

J'entends que les Valaques [9], courriers du grand seigneur [e], font des extrêmes diligences, d'autant qu'ils ont loi de démonter [f] le premier passant qu'ils trouvent en leur chemin, en lui donnant leur cheval recru; et que, pour se garder de lasser, ils se serrent à travers le corps bien étroitement d'une bande large [10].

---

a. Il apparaît. — *b.* Établies à demeure. — *c.* Avec lui. — *d.* Avec des brancards. — *e.* Le grand Turc. — *f.* Faire descendre de cheval.

* Tite-Live, *Histoire,* livre XXXVII, chap. VII : « Se rendit en trois jours d'Amphise à Pella sur des chevaux de relais avec une rapidité presque incroyable. »

CHAPITRE XXIII

DES MAUVAIS MOYENS
EMPLOYÉS A BONNE FIN

Il se trouve une merveilleuse relation et correspondance en cette universelle police [a] des ouvrages de nature, qui montre bien qu'elle n'est ni fortuite ni conduite par divers maîtres. Les maladies et conditions de nos corps se voient aussi aux États et polices [b]; les royaumes, les républiques naissent, fleurissent et fanissent [c] de vieillesse comme nous. Nous sommes sujets à une réplétion d'humeurs inutile et nuisible; soit de bonnes humeurs (car cela même les médecins le craignent; et, parce qu'il n'y a rien de stable chez nous, ils disent que la perfection de santé trop allègre et vigoureuse, il nous la faut essimer [d] et rabattre par art, de peur que notre nature, ne se pouvant rasseoir en nulle certaine place et n'ayant plus où monter pour s'améliorer, ne se recule en arrière en désordre et trop à coup [e]; ils ordonnent pour cela aux athlètes les purgations et les saignées pour leur soustraire cette super-abondance de santé); soit réplétion de mauvaises humeurs, qui est l'ordinaire cause des maladies.

De semblable réplétion se voient les États [1] souvent malades, et a-t-on accoutumé d'user de diverses sortes de purgation. Tantôt on donne congé à une grande multitude de familles pour en décharger le pays, lesquelles vont chercher ailleurs où s'accommoder aux dépens d'autrui. De cette façon, nos anciens Francons, partis du fond de l'Allemagne, vinrent se saisir de la Gaule et

a. Organisation. — b. Gouvernement. — c. Fanent. — d. Diminuer (littéralement : dégraisser). — e. D'un seul coup.

en déchasser les premiers habitants; ainsi se forgea cette infinie marée d'hommes qui s'écoula en Italie sous Brennus et autres; ainsi les Goths et Vandales, comme aussi les peuples qui possèdent à présent la Grèce, abandonnèrent leur naturel pays pour s'aller loger ailleurs plus au large; et à peine est-il deux ou trois coins au monde qui n'aient senti l'effet d'un tel remuement. Les Romains bâtissaient par ce moyen leurs colonies; car, sentant leur ville se grossir outre mesure, ils la déchargeaient du peuple moins nécessaire, et l'envoyaient habiter et cultiver les terres par eux conquises. Parfois aussi ils ont à escient nourri des guerres avec aucuns leurs ennemis, non seulement pour tenir leurs hommes en haleine, de peur que l'oisiveté, mère de corruption, ne leur apportât quelque pire inconvénient,

> *Et patimur longæ pacis mala; sævior armis,*
> *Luxuria incumbit* * ;

mais aussi pour servir de saignée à leur République et éventer un peu la chaleur trop véhémente de leur jeunesse, écourter et éclaircir le branchage de cette tige foisonnant en trop de gaillardise. A cet effet se sont-ils autrefois servis de la guerre contre les Carthaginois.

Au traité de Brétigny, Édouard troisième, roi d'Angleterre, ne voulut comprendre, en cette paix générale qu'il fit avec notre roi, le différend du duché de Bretagne, afin qu'il eût où se décharger de ses hommes de guerre, et que cette foule d'Anglais, de quoi il s'était servi aux affaires de deçà, ne se rejetât en Angleterre [2]. Ce fut l'une des raisons pourquoi notre roi Philippe [3] consentit d'envoyer Jean, son fils, à la guerre d'outre-mer, afin d'emmener quand et [a] lui un grand nombre de jeunesse bouillante, qui était en sa gendarmerie [b].

Il y en a plusieurs en ce temps qui discourent de pareille façon, souhaitant que cette émotion chaleureuse qui est parmi nous se peut dériver à quelque guerre

---

a. Avec lui. — *b.* Parmi ses gens d'armes.

* Juvénal, *Satire IV* : « Nous souffrons les maux d'une longue paix; plus cruelle que les armes, l'amour du luxe s'est emparé de nous. »

voisine, de peur que ces humeurs peccantes qui dominent
pour cette heure notre corps, si on ne les écoule ailleurs,
maintiennent notre fièvre toujours en force, et apportent
enfin notre entière ruine. Et, de vrai, une guerre étrangère
est un mal bien plus doux que la civile; mais je ne crois
pas que Dieu favorisât une si injuste entreprise, d'offenser et quereller autrui pour notre commodité :

> *Nil mihi tam valde placeat, Rhamnusia virgo,*
> *Quod temere invitis suscipiatur heris *.*

Toutefois la faiblesse de notre condition nous pousse
souvent à cette nécessité, de nous servir de mauvais
moyens pour une bonne fin. Lycurgue, le plus vertueux
et parfait législateur qui fût onques, inventa cette très
injuste façon, pour instruire son peuple à la tempérance,
de faire enivrer par force les ilotes, qui étaient leurs serfs,
afin qu'en les voyant ainsi perdus et ensevelis dans le
vin, les Spartiates prissent en horreur le débordement de
ce vice [4].

Ceux-là avaient encore plus de tort, qui permettaient
anciennement que les criminels, à quelque sorte de mort
qu'ils fussent condamnés, fussent déchirés tout vifs par
les médecins, pour y voir au naturel nos parties inté-
rieures et en établir plus de certitude en leur art. Car,
s'il se faut débaucher, on est plus excusable le faisant
pour la santé de l'âme que pour celle du corps. Comme
les Romains dressaient le peuple à la vaillance et au
mépris des dangers et de la mort par ces furieux spectacles
de gladiateurs et escrimeurs à outrance qui se combattaient, détaillaient [a] et entretuaient en leur présence,

> *Quid vesani aliud sibi vult ars impia ludi,*
> *Quid mortes juvenum, quid sanguine pasta voluptas ** ?*

a. Tailladaient.
* Catulle, *Élégie LXVIII* : « Puissé-je, ô vierge de Rhamnonte,
ne jamais me plaire à des entreprises téméraires, engagées malgré
les dieux, nos maîtres. »
** Citation de Prudence, *Contre Symmaque*, chant II, que Montaigne a trouvée dans Juste Lipse, *Saturnalium sermonum libri duo*,
livre I, chap. xiv, auquel il emprunte aussi le commentaire : « Autrement, quel serait le but de ces arts impies, de ces jeux de gladiateurs

Et dura cet usage jusqu'à Théodose l'empereur :

> *Arripe dilatam tua, dux, in tempora fanam,*
> *Quodque patris superest, successor laudis habeto.*
> *Nullus in urbe cadat cujus sit pœna voluptas.*
> *Jam solis contenta feris, infamis arena*
> *Nulla cruentatis homicidia ludat in armis* *.

C'était, à la vérité, un merveilleux exemple, et de très grand fruit pour l'institution *a* du peuple, de voir tous les jours en sa présence, cent, deux cents, et mille couples d'hommes, armés les uns contre les autres, se hacher en pièces avec une si extrême fermeté de courage qu'on ne leur vit lâcher une parole de faiblesse ou commisération, jamais tourner le dos, ni faire seulement un mouvement lâche pour gauchir *b* au coup de leur adversaire, ains *c* tendre le col à son épée et se présenter au coup. Il est advenu à plusieurs d'entre eux, étant blessés à mort de force plaies, d'envoyer demander au peuple s'il était content de leur devoir, avant que se coucher pour rendre 'esprit sur la place. Il ne fallait pas seulement qu'ils combatissent et mourussent constamment, mais encore allégrement : en manière qu'on les hurlait et maudissait, si on les voyait estriver *d* à recevoir la mort.

Les filles mêmes les incitaient :

> *consurgit ad ictus;*
> *Et quoties victor ferrum jugulo inserit, illa*
> *Delitias ait esse suas, pectúsque jacentis*
> *Virgo modesta jubet converso pollice rumpi* **.

a. Éducation. — *b.* Éviter. — *c.* Mais. — *d.* Rechigner.
insensés, de ces assassinats de jeunes hommes, de ce plaisir à se rassasier de sang? »

* Prudence, *Contre Symmaque*, chant II : « Saisissez, prince, une gloire réservée à votre règne; ajoutez à l'héritage de gloire de votre père la seule louange qui vous reste à mériter... Que personne à Rome ne meure plus victime du plaisir du peuple; que l'infâme arène se contente désormais du sang des bêtes, et que des jeux homicides ne souillent plus nos yeux. »

** Prudence, *Contre Symmaque*, chant II : « Elle se lève à chaque coup; et, chaque fois que le vainqueur enfonce le fer dans la gorge du vaincu, elle se déclare ravie; et elle, vierge modeste, de son pouce renversé ordonne la mise à mort du gladiateur abattu. »

Les premiers Romains employaient à cet exemple les criminels ; mais depuis on y employa des serfs innocents, et des libres même qui se vendaient pour cet effet ; jusques à des sénateurs et chevaliers romains, et encore des femmes [5] :

> *Nunc caput in mortem vendunt, et funus arenæ,*
> *Atque hostem sibi quisque parat, cum bella quiescunt* *.

> *Hos inter fremitus novósque lusus,*
> *Stat sexus rudis insciúsque ferri,*
> *Et pugnas capit improbus viriles* **.

Ce que je trouverais fort étrange et incroyable si nous n'étions accoutumés de voir tous les jours en nos guerres plusieurs milliasses d'hommes étrangers, engageant pour de l'argent leur sang et leur vie à des querelles où ils n'ont aucun intérêt.

---

* Manilius, *Astronomiques*, chant IV : « Maintenant, ils vendent leur tête et vont mourir sur l'arène ; chacun d'eux se fait un ennemi lorsque la guerre est en sommeil. »
** Stace, *Sylves*, chant I, poeme VI : « Au milieu de ces frémissements et parmi ces jeux inédits, le sexe inhabile et ignorant du métier des armes prend audacieusement sa place parmi les combats d'hommes. » Cette citation comme la précédente a été tirée de Juste Lipse.

CHAPITRE XXIV

DE LA GRANDEUR ROMAINE

Je ne veux dire qu'un mot de cet argument infini, pour montrer la simplesse de ceux qui apparient à celle-là les chétives grandeurs de ce temps.

Au septième livre des *Épîtres familières* de Cicéron (et que les grammairiens en ôtent ce surnom de familières, s'ils veulent, car à la vérité il n'y est pas fort à propos; et ceux qui, au lieu de familières, y ont substitué « *Ad familiares* », peuvent tirer quelque argument pour eux de ce que dit Suétone [1] en la *Vie de César,* qu'il y avait un volume de lettres de lui « ad familiares »), il y en a une [2] qui s'adresse à César étant lors en la Gaule, en laquelle Cicéron redit ces mots, qui étaient sur la fin d'une autre lettre que César lui avait écrite : « Quant à Marcus Furius, que tu m'as recommandé, je le ferai roi de Gaule; et si tu veux que j'avance quelque autre de tes amis, envoie-le-moi. »

Il n'était pas nouveau à un simple citoyen romain, comme était lors César, de disposer des royaumes, car il ôta bien au roi Dejotarus [3] le sien pour le donner à un gentilhomme de la ville de Pergame nommé Mithridate. Et ceux qui écrivent sa vie enregistrent plusieurs autres royaumes par lui vendus; et Suétone dit [4] qu'il tira pour un coup, du roi Ptolémée, trois millions six cent mille écus, qui fut bien près de lui vendre le sien :

Tot Galatæ, tot Pontus eat, tot Lydia nummis *.

* Claudien, *Contre Eutrope,* chant I : « A tant la Galatie, à tant le Pont, à tant la Lydie. »

Marc-Antoine disait[5] que la grandeur du peuple romain ne se montrait pas tant par ce qu'il prenait que par ce qu'il donnait. Si en avait-il, quelque siècle avant Antoine, ôté un entre autres d'autorité si merveilleuse que, en toute son histoire, je ne sache marque qui porte plus haut le nom de son crédit. Antiochus possédait toute l'Égypte et était après à conquérir Chypre et autres demeurants [a] de cet empire. Sur le progrès [b] de ses victoires, C. Popilius arriva à lui de la part du Sénat, et d'abordée refusa de lui toucher à la main, qu'il n'eût premièrement lu les lettres qu'il lui apportait. Le roi les ayant lues et dit qu'il en délibérerait, Popilius circonscrit la place où il était, à tout sa baguette, en lui disant : « Rends-moi réponse que je puisse rapporter au Sénat, avant que tu partes de ce cercle. » Antiochus, étonné de la rudesse d'un si pressant commandement, après y avoir un peu songé : « Je ferai, dit-il, ce que le Sénat me commande. » Lors, le salua Popilius comme ami du peuple romain[6]. Avoir renoncé à une si grande monarchie et cours d'une si fortunée prospérité par l'impression de trois traits d'écriture ! Il eut vraiment raison, comme il fit, d'envoyer depuis dire au Sénat par ses ambassadeurs qu'il avait reçu leur ordonnance de même respect que si elle fût venue des Dieux immortels.

Tous les royaumes qu'Auguste gagna par droit de guerre, il les rendit à ceux qui les avaient perdus, ou en fit présent à des étrangers.

Et sur ce propos Tacite[7], parlant du roi d'Angleterre Cogidunus, nous fait sentir par un merveilleux trait cette infinie puissance : « Les Romains, dit-il, avaient accoutumé, de toute ancienneté, de laisser les rois qu'ils avaient surmontés en la possession de leurs royaumes, sous leur autorité, à ce qu'ils eussent des rois mêmes, outils de la servitude : « *ut haberet instrumenta servitutis et reges.* »

Il est vraisemblable que Soliman, à qui nous avons vu faire libéralité du royaume de Hongrie et autres États, regardait plus à cette considération qu'à celle qu'il avait accoutumé d'alléguer : qu'il était saoul et chargé de tant de monarchies et de puissance[8] !

---

a. Restes. — *b.* Au cours de.

CHAPITRE XXV

DE NE CONTREFAIRE
LE MALADE

Il y a un épigramme en Martial, qui est des bons (car il y en a chez lui de toutes sortes), où il récite plaisamment l'histoire de Cœlius, qui, pour fuir à faire la cour à quelques grands à Rome, se trouver à leur lever, les assister et les suivre, fit mine d'avoir la goutte; et, pour rendre son excuse plus vraisemblable, se faisait oindre les jambes, les avait enveloppées, et contrefaisait entièrement le port et la contenance d'un homme goutteux; enfin la fortune lui fit ce plaisir de l'en rendre tout à fait :

> *Tantum cura potest et ars doloris !*
> *Desiit fingere Cœlius podagram* *.

J'ai vu en quelque lieu d'Appien, ce me semble, une pareille histoire d'un [1] qui, voulant échapper aux proscriptions des triumvirs de Rome, pour se dérober de la connaissance de ceux qui le poursuivaient, se tenant caché et travesti, y ajouta encore cette invention de contrefaire le borgne. Quand il vint à recouvrer un peu plus de liberté et qu'il voulut défaire l'emplâtre qu'il avait longtemps porté sur son œil, il trouva que sa vue était effectuellement perdue sous ce masque. Il est possible que l'action de la vue s'était hébétée pour avoir été si longtemps sans exercice et que la force visive s'était

---

* Martial, *Épigrammes* livre VII, xxxix : « Si puissant est l'art de simuler la douleur : Cœlius n'a plus besoin de feindre qu'il a la goutte. »

toute rejetée en l'autre œil : car nous sentons évidemment
que l'œil que nous tenons couvert renvoie à son compagnon quelque partie de son effet, en manière que celui qui
reste s'en grossit et s'en enfle; comme aussi l'oisiveté,
avec la chaleur des liaisons et des médicaments, avait
bien pu attirer quelque humeur podagrique au goutteux
de Martial.

Lisant chez Froissart le vœu [2] d'une troupe de jeunes
gentilshommes anglais, de porter l'œil gauche bandé
jusques à ce qu'ils eussent passé en France et exploité
quelque fait d'armes sur nous, je me suis souvent cha-
touillé de ce pensement, qu'il leur eût pris comme à ces
autres, et qu'ils se fussent trouvés tous éborgnés au revoir
des maîtresses pour lesquelles ils avaient fait l'entreprise.

Les mères ont raison de tancer leurs enfants quand
ils contrefont les borgnes, les boiteux et les bigles, et
tels autres défauts de la personne : car, outre ce que
le corps ainsi tendre en peut recevoir un mauvais pli,
je ne sais comment il semble que la fortune se joue à
nous prendre au mot; et j'ai ouï réciter plusieurs exemples de gens devenus malades, ayant entrepris de s'en
feindre.

De tout temps j'ai appris de charger ma main, et à
cheval et à pied, d'une baguette ou d'un bâton, jusques
à y chercher de l'élégance et de m'en séjourner [a], d'une
contenance affectée. Plusieurs m'ont menacé que fortune tournerait un jour cette mignardise en nécessité. Je
me fonde sur ce que je serai tout le premier goutteux
de ma race.

Mais allongeons ce chapitre et le bigarrons d'une autre
pièce, à propos de la cécité. Pline dit [3] d'un qui, songeant
être aveugle en dormant, s'en trouva lendemain sans
aucune maladie précédente. La force de l'imagination
peut bien aider à cela, comme j'ai dit ailleurs [4], et semble
que Pline soit de cet avis; mais il est plus vraisemblable
que les mouvements que le corps sentait au dedans,
desquels les médecins trouveront, s'ils veulent, la cause,
qui lui ôtaient la vue, furent occasion du songe.

a. De m'y appuyer.

Ajoutons encore une histoire voisine de ce propos, que Sénèque récite en l'une de ses lettres [5]. « Tu sais, dit-il écrivant à Lucilius, que Harpaste, la folle de ma femme, est demeurée chez moi pour charge héréditaire : car, de mon goût, je suis ennemi de ces monstres, et si j'ai envie de rire d'un fol, il ne me le faut chercher guère loin, je me ris de moi-même. Cette folie a subitement perdu la vue. Je te récite chose étrange, mais véritable : elle ne sent point qu'elle soit aveugle, et presse incessamment son gouverneur de l'en emmener, parce qu'elle dit que ma maison est obscure. Ce que nous rions en elle, je te prie croire qu'il advient à chacun de nous; nul ne connaît être avare, nul convoiteux. Encore les aveugles demandent un guide, nous nous fourvoyons de nous-mêmes. Je ne suis pas ambitieux, disons-nous, mais à Rome on ne peut vivre autrement; je ne suis pas somptueux [a], mais la ville requiert une grande dépense; ce n'est pas ma faute si je suis colère, si je n'ai encore établi aucun train assuré de vie, c'est la faute de la jeunesse. Ne cherchons pas hors de nous notre mal, il est chez nous, il est planté en nos entrailles. Et cela même que nous ne sentons pas être malades, nous rend la guérison plus malaisée. Si nous ne commençons de bonne heure à nous panser, quand aurons-nous pourvu à tant de plaies et à tant de maux ? Si avons-nous une très douce médecine que la philosophie; car des autres, on n'en sent le plaisir qu'après la guérison, celle-ci plaît et guérit ensemble. »

Voilà ce que dit Sénèque, qui m'a emporté hors de mon propos; mais il y a du profit au change.

a. Dépensier

CHAPITRE XXVI

DES POUCES

Tacite récite [1] que, parmi certains rois barbares, pour faire une obligation assurée, leur manière était de joindre étroitement leurs mains droites l'une à l'autre, et s'entrelacer les pouces; et quand, à force de les presser, le sang en était monté au bout, ils les blessaient de quelque légère pointe, et puis se les entresuçaient.

Les médecins disent que les pouces sont les maîtres doigts de la main et que leur étymologie latine vient de *pollere* *. Les Grecs l'appellent ἀντίχειρ, comme qui dirait une autre main. Et il semble que parfois les Latins les prennent aussi en ce sens de main entière,

> *Sed nec vocibus excitata blandis,*
> *Molli pollice nec rogata surgit* **.

C'était à Rome une signification de faveur, de comprimer et baisser les pouces,

> *Fautor utróque tuum laudabit pollice ludum* *** ;

* Montaigne, dans les éditions publiées de son vivant, ajoutait l'explication suivante : « Qui signifie exceller sur les autres. » Ce paragraphe est inspiré des *Saturnales*, livre VII, chap. XIII, de Macrobe, cité par Détoald.

** Martial, *Épigrammes*, livre XII, XCVIII : « Elle n'a pas besoin d'être excitée par des propos galants, ni d'être sollicitée par un pouce caressant pour se dresser. »

*** Horace, *Épître 18* du livre I : « Ton admirateur applaudira ton jeu en baissant les deux pouces. »

et de défaveur, de les hausser et contourner au-dehors,

> _converso pollice vulgi_
> _Quemlibet occidunt populariter_ *.

Les Romains dispensaient de la guerre ceux qui étaient blessés au pouce, comme s'ils n'avaient plus la prise des armes assez ferme. Auguste confisqua [2] les biens à un chevalier romain qui avait, par malice, coupé les pouces à deux siens jeunes enfants, pour les excuser d'aller aux armées; et avant lui, le Sénat, du temps de la guerre Italique, avait condamné Caius Vatienus à prison perpétuelle et lui avait confisqué tous ses biens, pour s'être à escient [a] coupé le pouce de la main gauche pour s'exempter de ce voyage [3].

Quelqu'un, de qui il ne me souvient point [4], ayant gagné une bataille navale, fit couper les pouces à ses ennemis vaincus, pour leur ôter le moyen de combattre et de tirer la rame.

Les Athéniens les firent couper aux Éginètes pour leur ôter la préférence [b] en l'art de marine [5].

En Lacédémone, le maître châtiait les enfants en leur mordant le pouce [6].

---

a. Exprès. — b. Prééminence.

* Juvénal, _Satire III_ : « Dès que le peuple a tourné le pouce, on égorge n'importe qui pour lui plaire. »

CHAPITRE XXVII

COURDISE
MÈRE DE LA CRUAUTÉ

J'ai souvent ouï dire que la couardise est mère de cruauté [1].

Et ai par expérience aperçu que cette aigreur et âpreté de courage malicieux et inhumain s'accompagne coutumièrement de mollesse féminine. J'en ai vu des plus cruels, sujets à pleurer aisément et pour des causes frivoles. Alexandre, tyran de Phères, ne pouvait souffrir d'ouïr au théâtre le jeu des tragédies, de peur que ses citoyens ne le vissent gémir aux malheurs de Hécube et d'Andromaque, lui qui, sans pitié, faisait cruellement meurtrir tant de gens tous les jours [2]. Serait-ce faiblesse d'âme qui les rendit ainsi ployables à toutes extrémités ?

La vaillance (de qui c'est l'effet de s'exercer seulement contre la résistance,

Nec nisi bellantis gaudet cervice juvenci *)

s'arrête à voir l'ennemi à sa merci. Mais la pusillanimité, pour dire qu'elle est aussi de la fête, n'ayant pu se mêler à ce premier rôle, prend pour sa part le second, du massacre et du sang. Les meurtres des victoires s'exercent ordinairement par le peuple et par les officiers du bagage [a] ; et ce qui fait voir tant de cruautés inouïes aux guerres populaires, c'est que cette canaille de vulgaire

---

a. Hommes chargés du bagage.
* Claudien, *Lettres à Hadrien* : « Qui ne se plaît à immoler un taureau que s'il résiste. »

s'aguerrit et se gendarme à s'ensanglanter jusques aux
coudes et à déchiqueter un corps à ses pieds, n'ayant
ressentiment *a* d'autre vaillance :

> *Et lupus et turpes instant morientibus ursi,*
> *Et quæcunque minor nobilitate fera est **,*

comme les chiens couards, qui déchirent en la maison
et mordent les peaux des bêtes sauvages qu'ils n'ont
osé attaquer aux champs. Qu'est-ce qui fait en ce temps
nos querelles toutes mortelles; et que, là où nos pères
avaient quelque degré de vengeance, nous commençons
à cette heure par le dernier, et ne se parle d'arrivée que
de tuer; qu'est-ce, si ce n'est couardise ? Chacun sent
bien qu'il y a plus de braverie et dédain à battre son
ennemi qu'à l'achever, et de le faire bouquer *b*, que de
le faire mourir. Davantage que l'appétit de vengeance
s'en assouvit et contente mieux, car elle ne vise qu'à
donner ressentiment de soi. Voilà pourquoi nous n'atta-
quons pas une bête ou une pierre quand elle nous blesse,
d'autant qu'elles sont incapables de sentir notre revanche.
Et de tuer un homme, c'est le mettre à l'abri de notre
offense.

Et tout ainsi comme Bias [3] criait à un méchant homme :
« Je sais que tôt ou tard tu en seras puni, mais je crains
que je ne le voie pas », et plaignait les Orchoméniens de
ce que la pénitence que Lyciscus eut de la trahison
contre eux commise, venait en saison qu'il n'y avait personne de reste de ceux qui en avaient été intéressés et
auxquels devait toucher le plaisir de cette pénitence :
tout ainsi est à plaindre la vengeance, quand celui envers
lequel elle s'emploie perd le moyen de la sentir; car,
comme le vengeur y veut voir pour en tirer du plaisir,
il faut que celui sur lequel il se venge y voie aussi pour
en souffrir du déplaisir et de la repentance.

« Il s'en repentira », disons-nous. Et, pour lui avoir
donné d'une pistolade en la tête, estimons-nous qu'il
s'en repente ? Au rebours, si nous nous en prenons garde,

---

a. Sentiment. — *b.* Faire céder.
* Ovide, *Tristes*, livre III, poème v : « Le loup, les ours hideux
et tout ce qu'il y a de plus vil parmi les bêtes féroces s'acharnent
sur les mourants. »

nous trouverons qu'il nous fait la moue en tombant; il ne nous en sait pas seulement mauvais gré, c'est bien loin de s'en repentir. Et lui prêtons le plus favorable de tous les offices *ª* de la vie, qui est de le faire mourir promptement et insensiblement. Nous sommes à coniller *ᵇ*, à trotter et à fuir les officiers de la justice qui nous suivent, et lui est en repos. Le tuer est bon pour éviter l'offense à venir, non pour venger celle qui est faite : c'est une action plus de crainte que de braverie, de précaution que de courage, de défense que d'entreprise. Il est apparent que nous quittons par là et la vraie fin de la vengeance, et le soin de notre réputation; nous craignons, s'il demeure en vie, qu'il nous recharge d'une pareille.

Ce n'est pas contre lui, c'est pour toi que tu t'en défais.

Au royaume de Narsingue *⁴*, cet expédient nous demeurerait inutile. Là, non seulement les gens de guerre, mais aussi les artisans démêlent leurs querelles à coups d'épée. Le roi ne refuse point le camp à qui se veut battre, et assiste, quand ce sont personnes de qualité, étrennant le victorieux d'une chaîne d'or. Mais, pour laquelle conquérir, le premier à qui il en prend envie, peut venir aux armes avec celui qui la porte; et, pour s'être défait d'un combat, il en a plusieurs sur les bras.

Si nous pensions par vertu être toujours maîtres de notre ennemi et le gourmander à notre poste *ᶜ*, nous serions bien marris qu'il nous échappât, comme il fait en mourant : nous voulons vaincre, mais plus sûrement qu'honorablement; et cherchons plus *⁵* la fin que la gloire en notre querelle. Asinius Pollion, pour un honnête homme, représenta une erreur pareille; qui, ayant écrit des invectives contre Plancus, attendait qu'il fût mort pour les publier. C'était faire la figue à un aveugle et dire des pouilles à un sourd et offenser un homme sans sentiment, plutôt que d'encourir le hasard de son ressentiment. Aussi disait-on pour lui que ce n'était qu'aux lutins de lutter les morts *⁶*. Celui qui attend à voir trépasser l'auteur duquel il veut combattre les écrits, que dit-il, sinon qu'il est faible et noisif *ᵈ*?

a. Services. — *b.* Tapi comme un lapin. — *c.* A notre guise. — *d.* Querelleur.

On disait à Aristote que quelqu'un avait médit de lui :
« Qu'il fasse plus, dit-il, qu'il me fouette, pourvu que
je n'y sois pas [7]. »

Nos pères se contentaient de revancher une injure par
un démenti, un démenti par un coup, et ainsi par ordre.
Ils étaient assez valeureux pour ne craindre pas leur
ennemi vivant et outragé. Nous tremblons de frayeur
tant que nous le voyons en pieds. Et qu'il soit ainsi,
notre belle pratique d'aujourd'hui porte-t-elle pas de
poursuivre à mort aussi bien celui que nous avons
offensé, que celui qui nous a offensés ?

C'est aussi une image de lâcheté qui a introduit en
nos combats singuliers cet usage de nous accompagner
de seconds, et tiers, et quarts. C'était anciennement des
duels ; ce sont, à cette heure, rencontres et batailles. La
solitude faisait peur aux premiers qui l'inventèrent :
Cum in se cuique minimum fiduciæ esset *. Car naturellement quelque compagnie que ce soit apporte confort [a]
et soulagement au danger. On se servait anciennement
de personnes tierces pour garder qu'il ne s'y fît désordre
et déloyauté et pour témoigner de la fortune du combat ;
mais, depuis qu'on a pris ce train qu'ils s'y engagent
eux-mêmes, quiconque y est convié ne peut honnêtement
s'y tenir comme spectateur, de peur qu'on ne lui attribue
que ce soit faute ou d'affection ou de cœur.

Outre l'injustice d'une telle action, et vilenie, d'engager
à la protection de votre honneur autre valeur et force
que la vôtre, je trouve du désavantage à un homme de
bien et qui pleinement se fie de soi, d'aller mêler sa fortune à celle d'un second. Chacun court assez de hasard
pour soi, sans le courir encore pour un autre, et a assez à
faire à s'assurer en sa propre vertu pour la défense de sa
vie, sans commettre chose si chère en mains tierces.
Car, s'il n'a été expressément marchandé au contraire,
des quatre, c'est une partie liée. Si votre second est à
terre, vous en avez deux sur les bras, avec raison. Et de
dire que c'est supercherie, elle l'est voirement, comme
de charger, bien armé, un homme qui n'a qu'un tronçon
d'épée, ou, tout sain, un homme qui est déjà fort blessé.

---

a. Réconfort.
* « Parce que chacun se méfiait de soi-même. »

Mais si ce sont avantages que vous ayez gagnés en combattant, vous vous en pouvez servir sans reproche. La
disparité et inégalité ne se pèse et considère que de l'état
en quoi se commence la mêlée; du reste prenez-vous-en
à la fortune. Et quand vous en aurez tout seul trois
sur vous, vos deux compagnons s'étant laissé tuer,
on ne vous fait non plus de tort que je ferais à la guerre
de donner un coup d'épée à l'ennemi que je verrais
attaché à l'un des nôtres, de pareil avantage. La nature
de la société porte, où il y a troupe contre troupe (comme
où notre duc d'Orléans défia le roi d'Angleterre Henri,
cent contre cent [8], trois cents contre autant, comme les
Argiens contre les Lacédémoniens [9]; trois à trois comme
les Horaces contre les Curiaces [10]), que la multitude de
chaque part n'est considérée que pour un homme seul.
Partout où il y a compagnie, le hasard y est confus et mêlé.

J'ai intérêt domestique à ce discours; car mon frère,
sieur de Mathecolom [11], fut convié à Rome, à seconder
un gentilhomme qu'il ne connaissait guère, lequel était
défendeur et appelé par un autre. En ce combat il se
trouva de fortune avoir en tête un qui lui était plus
voisin et plus connu (je voudrais qu'on me fît raison de
ces lois d'honneur qui vont si souvent choquant et
troublant celles de la raison); après s'être défait de son
homme, voyant les deux maîtres de la querelle en pieds
encore et entiers, il alla décharger son compagnon. Que
pouvait-il moins? devait-il se tenir coi et regarder
défaire, si le sort l'eût ainsi voulu, celui pour la défense
duquel il était là venu? ce qu'il avait fait jusques alors
ne servait rien à la besogne : la querelle était indécise.
La courtoisie que vous pouvez et certes devez faire à
votre ennemi, quand vous l'avez réduit en mauvais
termes et à quelque grand désavantage, je ne vois pas
comment vous la puissiez faire, quand il va de l'intérêt
d'autrui, où vous n'êtes que suivant, où la dispute n'est
pas vôtre. Il ne pouvait être ni juste, ni courtois, au
hasard de celui auquel il s'était prêté. Aussi fut-il délivré
des prisons d'Italie par une bien soudaine et solennelle
recommandation de notre roi.

Indiscrète nation! nous ne nous contentons pas de
faire savoir nos vices et folies au monde par réputation, nous allons aux nations étrangères pour les leur

faire voir en présence. Mettez trois Français aux déserts
de Libye, ils ne seront par un mois ensemble sans se
harceler et égratigner; vous diriez que cette pérégrination est une partie dressée pour donner aux étrangers le
plaisir de nos tragédies, et le plus souvent à tels qui
s'éjouissent de nos maux et qui s'en moquent.

Nous allons apprendre en Italie à escrimer [12] : et l'exerçons aux dépens de nos vies avant que de le savoir. Si *a*
faudrait-il, suivant l'ordre de la discipline, mettre la
théorie avant la pratique; nous trahissons notre apprentissage :

> *Primitiæ juvenum miseræ, bellique futuri*
> *Dura rudimenta* *.

Je sais bien que c'est un art utile à sa fin (au duel des
deux Princes, cousins germains [13], en Espagne, le plus
vieil, dit Tite-Live, par l'adresse des armes et par ruse,
surmonta facilement les forces étourdies du plus jeune)
et, comme j'ai connu par expérience, duquel la connaissance a grossi le cœur à aucuns outre leur mesure naturelle; mais ce n'est pas proprement vertu, puisqu'elle
tire son appui de l'adresse et qu'elle prend autre fondement que de soi-même. L'honneur des combats consiste en
la jalousie du courage, non de la science; et pourtant *b*
ai-je vu quelqu'un de mes amis, renommé pour grand
maître en cet exercice, choisir en ses querelles des armes
qui lui ôtassent le moyen de cet avantage, et lesquelles
dépendaient entièrement de la fortune et de l'assurance,
afin qu'on n'attribuât sa victoire plutôt à son escrime
qu'à sa valeur; et, en mon enfance, la noblesse fuyait la
réputation de bon escrimeur comme injurieuse, et se
dérobait pour l'apprendre, comme un métier de subtilité
dérogeant à la vraie et naïve vertu,

> *Non schivar, non parar, non ritirarsi*
> *Voglion costor, ne qui destrezza ha parte.*
> *Non danno i colpi finti, hor pieni, hor scarsi;*

a. Pourtant. — *b.* Aussi.
* Virgile, *Énéide*, livre XI : « Tristes épreuves de la jeunesse!
Cruel apprentissage des guerres futures. »

Toglie l'ira e il furor l'uso de l'arte.
Odi le spade horribilmente urtarsi
A mezzo il ferro ; il pie d'orma non parte :
Sempre è il pie fermo, è la man sempre in moto ;
Ne scende taglio in van, ne punta à voto *.

Les buttes *ᵃ*, les tournois, les barrières, l'image des combats guerriers étaient l'exercice de nos pères; cet autre exercice est d'autant moins noble qu'il ne regarde qu'une fin privée, qui nous apprend à nous entreruiner, contre les lois et la justice, et qui en toute façon produit toujours des effets dommageables. Il est bien plus digne et mieux séant de s'exercer en choses qui assurent, non qui offensent notre police *ᵇ*, qui regardent la publique sûreté et la gloire commune [14].

Publius Rutilius consul fut le premier qui instruisit le soldat à manier ses armes par adresse et science, qui conjoignit l'art à la vertu, non pour l'usage de querelle privée; ce fut pour la guerre et querelles du peuple romain [15]. Escrime populaire et civile. Et, outre l'exemple de César, qui ordonna aux siens de tirer principalement au visage des gendarmes de Pompée en la bataille de Pharsale [16], mille autres chefs de guerre se sont ainsi avisés d'inventer nouvelle forme d'armes, nouvelle forme de frapper et de se couvrir selon le besoin de l'affaire présent. Mais, tout ainsi que Philopœmen condamna la lutte, en quoi il excellait, d'autant que les préparatifs qu'on employait à cet exercice étaient divers *ᶜ* à ceux qui appartiennent à la discipline militaire, à laquelle seule il estimait les gens d'honneur se devoir amuser [17], il me semble aussi que cette adresse à quoi on façonne ses membres, ces détours et mouvements à quoi on exerce la jeunesse en cette nouvelle école, sont non seulement

a. Cibles. — *b.* État. — *c.* Différents.

* Tasse, *Jérusalem délivrée*, chant XII : « Ils ne veulent ni esquiver, ni parer, ni fuir; l'adresse n'a point de part à leur combat; leurs coups ne sont point simulés, tantôt directs, tantôt de biais; la colère, la fureur leur ôtent l'usage de l'art. Écoutez le choc horrible des épées qui se heurtent en plein fer; ils ne rompraient pas d'une semelle; leurs pieds sont toujours fermes et leurs mains toujours en mouvement; d'estoc ou de taille, tous les coups portent. »

inutiles, mais contraires plutôt et dommageables à l'usage
du combat militaire.

Aussi y emploient nos gens communément des armes
particulières et péculièrement destinées à cet usage. Et
j'ai vu qu'on ne trouvait guère bon qu'un gentilhomme,
convié à l'épée et au poignard, s'offrît en équipage de
gendarme [18]. Il est digne de considération que Lachès en
Platon [19], parlant d'un apprentissage de manier les
armes conforme au nôtre, dit n'avoir jamais de cette
école vu sortir nul grand homme de guerre, et nommément des maîtres d'icelle. Quant à ceux-là, notre expérience en dit bien autant. Du reste au moins pouvons-
nous dire que ce sont suffisances de nulle relation et
correspondance. Et en l'institution [a] des enfants de sa
police, Platon [20] interdit les arts de mener les poings,
introduits par Amycus et Epeius, et de lutter, par Antée
et Cercyon, parce qu'elles ont autre but que de rendre
la jeunesse plus apte au service des guerres et n'y confè-
rent point [b].

Mais je m'en vais un peu bien à gauche de mon
thème.

L'empereur Maurice, étant averti par songes et plusieurs pronostics qu'un Phocas, soldat pour lors inconnu,
le devait tuer, demandait à son gendre Philippe qui était
ce Phocas, sa nature, ses conditions et ses mœurs; et
comme, entre autres choses, Philippe lui dit qu'il était
lâche et craintif, l'empereur conclut incontinent par
là qu'il était donc meurtrier et cruel [21]. Qui rend les
tyrans si sanguinaires ? c'est le soin de leur sûreté, et que
leur lâche cœur ne leur fournit d'autres moyens de
s'assurer qu'en exterminant ceux qui les peuvent offenser,
jusques aux femmes, de peur d'une égratignure,

Cuncta ferit, dum cuncta timet *.

Les premières cruautés s'exercent pour elles-mêmes :
de là s'engendre la crainte d'une juste revanche, qui
produit après une enfilure de nouvelles cruautés pour les

---

a. Éducation. — *b.* N'y contribuent point.

* Claudien, *Contre Eutrope*, chant I : « Craignant tout, il frappe
tout. »

étouffer les unes par les autres. Philippe roi de Macédoine, celui qui eut tant de fusées [22] à démêler avec le
peuple romain, agité de l'horreur des meurtres commis
par son ordonnance, ne se pouvant résoudre contre tant
de familles en divers temps offensées, prit parti de se
saisir de tous les enfants de ceux qu'il avait fait tuer,
pour, de jour en jour, les perdre l'un après l'autre, et
ainsi établir son repos [23].

Les belles matières tiennent toujours bien leur rang
en quelque place qu'on les sème. Moi, qui ai plus de soin
du poids et utilité des discours que de leur ordre et suite,
ne dois pas craindre de loger ici un peu à l'écart une très
belle histoire [24]. Entre les autres condamnés par Philippe,
avait été un Herodicus, prince des Thessaliens. Après
lui, il avait encore depuis fait mourir ses deux gendres,
laissant chacun un fils bien petit. Theoxena et Archo [25]
étaient les deux veuves. Theoxena ne put être induite
à se remarier, en étant fort poursuivie. Archo épousa
Poris, le premier homme d'entre les Æniens, et en eut
nombre d'enfants, qu'elle laissa tous en bas âge. Theoxena, époinçonnée [a] d'une charité maternelle envers ses
neveux, pour les avoir en sa conduite et protection,
épousa Poris. Voici venir la proclamation de l'édit du
Roi. Cette courageuse mère, se défiant et de la cruauté de
Philippe et de la licence de ses satellites envers cette belle
et tendre jeunesse, osa dire qu'elle les tuerait plutôt de ses
mains que de les rendre. Poris, effrayé de cette protestation, lui promet de les dérober et emporter à Athènes en
la garde d'aucuns siens hôtes fidèles. Ils prennent occasion d'une fête annuelle qui se célébrait à Ænie en
l'honneur d'Énée, et s'y en vont. Ayant assisté le jour
aux cérémonies et banquet publics, la nuit ils s'écoulent
dans un vaisseau préparé, pour gagner pays par mer. Le
vent leur fut contraire; et, se trouvant lendemain en la
vue de la terre d'où ils avaient démarré, furent suivis
par les gardes des ports. Au joindre, Poris s'embesognant
à hâter les mariniers pour la fuite, Theoxena, forcenée
d'amour et de vengeance, se rejeta à sa première proposition; fait apprêt d'armes et de poison; et, les présentant

a. Aiguillonnée.

à leur vue : « Or sus, mes enfants, la mort est mèshui ^a
le seul moyen de votre défense et liberté; et sera matière
aux Dieux de leur sainte justice; ces épées traites ^b, ces
coupes vous en ouvrent l'entrée : courage! Et toi, mon
fils, qui es plus grand, empoigne ce fer, pour mourir
de la mort plus forte. » Ayant d'un côté cette vigoureuse
conseillère, les ennemis de l'autre à leur gorge, ils couru-
rent de furie chacun à ce qui lui fut le plus à main; et
demi-morts, furent jetés en la mer. Theoxena, fière
d'avoir si glorieusement pourvu à la sûreté de tous ses
enfants, accolant chaudement son mari : « Suivons ces
garçons, mon ami, et jouissons de même sépulture avec
eux. » Et, se tenant ainsi embrassés, se précipitèrent; de
manière que le vaisseau fut ramené à bord vide de ses
maîtres.

Les tyrans, pour faire tous les deux ensemble et tuer
et faire sentir leur colère, ils ont employé toute leur
suffisance à trouver moyen d'allonger la mort ²⁶. Ils
veulent que leurs ennemis s'en aillent, mais non pas si
vite qu'ils n'aient loisir de savourer leur vengeance. Là-
dessus ils sont en grand-peine : car, si les tourments sont
violents, ils sont courts; s'ils sont longs, ils ne sont pas
assez douloureux à leur gré; les voilà à dispenser leurs
engins. Nous en voyons mille exemples en l'antiquité,
et je ne sais si, sans y penser, nous ne retenons pas quelque
trace de cette barbarie.

Tout ce qui est au-delà de la mort simple me semble
pure cruauté ²⁷. Notre justice ne peut espérer que celui
que la crainte de mourir et d'être décapité ou pendu
ne gardera de faillir, en soit empêché par l'imagination
d'un feu languissant, ou des tenailles, ou de la roue. Et
je ne sais cependant si nous les jetons au désespoir : car
en quel état peut être l'âme d'un homme attendant
vingt-quatre heures la mort, brisé sur une roue, ou, à
la vieille façon, cloué à une croix? Josèphe récite ²⁸ que,
pendant les guerres des Romains en Judée, passant où
l'on avait crucifié quelques Juifs, il y avait trois jours,
reconnut trois de ses amis, et obtint de les ôter de là;
les deux moururent, dit-il, l'autre vécut encore depuis.

Chalcondyle, homme de foi, aux mémoires qu'il a

a. Désormais. — *b.* Dégainées.

laissés des choses advenues de son temps et près de lui,
récite pour extrême supplice celui que l'empereur Mahomet [29] pratiquait souvent, de faire trancher les hommes
en deux parts par le faux du corps, à l'endroit du dia-
phragme, et d'un seul coup de cimeterre : d'où il arrivait qu'ils mourussent comme de deux morts à la fois ; et
voyait-on, dit-il, l'une et l'autre part pleine de vie se
démener longtemps après, pressée de tourment. Je n'estime pas qu'il y eût grand sentiment en ce mouvement.
Les supplices plus hideux à voir ne sont pas toujours
les plus forts à souffrir. Et trouve plus atroce ce que
d'autres historiens [30] en récitent contre des seigneurs
Épirotes, qu'il les fit écorcher par le menu, d'une dispensation [a] si malicieusement ordonnée, que leur vie dura
quinze jours à cette angoisse.

Et ces deux autres : Crésus ayant fait prendre un gentilhomme, favori de Pantaléon, son frère, le mena en la
boutique d'un foulon, où il le fit tant gratter et carder
à coups de cardes et peignes de ce cardeur, qu'il en
mourut [31]. George Sechel [32], chef de ces paysans de Polo-
gne qui, sous titre de la croisade, firent tant de maux,
défait en bataille par le voivode de Transylvanie et pris,
fut trois jours attaché nu sur un chevalet, exposé à
toutes les manières de tourments [b] que chacun pouvait
inventer contre lui, pendant lequel temps on ne donna ni
à manger, ni à boire aux autres prisonniers. Enfin, lui
vivant et voyant, on abreuva de son sang Lucat, son
cher frère, et pour le salut duquel il priait, tirant sur soi
toute l'envie de leurs méfaits ; et fit-on paître vingt de
ses plus favoris capitaines, déchirant à belles dents sa
chair et en engloutissant les morceaux. Le reste du corps
et parties du dedans, lui expiré, furent mises bouillir,
qu'on fit manger à d'autres de sa suite.

a. Méthode. — *b.* Tortures.

CHAPITRE XXVIII

TOUTES CHOSES ONT LEUR
SAISON

Ceux qui apparient Caton le censeur au jeune Caton, meurtrier de soi-même [1], apparient deux belles natures et de formes voisines. Le premier exploita la sienne à plus de visages, et précelle en exploits militaires et en utilité de ses vacations publiques. Mais la vertu du jeune, outre ce que c'est blasphème de lui en apparier nulle autre en vigueur, fut bien plus nette. Car qui déchargerait d'envie et d'ambition celle du censeur, ayant osé choquer l'honneur de Scipion en bonté et en toutes parties d'excellence de bien loin plus grand et que lui et que tout homme de son siècle?

Ce qu'on dit entre autres choses de lui, qu'en son extrême vieillesse, il se mit à apprendre la langue grecque, d'un ardent appétit [2], comme pour assouvir une longue soif, ne me semble pas lui être fort honorable. C'est proprement ce que nous disons retomber en enfantillage. Toutes choses ont leur saison, les bonnes et tout; et je puis dire mon patenôtre hors de propos, comme on déféra [3] T. Quintius Flaminius de ce qu'étant général d'armée, on l'avait vu à quartier [a], sur l'heure du conflit, s'amusant [b] à prier Dieu en une bataille qu'il gagna [4].

Imponit finem sapiens et rebus honestis *.

a. A l'écart. — b. Employant son temps.
* Juvénal, *Satire VI* : « Le sage met une limite, même dans les choses honnêtes. »

Eudemonidas, voyant Xénocrate, fort vieil, s'empres-
ser aux leçons de son école [5] : « Quand saura celui-ci,
dit-il, s'il apprend encore! »

Et Philopœmen [6], à ceux qui haut-louaient le roi
Ptolomée de ce qu'il durcissait sa personne tous les jours
à l'exercice des armes : « Ce n'est, dit-il, pas chose louable
à un roi de son âge de s'y exercer; il les devait hormais
réellement employer.

Le jeune doit faire ses apprêts, le vieil en jouir, disent
les sages [7]. Et le plus grand vice qu'ils remarquent en
notre nature, c'est que nos désirs rajeunissent sans cesse.
Nous recommençons toujours à vivre. Notre étude et
notre envie devraient quelquefois sentir la vieillesse.
Nous avons le pied à la fosse, et nos appétits et poursuites
ne font que naître :

> *Tu secanda marmora*
> *Locas sub ipsum funus, et sepulchri*
> *Immemor, struis domos* *.

Le plus long de mes desseins n'a pas un an d'étendue;
je ne pense désormais qu'à finir; me défais de toutes nouvelles espérances et entreprises; prends mon dernier
congé de tous les lieux que je laisse; et me dépossède
tous les jours de ce que j'ai.

« *Olim jam nec perit quicquam mihi nec acquiritur. Plus
superest viatici quam viæ* **. »

Vixi, et quem dederat cursum fortuna peregi ***.

C'est enfin tout le soulagement que je trouve en ma
vieillesse, qu'elle amortit en moi plusieurs désirs et soins
de quoi la vie est inquiétée, le soin du cours du monde,
le soin des richesses, de la grandeur, de la science, de
la santé, de moi.

Celui-ci apprend à parler, lorsqu'il lui faut apprendre
à se taire pour jamais.

---

* Horace, *Ode 18* du livre II : « Tu fais tailler des marbres au
seuil même de la mort, et oublieux du tombeau, tu élèves des maisons. »
** Sénèque : « Depuis longtemps, je ne perds ni ne gagne : il
me reste plus de viatique que de vie à parcourir. »
*** Virgile, *Énéide*, chant IV : « J'ai vécu, et j'ai terminé la
carrière que m'avait assignée la Fortune. »

On peut continuer à tout temps l'étude, non pas l'écolage : la sotte chose qu'un vieillard abécédaire [8] !

> *Diversos diversa juvant, non omnibus annis*
> *Omnia conveniunt* *.

S'il faut étudier, étudions une étude sortable *a* à notre condition, afin que nous puissions répondre comme celui [9] à qui, quand on demanda à quoi faire ces études en sa décrépitude : « A m'en partir meilleur et plus à mon aise », répondit-il. Telle étude fut celle du jeune Caton sentant sa fin prochaine, qui se rencontra au discours de Platon, de l'éternité de l'âme [10]. Non, comme il faut croire, qu'il ne fût de longtemps garni de toute sorte de munition *b* pour un tel délogement : d'assurance, de volonté ferme et d'instruction, il en avait plus que Platon n'en a en ses écrits ; sa science et son courage étaient, pour ce regard, au-dessus de la philosophie. Il prit cette occupation, non pour le service de sa mort, mais, comme celui qui n'interrompit pas seulement son sommeil en l'importance d'une telle délibération, il continua aussi, sans choix et sans changement, ses études avec les autres actions accoutumées de sa vie.

La nuit qu'il vint d'être refusé de la prêture, il la passa à jouer ; celle en laquelle il devait mourir, il la passa à lire : la perte ou de la vie ou de l'office, tout lui fut un [11].

---

a. Assortie à. — *b.* Protection.
* Pseudo-Gallus, livre I : « A chacun son goût ; toute chose ne convient pas à tout âge. »

CHAPITRE XXIX

DE LA VERTU

Je trouve par expérience qu'il y a bien à dire entre les boutées *a* et saillies de l'âme [1], ou une résolue et constante habitude; et vois bien qu'il n'est rien que nous ne puissions, voire jusques à surpasser la divinité même, dit quelqu'un [2], d'autant que c'est plus de se rendre impassible de soi, que d'être tel de sa condition originelle, et jusques à pouvoir joindre à l'imbécillité *b* de l'homme une résolution et assurance de Dieu. Mais c'est par secousse. Et ès vies de ces héros du temps passé, il y a quelquefois des traits miraculeux et qui semblent de bien loin surpasser nos forces naturelles; mais ce sont traits, à la vérité; et est dur à croire que de ces conditions ainsi élevées, on en puisse teindre et abreuver l'âme, en manière qu'elles lui deviennent ordinaires et comme naturelles. Il nous échoit à nous-mêmes, qui ne sommes qu'avortons d'hommes, d'élancer parfois notre âme, éveillée par les discours ou exemples d'autrui, bien loin au-delà de son ordinaire; mais c'est une espèce de passion qui la pousse et agite, et qui la ravit aucunement hors de soi : car, ce tourbillon franchi, nous voyons que, sans y penser, elle se débande et relâche d'elle-même, sinon jusques à la dernière touche, au moins jusques à n'être plus celle-là; de façon que lors, à toute occasion, pour un oiseau perdu ou un verre cassé, nous nous laissons émouvoir à peu près comme l'un du vulgaire.

Sauf l'ordre, la modération et la constance, j'estime

a. Boutades. — *b.* Faiblesse.

que toutes choses sont faisables par un homme bien
manque *a* et défaillant en gros.

A cette cause, disent les sages, il faut, pour juger
bien à point d'un homme, principalement contrôler ses
actions communes et le surprendre en son à tous les
jours.

Pyrrhon [3], celui qui bâtit de l'ignorance une si plaisante science, essaya, comme tous les autres vraiment
philosophes, de faire répondre sa vie à sa doctrine. Et
parce qu'il maintenait la faiblesse du jugement humain
être si extrême que de ne pouvoir prendre parti ou
inclination, et le voulait suspendre perpétuellement
balancé, regardant et accueillant toutes choses comme
indifférentes, on conte qu'il se maintenait toujours de
même façon et visage. S'il avait commencé un propos,
il ne laissait pas de l'achever, quand celui à qui il parlait
s'en fût allé; s'il allait, il ne rompait son chemin pour
empêchement qui se présentât, conservé des précipices,
du heurt des charrettes et autres accidents par ses amis.
Car de craindre ou éviter quelque chose, c'eût été choquer ses propositions, qui ôtaient aux sens mêmes toute
élection *b* et certitude. Quelquefois il souffrit d'être incisé
et cautérisé, d'une telle constance qu'on ne lui en vit
pas seulement ciller les yeux.

C'est quelque chose de ramener l'âme à ces imaginations; c'est plus d'y joindre les effets; toutefois il n'est
pas impossible; mais de les joindre avec telle persévérance et constance que d'en établir son train ordinaire,
certes, en ces entreprises si éloignées de l'usage commun,
il est quasi incroyable qu'on le puisse. Voilà pourquoi
lui, étant quelquefois rencontré en sa maison tançant
bien âprement avec sa sœur, et étant reproché de faillir en
cela à son indifférence : « Comment, dit-il, faut-il qu'encore cette femmelette serve de témoignage à mes règles ? »
Une autre fois qu'on le vit se défendre d'un chien : « Il
est, dit-il, très difficile de dépouiller entièrement l'homme; et se faut mettre en devoir et efforcer de combattre
les choses, premièrement par les effets, mais, au pis aller,
par la raison et par les discours [4]. »

Il y a environ sept ou huit ans, qu'à deux lieues d'ici

a. Défectueux. — *b.* Choix.

un homme de village, qui est encore vivant, ayant la tête de longtemps rompue par la jalousie de sa femme, revenant un jour de la besogne, et elle le bien-veignant [a] de ses criailleries accoutumées, entra en telle furie que, sur-le-champ, à tout [b] la serpe qu'il tenait encore en ses mains, s'étant moissonné tout net les pièces qui la mettaient en fièvre, les lui jeta au nez.

Et il se dit qu'un jeune gentilhomme des nôtres, amoureux et gaillard, ayant par sa persévérance amolli enfin le cœur d'une belle maîtresse, désespéré de ce que, sur le point de la charge, il s'était trouvé mol lui-même et défailli, et que

> *non viriliter*
> *Iners senile penis extulerat caput* [*],

s'en priva soudain revenu au logis, et l'envoya, cruelle et sanglante victime, pour la purgation de son offense [5]. Si c'eût été par discours et religion, comme les prêtres de Cybèle, que ne dirions-nous d'une si hautaine entreprise ?

Depuis peu de jours, à Bergerac, à cinq lieues de ma maison, contremont [c] la rivière de Dordogne, une femme ayant été tourmentée et battue, le soir avant, de son mari, chagrin et fâcheux de sa complexion, délibéra d'échapper à sa rudesse au prix de sa vie; et, s'étant à son lever accointée de ses voisines comme de coutume, leur laissant couler quelque mot de recommandation de ses affaires, prenant une sienne sœur par la main, la mena avec elle sur le pont, et, après avoir pris congé d'elle, comme par manière de jeu, sans montrer autre changement ou altération, se précipita du haut en bas dans la rivière, où elle se perdit. Ce qu'il y a de plus en ceci, c'est que ce conseil mûrit une nuit entière dans sa tête.

C'est bien autre chose des femmes indiennes [6] : car, étant leur coutume, aux maris d'avoir plusieurs femmes, et à la plus chère d'elles de se tuer après son mari, cha-

---

a. L'accueillant. — b. Avec. — c. En remontant.
* Tibulle, *De inertia inguinis* : « Chose indigne d'un mâle, sa virilité n'avait dressé qu'un chef sénile. »

cune par le dessein de toute sa vie vise à gagner ce point
et cet avantage sur ses compagnes ; et les bons offices
qu'elles rendent à leur mari ne regardent autre récompense que d'être préférées à la compagnie de sa mort,

> *... ubi mortifero jacta est fax ultima lecto*
> *Uxorum fusis stat pia turba comis ;*
> *Et certamen habent lethi, quæ viva sequatur*
> *Conjugium : pudor est non licuisse mori.*
> *Ardent victrices, et flammæ pectora præbent,*
> *Imponuntque suis orâ perusta viris* *.

Un homme [7] écrit encore de nos jours avoir vu en
ces nations orientales cette coutume en crédit, que non
seulement les femmes s'enterrent après leurs maris,
mais aussi les esclaves desquelles il a eu jouissance. Ce
qui se fait en cette manière. Le mari étant trépassé, la
veuve peut, si elle veut, mais peu le veulent, demander
deux ou trois mois d'espace à disposer de ses affaires. Le
jour venu, elle monte à cheval, parée comme à noces,
et, d'une contenance gaie, comme allant, dit-elle, dormir
avec son époux, tenant en sa main gauche un miroir,
une flèche en l'autre. S'étant ainsi promenée en pompe,
accompagnée de ses amis et parents, et de grand peuple
en fête, elle est tantôt rendue au lieu public destiné à
tels spectacles. C'est une grande place au milieu de
laquelle il y a une fosse pleine de bois, et, joignant icelle,
un lieu relevé de quatre ou cinq marches, sur lequel elle
est conduite et servie d'un magnifique repas. Après
lequel elle se met à baller et chanter, et ordonne, quand
bon lui semble, qu'on allume le feu. Cela fait, elle des-
cend et, prenant par la main le plus proche des parents
de son mari, ils vont ensemble à la rivière voisine, où elle
se dépouille toute nue et distribue ses joyaux et vêtements
à ses amis et se va plongeant dans l'eau, comme pour
y laver ses péchés. Sortant de là, elle s'enveloppe d'un

* Properce, *Élégie 23* du livre III : « Dès que la torche est jetée
sur le bûcher funèbre, la foule pieuse des épouses l'entoure, les
cheveux épars ; le combat de la mort s'engage entre elles, à qui,
vivante, suivra l'époux : c'est un déshonneur que de n'avoir pu
mourir. Les victorieuses se lancent dans le feu et offrent leur poitrine aux flammes, baisant leur mari de leurs lèvres brûlées. »

linge jaune de quatorze brasses de long, et donnant derechef la main à ce parent de son mari, s'en revont sur la motte où elle parle au peuple et recommande ses enfants, si elle en a. Entre la fosse et la motte on tire volontiers un rideau, pour leur ôter la vue de cette fournaise ardente; ce qu'aucunes défendent pour témoigner plus de courage. Fini ce qu'elle a de dire, une femme lui présente un vase plein d'huile à s'oindre la tête et tout le corps, lequel elle jette dans le feu, quand elle en a fait, et, en l'instant, s'y lance elle-même. Sur l'heure le peuple renverse sur elle quantité de bûches pour . empêcher de languir, et se change toute leur joie en deuil et tristesse. Si ce sont personnes de moindre étoffe, le corps du mort est porté au lieu où on le veut enterrer, et là mis en son séant, la veuve à genoux devant lui l'embrassant étroitement, et se tient en ce point pendant qu'on bâtit autour d'eux un mur qui, venant à se hausser jusques à l'endroit des épaules de la femme, quelqu'un des siens, par le derrière prenant sa tête, lui tord le col; et rendu qu'elle a l'esprit, le mur est soudain monté et clos, où ils demeurent ensevelis.

En ce même pays, il y avait quelque chose de pareil en leurs Gypnosophistes; car, non par la contrainte d'autrui, non par l'impétuosité d'une humeur soudaine, mais par expresse profession de leur règle, leur façon était, à mesure qu'ils avaient atteint certain âge, ou qu'ils se voyaient menacés par quelque maladie, de se faire dresser un bûcher, et au-dessus un lit bien paré; et, après avoir festoyé joyeusement leurs amis et connaissants, s'aller planter dans ce lit en telle résolution que, le feu y étant mis, on ne les vit mouvoir ni pieds ni mains; et ainsi mourut l'un d'eux, Calanus, en présence de toute l'armée d'Alexandre le Grand [8].

Et n'était estimé entre eux ni saint, ni bienheureux, qui ne s'était ainsi tué, envoyant son âme purgée et purifiée par le feu, après avoir consumé tout ce qu'il y avait de mortel et terrestre.

Cette constante préméditation de toute la vie, c'est ce qui fait le miracle.

Parmi nos autres disputes, celle du *Fatum* * s'y est

----

* Destin.

mêlée; et, pour attacher les choses à venir et notre
volonté même à certaine et inévitable nécessité, on est
encore sur cet argument du temps passé : « Puisque Dieu
prévoit toutes choses devoir ainsi advenir, comme il
fait sans doute, il faut donc qu'elles adviennent ainsi. »
A quoi nos maîtres [9] répondent que le voir que quelque
chose advienne, comme nous faisons, et Dieu de même
(car, tout lui étant présent, il voit plutôt qu'il ne prévoit),
ce n'est pas la forcer d'advenir; voire *a*, nous voyons
à cause que les choses adviennent, et les choses n'adviennent pas à cause que nous voyons. L'advénement *b* fait
la science, non la science l'avénement. Ce que nous
voyons advenir, advient; mais il pouvait autrement
advenir; et Dieu, au registre des causes des avénements
qu'il a en sa prescience, y a aussi celles qu'on appelle
fortuites, et les volontaires, qui dépendent de la liberté
qu'il a donnée à notre arbitrage, et sait que nous faudrons
parce que nous aurons voulu faillir.

Or j'ai vu assez de gens encourager leurs troupes de
cette nécessité fatale : car, si notre heure est attachée à
certain point, ni les arquebusades ennemies, ni notre
hardiesse, ni notre fuite et couardise ne la peuvent
avancer ou reculer. Cela est beau à dire, mais cherchez
qui l'effectuera. Et s'il est ainsi, qu'une forte et vive
créance tire après soi les actions de même, certes cette
foi, de quoi nous remplissons tant la bouche, est merveilleusement légère en nos siècles, sinon que le mépris
qu'elle a des œuvres lui fasse dédaigner leur compagnie.

Tant y a qu'à ce même propos le sire de Joinville [10],
témoin croyable autant que tout autre, nous raconte
des Bédouins, nation mêlée aux Sarrasins, auxquels le roi
saint Louis eut affaire en la terre sainte, qu'ils croyaient
si fermement en leur religion les jours d'un chacun être
de toute éternité préfix *c* et comptés d'une préordonnance
inévitable, qu'ils allaient à la guerre nus, sauf un glaive
à la turquesque, et le corps seulement couvert d'un linge
blanc. Et pour leur plus extrême maudisson *d*, quand ils
se courrouçaient aux leurs, ils avaient toujours en la
bouche : « Maudit sois-tu, comme celui qui s'arme de

a. Même. — *b.* Événement. — *c* Fixé à l'avance. — *d.* Malé-
diction.

peur de la mort! » Voilà bien autre preuve de créance et de foi que la nôtre!

Et de ce rang est aussi celle que donnèrent ces deux religieux de Florence, du temps de nos pères [11]. Étant en quelque controverse de science, ils s'accordèrent d'entrer tous deux dans le feu, en présence de tout le peuple et en la place publique, pour la vérification chacun de son parti. Et en étaient déjà les apprêts tout faits, et la chose justement sur le point de l'exécution, quand elle fut interrompue par un accident imprévu.

Un jeune seigneur turc [12] ayant fait un signalé fait d'armes de sa personne, à la vue des deux batailles, d'Amurat et de l'Huniade [13], prêtes à se donner, enquis par Amurat, qui l'avait, en si grande jeunesse et inexpérience (car c'était la première guerre qu'il eût vue), rempli d'une si généreuse vigueur de courage, répondit qu'il avait eu pour souverain précepteur de vaillance un lièvre : « Quelque jour, étant à la chasse, dit-il, je découvre un lièvre en forme [a], et encore que j'eusse deux excellents lévriers à mon côté, si me sembla-t-il, pour le faillir [b] point, qu'il valait mieux y employer encore mon arc, car il me faisait fort beau jeu. Je commençai à décocher mes flèches, et jusques à quarante qu'il y en avait en ma trousse, non sans l'assener [c] seulement, mais sans l'éveiller. Après tout, je découplai mes lévriers après, qui n'y purent non plus. J'appris par là qu'il avait été couvert par sa destinée, et que ni les traits ni les glaives ne portent que par le congé de notre fatalité, laquelle il n'est en nous de reculer ni d'avancer. » Ce conte doit servir à nous faire voir en passant combien notre raison est flexible à toute sorte d'images.

Un personnage, grand d'ans, de nom, de dignité et de doctrine [d], se vantait à moi d'avoir été porté à certaine mutation très importante de sa foi par une incitation étrangère aussi bizarre et, au reste, si mal concluante que je la trouvai plus forte au revers : lui l'appelait miracle, et moi aussi, à divers sens.

Leurs historiens disent que la persuasion étant populairement semée entre les Turcs, de la fatale et implorable prescription de leurs jours, aide apparemment à les

---

a. Au gîte. — *b.* Manquer. — *c.* L'atteindre. — *d.* Science.

assurer aux dangers. Et je connais un grand Prince [14]
qui y trouve noblement son profit, si fortune continue à
lui faire épaule [a].

Il n'est point advenu, de notre mémoire, un plus
admirable effet de résolution que de ces deux qui cons-
pirèrent la mort du prince d'Orange [15]. C'est merveille
comment on put échauffer le second, qui l'exécuta, à
une entreprise en laquelle il était si mal advenu à son
compagnon, y ayant apporté tout ce qu'il pouvait; et,
sur cette trace et de mêmes armes, aller entreprendre un
seigneur armé d'une si fraîche instruction de défiance,
puissant de suite d'amis et de force corporelle, en sa salle,
parmi ses gardes, en une ville toute à sa dévotion. Certes,
il y employa une main bien déterminée et un courage
ému d'une vigoureuse passion. Un poignard [16] est plus
sûr pour asséner [b], mais, d'autant qu'il a besoin de plus
de mouvement et de vigueur de bras que n'a un pistolet,
son coup est plus sujet à être gauchi [c] ou troublé. Que
celui-ci ne courût à une mort certaine, je n'y fais pas
grand doute; car les espérances de quoi on le pouvait
amuser, ne pouvaient loger en entendement rassis; et
la conduite de son exploit montre qu'il n'en avait pas
faute, non plus que de courage. Les motifs d'une si puissante persuasion peuvent être divers, car notre fantaisie
fait de soi et de nous ce qu'il lui plaît.

L'exécution qui fut faite près d'Orléans [17] n'eut rien
de pareil; il y eut plus de hasard que de vigueur; le coup
n'était pas mortel, si la fortune ne l'en eût rendu; et
l'entreprise de tirer à cheval, et de loin, et à un qui se
mouvait au branle de son cheval, fut l'entreprise d'un
homme qui aimait mieux faillir son effet que faillir à
se sauver. Ce qui suivit après le montra. Car il se transit
et s'enivra de la pensée de si haute exécution, si qu'il
perdit et troubla entièrement son sens, et à conduire sa
fuite, et à conduire sa langue en ses réponses. Que lui
fallait-il, que recourir à ses amis au travers d'une rivière?
c'est un moyen où je me suis jeté à moindres dangers et
que j'estime de peu de hasard, quelque largeur qu'ait
le passage, pourvu que votre cheval trouve l'entrée
facile et que vous prévoyiez au-delà un bord aisé selon

a. Le seconder. — *b* Frapper. — *c.* Dévié.

le cours de l'eau. L'autre [18], quand on lui prononça son horrible sentence : « J'y étais préparé, dit-il ; je vous étonnerai de ma patience. »

Les Assassins, nation dépendante de la Phénicie, sont estimés entre les Mahométans d'une souveraine dévotion et pureté de mœurs. Ils tiennent que le plus certain moyen de mériter Paradis, c'est tuer quelqu'un de religion contraire. Par quoi méprisant tous les dangers propres, pour une si utile exécution, un ou deux se sont vus souvent, au prix d'une certaine mort, se présenter à assassiner (nous avons emprunté ce mot de leur nom) leur ennemi au milieu de ses forces. Ainsi fut tué notre comte Raimond de Tripoli en sa ville [19].

CHAPITRE XXX

D'UN ENFANT MONSTRUEUX

Ce conte s'en ira tout simple, car je laisse aux médecins d'en discourir [1]. Je vis avant-hier un enfant que deux hommes et une nourrice, qui se disaient être le père, l'oncle et la tante, conduisaient pour tirer quelque sou de le montrer à cause de son étrangeté. Il était en tout le reste d'une forme commune, et se soutenait sur ses pieds, marchait et gazouillait à peu près comme les autres de même âge; il n'avait encore voulu prendre autre nourriture que du tétin de sa nourrice; et ce qu'on essaya en ma présence de lui mettre en la bouche, il le mâchait un peu, et le rendait sans avaler; ses cris semblaient bien avoir quelque chose de particulier; il était âgé de quatorze mois justement. Au-dessous de ses tétins, il était pris et collé à un autre enfant sans tête, et qui avait le conduit du dos étoupé [a], le reste entier; car il avait bien un bras plus court, mais il lui avait été rompu par accident à leur naissance; ils étaient joints face à face, et comme si un plus petit enfant en voulait accoler un plus grandelet. La jointure et l'espace par où ils se tenaient, n'était que de quatre doigts ou environ, en manière que si vous retroussiez cet enfant imparfait, vous voyiez au-dessous le nombril de l'autre; ainsi la couture se faisait entre les tétins et son nombril. Le nombril de l'imparfait ne se pouvait voir, mais oui bien tout le reste de son ventre. Voilà comme ce qui n'était pas attaché, comme bras, fessier, cuisses et jambes de cet

a. Le canal... bouché.

imparfait, demeuraient pendants et branlants sur l'autre, et lui pouvait aller sa longueur jusques à mi-jambe. La nourrice nous ajoutait qu'il urinait par tous les deux endroits; aussi étaient les membres de cet autre nourris et vivants, et en même point que les siens, sauf qu'ils étaient plus petits et menus.

Ce double corps et ces membres divers, se rapportant à une seule tête, pourraient bien fournir de favorable pronostic au roi de maintenir sous l'union de ses lois ces parts *a* et pièces diverses de notre État; mais, de peur que l'événement ne le démente, il vaut mieux le laisser passer devant, car il n'est que de deviner en choses faites : « *Ut quum facta sunt, tum ad conjecturam aliqua interpretatione revocantur* *. » Comme on dit d'Épiménide qu'il devinait à reculons [2].

Je viens de voir un pâtre en Médoc, de trente ans ou environ, qui n'a aucune montre des parties génitales : il a trois trous par où il rend son eau incessamment; il est barbu, a désir, et recherche l'attouchement des femmes.

Ce que nous appelons monstres ne le sont pas à Dieu, qui voit en l'immensité de son ouvrage l'infinité des formes qu'il y a comprises; et est à croire que cette figure qui nous étonne, se rapporte et tient à quelque autre figure de même genre inconnu à l'homme. De sa toute sagesse il ne part rien que bon et commun et réglé; mais nous n'en voyons pas l'assortiment et la relation.

« *Quod crebro videt, non miratur, etiam si cur fiat nescit. Quod ante non vidit, id, si evenerit, ostentum esse censet* **. »

Nous appelons contre nature ce qui advient contre la coutume; rien n'est que selon elle, quel qu'il soit. Que cette raison universelle et naturelle chasse de nous l'erreur et l'étonnement que la nouvelleté nous apporte.

---

a. Partis.

* Cicéron, *De Divinatione*, livre II, chap. xxxi : « Afin de faire correspondre les faits à l'hypothèse après coup. »

** *Ib l.*, livre II, chap. xxvii : « Ce qu'il voit souvent, ne le surprend pas, même s'il en ignore la cause. Ce qu'il n'a pas vu auparavant, quand la chose se produit, lui semble un prodige. »

CHAPITRE XXXI

DE LA COLÈRE

Plutarque est admirable partout, mais principalement
où il juge des actions humaines. On peut voir les belles
choses qu'il dit en la comparaison de Lycurgue et de
Numa [1], sur le propos de la grande simplesse que ce nous
est d'abandonner les enfants au gouvernement et à la
charge de leurs pères. La plupart de nos polices *a*, comme
dit Aristote [2], laissent à chacun, en manière des Cyclopes,
la conduite de leurs femmes et de leurs enfants, selon
leur folle et indiscrète *b* fantaisie; et quasi les seules
Lacédémonienne et Crétense [3] ont commis aux lois la
discipline de l'enfance. Qui ne voit qu'en un État tout
dépend de son éducation et nourriture *c* ? et cependant,
sans aucune discrétion, on la laisse à la merci des parents,
tant fols et méchants qu'ils soient.

Entre autres choses, combien de fois m'a-t-il pris
envie, passant par nos rues, de dresser une farce, pour
venger des garçonnets que je voyais écorcher, assommer
et meurtrir à *d* quelque père ou mère furieux et forcenés
de colère! Vous leur voyez sortir le feu et la rage des
yeux,

> *rabie jecur incendente, feruntur*
> *Præcipites, ut saxa jugis abrupta, quibus mons*
> *Subtrahitur, clivóque latus pendente recedit* *,

a. Sociétés. — b. Inconsidérée. — c. Formation. — d. Par.
   * Juvénal, *Satire VI* : « Quand la rage embrase leur foie, ils
s'élancent impétueusement, tel le rocher arraché au sommet, quand
la montagne se dérobe et que, sur la pente raide, son flanc s'écroule. »

(et, selon Hippocrate, les plus dangereuses maladies sont celles qui défigurent le visage [4]), à tout [a] une voix tranchante et éclatante, souvent contre qui ne fait que sortir de nourrice. Et puis les voilà estropiés, étourdis de coups; et notre justice qui n'en fait compte, comme si ces éboitements [b] et élochements [c] n'étaient pas des membres de notre chose publique [5] :

> *Gratum est quod patriæ civem populóque dedisti,*
> *Si facis ut patriæ sit idoneus, utilis agris,*
> *Utilis et bellorum et pacis rebus agendis *.*

Il n'est passion qui ébranle tant la sincérité des jugements que la colère. Aucun ne ferait doute de punir de mort le juge qui, par colère, aurait condamné son criminel; pourquoi est-il non plus permis aux pères et aux pédants [d] de fouetter les enfants et les châtier étant en colère? Ce n'est plus correction, c'est vengeance. Le châtiment tient lieu de médecine aux enfants : et souffririons-nous un médecin qui fût animé et courroucé contre son patient?

Nous-mêmes, pour bien faire, ne devrions jamais mettre la main sur nos serviteurs, tandis que la colère nous dure. Pendant que le pouls nous bat et que nous sentons de l'émotion, remettons la partie; les choses nous sembleront à la vérité autres, quand nous serons racoisés [e] et refroidis; c'est la passion qui commande lors, c'est la passion qui parle, ce n'est pas nous.

Au travers d'elle [6], les fautes nous apparaissent plus grandes, comme les corps au travers d'un brouillard. Celui qui a faim, use de viande; mais celui qui veut user de châtiment, n'en doit avoir faim ni soif.

Et puis, les châtiments qui se font avec poids et discrétion, se reçoivent bien mieux et avec plus de fruit de celui qui les souffre. Autrement, il ne pense pas avoir été justement condamné par un homme agité d'ire et

---

a. Avec. — *b.* Boiteries. — *c.* Claudications, dislocations — *d.* Maîtres d'école — *e.* Apaisés.

* Juvénal, *Satire XIV* : « Tu mérites la reconnaissance pour avoir donné un citoyen à la patrie et au peuple, à condition que tu le rendes propre à servir la patrie, à cultiver les champs, utile à tous les travaux de la paix et de la guerre. »

de furie; et allègue pour sa justification les mouvements extraordinaires de son maître, l'inflammation de son visage, les serments inusités, et cette sienne inquiétude et précipitation téméraire :

> *Ora tument ira, nigrescunt sanguine venæ,*
> *Lumina Gorgoneo sævius igne micant* *.

Suétone récite que Lucius Sarturninus ayant été condamné par César, ce qui lui servit le plus envers le peuple (auquel il appela) pour lui faire gagner sa cause, ce fut l'animosité et l'âpreté que César avait apportées en ce jugement [7].

Le dire est autre chose que le faire : il faut considérer le prêche à part, et le prêcheur à part. Ceux-là se sont donné beau jeu, en notre temps, qui ont essayé de choquer la vérité de notre Église par les vices des ministres d'icelle; elle tire ses témoignages d'ailleurs; c'est une sotte façon d'argumenter et qui rejetterait toutes choses en confusion. Un homme de bonnes mœurs peut avoir des opinions fausses, et un méchant peut prêcher vérité, voire celui qui ne la croit pas. C'est sans doute une belle harmonie quand le faire et le dire vont ensemble, et je ne veux pas nier que le dire, lorsque les actions suivent, ne soient de plus d'autorité et efficace. Comme disait Eudamidas [8] oyant un philosophe discourir de la guerre : « Ces propos sont beaux, mais celui qui les dit n'en est pas croyable, car il n'a pas les oreilles accoutumées au son de la trompette. » Et Cléomène, oyant un Rhétoricien haranguer de la vaillance, s'en prit fort à rire; et l'autre s'en scandalisant, il lui dit : « J'en ferais de même, si c'était une arondelle qui en parlât; mais, si c'était un aigle, je l'orrais [a] volontiers. » J'aperçois, ce me semble, ès écrits des Anciens, que celui qui dit ce qu'il pense, l'assène bien plus vivement que celui qui se contrefait. Oyez Cicéron parler de l'amour de la liberté, oyez-en parler Brutus : les écrits mêmes vous sonnent

---

a. Écouterais.

* Ovide, *Art d'aimer*, chant III : « Son visage est bouffi de colère, ses veines se gonflent d'un sang noir, ses yeux étincellent d'un feu plus ardent que ceux de la Gorgone. »

que celui-ci était homme pour l'acheter au prix de la vie. Que Cicéron, père d'éloquence, traite du mépris de la mort; que Sénèque en traite aussi : celui-là traîne languissant, et vous sentez qu'il vous veut résoudre de chose de quoi il n'est pas résolu; il ne vous donne point de cœur, car lui-même n'en a point; l'autre vous anime et enflamme. Je ne vois jamais auteur, mêmement de ceux qui traitent de la vertu et des offices, que je ne recherche curieusement quel il a été.

Car les Éphores, à Sparte, voyant un homme dissolu proposer au peuple un avis utile, lui commandèrent de se taire, et prièrent un homme de bien de s'en attribuer l'invention et le proposer [9].

Les écrits de Plutarque, à les bien savourer, nous le découvrent assez, et je pense le connaître jusques dans l'âme; si voudrais-je que nous eussions quelques mémoires de sa vie; et me suis jeté en ce discours à quartier [a] à propos du bon gré que je sens à Aulu-Gelle [10] de nous avoir laissé par écrit ce conte de ses mœurs qui revient à mon sujet de la colère. Un sien esclave mauvais homme et vicieux, mais qui avait les oreilles aucunement abreuvées des leçons de philosophie, ayant été pour quelque sienne faute dépouillé par le commandement de Plutarque, pendant qu'on le fouettait, grondait au commencement que c'était sans raison et qu'il n'avait rien fait; mais enfin, se mettant à crier et à injurier bien à bon escient son maître, lui reprochait qu'il n'était pas philosophe, comme il s'en vantait; qu'il lui avait souvent ouï dire qu'il était laid de se courroucer, voire qu'il en avait fait un livre; et ce que lors, tout plongé en la colère, il le faisait si cruellement battre, démentait entièrement ses écrits. A cela Plutarque, tout froidement et tout rassis : « Comment, dit-il, rustre, à quoi juges-tu que je sois à cette heure courroucé? Mon visage, ma voix, ma couleur, ma parole, te donnent-ils quelque témoignage que je sois ému? Je ne pense avoir ni les yeux effarouchés, ni le visage troublé, ni un cri effroyable. Rougis-je? écumé-je? m'échappe-t-il de dire chose de quoi j'aie à me repentir? tressaux-je? frémis-je de courroux? car, pour te dire, ce sont là les vrais signes de la colère. » Et puis,

a. Digression.

se détournant à celui qui fouettait. « Continuez, lui dit-il, toujours votre besogne, pendant que celui-ci et moi disputons. » Voilà son conte [11].

Architas Tarentinus [12], revenant d'une guerre où il avait été capitaine général, trouva tout plein de mauvais ménage en sa maison, et ses terres en friche par le mauvais gouvernement de son receveur; et, l'ayant fait appeler : « Va, lui dit-il, que si je n'étais en colère, je t'étrillerais bien! » Platon de même, s'étant échauffé contre l'un de ses esclaves, donna à Speusippe charge de le châtier, s'excusant d'y mettre la main lui-même sur ce qu'il était courroucé. Charillus [13], Lacédémonien, à un ilote qui se portait trop insolemment et audacieusement envers lui : « Par les Dieux! dit-il, si je n'étais courroucé, je te ferais tout à cette heure mourir. »

C'est une passion qui se plaît en soi et qui se flatte. Combien de fois, nous étant ébranlés sous une fausse cause, si on vient à nous présenter quelque bonne défense ou excuse, nous dépitons-nous contre la vérité même et l'innocence? J'ai retenu à ce propos un merveilleux exemple de l'Antiquité [14]. Pison, personnage par tout ailleurs de notable vertu, s'étant ému contre un sien soldat de quoi, revenant seul du fourrage, il ne lui savait rendre compte où il avait laissé un sien compagnon, tint pour avéré qu'il l'avait tué, et le condamna soudain à la mort. Ainsi qu'il était au gibet, voici arriver ce compagnon égaré. Toute l'armée en fit grande fête, et après force caresses et accolades des deux compagnons, le bourreau mène l'un et l'autre en la présence de Pison, s'attendant bien toute l'assistance que ce lui serait à lui-même un grand plaisir. Mais ce fut au rebours : car, par honte et dépit, son ardeur qui était encore en son effort se redoubla; et, d'une subtilité que sa passion lui fournit soudain, il en fit trois coupables parce qu'il en avait trouvé un innocent, et les fit dépêcher [a] tous trois : le premier soldat, parce qu'il y avait arrêt contre lui; le second qui s'était écarté, parce qu'il était cause de la mort de son compagnon; et le bourreau, pour n'avoir obéi au commandement qu'on lui avait fait.

Ceux qui ont à négocier avec des femmes têtues

[a]. Exécuter.

peuvent avoir essayé à quelle rage on les jette, quand
on oppose à leur agitation le silence et la froideur, et
qu'on dédaigne de nourrir leur courroux. L'orateur Celius
était merveilleusement colère de sa nature. A un qui sou-
pait en sa compagnie, homme de molle et douce conversation, et qui, pour ne l'émouvoir, prenait parti d'approuver tout ce qu'il disait et d'y consentir, lui, ne pouvant
souffrir son chagrin se passer ainsi sans aliment : « Nie-
moi quelque chose, de par les Dieux! fit-il, afin que nous
soyons deux [15]. » Elles, de même, ne se courroucent
qu'afin qu'on se contre-courrouce, à l'imitation des lois
de l'amour. Phocion, à un homme qui lui troublait son
propos en l'injuriant âprement, n'y fit autre chose que
se taire et lui donner tout loisir d'épuiser sa colère;
cela fait, sans aucune mention de ce trouble, il recom-
mença son propos en l'endroit où il l'avait laissé [16]. Il
n'est réplique si piquante comme est un tel mépris.

Du plus colère homme de France (et c'est toujours
imperfection, mais plus excusable à un homme militaire : car, en cet exercice, il y a certes des parties qui
ne s'en peuvent passer), je dis souvent que c'est le plus
patient homme que je connaisse à brider sa colère :
elle l'agite de telle violence et fureur,

> *magno veluti cum flamma sonore*
> *Virgea suggeritur costis undantis aheni,*
> *Exultantque œstu latices; furit intus aquaï*
> *Fumidus atque alte spumis exuberat amnis;*
> *Nec jam se capit unda; volat vapor ater ad auras* *,

qu'il faut qu'il se contraigne cruellement pour la modérer. Et pour moi, je ne sache passion pour laquelle
couvrir et soutenir je pusse faire un tel effort. Je ne
voudrais mettre la sagesse à si haut prix. Je ne regarde
pas tant ce qu'il fait que combien il lui coûte à ne faire
pis.

Un autre se vantait à moi du règlement et douceur

* Virgile, *Énéide*, chant VII : « Ainsi, lorsque la flamme pétil-
lante d'un feu de bois s'allume à grand bruit sous un vase d'airain,
l'eau se soulève par l'effet de la chaleur, bouillonne à l'intérieur et
franchit, écumante, les bords du vase; elle ne se contient plus; une
noire vapeur s'élève dans les airs. »

de ses mœurs, qui est, à la vérité, singulière. Je lui disais
que c'était bien quelque chose, notamment à ceux
comme lui d'éminente qualité sur lesquels chacun
a les yeux, de se présenter au monde toujours bien
tempéré, mais que le principal était de pourvoir au-
dedans et à soi-même, et que ce n'était pas, à mon gré,
bien ménager ses affaires que de se ronger intérieurement :
ce que je craignais qu'il fît pour maintenir ce masque
et cette réglée apparence par le dehors.

On incorpore la colère en la cachant, comme Diogène
dit à Démosthène [17], lequel, de peur d'être aperçu en
une taverne, se reculait au-dedans. « Tant plus tu te
recules arrière, tant plus tu y entres. » Je conseille qu'on
donne plutôt une buffe [18] à la joue de son valet un peu
hors de saison, que de gêner sa fantaisie *a* pour représenter cette sage contenance ; et aimerais mieux produire
mes passions que de les couver à mes dépens ; elles
s'alanguissent en s'éventant et en s'exprimant ; il vaut
mieux que leur pointe agisse au-dehors que de la plier
contre nous. « *Omnia vitia in aperto leviora sunt ; et tunc
perniciosissima, cum simulata sanitate subsidunt* *. »

J'avertis ceux qui ont loi de se pouvoir courroucer
en ma famille : premièrement, qu'ils ménagent leur
colère et ne l'épandent pas à tout prix ; car cela en empêche l'effet et le poids ; la criaillerie téméraire et ordinaire
passe en usage et fait que chacun la méprise ; celle que
vous employez contre un serviteur pour son larcin, ne
se sent point, d'autant que c'est celle même qu'il vous a
vu employer cent fois contre lui, pour avoir mal rincé
un verre ou mal assis une escabelle ; — secondement,
qu'ils ne se courroucent point en l'air, et regardent que
leur répréhension arrive à celui de qui ils se plaignent :
car ordinairement ils crient avant qu'il soit en leur
présence, et durent à crier un siècle après qu'il est parti,

et secum petulans amentia certat **.

a. Humeur.
* Sénèque *Épître 56*: « Les vices apparents sont les plus légers,
ils sont les plus dangereux précisément lorsqu'ils se cachent sous
l'apparence de la santé. »
** Claudien, *Contre Eutrope*, chant I : « La folie, dans son
exaltation, se tourne contre elle-même. »

Ils s'en prennent à leur ombre et poussent cette tempête
en lieu où personne n'en est ni châtié ni intéressé, que,
du tintamarre de leur voix, tel qui n'en peut mais.
J'accuse pareillement aux querelles ceux qui bravent
et se mutinent sans partie [a]; il faut garder ces rodomon-
tades où elles portent :

> *Mugitus veluti cum prima in prœlia taurus*
> *Terrificos ciet atque irasci in cornua tentat,*
> *Arboris obnixus trunco, ventósque lacessit*
> *Ictibus, et sparsa ad pugnam proludit arena* *.

Quand je me courrouce, c'est le plus vivement, mais
aussi le plus brièvement et secrètement que je puis; je
me perds bien en vitesse et en violence, mais non pas en
trouble, si que j'aille jetant à l'abandon et sans choix
toute sorte de paroles injurieuses, et que je ne regarde
d'asseoir pertinemment mes pointes où j'estime qu'elles
blessent le plus : car je n'y emploie communément que
la langue. Mes valets en ont meilleur marché aux grandes
occasions qu'aux petites; les petites me surprennent; et
lo malheur veut que, depuis que vous êtes dans le précipice, il n'importe qui vous ait donné le branle, vous
allez toujours jusques au fond; la chute se presse, s'émeut
et se hâte d'elle-même. Aux grandes occasions, cela me
paie qu'elles sont si justes que chacun s'attend d'en voir
naître une raisonnable colère; je me glorifie à tromper
leur attente; je me bande et prépare contre celles-ci;
elles me mettent en cervelle et menacent de m'emporter
bien loin si je les suivais. Aisément je me garde d'y
entrer, et suis assez fort, si je l'attends, pour repousser
l'impulsion de cette passion, quelque violente cause
qu'elle ait; mais si elle me préoccupe [b] et saisit une fois,
elle m'emporte, quelque vaine cause qu'elle ait. Je mar-
chande ainsi avec ceux qui peuvent contester avec moi :
« Quand vous me sentirez ému le premier, laissez-moi

---

a. Sans adversaire. — b. Surprend.
* Virgile, *Énéide*, chant XII : « Tel le taureau, pour un premier
combat, pousse des mugissements terribles et essaie sa colère et
ses cornes; heurtant un tronc d'arbre, harcelant les airs de ses
coups, il prélude au combat en dispersant la poussière. »

aller à tort ou à droit; j'en ferai de même à mon tour. »
La tempête ne s'engendre que de la concurrence des
colères qui se produisent volontiers l'une de l'autre, et
ne naissent en un point. Donnons à chacune sa course,
nous voilà toujours en paix. Utile ordonnance, mais de
difficile exécution. Parfois m'advient-il aussi de représenter le courroucé, pour le règlement de ma maison,
sans aucune vraie émotion. A mesure que l'âge me rend
les humeurs plus aigres, j'étudie à m'y opposer, et ferai,
si je puis, que je serai dorénavant d'autant moins chagrin
et difficile que j'aurai plus d'excuse et d'inclination à
l'être, quoique par ci-devant je l'aie été entre ceux qui
le sont le moins.

Encore un mot pour clore ce pas. Aristote dit [19] que la
colère sert parfois d'arme à la vertu et à la vaillance. Cela
est vraisemblable; toutefois ceux qui y contredisent
répondent plaisamment que c'est une arme de nouvel
usage : car nous remuons les autres armes, celle-ci nous
remue; notre main ne la guide pas, c'est elle qui guide
notre main; elle nous tient, nous ne la tenons pas.

CHAPITRE XXXII

DÉFENSE DE SÉNÈQUE
ET DE PLUTARQUE

La familiarité que j'ai avec ces personnages-ci, et l'assistance qu'ils font à ma vieillesse et à mon livre maçonné purement de leurs dépouilles, m'obligent à épouser leur honneur.

Quant à Sénèque, parmi une milliasse de petits livrets que ceux de la religion prétendue réformée font courir pour la défense de leur cause, qui partent parfois de bonne main et qu'il est grand dommage n'être embesognée à meilleur sujet, j'en ai vu autrefois un qui, pour allonger et remplir la similitude qu'il veut trouver du gouvernement de notre pauvre feu roi Charles neuvième avec celui de Néron [1], apparie feu M. le cardinal de Lorraine avec Sénèque : leurs fortunes, d'avoir été tous deux les premiers au gouvernement de leurs princes, et quant et quant *a* leurs mœurs, leurs conditions et leurs déportements *b*. En quoi, à mon opinion, il fait bien de l'honneur audit seigneur cardinal : car, encore que je sois de ceux qui estiment autant son esprit, son éloquence, son zèle envers sa religion et service de son roi, et sa bonne fortune d'être né en un siècle où il fut si nouveau et si rare, et quant et quant, si nécessaire pour le bien public, d'avoir un personnage ecclésiastique de telle noblesse et dignité, suffisant *c* et capable de sa charge : si est-ce qu'à confesser la vérité, je n'estime sa capacité de beaucoup près telle, ni sa vertu si nette et entière, ni si ferme, que celle de Sénèque.

a. Avec. — *b.* Actions. — *c.* Habile.

Or ce livre de quoi je parle, pour venir à son but, fait
une description de Sénèque très injurieuse, ayant
emprunté ces reproches de Dion l'historien [2], duquel je
ne crois aucunement le témoignage ; car, outre ce qu'il
est inconstant, qui, après avoir appelé Sénèque très sage
tantôt, et tantôt ennemi mortel des vices de Néron, le
fait ailleurs avaricieux, usurier, ambitieux, lâche, voluptueux et contrefaisant le philosophe à fausses enseignes,
sa vertu paraît si vive et vigoureuse en ses écrits, et la
défense y est si claire à aucunes de ces imputations,
comme de sa richesse et dépense excessive, que je n'en
croirai aucun témoignage au contraire. Et davantage, il
est bien plus raisonnable de croire en telles choses les
historiens romains que les grecs et étrangers. Or Tacite [3]
et les autres parlent très honorablement et de sa vie et
de sa mort, et nous le peignent en toutes choses personnage très excellent et très vertueux. Et je ne veux alléguer autre reproche contre le jugement de Dion que
celui-ci, qui est inévitable : c'est qu'il a le sentiment si
malade aux affaires romaines qu'il ose soutenir la cause de
Jules César contre Pompée, et d'Antoine contre Cicéron [4].
Venons à Plutarque.

Jean Bodin [5] est un bon auteur de notre temps, et
accompagné de beaucoup plus de jugement que la
tourbe des écrivailleurs de son siècle, et mérite qu'on
le juge et considère. Je le trouve un peu hardi en ce passage de sa *Méthode de l'histoire* [6], où il accuse Plutarque
non seulement d'ignorance (sur quoi je l'eusse laissé
dire, car cela n'est pas de mon gibier), mais aussi en ce
que cet auteur écrit souvent des choses incroyables et
entièrement fabuleuses (ce sont ses mots). S'il eût dit
simplement les choses autrement qu'elles ne sont, ce
n'était pas grande répréhension ; car ce que nous n'avons
pas vu, nous le prenons des mains d'autrui et à crédit [a],
et je vois que, à escient, il récite [b] parfois diversement
même histoire : comme le jugement des trois meilleurs
capitaines qui eussent onques été, fait par Hannibal, il
est autrement en la vie de Flaminius, autrement en celle
de Pyrrhus [7]. Mais de le charger d'avoir pris pour argent
comptant des choses incroyables et impossibles, c'est

a. De confiance. — *b.* Raconte.

accuser de faute de jugement le plus judicieux auteur du monde.

Et voici son exemple : « Comme, ce dit-il [8], quand il récite qu'un enfant de Lacédémone se laissa déchirer tout le ventre à un renardeau qu'il avait dérobé, et le tenait caché sous sa robe, jusques à mourir plutôt que de découvrir son larcin. » Je trouve en premier lieu cet exemple mal choisi, d'autant qu'il est bien malaisé de borner les efforts des facultés de l'âme, là où des forces corporelles nous avons plus de loi de les limiter et connaître; et à cette cause, si c'eût été à moi à faire, j'eusse plutôt choisi un exemple de cette seconde sorte; et il y en a de moins croyables, comme, entre autres, ce qu'il récite de Pyrrhus [9], que, tout blessé qu'il était, il donna si grand coup d'épée à un sien ennemi armé de toutes pièces, qu'il le fendit du haut de la tête jusques en bas, si que le corps se partit [a] en deux parts. En son exemple, je n'y trouve pas grand miracle, ni ne reçois l'excuse de quoi il couvre Plutarque d'avoir ajouté ce mot : *Comme on dit*, pour nous avertir et tenir en bride notre créance. Car, si ce n'est aux choses reçues par autorité et révérence d'ancienneté ou de religion, il n'eût voulu ni recevoir lui-même, ni nous proposer à croire choses de soi incroyables; et que ce mot : *Comme on dit*, il ne l'emploie pas en ce lieu pour cet effet, il est aisé à voir par ce que lui-même nous raconte ailleurs sur ce sujet de la patience des enfants lacédémoniens, des exemples advenus de son temps plus malaisés à persuader : comme celui que Cicéron a témoigné aussi avant lui [10], pour avoir, à ce qu'il dit, été sur les lieux : que jusques à leur temps il se trouvait des enfants, en cette preuve de patience à quoi on les essayait devant l'autel de Diane, qui souffraient d'y être fouettés jusques à ce que le sang leur coulât partout, non seulement sans s'écrier, mais encore sans gémir, et aucuns jusques à y laisser volontairement la vie. Et ce que Plutarque aussi récite, avec cent autres témoins, que, au sacrifice, un charbon ardent s'étant coulé dans la manche d'un enfant lacédémonien, ainsi qu'il encensait, il se laissa brûler tout le bras jusques à ce que la senteur de la chair cuite en vînt aux assistants. Il n'était rien,

a. Se partagea.

selon leur coutume, où il leur allât plus de la réputation, ni de quoi ils eussent à souffrir plus de blâme et de honte, que d'être surpris en larcin. Je suis si imbu de la grandeur de ces hommes-là, que non seulement il ne me semble, comme à Bodin, que son conte soit incroyable, que je ne le trouve pas seulement rare et étrange.

L'histoire Spartaine est pleine de mille plus âpres exemples et plus rares : elle est, à ce prix, tout miracle.

Ammien Marcellin [11] récite, sur ce propos du larcin, que de son temps il ne s'était encore pu trouver aucune sorte de tourment qui pût forcer les Égyptiens surpris en ce méfait, qui était fort en usage entre eux, de dire seulement leur nom.

Un paysan espagnol, étant mis à la gêne [a] sur les complices de l'homicide du préteur Lucius Pison, criait, au milieu des tourments, que ses amis ne bougeassent et l'assistassent en toute sûreté, et qu'il n'était pas en la douleur de lui arracher un mot de confession; et n'en eut-on autre chose pour le premier jour. Le lendemain, ainsi qu'on le ramenait pour recommencer son tourment, s'ébranlant vigoureusement entre les mains de ses gardes, il alla froisser sa tête contre une paroi et s'y tua [12].

Épicharis [13], ayant saoulé et lassé la cruauté des satellites de Néron et soutenu leur feu, leurs batures [b], leurs engins, sans aucune voix de révélation de sa conjuration, tout un jour; rapportée à la gêne le lendemain, les membres tous brisés, passa un lacet de sa robe dans un bras de sa chaise à tout [c] un nœud coulant et, y fourrant sa tête, s'étrangla du poids de son corps. Ayant le courage d'ainsi mourir et se dérober aux premiers tourments, semble-t-elle pas à escient avoir prêté sa vie à cette épreuve de sa patience [14] pour se moquer de ce tyran et encourager d'autres à semblable entreprise contre lui?

Et qui s'enquerra à nos argolets [d] des expériences qu'ils ont eues en ces guerres civiles, il se trouvera des effets de patience, d'obstination et d'opiniâtreté, parmi nos misérables siècles et en cette tourbe molle et efféminée encore plus que l'égyptienne, dignes d'être comparés à ceux que nous venons de réciter de la vertu spar-

---

a. Torture. — *b.* Coups. — *c.* Avec. — *d.* Archers.

taine. Je sais qu'il s'est trouvé des simples paysans s'être laissés griller la plante des pieds, écraser le bout des doigts à tout le chien d'une pistole, pousser les yeux sanglants hors de la tête à force d'avoir le front serré d'une grosse corde, avant que de s'être seulement voulu mettre à rançon. J'en ai vu un [15], laissé pour mort tout nu dans un fossé, ayant le col tout meurtri et enflé d'un licol qui y pendait encore, avec lequel on l'avait tirassé toute la nuit à la queue d'un cheval, le corps percé en cent lieux à coups de dague, qu'on lui avait donnés non pas pour le tuer, mais pour lui faire de la douleur et de la crainte; qui avait souffert tout cela, et jusques à y avoir perdu parole et sentiment, résolu, à ce qu'il me dit, de mourir plutôt de mille morts (comme de vrai, quant à sa souffrance, il en avait passé une tout entière) avant que rien promettre; et si *a*, était un des plus riches laboureurs de toute la contrée. Combien en a-t-on vu se laisser patiemment brûler et rôtir pour des opinions empruntées d'autrui, ignorées et inconnues!

J'ai connu cent et cent femmes, car ils disent que les têtes de Gascogne ont quelque prérogative en cela, que vous eussiez plutôt fait mordre dans le fer chaud que de leur faire démordre une opinion qu'elles eussent conçue en colère. Elles s'exaspèrent à l'encontre des coups et de la contrainte. Et celui qui forgea le conte [16] de la femme qui, pour aucune correction de menaces et bastonnades, ne cessait d'appeler son mari pouilleux, et qui, précipitée dans l'eau, haussait encore en s'étouffant les mains, et faisait au-dessus de sa tête signe de tuer des poux, forgea un conte duquel, en vérité, tous les jours on voit l'image expresse en l'opiniâtreté des femmes. Et est l'opiniâtreté sœur de la constance au moins en vigueur et fermeté.

Il ne faut pas juger ce qui est possible et ce qui ne l'est pas, selon ce qui est croyable et incroyable à notre sens, comme j'ai dit ailleurs [17]; et est une grande faute, et en laquelle toutefois la plupart des hommes tombent (ce que je ne dis pas pour Bodin) de faire difficulté de croire d'autrui ce qu'eux ne sauraient faire, ou ne voudraient. Il semble à chacun que la maîtresse forme de

a. Et pourtant.

nature est en lui [18], touche *a* et rapporte à celle-là toutes
les autres formes. Les allures qui ne se règlent aux siennes,
sont feintes et artificielles. Quelle bestiale stupidité!
Moi, je considère aucuns hommes [19] fort loin au-dessus
de moi, nommément entre les anciens; et encore que
je reconnaisse clairement mon impuissance à les suivre
de mes pas, je ne laisse pas de les suivre à vue et juger
les ressorts qui les haussent ainsi, desquels je n'aperçois
aucunement en moi les semences : comme je fais aussi
de l'extrême bassesse des esprits, qui ne m'étonne et que
je ne mécrois non plus. Je vois bien le tour que celles-là
se donnent pour se monter; et admire leur grandeur,
et ces élancements que je trouve très beaux, je les embrasse; et si mes forces n'y vont, au moins mon jugement
s'y applique très volontiers.

L'autre exemple qu'il allègue des choses incroyables
et entièrement fabuleuses dites par Plutarque, c'est
qu'Agésilas fut mulcté *b* par les Éphores pour avoir
attiré à soi seul le cœur et volonté de ses citoyens. Je
ne sais quelle marque de fausseté il y trouve; mais tant
y a que Plutarque parle là de choses qui lui devaient
être beaucoup mieux connues qu'à nous; et n'était pas
nouveau en Grèce de voir les hommes punis et exilés
pour cela seul d'agréer trop à leurs citoyens, témoin
l'ostracisme et le pétalisme [20].

Il y a encore en ce même lieu une autre accusation qui
me pique pour Plutarque, où il dit qu'il a bien assorti
de bonne foi les Romains aux Romains et les Grecs
entre eux, mais non les Romains aux Grecs, témoin,
dit-il, Démosthène et Cicéron, Caton et Aristide, Sylla
et Lysandre, Marcellus et Pélopidas, Pompée et Agésilas;
estimant qu'il a favorisé les Grecs de leur avoir donné
des compagnons si disparails *c*. C'est justement attaquer
ce que Plutarque a de plus excellent et louable : car, en
ses comparaisons (qui est la pièce plus admirable de ses
œuvres et en laquelle, à mon avis, il s'est autant plu),
la fidélité et sincérité de ses jugements égale leur profondeur et leur poids. C'est un philosophe qui nous

---

a. Met à l'épreuve (cf. pierre de touche). — *b.* Mis à l'amende.
— *c.* Différents.

apprend la vertu. Voyons si nous le pourrons garantir
de ce reproche de prévarication et fausseté.

Ce que je puis penser avoir donné occasion à ce jugement, c'est ce grand et éclatant lustre des noms romains
que nous avons en la tête. Il ne nous semble point que
Démosthène puisse égaler la gloire d'un consul, proconsul
et questeur de cette grande république. Mais qui considérera la vérité de la chose et les hommes en eux-mêmes,
à quoi Plutarque a plus visé, et à balancer ª leurs mœurs,
leurs naturels, leur suffisance que leur fortune, je pense,
au rebours de Bodin, que Cicéron et le vieux Caton en
doivent de reste à leurs compagnons. Pour son dessein,
j'eusse plutôt choisi l'exemple du jeune Caton comparé
à Phocion; car, en cette paire, il se trouverait une plus
vraisemblable disparité à l'avantage du Romain. Quant
à Marcellus, Sylla et Pompée, je vois bien que leurs
exploits de guerre sont plus enflés, glorieux et pompeux
que ceux des Grecs que Plutarque leur apparie; mais
les actions les plus belles et vertueuses, non plus en la
guerre qu'ailleurs, ne sont pas toujours les plus fameuses.
Je vois souvent des noms de capitaines étouffés sous la
splendeur d'autres noms de moins de mérite : témoin
Labienus, Ventidius, Telesinus et plusieurs autres. Et,
à le prendre par là, si j'avais à me plaindre pour les Grecs,
pourrais-je pas dire que beaucoup moins est Camille
comparable à Thémistocle, les Gracques à Agis et Cléomène, Numa à Lycurgue [21]? Mais c'est folie de vouloir
juger d'un trait les choses à tant de visages.

Quand Plutarque les compare, il ne les égale pas pourtant. Qui plus disertement et consciencieusement pourrait remarquer leurs différences? Vient-il à parangonner ᵇ
les victoires, les exploits d'armes, la puissance des
armées conduites par Pompée, et ses triomphes, avec
ceux d'Agésilas : « Je ne crois pas, dit-il [22], que Xénophon
même, s'il était vivant, encore qu'on lui ait concédé
d'écrire tout ce qu'il a voulu à l'avantage d'Agésilas,
osât le mettre en comparaison. » Parle-t-il de conférer
Lysandre à Sylla; « Il n'y a, dit il, point de comparaison [23], ni en nombre de victoires, ni en hasard de batailles;

---

a. Mettre en balance. — *b.* Comparer.

car Lysandre ne gagna seulement que deux batailles navales, etc. »

Cela, ce n'est rien dérober aux Romains; pour les avoir simplement présentés aux Grecs, il ne leur peut avoir fait injure, quelque disparité qui y puisse être. Et Plutarque ne les contrepèse pas entiers; il n'y a en gros aucune préférence [a] : il apparie les pièces et les circonstances, l'une après l'autre, et les juge séparément. Par quoi, si on le voulait convaincre de faveur, il fallait en éplucher quelque jugement particulier, ou dire en général qu'il aurait failli d'assortir tel Grec à tel Romain, d'autant qu'il y en aurait d'autres plus correspondants pour les apparier, et se rapportant mieux.

a. Supériorité.

CHAPITRE XXXIII

L'HISTOIRE DE SPURINA

La philosophie ne pense pas avoir mal employé ses moyens quand elle a rendu à la raison la souveraine maîtrise de notre âme et l'autorité de tenir en bride nos appétits. Entre lesquels ceux qui jugent qu'il n'en y a point de plus violents que ceux que l'amour engendre, ont cela pour leur opinion qu'ils tiennent au corps et à l'âme, et que tout l'homme en est possédé : en manière que la santé même en dépend, et sont la médecine parfois contrainte de leur servir de maquerellage.

Mais, au contraire, on pourrait aussi dire que le mélange du corps y apporte du rabais et de l'affaiblissement : car tels désirs sont sujets à satiété et capables de remèdes matériels. Plusieurs, ayant voulu délivrer leurs âmes des alarmes continuelles que leur donnait cet appétit, se sont servis d'incision et détranchement des parties émues *a* et altérées. D'autres en ont du tout abattu la force et l'ardeur par fréquente application de choses froides, comme de neige et de vinaigre. Les haires de nos aïeux étaient de cet usage; c'est une matière tissue de poil de cheval, de quoi les uns d'entre eux faisaient des chemises, et d'autres des ceintures à gêner leurs reins. Un prince [1] me disait, il n'y a pas longtemps que, pendant sa jeunesse, un jour de fête solennelle, en la cour du roi François premier, où tout le monde était paré, il lui prit envie de se vêtir de la haire, qui est encore chez lui, de monsieur son père; mais, quelque dévotion qu'il eût,

a. Troublées.

qu'il ne sut avoir la patience d'attendre la nuit pour
se dépouiller, et en fut longtemps malade, ajoutant qu'il
ne pensait pas qu'il y eût chaleur de jeunesse si âpre que
l'usage de cette recette ne pût amortir.

Toutefois à l'aventure ne les a-t-il pas essayées les
plus cuisantes; car l'expérience nous fait voir qu'une
telle émotion se maintient bien souvent sous des habits
rudes et marmiteux [a], et que les haires ne rendent pas
toujours hères ceux qui les portent. Xénocrate y procéda
plus rigoureusement [2] : car ses disciples, pour essayer sa
continence, lui ayant fourré dans son lit Laïs, cette belle
et fameuse courtisane, toute nue, sauf les armes de sa
beauté et folâtres appâts, ses philtres, sentant qu'en
dépit de ses discours et de ses règles, le corps, revêche,
commençait à se mutiner, il se fit brûler les membres qui
avaient prêté l'oreille à cette rébellion. Là où les passions
qui sont toutes en l'âme, comme l'ambition, l'avarice
et autres, donnent bien plus à faire à la raison; car elle
n'y peut être secourue que de ses propres moyens, ni
ne sont ces appétits-là capables de satiété, voire ils
s'aiguisent et augmentent par la jouissance.

Le seul exemple de Jules César [3] peut suffire à nous
montrer la disparité de ces appétits, car jamais homme
ne fut plus adonné aux plaisirs amoureux. Le soin curieux
qu'il avait de sa personne, en est un témoignage jusques
à se servir à cela des moyens les plus lascifs qui fussent
lors en usage : comme de se faire pinceter [b] tout le corps
et farder de parfums d'une extrême curiosité [c]. Et de
soi il était beau personnage, blanc, de belle et allègre
taille, le visage plein, les yeux bruns et vifs, s'il en faut
croire Suétone, car les statues qui se voient de lui à Rome
ne rapportent pas bien partout à cette peinture. Outre ses
femmes, qu'il changea à quatre fois, sans compter les
amours de son enfance avec le roi de Bithynie Nicomède,
il eut le pucelage de cette tant renommée reine d'Égypte,
Cléopâtre, témoin le petit Césarion qui en naquit. Il fit
aussi l'amour à Eunoé, reine de Mauritanie, et, à Rome,
à Posthumia, femme de Servius Sulpicius; à Lollia, de
Gabinius; à Tertulla, de Crassus; et à Mutia même,
femme du grand Pompée, qui fut la cause, disent les

a. Misérables. — *b.* Épiler avec des pinces. — *c.* Recherche.

historiens romains, pourquoi son mari la répudia, ce
que Plutarque confesse avoir ignoré; et les Curions père
et fils reprochèrent depuis à Pompée, quand il épousa
la fille de César, qu'il se faisait gendre d'un homme qui
l'avait fait cocu, et que lui-même avait accoutumé
appeler Égisthe [4]. Il entretint, outre tout ce nombre,
Servilia, sœur de Caton et mère de Marcus Brutus, dont
chacun tient que procéda cette grande affection qu'il
portait à Brutus, parce qu'il était né en temps auquel
il y avait apparence qu'il fût né de lui. Ainsi j'ai raison,
ce me semble, de le prendre pour homme extrêmement
adonné à cette débauche et de complexion très amoureuse. Mais l'autre passion de l'ambition, de quoi il était
aussi infiniment blessé, venant à combattre celle-là, elle
lui fit incontinent perdre place.

Me ressouvenant sur ce propos de Mahomet [4 bis], celui
qui subjugua Constantinople et apporta la finale exter-
mination du nom grec, je ne sache point où ces deux
passions se trouvent plus également balancées : pareillement indéfatigable ruffian et soldat. Mais quand en sa
vie elles se présentent en concurrence l'une de l'autre,
l'ardeur querelleuse gourmande toujours l'amoureuse
ardeur. Et celle-ci, encore que ce fût hors sa naturelle
saison, ne regagna pleinement l'autorité souveraine que
quand il se trouva en grande vieillesse, incapable de plus
soutenir le faix des guerres.

Ce qu'on récite [a], pour un exemple contraire, de
Ladislas [5], roi de Naples, est remarquable : que, bon
capitaine, courageux et ambitieux, il se proposait
pour fin principale de son ambition l'exécution de sa
volupté et jouissance de quelque rare beauté. Sa mort fut
de même. Ayant rangé [b] par un siège bien poursuivi la
ville de Florence si à l'étroit que les habitants étaient
après à composer [c] de sa victoire, il la leur quitta [d] pourvu
qu'ils lui livrassent une fille de leur ville, de quoi il
avait ouï parler, de beauté excellente. Force fut de la lui
accorder et garantir la publique ruine par une injure
privée. Elle était fille d'un médecin fameux de son
temps, lequel, se trouvant engagé en si vilaine nécessité,

a. Raconte. — b. Soumis. — c. En train de négocier. — d. Il les
tint quitte.

se résolut à une haute entreprise. Comme chacun parait sa fille et l'attournait d'ornements et joyaux qui la pussent rendre agréable à ce nouvel amant, lui aussi lui donna un mouchoir exquis en senteur et en ouvrage, duquel elle eut à se servir en leurs premières approches, meuble qu'elles n'y oublient guère en ces quartiers-là. Ce mouchoir, empoisonné selon la capacité de son art, venant à se frotter à ces chairs émues et pores ouverts, inspira son venin si promptement, qu'ayant soudain changé leur sueur chaude en froide, ils expirèrent entre les bras l'un de l'autre. Je m'en revais à César.

Ses plaisirs ne lui firent jamais dérober une seule minute d'heure, ni détourner un pas des occasions qui se présentaient pour son agrandissement. Cette passion régenta en lui si souverainement toutes les autres, et posséda son âme d'une autorité si pleine, qu'elle l'emporta où elle voulut. Certes j'en suis dépit, quand je considère au demeurant la grandeur de ce personnage et les merveilleuses parties qui étaient en lui, tant de suffisance en toute sorte de savoir qu'il n'y a quasi science en quoi il n'ait écrit. Il était tel orateur que plusieurs ont préféré son éloquence à celle de Cicéron; et lui-même, à mon avis, n'estimait lui devoir guère en cette partie; et ses deux *Anticatons* furent principalement écrits pour contrebalancer le bien dire que Cicéron avait employé en son *Caton*.

Au demeurant, fut-il jamais âme si vigilante, si active et si patiente de labeur que la sienne? et sans doute encore était-elle embellie de plusieurs rares semences de vertu, je dis vives, naturelles et non contrefaites. Il était singulièrement sobre et si peu délicat en son manger qu'Oppius [6] récite qu'un jour, lui ayant été présentée à table, en quelque sauce, de l'huile médecinée [a] au lieu d'huile simple, il en mangea largement pour ne pas faire honte à son hôte. Une autre fois, il fit fouetter son boulanger pour lui avoir servi d'autre pain que celui du commun. Caton même avait accoutumé de dire de lui que c'était le premier homme sobre qui se fût acheminé à la ruine de son pays. Et quant à ce que ce même Caton l'appela un jour ivrogne (cela advint en cette façon:

a. Purgative.

étant tous deux au Sénat, où il se parlait du fait de la conjuration de Catilina, de laquelle César était soupçonné, on lui apporta de dehors un brevet à cachettes [a]. Caton, estimant que ce fût quelque chose de quoi les conjurés l'avertissent, le somma de le lui donner; ce que César fut contraint de faire pour éviter un plus grand soupçon. C'était de fortune une lettre amoureuse que Servilia, sœur de Caton, lui écrivait. Caton, l'ayant lue, la lui rejeta en lui disant : « Tiens, ivrogne [7] ») cela, dis-je, fut plutôt un mot de dédain et de colère qu'un exprès reproche de ce vice, comme souvent nous injurions ceux qui nous fâchent des premières injures qui nous viennent à la bouche, quoiqu'elles ne soient nullement dues à ceux à qui nous les attachons. Joint que ce vice que Caton lui reproche est merveilleusement voisin de celui auquel il avait surpris César; car Vénus et Bacchus se conviennent volontiers, à ce que dit le proverbe [8].

Mais, chez moi, Vénus est bien plus allègre, accompagnée de la sobriété.

Les exemples de sa douceur et de sa clémence envers ceux qui l'avaient offensé, sont infinis; je dis outre ceux qu'il montra pendant le temps que la guerre civile était encore en son progrès, desquels il fait lui-même assez sentir par ses écrits qu'il se servait pour amadouer ses ennemis et leur faire moins craindre sa future domination et sa victoire. Mais si faut-il dire que ces exemples-là, s'ils ne sont suffisants à nous témoigner sa naïve douceur, ils nous montrent au moins une merveilleuse confiance et grandeur de courage en ce personnage. Il lui est advenu souvent de renvoyer des armées tout entières à son ennemi après les avoir vaincues, sans daigner seulement les obliger par serment, sinon de le favoriser, au moins de se contenir sans lui faire guerre. Il a pris à trois et à quatre fois tels capitaines de Pompée [9], et autant de fois remis en liberté. Pompée déclarait ses ennemis tous ceux qui ne l'accompagnaient à la guerre; et lui, fit proclamer qu'il tenait pour amis tous ceux qui ne bougeaient et qui ne s'armaient effectivement contre lui. A ceux de ses capitaines qui se dérobaient de lui pour aller prendre

a. En cachette.

autre condition, il renvoyait encore les armes, chevaux et équipage. Les villes qu'il avait prises par force, il les laissait en liberté de suivre tel parti qu'il leur plairait, ne leur donnant autre garnison que la mémoire de sa douceur et clémence. Il défendit, le jour de sa grande bataille de Pharsale, qu'on ne mît qu'à toute extrémité la main sur les citoyens romains [10].

Voilà des traits bien hasardeux, selon mon jugement; et n'est pas merveilles si, aux guerres civiles que nous sentons, ceux qui combattent comme lui l'état ancien de leur pays n'en imitent l'exemple; ce sont moyens extraordinaires, et qu'il n'appartient qu'à la fortune de César et à son admirable pourvoyance [a] de heureuse- ment conduire. Quand je considère la grandeur incompa- rable de cette âme, j'excuse la victoire de ne s'être pu dépêtrer de lui, voire en cette très injuste et très inique cause.

Pour revenir à sa clémence, nous en avons plusieurs naïfs exemples au temps de sa domination, lorsque, toutes choses étant réduites en sa main, il n'avait plus à se feindre. Caius Memmius avait écrit contre lui des oraisons très poignantes, auxquelles il avait bien aigre- ment répondu; si ne laissa-t-il, bientôt après, d'aider à le faire consul. Caius Calvus, qui avait fait plusieurs épigrammes injurieux contre lui, ayant employé de ses amis pour le réconcilier, César se convia lui-même à lui écrire le premier. Et notre bon Catulle, qui l'avait tes- tonné [b] si rudement sous le nom de Mamurra, s'en étant venu excuser à lui, il le fit ce jour même souper à sa table. Ayant été averti d'aucuns qui parlaient mal de lui, il n'en fit autre chose que déclarer, en une sienne haran- gue publique, qu'il en était averti. Il craignait encore moins ses ennemis qu'il ne les haïssait. Aucunes conju- rations et assemblées qu'on faisait contre sa vie lui ayant été découvertes, il se contenta de publier par édit qu'elles lui étaient connues, sans autrement en poursuivre les auteurs. Quant au respect qu'il avait à ses amis, Caius Oppius voyageant avec lui et se trouvant mal, il lui quitta un seul logis qu'il y avait, et coucha toute la nuit sur la dure et au découvert. Quant à sa justice, il fit

a. Prévoyance. — *b.* Attifé (au figuré).

mourir un sien serviteur qu'il aimait singulièrement, pour avoir couché avecques la femme d'un chevalier romain, quoique personne ne s'en plaignît. Jamais homme n'apporta ni plus de modération en sa victoire, ni plus de résolution en la fortune contraire.

Mais toutes ces belles inclinations furent altérées et étouffées par cette furieuse passion ambitieuse, à laquelle il se laissa si fort emporter qu'on peut aisément maintenir qu'elle tenait le timon et le gouvernail de toutes ses actions. D'un homme libéral, elle en rendit un voleur public pour fournir à cette profusion et largesse, et lui fit dire ce vilain et très injuste mot, que si les plus méchants et perdus hommes du monde lui avaient été fidèles au service de son agrandissement, il les chérirait et avancerait de son pouvoir aussi bien que les plus gens de bien; l'enivra d'une vanité si extrême qu'il osait se vanter en présence de ses concitoyens d'avoir rendu cette grande République Romaine un nom sans forme et sans corps; et dire que ses réponses devaient meshui *a* servir de lois; et recevoir assis le corps du Sénat venant vers lui; et souffrir qu'on l'adorât et qu'on lui fît en sa présence des honneurs divins. Somme, ce seul vice, à mon avis, perdit en lui le plus beau et le plus riche naturel qui fut onques, et a rendu sa mémoire abominable à tous les gens de bien, pour avoir voulu chercher sa gloire de la ruine de son pays et subversion de la plus puissante et fleurissante chose publique que le monde verra jamais.

Il se pourrait bien, au contraire, trouver plusieurs exemples de grands personnages auxquels la volupté a fait oublier la conduite de leurs affaires, comme Marc-Antoine et autres; mais où l'amour et l'ambition seraient en égale balance et viendraient à se choquer de forces pareilles, je ne fais aucun doute que celle-ci ne gagnât le prix de la maîtrise.

Or, pour me remettre sur mes brisées, c'est beaucoup de pouvoir brider nos appétits par le discours de la raison, ou de forcer nos membres par violence à se tenir en leur devoir; mais de nous fouetter pour l'intérêt de nos voisins, de non seulement nous défaire de cette douce passion

qui nous chatouille, du plaisir que nous sentons de nous
voir agréables à autrui et aimés et recherchés d'un chacun,
mais encore de prendre en haine et à contre-cœur nos
grâces qui en sont cause, et de condamner notre beauté
parce que quelqu'autre s'en échauffe, je n'en ai vu
guère d'exemples. Celui-ci en est : Spurina, jeune homme
de la Toscane [11],

> _Qualis gemma micat, fulvum quæ dividit aurum,_
> _Aut collo decus aut capiti, vel quale, per artem_
> _Inclusum buxo aut Oricia terebintho,_
> _Lucet ebur *,_

étant doué d'une singulière beauté, et si excessive que
les yeux plus continents ne pouvaient en souffrir l'éclat
continemment, ne se contentant point de laisser sans
secours tant de fièvre et de feu qu'il allait attisant partout, entra en furieux dépit contre soi-même et contre
ces riches présents que nature lui avait faits, comme si
on se devait prendre à eux de la faute d'autrui, et détailla
et troubla, à force de plaies qu'il se fit à escient et de
cicatrices, la parfaite proportion et ordonnance que
nature avait si curieusement observée en son visage.

Pour en dire mon avis, j'admire telles actions plus que
je ne les honore : ces excès sont ennemis de mes règles.
Le dessein en fut beau et consciencieux, mais, à mon avis,
un peu manque de prudence. Quoi? si sa laideur servit
depuis à en jeter d'autres au péché de mépris et de haine
ou d'envie pour la gloire d'une si rare recommandation,
ou de calomnie, interprétant cette humeur à une forcenée
ambition. Y a-t-il quelque forme de laquelle le vice ne
tire, s'il veut, occasion à s'exercer en quelque manière?
Il était plus juste et aussi plus glorieux qu'il fît de ces dons
de Dieu un sujet de vertu exemplaire et de règlement.

Ceux qui se dérobent aux offices communs et à ce
nombre infini de règles épineuses à tant de visages qui
lient un homme d'exacte prud'homie en la vie civile,

---

* Virgile, _Énéide_, chant X : « Telle brille la pierre précieuse
enchâssée dans l'or fauve, gloire d'un collier ou d'une couronne;
ou telle la blancheur de l'ivoire ressort, lorsqu'il est artistement
serti de buis ou de térébinthe d'Oricum. »

font, à mon gré, une belle épargne, quelque pointe d'âpreté péculière [a] qu'ils s'enjoignent [b]. C'est aucunement mourir pour fuir la peine de bien vivre. Ils peuvent avoir autre prix; mais le prix de la difficulté, il ne m'a jamais semblé qu'ils l'eussent, ni qu'en malaisance [c] il y ait rien au-delà de se tenir droit emmi les flots de la presse du monde, répondant et satisfaisant loyalement à tous les membres de sa charge. Il est à l'aventure plus facile de se passer nettement de tout le sexe, que de se maintenir duement de tout point en la compagnie de sa femme; et a-t-on de quoi couler plus incurieusement [d] en la pauvreté qu'en l'abondance justement dispensée : l'usage conduit selon raison à plus d'âpreté que n'a l'abstinence. La modération est vertu bien plus affaireuse que n'est la souffrance. Le bien vivre du jeune Scipion a mille façons : le bien vivre de Diogène n'en a qu'une. Celle-ci surpasse d'autant en innocence les vies ordinaires, comme les exquises et accomplies la surpassent en utilité et en force.

---

a. Particulière. — *b.* Qu'ils s'ajoutent. — *c.* Difficulté. — *d.* Avec moins de souci.

CHAPITRE XXXIV

OBSERVATIONS
SUR LES MOYENS
DE FAIRE LA GUERRE
DE JULES CÉSAR

On récite [a] de plusieurs chefs de guerre, qu'ils ont eu certains livres en particulière recommandation : comme le grand Alexandre, Homère [1]; Scipion l'Africain, Xénophon [2]; Marcus Brutus, Polybe [3]; Charles cinquième, Philippe de Commines [4]; et dit-on de ce temps, que Machiavel est encore ailleurs en crédit; mais le feu maréchal Strozzi [5], qui avait pris César pour sa part, avait sans doute bien mieux choisi : car, à la vérité, ce devrait être le bréviaire de tout homme de guerre, comme étant le vrai et souverain patron de l'art militaire. Et Dieu sait encore de quelle grâce et de quelle beauté il a fardé cette riche matière : d'une façon de dire si pure, si délicate et si parfaite, que, à mon goût, il n'y a aucuns écrits au monde qui puissent être comparables aux siens en cette partie.

Je veux ici enregistrer certains traits particuliers et rares, sur le fait de ses guerres, qui me sont demeurés en mémoire.

Son armée [6] étant en quelque effroi pour le bruit qui courait des grandes forces que menait contre lui le roi Juba, au lieu de rabattre l'opinion que ses soldats en avaient prise et appetisser les moyens de son ennemi, les ayant fait assembler pour les rassurer et leur donner courage, il prit une voie toute contraire à celle que nous avons accoutumée : car il leur dit qu'ils ne se missent plus en peine de s'enquérir des forces que menait l'enne-

a. Raconte.

mi, et qu'il en avait eu bien certain avertissement; et
lors il leur en fit le nombre surpassant de beaucoup et
la vérité et la renommée qui en courait en son armée,
suivant ce que conseille Cyrus en Xénophon [7]; d'autant
que la tromperie n'est pas si grande de trouver les ennemis par effet [a] plus faibles qu'on n'avait espéré, que, les
ayant jugés faibles par réputation, les trouver après à
la vérité bien forts.

Il accoutumait surtout ses soldats à obéir simplement,
sans se mêler de contrôler ou parler des desseins de leur
capitaine, lesquels il ne leur communiquait que sur le
point de l'exécution; et prenait plaisir, s'ils en avaient
découvert quelque chose, de changer sur-le-champ d'avis
pour les tromper; et souvent, pour cet effet, ayant assigné
un logis en quelque lieu, il passait outre et allongeait la
journée, notamment s'il faisait mauvais temps et pluvieux.

Les Suisses [8], au commencement de ses guerres de
Gaule, ayant envoyé vers lui pour leur donner passage
au travers des terres des Romains, étant délibéré de les
empêcher par force, il leur contrefit toutefois un bon
visage, et prit quelques jours de délai à leur faire réponse,
pour se servir de ce loisir à assembler son armée. Ces
pauvres gens ne savaient pas combien il était excellent
menager du temps; car il redit maintes fois que c'est la
plus souveraine partie d'un capitaine que la science de
prendre au point les occasions, et la diligence, qui est
en ses exploits à la vérité inouïe et incroyable.

S'il n'était guère consciencieux en cela, de prendre
avantage sur son ennemi, sous couleur d'un traité d'accord, il l'était aussi peu en ce qu'il ne requérait en ses soldats autre vertu que la vaillance, ni ne punissait guère
autres vices que la mutination et la désobéissance. Souvent, après ses victoires, il leur lâchait la bride à toute
licence, les dispensant pour quelque temps des règles de la
discipline militaire, ajoutant à cela qu'il avait des soldats
si bien créés que, tout parfumés et musqués, ils ne laissaient pas d'aller furieusement au combat. De vrai, il
aimait qu'ils fussent richement armés, et leur faisait porter des harnais gravés, dorés et argentés, afin que le soin
de la conservation de leurs armes les rendît plus âpres à

a. En réalité.

se défendre. Parlant à eux, il les appelait du nom de *compagnons* [9], que nous usons encore : ce qu'Auguste son successeur réforma, estimant qu'il l'avait fait pour la nécessité de ses affaires et pour flatter le cœur de ceux qui ne le suivaient que volontairement;

> *Rheni mihi Cæsar in undis*
> *Dux erat, hic socius : facinus quos inquinat, æquat* *,

mais que cette façon était trop rabaissée pour la dignité d'un empereur et général d'armée, et remit en train de les appeler seulement *soldats*.

A cette courtoisie César mêlait toutefois une grande sévérité à les réprimer. La neuvième légion s'étant mutinée auprès de Plaisance, il la cassa avec ignominie, quoique Pompée fût lors encore en pieds, et ne la reçut en grâce qu'avec plusieurs supplications. Il les rapaisait plus par autorité et par audace, que par douceur [10].

Là où il parle de son passage de la rivière du Rhin vers l'Allemagne, il dit qu'estimant indigne de l'honneur du peuple romain qu'il passât son armée à navires [11], il fit dresser un pont afin qu'il passât à pied ferme. Ce fut là qu'il bâtit ce pont admirable de quoi il déchiffre particulièrement la fabrique [a] : car il ne s'arrête si volontiers en nul endroit de ses faits, qu'à nous représenter la subtilité de ses inventions en telle sorte d'ouvrages de main.

J'y ai aussi remarqué cela, qu'il fait grand cas de ses exhortations aux soldats avant le combat : car, où il veut montrer avoir été surpris ou pressé, il allègue toujours cela, qu'il n'eut pas seulement loisir de haranguer son armée. Avant cette grande bataille contre ceux de Tournai : « César, dit-il [12], ayant ordonné du reste, courut soudainement où la fortune le porta, pour enhorter ses gens; et, rencontrant la dixième légion, il n'eut loisir de leur dire, sinon qu'ils eussent souvenance de leur vertu accoutumée, qu'ils ne s'étonnassent point et soutinssent hardiment l'effort des adversaires; et parce que l'ennemi

---

a. Expose la construction.

* Lucain, *La Pharsale*, chant V : « Sur les eaux du Rhin, César était mon chef; ici, c'est mon complice, car le crime rend égaux ceux qu'il souille. »

était déjà approché à un jet de trait, il donna le signe
de la bataille; et de là, étant passé soudainement ailleurs
pour en encourager d'autres, il trouva qu'ils étaient déjà
aux prises. » Voilà ce qu'il en dit en ce lieu-là. De vrai,
sa langue lui a fait en plusieurs lieux de bien notables
services; et était, de son temps même, son éloquence
militaire en telle recommandation que plusieurs en son
armée recueillaient ses harangues; et par ce moyen il
en fut assemblé des volumes qui ont duré longtemps
après lui. Son parler avait des grâces particulières, si que
ses familiers, et, entre autres, Auguste, oyant réciter
ce qui en avait été recueilli, reconnaissait jusques aux
phrases et aux mots ce qui n'était pas du sien.

La première fois qu'il sortit de Rome avec charge
publique, il arriva en huit jours à la rivière du Rhône [13],
ayant dans son coche devant lui un secrétaire ou deux
qui écrivaient sans cesse, et derrière lui celui qui portait
son épée. Et certes, quand on ne ferait qu'aller, à peine
pourrait-on atteindre à cette promptitude de quoi,
toujours victorieux, ayant laissé la Gaule et suivant
Pompée à Brindes, il subjugua l'Italie en dix-huit jours,
revint de Brindes à Rome; de Rome il s'en alla au fin
fond de l'Espagne, où il passa des difficultés extrêmes en
la guerre contre Afranius et Petreius, et au long siège de
Marseille. De là, il s'en retourna en la Macédoine, battit
l'armée romaine à Pharsale, passa de là, suivant Pompée,
en Égypte, laquelle il subjugua; d'Égypte il vint en Syrie
et au pays du Pont où il combattit Pharnace; de là
en Afrique, où il défit Scipion et Juba, et rebroussa
encore par l'Italie en Espagne où il défit les enfants de
Pompée,

> *Ocior et cœli flammis et tigride fœta* *,
>
> *Ac veluti montis saxum de vertice præceps*
> *Cum ruit avulsum vento, seu turbidus imber*
> *Proluit, aut annis solvit sublapsa vetustas,*
> *Fertur in abruptum magno mons improbus actu,*

* Lucain, *La Pharsale*, chant V : « Plus rapide que l'éclair et que
la tigresse à qui on a dérobé ses petits. »

> *Exultatque solo, silvas, armenta viròsque*
> *Involvens secum* *.

Parlant du siège d'Avaricum [14], il dit que c'était sa
coutume de se tenir nuit et jour près des ouvriers qu'il
avait en besogne. En toutes entreprises de conséquence, il
faisait toujours la découverte lui-même, et ne passa jamais
son armée en lieu qu'il n'eût premièrement reconnu.
Et si nous croyons Suétone, quand il fit l'entreprise de
trajeter en Angleterre, il fut le premier à sonder le gué.

Il avait accoutumé de dire qu'il aimait mieux la
victoire qui se conduisait par conseil que par force. Et,
en la guerre contre Petreius et Afranius, la fortune lui
présentant une bien apparente occasion d'avantage, il
la refusa, dit-il [15], espérant, avec un peu plus de longueur
mais moins de hasard, venir à bout de ses ennemis.

Il fit aussi là un merveilleux trait, de commander à tout
son ost *a* de passer à nage la rivière sans aucune nécessité,

> *rapuitque ruens in prælia miles,*
> *Quod fugiens timuisset, iter ; mox uda receptis*
> *Membra fovent armis, gelidósque a gurgite, cursu*
> *Restituunt artus* **.

Je le trouve un peu plus retenu et considéré *b* en ses
entreprises qu'Alexandre : car celui-ci semble rechercher
et courir à force les dangers, comme un impétueux
torrent qui choque et attaque sans discrétion *c* et sans
choix tout ce qu'il rencontre :

> *Sic tauri-formis volvitur Aufidus,*
> *Qui Regna Dauni perfluit Appuli,*

a. Armée. — *b.* Réfléchi. — *c.* Discernement.
    * Virgile, *Énéide*, chant XII : « Tel le rocher, qui du haut de
la montagne, s'écroule arraché par le vent ou emporté par les pluies,
ou glissant par l'effet des ans ; la montagne s'abîme dans un précipice sous la poussée de l'avalanche ; le sol en retentit : forêts, trou-
peaux, hommes, tout est emporté. »
    ** Lucain, *La Pharsale*, chant IV : « Le soldat se ruant au combat
prend un chemin qu'il aurait évité pour fuir. Bientôt, ayant revêtu
ses armes, il réchauffe son corps mouillé et la course assouplit les
articulations qu'avait glacées le gouffre. »

Dum sævit, horrendámque cultis
Diluviem meditatur agris *.

Aussi était-il embesogné *a* en la fleur et première chaleur de son âge, là où César s'y prit étant déjà mûr et bien avancé. Outre ce qu'Alexandre était d'une température *b* plus sanguine, colère et ardente, et si émouvait encore cette humeur par le vin, duquel César était très abstinent; mais où les occasions de la nécessité se présentaient et où la chose le requérait, il ne fut jamais homme faisant meilleur marché de sa personne.

Quant à moi, il me semble lire en plusieurs de ses exploits une certaine résolution de se perdre, pour fuir la honte d'être vaincu. En cette grande bataille qu'il eut contre ceux de Tournai, il courut se présenter à la tête des ennemis sans bouclier [16], comme il se trouva, voyant la pointe de son armée s'ébranler *c*, ce qui lui est advenu plusieurs autres fois. Oyant dire que ses gens étaient assiégés, il passa déguisé au travers l'armée ennemie pour les aller fortifier de sa présence. Ayant trajeté à Dirrachium avec bien petites forces, et voyant que le reste de son armée, qu'il avait laissée à conduire à Antoine, tardait à le suivre, il entreprit lui seul de repasser la mer par une très grande tourmente, et se déroba pour aller reprendre lui-même le reste de ses forces, les ports de delà et toute la mer étant saisis par Pompée [17].

Et quant aux entreprises qu'il a faites à main armée, il y en a plusieurs qui surpassent en hasard tout discours de raison militaire; car avec combien faibles moyens entreprit-il de subjuguer le royaume d'Égypte, et, depuis, d'aller attaquer les forces de Scipion et de Juba, de dix parts plus grandes que les siennes ? Ces gens-là ont eu je ne sais quelle plus qu'humaine confiance en leur fortune.

Et disait-il qu'il fallait exécuter, non pas consulter, les hautes entreprises [18].

Après la bataille de Pharsale, ayant envoyé son armée

---

a. Occupé. — *b.* Tempérament. — *c.* Être mise en désordre.

* Horace, *Ode 14* du livre IV : « Ainsi roule l'Aufide au visage de taureau, qui baigne le royaume de Daunus Apulien, lorsqu'il fait rage, menaçant la plaine cultivée d'un effrayant déluge. »

devant en Asie, et passant avec un seul vaisseau le détroit
de l'Hellespont, il rencontra en mer Lucius Cassius avec
dix gros navires de guerre; il eut le courage non seulement de l'attendre, mais de tirer droit vers lui, et le
sommer de se rendre; et en vint à bout. Ayant entrepris
ce furieux siège d'Alésia, où il y avait quatre-vingt
mille hommes de défense, toute la Gaule s'étant élevée
pour lui courre sus *a* et lever le siège, et dressé une armée
de cent neuf mille chevaux [19] et de deux cent quarante
mille hommes de pied, quelle hardiesse et maniacle *b*
confiance fut-ce de n'en vouloir abandonner son entreprise et se résoudre à deux si grandes difficultés ensemble?
Lesquelles toutefois il soutint; et, après avoir gagné
cette grande bataille contre ceux de dehors, rangea
bientôt à sa merci ceux qu'il tenait enfermés. Il en advint
autant à Lucullus au siège de Tigranocerte contre le
roi Tigrane, mais d'une condition dispareille, vu la mollesse des ennemis à qui Lucullus avait affaire [20].

Je veux ici remarquer deux rares événements et extraordinaires sur le fait de ce siège d'Alésia : l'un, que les
Gaulois, s'assemblant pour venir trouver là César, ayant
fait dénombrement de toutes leurs forces, résolurent en
leur conseil de retrancher une bonne partie de cette
grande multitude, de peur qu'ils n'en tombassent en
confusion. Cet exemple est nouveau de craindre à être
trop; mais, à le bien prendre, il est vraisemblable que le
corps d'une armée doit avoir une grandeur modérée et
réglée à certaines bornes, soit pour la difficulté de la
nourrir, soit pour la difficulté de la conduire et tenir en
ordre. Au moins serait-il bien aisé à vérifier, par exemple,
que ces armées monstrueuses en nombre n'ont guère rien
fait qui vaille.

Suivant le dire de Cyrus en Xénophon [21], ce n'est
pas le nombre des hommes, ains le nombre des bons
hommes, qui fait l'avantage, le demeurant servant plus
de détourbier *c* que de secours. Et Bajazet prit le principal fondement à sa résolution de livrer journée *d* à Tamerlan, contre l'avis de tous ses capitaines, sur ce que le
nombre innombrable des hommes de son ennemi lui
donnait certaine espérance de confusion [22]. Scanderberg [23],

---

a. L'attaquer. — *b.* Folle. — *c.* Trouble. — *d.* Livrer bataille.

bon juge et très expert, avait accoutumé de dire que dix ou douze mille combattants fidèles devaient baster *a* à un suffisant chef de guerre pour garantir sa réputation en toute sorte de besoin militaire.

L'autre point, qui semble être contraire et à l'usage et à la raison de la guerre, c'est que Vercingétorix, qui était nommé chef et général de toutes les parties des Gaules révoltées, prit parti de s'aller enfermer dans Alésia. Car celui qui commande à tout un pays ne se doit jamais engager qu'au cas de cette extrémité qu'il y allât de sa dernière place et qu'il n'y eût rien plus à espérer qu'en la défense d'icelle; autrement, il se doit tenir libre, pour avoir moyen de pourvoir en général à toutes les parties de son gouvernement.

Pour revenir à César, il devint, avec le temps, un peu plus tardif et plus considéré, comme témoigne son familier Oppius : estimant [24] qu'il ne devait aisément hasarder l'honneur de tant de victoires, lequel une seule défortune lui pourrait faire perdre. C'est ce que disent les Italiens, quand ils veulent reprocher cette hardiesse téméraire qui se voit aux jeunes gens, les nommant nécessiteux d'hon neur, « *bisognosi d'honore* », et qu'étant encore en cette grande faim et disette de réputation, ils ont raison de la chercher à quelque prix que ce soit, ce que ne doivent pas faire ceux qui en ont déjà acquis à suffisance. Il y peut avoir quelque juste modération en ce désir de gloire, et quelque satiété en cet appétit, comme aux autres; assez de gens le pratiquent ainsi.

Il était bien éloigné de cette religion des anciens Romains, qui ne se voulaient prévaloir en leurs guerres que de la vertu simple et naïve, mais encore y apportait-il plus de conscience que nous ne ferions à cette heure, et n'approuvait pas toutes sortes de moyens pour acqué-rir la victoire. En la guerre contre Arioviste [25], étant à parlementer avec lui, il y survint quelque remuement entre les deux armées, qui commença par la faute des gens de cheval d'Arioviste; sur ce tumulte, César se trouva avoir fort grand avantage sur ses ennemis; toutefois il ne s'en voulut point prévaloir, de peur qu'on lui pût reprocher d'y avoir procédé de mauvaise foi.

a. Suffire.

Il avait accoutumé de porter un accoutrement riche au combat et de couleur éclatante pour se faire remarquer.

Il tenait la bride plus étroite à ses soldats, et les tenait plus de court étant près des ennemis [26].

Quand les anciens Grecs voulaient accuser quelqu'un d'extrême insuffisance, ils disaient en commun proverbe qu'il ne savait ni lire, ni nager. Il avait cette même opinion, que la science de nager était très utile à la guerre, et en tira plusieurs commodités : s'il avait à faire diligence, il franchissait ordinairement à nage les rivières qu'il rencontrait, car il aimait à voyager à pied comme le grand Alexandre. En Égypte, ayant été forcé, pour se sauver, de se mettre dans un petit bateau, et tant de gens s'y étant lancés quant et lui qu'il était en danger d'aller à fond, il aima mieux se jeter en la mer et gagna sa flotte à nage, qui était plus des deux cents pas de là, tenant en sa main gauche ses tablettes hors de l'eau et traînant à belles dents sa cotte d'armes, afin que l'ennemi n'en jouît, étant déjà bien avancé sur l'âge [27].

Jamais chef de guerre n'eut tant de créance sur ses soldats. Au commencement de ses guerres civiles, les centeniers [28] lui offrirent de soudoyer, chacun sur sa bourse, un homme d'armes ; et les gens de pied, de le servir à leurs dépens ; ceux qui étaient plus aisés, entreprenants encore à défrayer les plus nécessiteux. Feu M. l'amiral de Chatillon [29] nous fit voir dernièrement un pareil cas en nos guerres civiles, car les Français de son armée fournissaient de leurs bourses au paiement des étrangers qui l'accompagnaient ; il ne se trouverait guère d'exemples d'affection si ardente et si prête parmi ceux qui marchent dans le vieux train, sous l'ancienne police des lois.

La passion nous commande bien plus vivement que la raison. Il est pourtant advenu, en la guerre contre Annibal [30], qu'à l'exemple de la libéralité du peuple Romain en la ville, les gens d'armes et capitaines refusèrent leur paye ; et appelait-on au camp de Marcellus mercenaires ceux qui en prenaient.

Ayant eu du pire auprès de Dirrachium, ses soldats se vinrent d'eux-mêmes offrir à être châtiés et punis, de façon qu'il eut plus à les consoler qu'à les tancer. Une sienne seule cohorte soutint quatre légions de Pompée plus de quatre heures, jusques à ce qu'elle fût quasi toute défaite à coups de trait; et se trouva dans la tranchee cent trente mille flèches. Un soldat nommé Scæva, qui commandait à une des entrées, s'y maintint invincible, ayant un œil crevé, une épaule et une cuisse percées, et son écu faussé en deux cent trente lieux. Il est advenu à plusieurs de ses soldats pris prisonniers d'accepter plutôt la mort que de vouloir promettre de prendre autre parti. Granius Petronius, pris par Scipion en Afrique, Scipion, ayant fait mourir ses compagnons, lui manda qu'il lui donnait la vie, car il était homme de rang et questeur. Petronius répondit que les soldats de César avaient accoutumé de donner la vie aux autres, non la recevoir; et se tua tout soudain de sa main propre [31].

Il y a infinis exemples de leur fidélité; il ne faut pas oublier le trait de ceux qui furent assiégés à Salone, ville partisane pour César contre Pompée, pour un rare accident qu'il y advint [32]. Marcus Octavius les tenait assiégés; ceux de dedans étant réduits en extrême nécessité de toutes choses, en manière que, pour suppléer au défaut qu'ils avaient d'hommes, la plupart d'entre eux y étant morts et blessés, ils avaient mis en liberté tous leurs esclaves, et pour le service de leurs engins avaient été contraints de couper les cheveux de toutes les femmes pour en faire des cordes, outre une merveilleuse disette de vivres, et ce néanmoins résolus de jamais ne se rendre. Après avoir traîné ce siège en grande longueur, d'où Octavius était devenu plus nonchalant et moins attentif à son entreprise, ils choisirent un jour sur le midi, et, ayant rangé les femmes et les enfants sur leurs murailles pour faire bonne mine, sortirent en telle furie sur les assiégeants qu'ayant enfoncé le premier, le second et tiers corps de garde, et le quatrième et puis le reste, et ayant fait du tout abandonner les tranchées, les chassèrent jusque dans les navires; et Octavius même se sauva à Dirrachium, où était Pompée. Je n'ai point mémoire pour cette heure d'avoir vu aucun autre exemple où les assiégés battent en gros les assiégeants et gagnent la maîtrise de la campagne, ni qu'une sortie ait tiré en conséquence une pure et entière victoire de bataille.

CHAPITRE XXXV

DE TROIS BONNES FEMMES

Il n'en est pas à douzaines, comme chacun sait, et notamment aux devoirs de mariage; car c'est un marché plein de tant d'épineuses circonstances, qu'il est malaisé que la volonté d'une femme s'y maintienne entière longtemps. Les hommes, quoiqu'ils y soient avec un peu meilleure condition, y ont prou *a* affaire.

La touche d'un bon mariage et sa vraie preuve regarde le temps que la société dure; si elle a été constamment douce, loyale et commode. En notre siècle, elles réservent plus communément à étaler leurs bons offices et la véhémence de leur affection envers leurs maris perdus, cherchent au moins lors à donner témoignage de leur bonne volonté. Tardif témoignage et hors de saison! Elles prouvent plutôt par là qu'elles ne les aiment que morts. La vie est pleine de combustion *b*; le trépas, d'amour et de courtoisie. Comme les pères cachent l'affection envers leurs enfants [1], elles, volontiers, de même, cachent la leur envers le mari pour maintenir un honnête respect. Ce mystère n'est pas de mon goût : elles ont beau s'écheveler et égratigner, je m'en vais à l'oreille d'une femme de chambre et d'un secrétaire : « Comment étaient-ils ? Comment ont-ils vécu ensemble ? » Il me souvient toujours de ce bon mot : « *jactantius mœrent, quæ minus dolent* * ». Leur rechigner est odieux aux vivants

---

a. Beaucoup. — *b.* Désordre.

* Tacite, *Annales*, livre II, chap. LXXVII : « Celles qui ont le moins de chagrin, pleurent avec le plus d'ostentation. »

et vain aux morts. Nous dispenserons volontiers qu'on rie après, pourvu qu'on nous rie pendant la vie. Est-ce pas de quoi ressusciter de dépit, qui m'aura craché au nez pendant que j'étais, me vienne frotter les pieds quand je commence à n'être plus ? S'il y a quelque honneur à pleurer les maris, il n'appartient qu'à celles qui leur ont ri ; celles qui ont pleuré en la vie, qu'elles rient en la mort, au-dehors comme au-dedans. Aussi ne regardez pas à ces yeux moites et à cette piteuse voix ; regardez ce port, ce teint et l'embonpoint de ces joues sous ces grands voiles : c'est par là qu'elle parle français [2]. Il en est peu de qui la santé n'aille en amendant, qualité qui ne sait pas mentir. Cette cérémonieuse contenance ne regarde pas tant derrière soi, que devant ; c'est acquêt plus que paiement. En mon enfance, une honnête et très belle dame, qui vit encore, veuve d'un prince, avait je ne sais quoi plus en sa parure qu'il n'est permis par les lois de notre veuvage ; à ceux qui le lui reprochaient : « C'est, disait-elle, que je ne pratique plus de nouvelles amitiés, et suis hors de volonté de me remarier. »

Pour ne disconvenir du tout [a] à notre usage, j'ai ici choisi trois femmes qui ont aussi employé l'effort de leur bonté et affection autour de la mort de leurs maris ; ce sont pourtant exemples un peu autres, et si pressants qu'ils tirent hardiment la vie en conséquence.

Pline le jeune [3] avait, près d'une sienne maison, en Italie, un voisin merveilleusement tourmenté de quelques ulcères qui lui étaient survenus ès parties honteuses. Sa femme, le voyant si longuement languir, le pria de permettre qu'elle vît à loisir et de près l'état de son mal, et qu'elle lui dirait plus franchement qu'aucun autre ce qu'il avait à en espérer. Après avoir obtenu cela de lui, et l'avoir curieusement [b] considéré, elle trouva qu'il était impossible qu'il en pût guérir, et que tout ce qu'il avait à attendre, c'était de traîner fort longtemps une vie douloureuse et languissante ; si, lui conseilla, pour le plus sûr et souverain remède, de se tuer ; et le trouvant un peu mol à une si rude entreprise : « Ne pense point, lui dit-elle, mon ami, que les douleurs que je te vois souffrir ne me touchent autant qu'à toi, et que, pour

a. Complètement. — b. Avec soin.

m'en délivrer, je ne me veuille servir moi-même de cette
médecine que je t'ordonne. Je te veux accompagner à
la guérison comme j'ai fait à la maladie : ôte cette crainte,
et pense que nous n'aurons que plaisir en ce passage
qui nous doit délivrer de tels tourments; nous nous en
irons heureusement ensemble. »

Cela dit, et ayant réchauffé le courage de son mari,
elle résolut qu'ils se précipiteraient en la mer par une
fenêtre de leur logis qui y répondait. Et pour maintenir
jusques à sa fin cette loyale et véhémente affection de
quoi elle l'avait embrassé pendant sa vie, elle voulut
encore qu'il mourût entre ses bras; mais, de peur qu'ils
ne lui faillissent et que les étreintes de ses enlacements
ne vinssent à se relâcher par la chute et la crainte, elle
se fit lier et attacher bien étroitement avec lui par le
faux du corps *a*, et abandonna ainsi sa vie pour le repos
de celle de son mari.

Celle-là était de bas lieu; et parmi telle condition de
gens, il n'est pas si nouveau d'y voir quelque trait de
rare bonté.

> *extrema per illos*
> *Justitia excedens terris vestigia fecit* *.

Les autres deux sont nobles et riches, où les exemples
de vertu se logent rarement.

Arria [4], femme de Cecinna Pætus, personnage consulaire, fut mère d'une autre Arria, femme de Thrasea
Pætus, celui duquel la vertu fut tant renommée du
temps de Néron et, par le moyen de ce gendre, mère-
grand de Fannia; car la ressemblance des noms de ces
hommes et femmes et de leurs fortunes en a fait mécompter plusieurs. Cette première Arria, Cecinna Pætus, son
mari, ayant été fait prisonnier par les gens de l'empereur
Claude, après la défaite de Scribonianus, duquel il avait
suivi le parti, supplia ceux qui l'en amenaient prisonnier
à Rome, de la recevoir dans leur navire, où elle leur

---

a. La taille.
* Virgile, *Géorgiques*, chant II, que Delille traduisait ainsi :
« La Justice fuyant nos coupables climats,
Sous le chaume innocent porta ses derniers pas. »

serait de beaucoup moins de dépense et d'incommodité
qu'un nombre de personnes qu'il leur faudrait pour le
service de son mari, et qu'elle seule fournirait à sa chambre, à sa cuisine et à tous autres offices. Ils l'en refusèrent; et elle, s'étant jetée dans un bateau de pêcheur
qu'elle loua sur-le-champ, le suivit en cette sorte depuis
la Sclavonie. Comme ils furent à Rome, un jour, en présence de l'empereur, Junia, veuve de Scribonianus,
s'étant accostée d'elle familièrement pour la société de
leurs fortunes, elle la repoussa rudement avec ces paroles :
« Moi, dit-elle, que je parle à toi, ni que je t'écoute, toi
au giron de laquelle Scribonianus fut tué ? et tu vis
encore ! » Ces paroles, avec plusieurs autres signes, firent
sentir à ses parents qu'elle était pour se défaire [a] elle-
même, impatiente de supporter la fortune de son mari.
Et Thrasea, son gendre, la suppliant sur ce propos de ne
se vouloir perdre, et lui disant ainsi : « Quoi! si je courais
pareille fortune à celle de Cecinna, voudriez-vous que
ma femme, votre fille, en fît de même ? — Comment
donc ? si je le voudrais ? répondit-elle : oui, oui, je le
voudrais, si elle avait vécu aussi longtemps et d'aussi
bon accord avec toi que j'ai fait avec mon mari. » Ces
réponses augmentaient le soin qu'on avait d'elle, et
faisaient qu'on regardait de plus près à ses déportements [b].
Un jour, après avoir dit à ceux qui la gardaient : « Vous
avez beau faire, vous me pouvez bien faire plus mal
mourir; mais de me garder de mourir, vous ne sauriez »,
s'élançant furieusement d'une chaire où elle était assise,
s'alla de toute sa force choquer la tête contre la paroi
voisine; duquel coup étant chue de son long évanouie et
fort blessée, après qu'on l'eut à toute peine fait revenir :
« Je vous disais bien, dit-elle, que si vous me refusiez
quelque façon aisée de me tuer, j'en choisirais quelque
autre, pour malaisée qu'elle fût. »

La fin d'une si admirable vertu fut telle : son mari
Pætus n'ayant pas le cœur assez ferme de soi-même pour
se donner la mort, à laquelle la cruauté de l'empereur
le rangeait, un jour entre autres, après avoir premièrement employé les discours et enhortements propres au
conseil qu'elle lui donnait à ce faire, elle prit le poignard

a. Se tuer. — *b.* Actions.

que son mari portait, et le tenant trait *a* en sa main, pour
la conclusion de son exhortation : « Fais ainsi, Pætus »,
lui dit-elle. Et en même instant, s'en étant donné un coup
mortel dans l'estomac, et puis l'arrachant de sa plaie, elle
le lui présenta, finissant quant et quant sa vie avec cette
noble, généreuse et immortelle parole : « _Pæte, non dolet_ [5] ».
Elle n'eut loisir que de dire ces trois paroles d'une si
belle substance : « Tiens, Pætus, il ne m'a point fait mal. »

> _Casta suo gladium cum traderet Arria Pæto,_
> _Quem de visceribus traxerat ipsa suis :_
> _Si qua fides, vulnus quod feci, non dolet, inquit ;_
> _Sed quod tu facies, id mihi, Pæte, dolet *._

Il est bien plus vif en son naturel et d'un sens plus
riche ; car et la plaie et la mort de son mari, et les siennes,
tant s'en faut qu'elles lui pesassent, qu'elle en avait été la
conseillère et promotrice, mais, ayant fait cette haute et
courageuse entreprise pour la seule commodité de son
mari, elle ne regarde qu'à lui encore au dernier trait de sa
vie, et à lui ôter la crainte de la suivre en mourant. Pætus
se frappa tout soudain de ce même glaive : honteux, à
mon avis, d'avoir eu besoin d'un si cher et précieux ensei-
gnement.

Pompeia Paulina [6], jeune et très noble dame romaine,
avait épousé Sénèque en son extrême vieillesse. Néron,
son beau disciple, ayant envoyé ses satellites vers lui
pour lui dénoncer l'ordonnance de sa mort (ce qui se
faisait en cette manière : quand les empereurs romains
de ce temps avaient condamné quelque homme de qualité, ils lui mandaient par leurs officiers de choisir quelque
mort à sa poste, et de la prendre dans tel ou tel délai
qu'ils lui faisaient prescrire selon la trempe de leur
colère, tantôt plus pressé, tantôt plus long, lui donnant
terme pour disposer pendant ce temps-là de ses affaires,

---

a. Tiré.
* Martial, _Épigrammes_, livre I : « Alors que la chaste Arria
présentait à son chef Pætus le fer, qu'elle venait elle-même de retirer
de ses entrailles : Crois-moi, dit-elle, la blessure que je viens de
me faire, ne me fait pas mal ; c'est celle que tu vas te faire, qui me
fait mal. »

et quelquefois lui ôtant le moyen de ce faire par la
brièveté du temps; et si le condamné estrivait [a] à leur
ordonnance, ils menaient des gens propres à l'exécuter,
ou lui coupant les veines des bras et des jambes, ou lui
faisant avaler du poison par force. Mais les personnes
d'honneur n'attendaient pas cette nécessité, et se servaient de leurs propres médecins et chirurgiens à cet
effet), Sénèque ouït leur charge d'un visage paisible et
assuré, et après demanda du papier pour faire son testament; ce qui lui ayant été refusé par le capitaine, se
tournant vers ses amis : « Puisque je ne puis, leur dit-il,
vous laisser autre chose en reconnaissance de ce que je
vous dois, je vous laisse au moins ce que j'ai de plus
beau, à savoir l'image de mes mœurs et de ma vie, laquelle
je vous prie conserver en votre mémoire, afin qu'en ce
faisant vous acquériez la gloire de sincères et véritables
amis. » Et quant et quant apaisant tantôt l'aigreur de
la douleur qu'il leur voyait souffrir, par douces paroles,
tantôt roidissant sa voix pour les en tancer : « Où sont,
disait-il, ces beaux préceptes de la philosophie ? que sont
devenues les provisions que par tant d'années nous avons
faites contre les accidents de la fortune ? La cruauté
de Néron nous était-elle inconnue ? Que pouvions nous
attendre de celui qui avait tué sa mère et son frère,
sinon qu'il fît encore mourir son gouverneur, qui l'a
nourri et élevé ? » Après avoir dit ces paroles en commun,
il se détourna à sa femme, et, l'embrassant étroitement,
comme, par la pesanteur de la douleur, elle défaillait de
cœur et de forces, la pria de porter un peu plus patiemment cet accident pour l'amour de lui, et que l'heure était
venue où il avait à montrer, non plus par discours et par
disputes, mais par effet, le fruit qu'il avait tiré de ses
études, et que sans doute il embrassait la mort, non
seulement sans douleur, mais avec allégresse : « Par
quoi, m'amie, disait-il, ne la déshonore par tes larmes,
afin qu'il ne semble que tu t'aimes plus que ma réputation; apaise ta douleur et te console en la connaissance
que tu as eue de moi et de mes actions, conduisant le
reste de ta vie par les honnêtes occupations auxquelles
tu es adonnée. » A quoi Paulina ayant un peu repris ses

Résistait.

esprits et réchauffé la magnanimité de son courage par
une très noble affection : « Non, Sénèque, répondit-elle,
je ne suis pas pour vous laisser sans ma compagnie en
telle nécessité; je ne veux pas que vous pensiez que les
vertueux exemples de votre vie ne m'aient encore appris
à savoir bien mourir, et quand le pourrais-je ni mieux,
ni plus honnêtement, ni plus à mon gré, qu'avec vous?
Ainsi faites état que je m'en vais quant et *a* vous. »

Lors Sénèque, prenant en bonne part une si belle et
glorieuse délibération de sa femme, et pour se délivrer
aussi de la crainte de la laisser après sa mort à la merci
et cruauté de ses ennemis : « Je t'avais, Paulina, dit-il,
conseillé ce qui servait à conduire plus heureusement
ta vie; tu aimes donc mieux l'honneur de la mort; vraiment je ne te l'envierai point; la constance et la résolution soient pareilles à notre commune fin, mais la beauté
et la gloire soient plus grandes de ta part. »

Cela fait, on leur coupa en même temps les veines
des bras; mais parce que celles de Sénèque, resserrées
tant par vieillesse [7] que par son abstinence, donnaient au
sang le cours trop long et trop lâche, il commanda qu'on
lui coupât encore les veines des cuisses; et, de peur que
le tourment qu'il en souffrait n'attendrît le cœur de sa
femme, et pour se délivrer aussi soi-même de l'affliction
qu'il portait de la voir en si piteux état, après avoir très
amoureusement pris congé d'elle, il la pria de permettre
qu'on l'emportât en la chambre voisine, comme on fit.
Mais, toutes ces incisions étant encore insuffisantes pour
le faire mourir, il commanda à Statius Anneus, son médecin, de lui donner un breuvage de poison, qui n'eut guère
non plus d'effet : car, pour la faiblesse et froideur des
membres, il ne put arriver jusques au cœur. Par ainsi
on lui fit outre cela apprêter un bain fort chaud; et lors,
sentant sa fin prochaine, autant qu'il eut d'haleine, il
continua des discours très excellents sur le sujet de l'état
où il se trouvait, que ses secrétaires recueillirent tant
qu'ils purent ouïr sa voix; et demeurèrent ses paroles
dernières longtemps depuis en crédit et honneur ès
mains des hommes (ce nous est une bien fâcheuse perte
qu'elles ne soient venues jusques à nous). Comme il

a. Avec.

sentit les derniers traits de la mort, prenant de l'eau du bain toute sanglante, il en arrosa sa tête en disant : « Je voue cette eau à Jupiter le libérateur. »

Néron, averti de tout ceci, craignant que la mort de Paulina, qui était des mieux apparentées dames romaines, et envers laquelle il n'avait nulles particulières inimitiés, lui vînt à reproche, renvoya en toute diligence lui faire rattacher ses plaies : ce que ses gens d'elle firent sans son su [8], étant déjà demi-morte et sans aucun sentiment. Et ce que, contre son dessein, elle vécut depuis, ce fut très honorablement et comme il appartenait à sa vertu, montrant par la couleur blême de son visage combien elle avait écoulé de vie par ses blessures.

Voilà mes trois contes très véritables, que je trouve aussi plaisants et tragiques que ceux que nous forgeons à notre poste pour donner plaisir au commun; et m'étonne que ceux qui s'adonnent à cela, ne s'avisent de choisir plutôt dix mille très belles histoires qui se rencontrent dans les livres, où ils auraient moins de peine et apporteraient plus de plaisir et profit. Et qui en voudrait bâtir un corps entier et s'entretenant, il ne faudrait qu'il fournît du sien que la liaison, comme la soudure d'un autre métal; et pourrait entasser par ce moyen force véritables événements de toutes sortes, les disposant et diversifiant, selon que la beauté de l'ouvrage le requerrait, à peu près comme Ovide a cousu et rapiécé sa *Métamorphose,* de ce grand nombre de fables diverses.

En ce dernier couple, cela est encore digne d'être considéré, que Paulina offre volontiers à quitter la vie pour l'amour de son mari, et que son mari avait autrefois quitté aussi la mort pour l'amour d'elle. Il n'y a pas pour nous grand contre-poids en cet échange; mais, selon son humeur stoïque, je crois qu'il pensait avoir autant fait pour elle, d'allonger sa vie en sa faveur, comme s'il fût mort pour elle. En l'une des lettres qu'il écrit à Lucilius [9], après qu'il lui a fait entendre comme la fièvre l'ayant pris à Rome, il monta soudain en coche pour s'en aller à une sienne maison aux champs, contre l'opinion de sa femme qui le voulait arrêter, et qu'il lui avait répondu que la fièvre qu'il avait, ce n'était pas fièvre du corps, mais du lieu, il suit ainsi : « Elle me laissa aller, me recommandant fort ma santé. Or, moi qui sais que je loge

sa vie en la mienne, je commence de pourvoir à moi pour
pourvoir à elle ; le privilège que ma vieillesse m'avait
donné, me rendant plus ferme et plus résolu à plusieurs
choses, je le perds quand il me souvient qu'en ce vieillard il y en a une jeune à qui je profite. Puisque je ne la
puis ranger à m'aimer plus courageusement, elle me range
à m'aimer moi-même plus curieusement *a* : car il faut
prêter quelque chose aux honnêtes affections ; et parfois,
encore que les occasions nous pressent au contraire, il
faut rappeler la vie, voire avec tourment ; il faut arrêter
l'âme entre les dents, puisque la loi de vivre, aux gens
de bien, ce n'est pas autant qu'il leur plaît, mais autant
qu'ils doivent. Celui qui n'estime pas tant sa femme ou
un sien ami que d'en allonger sa vie, et qui s'opiniâtre
à mourir, il est trop délicat et trop mol : il faut que l'âme
se commande cela, quand l'utilité des nôtres le requiert ;
il faut parfois nous prêter à nos amis, et, quand nous vou-
drions mourir pour nous, interrompre notre dessein pour
eux. C'est témoignage de grandeur de courage, de retourner en la vie pour la considération d'autrui, comme plusieurs excellents personnages ont fait ; et est un trait de
bonté singulière de conserver la vieillesse (de laquelle
la commodité plus grande, c'est la nonchalance de sa
durée et un plus courageux et dédaigneux usage de la vie),
si on sent que cet office soit doux, agréable et profitable
à quelqu'un bien affectionné. Et en reçoit-on une très
plaisante récompense, car qu'est-il plus doux que d'être
si cher à sa femme qu'en sa considération on en devienne
plus cher à soi-même ? Ainsi ma Pauline m'a chargé non
seulement sa crainte, mais encore la mienne. Ce ne m'a
pas été assez de considérer combien résolument je pourrais mourir, mais j'ai aussi considéré combien irrésolu-
ment elle le pourrait souffrir. Je me suis contraint à vivre,
et c'est quelquefois magnanimité que vivre. »

Voilà ses mots, excellents comme est son usage.

_____

a. Soigneusement.

CHAPITRE XXXVI

DES PLUS EXCELLENTS HOMMES

Si on me demandait le choix de tous les hommes qui sont venus à ma connaissance, il me semble en trouver trois excellents au-dessus de tous les autres.

L'un, Homère. Non pas qu'Aristote ou Varron (pour exemple) ne fussent à l'aventure aussi savants que lui, ni possible encore qu'en son art même Virgile ne lui soit comparable : je le laisse à juger à ceux qui les connaissent tous deux. Moi qui n'en connais que l'un [1], puis dire cela seulement selon ma portée, que je ne crois pas que les Muses mêmes allassent au-delà du Romain :

> *Tale facit carmen docta testudine, quale*
> *Cynthius impositis temperat articulis* *.

Toutefois, en ce jugement, encore ne faudrait-il pas oublier que c'est principalement d'Homère que Virgile tient sa suffisance [a], que c'est son guide et maître d'école, et qu'un seul trait de l'*Iliade* a fourni de corps et de matière à cette grande et divine *Énéide*. Ce n'est pas ainsi que je conte : j'y mêle plusieurs autres circonstances qui me rendent ce personnage admirable, quasi au-dessus de l'humaine condition.

Et, à la vérité, je m'étonne souvent que lui, qui a produit et mis en crédit au monde plusieurs déités par

---

a. Son art.
* Properce, *Élégie* XXXIV du livre II : « Il chante sur sa docte lyre des poèmes aussi beaux que ceux que module le dieu du Cynthe. »

son autorité, n'a gagné rang de dieu lui-même. Étant
aveugle, indigent; étant avant que les sciences fussent
rédigées en règle et observations certaines, il les a tant
connues que tous ceux qui se sont mêlés depuis d'établir
des polices, de conduire guerres, et d'écrire ou de la
religion ou de la philosophie, en quelque secte que ce
soit, ou des arts, se sont servis de lui comme d'un maître
très parfait en la connaissance de toutes choses, et de ses
livres comme d'une pépinière de toute espèce de suffisance *a*,

> *Qui quid sit pulchrum, quid turpe, quid utile, quid non,*
> *Plenius ac melius Chrysippo ac Crantore dicit* * ;

et, comme dit l'autre,

> *A quo, ceu fonte perenni,*
> *Vatum Pyeriis labra rigantur aquis* ** ;

et l'autre,

> *Adde Heliconiadum comites, quorum unus Homerus*
> *Astra potitus* *** ;

et l'autre,

> *cujúsque ex ore profuso*
> *Omnis posteritas latices in carmina duxit,*
> *Amnémque in tenues ausa est deducere rivos,*
> *Unius fœcunda bonis* ****.

a. Connaissances.
* Horace, *Épître II* du livre I : « Il nous dit bien mieux que
Chrysippe et Crantor ce qui est honnête ou honteux, ce qui est
utile ou ce qui ne l'est pas. »
** Ovide, *Amours*, livre III, poème 9 : « Dans ses œuvres, comme
à une source intarissable, les lèvres des poètes viennent s'abreuver
des eaux du Permesse. »
*** Lucrèce, chant III : « Ajoutes-y les compagnons des Muses,
parmi lesquels Homère s'est élevé jusqu'aux astres. »
**** Manilius, *Astronomiques*, chant II : « Source abondante où
la postérité a puisé pour ses œuvres; fleuve, qu'enrichie par les
trésors d'un seul poète, elle osa partager en mille petits ruisseaux. »

C'est contre l'ordre de nature qu'il a fait la plus excellente production qui puisse être; car la naissance ordinaire des choses, elle est imparfaite; elles s'augmentent,
se fortifient par l'accroissement; l'enfance de la poésie
et de plusieurs autres sciences, il l'a rendue mûre, parfaite
et accomplie. A cette cause, le peut-on nommer le premier
et dernier des poètes, suivant ce beau témoignage que
l'Antiquité nous a laissé de lui, que, n'ayant eu nul qu'il
pût imiter avant lui, il n'a eu nul après lui qui le pût
imiter. Ses paroles, selon Aristote [a], sont les seules
paroles qui aient mouvement et action; ce sont les seuls
mots substantiels. Alexandre le Grand, ayant rencontré
parmi les dépouilles de Darius un riche coffret, ordonna
qu'on le lui réservât pour y loger son Homère, disant que
c'était le meilleur et plus fidèle conseiller qu'il eût en ses
affaires militaires [3]. Pour cette même raison disait Cléomène, fils d'Anaxandridas, que c'était le poète des Lacédémoniens, parce qu'il était très bon maître de la discipline guerrière [4]. Cette louange singulière et particulière
lui est aussi demeurée au jugement de Plutarque [5], que
c'est le seul auteur du monde qui n'a jamais saoulé ni
dégoûté les hommes, se montrant aux lecteurs toujours
tout autre, et fleurissant toujours en nouvelle grâce. Ce
folâtre d'Alcibiade, ayant demandé à un qui faisait profession des lettres, un livre d'Homère, lui donna un
soufflet parce qu'il n'en avait point [6] : comme qui trouverait un de nos prêtres sans bréviaire. Xénophane [7] se
plaignait un jour à Hiéron, tyran de Syracuse, de ce qu'il
était si pauvre qu'il n'avait de quoi nourrir deux serviteurs : « Et quoi, lui répondit-il, Homère, qui était
beaucoup plus pauvre que toi, en nourrit bien plus de
dix mille, tout mort qu'il est. » Que n'était-ce à dire, à
Panætius [8], quand il nommait Platon l'Homère des philosophes?

Outre cela, quelle gloire se peut comparer à la sienne?
Il n'est rien qui vive en la bouche des hommes comme
son nom et ses ouvrages; rien si connu et si reçu que
Troie, Hélène et ses guerres, qui ne furent à l'aventure
jamais. Nos enfants s'appellent encore des noms qu'il
forgea il y a plus de trois mille ans. Qui ne connaît Hector
et Achille? Non seulement aucunes races particulières,
mais la plupart des nations cherchent origine en ses

inventions. Mahomet, second de ce nom, empereur des Turcs, écrivant à notre pape Pie second : « Je m'étonne, dit-il, comment les Italiens se bandent contre moi, attendu que nous avons notre origine commune des Troyens, et que j'ai comme eux intérêt de venger le sang d'Hector sur les Grecs, lesquels ils vont favorisant contre moi [9]. » N'est-ce pas une noble farce de laquelle les rois, les choses publiques et les empereurs vont jouant leur personnage tant de siècles, et à laquelle tout ce grand univers sert de théâtre ? Sept villes grecques entrèrent en débat du lieu de sa naissance, tant son obscurité même lui apporta d'honneur :

Smyrna, Rhodos, Colophon, Salamis, Chios, Argos, Athenæ *.

L'autre, Alexandre le Grand. Car qui considérera l'âge qu'il commença ses entreprises; le peu de moyen avec lequel il fit un si glorieux dessein; l'autorité qu'il gagna en cette sienne enfance parmi les plus grands et expérimentés capitaines du monde, desquels il était suivi; la faveur extraordinaire de quoi fortune embrassa et favorisa tant de siens exploits hasardeux, et à peu que je ne die téméraires :

> *impellens quicquid sibi summa petenti*
> *Obstaret, gaudensque viam fecisse ruina* ** ;

cette grandeur avoir, à l'âge de trente-trois ans, passé victorieux toute la terre habitable et en une demi-vie avoir atteint tout l'effort de l'humaine nature, si que vous ne pouvez imaginer sa durée légitime et la continuation de son accroissement en vertu et en fortune jusques à un juste terme d'âge, que vous n'imaginez quelque chose au-dessus de l'homme; d'avoir fait naître de ses soldats tant de branches royales, laissant après sa mort le monde en partage à quatre successeurs, simples capitaines de son armée, desquels les descendants ont depuis

* Traduction latine d'un vers grec cité par Aulu-Gelle, *Nuits attiques*, livre III, chap. XI.
** Lucain, *La Pharsale*, chant I : « Renversant tous les obstacles qui s'opposaient à son ambition et se réjouissant de se frayer une route parmi les ruines. »

si longtemps duré, maintenant cette grande possession;
tant d'excellentes vertus qui étaient en lui, justice, tempérance, libéralité, foi en ses paroles, amour envers les
siens, humanité envers les vaincus (car ses mœurs semblent à la vérité n'avoir aucun juste reproche, oui bien *a*
aucunes de ses actions particulières, rares et extraordinaires. Mais il est impossible de conduire si grands
mouvements avec les règles de la justice; telles gens
veulent être jugés en gros par la maîtresse fin de leurs
actions. La ruine de Thèbes, le meurtre de Ménandre et
du médecin d'Éphestion, de tant de prisonniers persiens
à un coup, d'une troupe de soldats indiens non sans
intérêt de sa parole, des Cosséiens jusques aux petits
enfants, sont saillies un peu mal excusables [10]. Car,
quant à Clytus, la faute en fut amendée outre son poids *b*,
et témoigne cette action, autant que toute autre, la
débonnaireté de sa complexion, et que c'était de soi une
complexion excellemment formée à la bonté; et a été
ingénieusement dit de lui qu'il avait de la Nature ses
vertus, de la Fortune ses vices. Quant à ce qu'il était un
peu vanteur, un peu trop impatient d'ouïr médire de soi,
et quant à ses mangeoires, armes et mors qu'il fit semer
aux Indes, toutes ces choses me semblent pouvoir être
condonnées *c* à son âge et à l'étrange prospérité de sa
fortune); qui considérera quand et quand *d* tant de vertus
militaires, diligence, pourvoyance *e*, patience, discipline,
subtilité, magnanimité, résolution, bonheur, en quoi,
quand l'autorité d'Hannibal ne nous l'aurait appris, il
a été le premier des hommes; les rares beautés et conditions de sa personne jusques au miracle [11]; ce port et ce
vénérable maintien sous un visage si jeune, vermeil et
flamboyant,

Qualis, ubi Oceani perfusus lucifer unda,
Quem Venus ante alios astrorum diligit ignes,
Extulit os sacrum cœlo, tenebrásque resolvit * ;

a. Mais bien. — *b.* Outre son importance. — *c.* Concédées. —
d. En même temps. — *e.* Prévoyance.

[11] Virgile, *Énéide*, chant VIII : « Tel brille Lucifer, quand, baigné
dans les flots de l'Océan, lui que Vénus chérit plus que les autres
feux célestes, il dresse sa face sacrée dans le ciel, et dissipe les
ténèbres. »

l'excellence de son savoir et capacité; la durée et grandeur de sa gloire, pure, nette, exempte de tache et
d'envie; et qu'encore longtemps après sa mort ce fut
une religieuse croyance d'estimer que ses médailles por-
tassent bonheur à ceux qui les avaient sur eux; et que,
plus de rois et princes ont écrit ses gestes qu'autres
historiens n'ont écrit les gestes d'autre roi ou prince que
ce soit, et qu'encore à présent les Mahométans, qui
méprisent toutes autres histoires, reçoivent et honorent
la sienne seule par spécial privilège [12] : il confessera, tout
cela mis ensemble, que j'ai eu raison de le préférer à
César même, qui seul m'a pu mettre en doute du choix.
Et il ne se peut nier qu'il n'y ait plus du sien en ses
exploits, plus de la fortune en ceux d'Alexandre. Ils ont
eu plusieurs choses égales, et César à l'aventure aucunes
plus grandes.

Ce furent deux feux, ou deux torrents à ravager le
monde par divers endroits,

> *Et velut immissi diversis partibus ignes*
> *Arentem in silvam et virgulta sonantia lauro;*
> *Aut ubi decursu rapido de montibus altis*
> *Dant sonitum spumosi amnes et in æquora currunt,*
> *Quisque suum populatus iter* *.

Mais quand l'ambition de César aurait de soi plus de
modération, elle a tant de malheur, ayant rencontré
ce vilain sujet de la ruine de son pays et de l'empirement
universel du monde, que, toutes pièces ramassées et
mises en la balance, je ne puis que je ne penche du côté
d'Alexandre.

Le tiers et le plus excellent, à mon gré, c'est Épaminondas.

De gloire, il n'en a pas beaucoup près tant que d'autres
(aussi n'est-ce pas une pièce *a* de la substance de la chose);
de résolution et de vaillance, non pas de celle qui est

---

a. Partie.
* Virgile, *Énéide*, chant XII : « Tels des incendies allumés en
des parties différentes d'une forêt desséchée, pleine de broussailles
sonores de laurier, ou tels des torrents écumants dévalent rapidement du haut des monts avec un grand fracas et se jettent dans la
mer après avoir tout ravagé sur leur chemin. »

aiguisée par l'ambition, mais de celle que la sapience et la raison peuvent planter en une âme bien réglée, il en avait tout ce qui s'en peut imaginer. De preuve de cette sienne vertu, il en a fait autant, à mon avis, qu'Alexandre même et que César; car, encore que ses exploits de guerre ne soient ni si fréquents ni si enflés, ils ne laissent pas pourtant, à les bien considérer et toutes leurs circonstances, d'être aussi pesants et roides, et portant autant de témoignage de hardiesse et de suffisance militaire. Les Grecs lui ont fait cet honneur, sans contredit, de le nommer le premier homme d'entre eux [13]; mais être le premier de la Grèce, c'est facilement être le prime du monde. Quant à son savoir et suffisance, ce jugement ancien nous en est resté, que jamais homme ne sut tant, et parla si peu de lui [14]. Car il était Pythagorique de secte [15]. Et ce qu'il parla, nul ne parla jamais mieux. Excellent orateur et très persuasif.

Mais quant à ses mœurs et conscience, il a de bien loin surpassé tous ceux qui se sont jamais mêlés de manier affaires. Car en cette partie, qui seule doit être principalement considérée, qui seule marque véritablement quels nous sommes, et laquelle je contrepèse seule à toutes les autres ensemble, il ne cède à aucun philosophe, non pas à Socrate même.

En celui-ci l'innocence est une qualité propre, maîtresse constante, uniforme, incorruptible. Au parangon de laquelle elle paraît en Alexandre subalterne, incertaine, bigarrée, molle et fortuite.

L'Ancienneté jugea qu'à éplucher par le menu tous les autres grands capitaines, il se trouve en chacun quelque spéciale qualité qui le rend illustre. En celui-ci seul, c'est une vertu et suffisance pleine partout et pareille; qui, en tous les offices de la vie humaine, ne laisse rien à désirer de soi, soit en occupation publique ou privée, ou paisible ou guerrière, soit à vivre, soit à mourir grandement et glorieusement [16]. Je ne connais nulle ni forme [a] ni fortune d'homme que je regarde avec tant d'honneur et d'amour. Il est bien vrai que son obstination à la pauvreté, je la trouve aucunement scrupuleuse, comme elle est peinte par ses meilleurs amis. Et cette seule

a. Aucune forme.

action, haute pourtant et très digne d'admiration, je la
sens un peu aigrette pour, par souhait même, m'en
désirer l'imitation. Le seul Scipion Émilien, qui lui
donnerait une fin aussi fière et illustre et la connaissance des sciences autant profonde et universelle, me
pourrait mettre en doute du choix. O quel déplaisir le
temps m'a fait d'ôter de nos yeux à point nommé, des
premières, le couple des vies justement le plus noble
qui fût en Plutarque [17], de ces deux personnages, par le
commun consentement du monde l'un le premier
des Grecs, l'autre des Romains! Quelle matière, quel
ouvrier! Pour un homme non saint, mais galant homme
qu'ils nomment, de mœurs civiles et communes, d'une
hauteur modérée, la plus riche vie que je sache à être
vécue entre les vivants, comme on dit, et étoffée de
plus de riches parties et désirables, c'est tout considéré,
celle d'Alcibiade à mon gré. Mais quant à Épaminondas,
et pour exemple d'une excessive bonté, je veux ajouter
ici aucunes de ses opinions.

Le plus doux contentement qu'il eut en toute sa vie,
il témoigna que c'était le plaisir qu'il avait donné à son
père et à sa mère de sa victoire de Leuctres [18]; il couche [a]
de beaucoup, préférant leur plaisir au sien, si juste et si
plein d'une tant glorieuse action.

Il ne pensait pas qu'il fût loisible, pour recouvrer
même la liberté de son pays, de tuer un homme sans connaissance de cause; voilà pourquoi il fut si froid à
l'entreprise de Pélopidas son compagnon, pour la délivrance de Thèbes. Il tenait aussi qu'en une bataille il
fallait fuir la rencontre d'un ami qui fût au parti contraire,
et l'épargner [19].

Et son humanité à l'endroit des ennemis mêmes,
l'ayant mis en soupçon envers les Béotiens de ce qu'après
avoir miraculeusement forcé les Lacédémoniens de lui
ouvrir le pas qu'ils avaient entrepris de garder à l'entrée
de la Morée près de Corinthe, il s'était contenté de leur
avoir passé sur le ventre sans les poursuivre à toute
outrance, il fut déposé de l'état de capitaine général : très
honorablement pour une telle cause et pour la honte que

---

a. Il avance (terme de jeu).

ce leur fut d'avoir par nécessité à le remonter tantôt
après en son degré, et reconnaître combien de lui dépendaient leur gloire et leur salut, la victoire le suivant
comme son ombre partout où il guidât [20]. La prospérité
de son pays mourut aussi, comme elle était née, avec lui.

CHAPITRE XXXVII

DE LA RESSEMBLANCE
DES ENFANTS AUX PÈRES

•

Ce fagotage de tant de diverses pièces se fait en cette
condition, que je n'y mets la main que lorsqu'une trop
lâche oisiveté me presse, et non ailleurs que chez moi.
Ainsi il s'est bâti à diverses poses et intervalles, comme
les occasions me détiennent ailleurs parfois plusieurs
mois. Au demeurant, je ne corrige point mes premières
imaginations par les secondes; oui à l'aventure *a* quelque
mot, mais pour diversifier, non pour ôter. Je veux représenter le progrès *b* de mes humeurs, et qu'on voie chaque
pièce en sa naissance. Je prendrais plaisir d'avoir commencé plus tôt et à reconnaître le train de mes mutations.
Un valet qui me servait à les écrire sous moi pensa faire
un grand butin de m'en dérober [1] plusieurs pièces choisies à sa poste *c*. Cela me console, qu'il n'y fera pas plus de
gain que j'y ai fait de perte.

Je me suis envieilli de sept ou huit ans depuis que je
commençai [2]; ce n'a pas été sans quelque nouvel acquêt.
J'y ai pratiqué la colique [3] par la libéralité des ans. Leur
commerce et longue conversation ne se passe aisément
sans quelque tel fruit. Je voudrais bien, de plusieurs
autres présents qu'ils ont à faire à ceux qui les hantent
longtemps, qu'ils en eussent choisi quelqu'un qui m'eût
été plus acceptable : car ils ne m'en eussent su faire que
j'eusse en plus grande horreur, dès mon enfance; c'était
à point nommé, de tous les accidents de la vieillesse,
celui que je craignais le plus. J'avais pensé maintes fois à

a. Peut-être. — *b.* Cours. — *c.* A sa guise.

part moi que j'allais trop avant, et qu'à faire un si long chemin, je ne faudrais pas de m'engager enfin en quelque malplaisante rencontre. Je sentais et protestais assez qu'il était heure de partir, et qu'il fallait trancher la vie dans le vif et dans le sain, suivant la règle des chirurgiens quand ils ont à couper quelque membre; qu'à celui qui ne la rendait à temps, Nature avait accoutumé faire payer de bien rudes usures. Mais c'étaient vaines propositions. Il s'en fallait tant que j'en fusse prêt lorsque, en dix-huit mois ou environ qu'il y a que je suis en ce malplaisant état, j'ai déjà appris à m'y accommoder. J'entre déjà en composition de ce vivre coliqueux; j'y trouve de quoi me consoler et de quoi espérer. Tant les hommes sont acoquinés à leur être misérable, qu'il n'est si rude condition qu'ils n'acceptent pour s'y conserver!

Oyez Mécène :

> *Debilem facito manu,*
> *Debilem pede, coxa,*
> *Lubricos quate dentes :*
> *Vita dum superest bene est* *.

Et couvrait Tamerlan d'une sotte humanité la cruauté fantastique qu'il exerçait contre les ladres [a], en faisant mettre à mort autant qu'il en venait à sa connaissance, pour, disait-il, les délivrer de la vie qu'ils vivaient si pénible. Car il n'y avait nul d'eux qui n'eût mieux aimé être trois fois ladre que de n'être pas.

Et Antisthène le Stoïcien, étant fort malade et s'écriant : « Qui me délivrera de ces maux? » Diogène, qui l'était venu voir, lui présentant un couteau : « Celui-ci, si tu veux bientôt. — Je ne dis pas de la vie, répliqua-t-il, je dis des maux [4]. »

Les souffrances qui nous touchent simplement par l'âme m'affligent beaucoup moins qu'elles ne font la plupart des autres hommes : partie par jugement (car le

---

a. Lépreux.

* Vers de Mécène, cités par Sénèque : « Qu'on me rende manchot, goutteux, cul-de-jatte, qu'on m'arrache mes dents branlantes, pourvu que la vie me reste, je suis satisfait. »

monde estime plusieurs choses horribles, ou évitables au prix de la vie, qui me sont à peu près indifférentes); partie par une complexion stupide et insensible que j'ai aux accidents qui ne donnent à moi de droit fil, laquelle complexion j'estime l'une des meilleures pièces de ma naturelle condition. Mais les souffrances vraiment essentielles et corporelles, je les goûte bien vivement. Si est-ce *a* pourtant que, les prévoyant autrefois d'une vue faible, délicate et amollie par la jouissance de cette longue et heureuse santé et repos que Dieu m'a prêté la meilleure part de mon âge, je les avais conçues par imagination si insupportables, qu'à la vérité j'en avais plus de peur que je n'y ai trouvé de mal : par où j'augmente toujours cette créance que la plupart des facultés de notre âme, comme nous les employons, troublent plus le repos de la vie qu'elles n'y servent.

Je suis aux prises avec la pire de toutes les maladies, la plus soudaine, la plus douloureuse, la plus mortelle et la plus irrémédiable. J'en ai déjà essayé cinq ou six bien longs accès et pénibles; toutefois, ou je me flatte, ou encore y a-t-il en cet état de quoi se soutenir, à qui a l'âme déchargée de la crainte de la mort, et déchargée des menaces, conclusions et conséquences de quoi la médecine nous entête. Mais l'effet même de la douleur n'a pas cette aigreur si âpre et si poignante, qu'un homme rassis en doive entrer en rage et en désespoir. J'ai au moins ce profit de la colique, que ce que je n'avais encore pu sur moi, pour me concilier du tout et m'accointer *b* à la mort, elle le parfera; car d'autant plus elle me pressera et importunera, d'autant moins me sera la mort à craindre. J'avais déjà gagné cela de ne tenir à la vie que par la vie seulement; elle dénouera encore cette intelligence; et Dieu veuille qu'enfin, si son âpreté vient à surmonter mes forces, elle ne me rejette à l'autre extrémité, non moins vicieuse, d'aimer et désirer à mourir!

Summum nec metuas diem, nec optes *.

---

a. Encore est-il. — *b.* Familiariser avec.

* Martial, *Épigrammes*, livre X, XLVII : « Ne redoute, ni ne souhaite le jour suprême. »

Ce sont deux passions à craindre, mais l'une a son remède bien plus prêt que l'autre.

Au demeurant, j'ai toujours trouvé ce précepte céré-monieux, qui ordonne si rigoureusement et exactement [5] de tenir bonne contenance et un maintien dédaigneux et posé à la tolérance des maux. Pourquoi la philosophie, qui ne regarde que le vif et les effets, se va-t-elle amusant à ces apparences externes [6] ? Qu'elle laisse ce soin aux farceurs et maîtres de rhétorique qui font tant d'état de nos gestes. Qu'elle condonne [a] hardiment au mal cette lâcheté voyelle [b], si elle n'est ni cordiale, ni stomacale, et prête ces plaintes volontaires au genre des soupirs, sanglots, palpitations, pâlissements que Nature a mis hors de notre puissance. Pourvu que le courage soit sans effroi, les paroles sans désespoir, qu'elle se contente! Qu'importe que nous tordions nos bras, pourvu que nous ne tordions nos pensées! Elle nous dresse pour nous, non pour autrui; pour être, non pour sembler. Qu'elle s'ar-rête à gouverner notre entendement qu'elle a pris à ins-truire [7], qu'aux efforts de la colique, elle maintienne l'âme capable de se reconnaître, de suivre son train accou-tumé, combattant la douleur et la soutenant, non se pros-ternant honteusement à ses pieds; émue et échauffée du combat, non abattue et renversée; capable de commerce, capable d'entretien jusques à certaine mesure.

En accidents si extrêmes, c'est cruauté de requérir de nous une démarche si composée. Si nous avons beau jeu, c'est peu que nous ayons mauvaise mine. Si le corps se soulage en se plaignant... qu'il le fasse; si l'agitation lui plaît, qu'il se tourneboule et tracasse à sa fantaisie; s'il lui semble que le mal s'évapore aucunement (comme aucuns médecins disent [8] que cela aide à la délivrance des femmes enceintes) pour pousser hors la voix avec plus grande violence ou, s'il en amuse son tourment, qu'il crie tout à fait. Ne commandons point à cette voix qu'elle aille, mais permettons-le-lui. Épicure ne permet pas seulement à son sage de crier aux tourments, mais il le lui conseille. « *Pugiles etiam, quum feriunt in jactandis cæstibus, ingemiscunt, quia profundenda voce omne corpus*

***

a. Qu'elle donne ensemble. — *b.* Lâcheté verbale.

*intenditur venitque plaga vehementior *.* » Nous avons assez
de travail du mal sans nous travailler à ces règles superflues. Ce que je dis pour excuser ceux qu'on voit ordinairement se tempêter aux secousses et assauts de cette
maladie; car, pour moi, je l'ai passée jusques à cette
heure avec un peu meilleure contenance [9], non pourtant
que je me mette en peine pour maintenir cette décence
extérieure, car je fais peu de compte d'un tel avantage, je
prête en cela au mal autant qu'il veut; mais ou mes
douleurs ne sont pas si excessives, ou j'y apporte plus
de fermeté que le commun. Je me plains, je me dépite
quand les aigres pointures [a] me pressent [10], mais je n'en
viens point à me perdre, comme celui-là,

> *Ejulatu, questu, gemitu, fremitibus*
> *Resonando multum flebiles voces refert **.*

Je me tâte au plus épais du mal et ai toujours trouvé
que j'étais capable de dire, de penser, de répondre aussi
sainement qu'en une autre heure, mais non si constamment, la douleur me troublant et détournant. Quand on
me tient le plus atterré [b] et que les assistants m'épargnent,
j'essaie souvent mes forces et leur entame moi-même
des propos les plus éloignés de mon état. Je puis tout par
un soudain effort, mais ôtez-en la durée.

O que n'ai-je la faculté de ce songeur de Cicéron qui,
songeant embrasser une garce, trouva qu'il s'était
déchargé de sa pierre emmi ses draps! Les miennes me
dégarcent [c] étrangement!

Aux intervalles de cette douleur excessive, que mes
uretères languissent sans me poindre si fort, je me remets
soudain en ma forme ordinaire [11], d'autant que mon âme

---

a. Piqûres. — b. Abattu. — c. M'ôtent le désir des garces.

* Cicéron, *Tusculanes*, livre II, chap. XXIII : « Les lutteurs aussi,
lorsqu'ils frappent en brandissant les cestes, gémissent, parce que,
en poussant un cri, tout le corps se raidit et le coup est asséné
avec plus de force. »

** Vers du *Philoctète* d'Accius (170-86 avant J.-C.) cités par
Cicéron dans le *De Finibus*, livre II, chap. XXIX et dans les *Tusculanes*, livre II, chap. XIV : « Avec des soupirs, des plaintes, des
gémissements, des lamentations bruyantes, il répand des paroles
pitoyables. »

ne prend autre alarme que la sensible et corporelle, ce
que je dois certainement au soin que j'ai eu à me préparer
par discours à tels accidents,

> *laborum*
> *Nulla mihi nova nunc facies inopináque surgit;*
> *Omnia præcepi atque animo mecum ante peregi* *.

Je suis essayé [a] pourtant un peu bien rudement pour
un apprenti et d'un changement bien soudain et bien
rude, étant chu tout à coup d'une très douce condition
de vie et très heureuse à la plus douloureuse et pénible
qui se puisse imaginer. Car, outre ce que c'est une maladie
bien fort à craindre d'elle-même, elle fait en moi ses
commencements beaucoup plus âpres et difficiles qu'elle
n'a accoutumé. Les accès me reprennent si souvent que
je ne sens quasi plus d'entière santé. Je maintiens toutefois jusques à cette heure mon esprit en telle assiette que,
pourvu que j'y puisse apporter de la constance, je me
trouve en assez meilleure condition de vie que mille
autres, qui n'ont ni fièvre ni mal que celui qu'ils se
donnent eux-mêmes par la faute de leur discours.

Il est certaine façon d'humilité subtile qui naît de
la présomption, comme celle-ci, que nous reconnaissons
notre ignorance en plusieurs choses et sommes si courtois d'avouer qu'il y a ès ouvrages de nature aucunes
qualités et conditions qui nous sont imperceptibles, et
desquelles notre suffisance [b] ne peut découvrir les moyens
et les causes. Par cette honnête et consciencieuse déclaration, nous espérons gagner qu'on nous croira aussi de
celles que nous dirons entendre. Nous n'avons que faire
d'aller trier des miracles et des difficultés étrangères; il
me semble que, parmi les choses que nous voyons ordinairement, il y a des étrangetés si incompréhensibles
qu'elles surpassent toute la difficulté des miracles. Quel
monstre est-ce que cette goutte de semence de quoi
nous sommes produits porte en soi les impressions, non

---

a. Mis à l'épreuve. — *b.* Nos capacités.
* Virgile, *Énéide*, chant VI : « Aucune épreuve ne peut se présenter sous un aspect insolite et inattendu : je les ai toutes prévues
et éprouvées à l'avance dans mon âme. »

de la forme corporelle seulement, mais des pensements et des inclinations de nos pères? Cette goutte d'eau, où loge-t-elle ce nombre infini de formes [12]?

Et comme portent-elles ces ressemblances, d'un progrès si téméraire et si déréglé que l'arrière-fils répondra à son bisaïeul, le neveu à l'oncle? En la famille de Lepidus, à Rome, il y en a eu trois, non de suite mais par intervalles, qui naquirent un même œil couvert de cartilage [13]. A Thèbes, il y en avait une race qui portait, dès le ventre de la mère, la forme d'un fer de lance; et, qui ne le portait, était tenu illégitime [14]. Aristote dit qu'en certaine nation où les femmes étaient communes, on assignait les enfants à leurs pères par la ressemblance [15].

Il est à croire que je dois à mon père cette qualité pierreuse, car il mourut merveilleusement affligé d'une grosse pierre qu'il avait en la vessie; il ne s'aperçut de son mal que le soixante-septième an de son âge, et avant cela il n'en avait eu aucune menace ou ressentiment [a] aux reins, aux côtés, ni ailleurs; et avait vécu jusque lors en une heureuse santé et bien peu sujette à maladies; et dura encore sept ans en ce mal, traînant une fin de vie bien douloureuse. J'étais né vingt-cinq ans et plus avant sa maladie, et durant le cours de son meilleur état, le troisième de ses enfants en rang de naissance. Où se couvait tant de temps la propension à ce défaut? Et, lorsqu'il était si loin du mal, cette légère pièce de sa substance de quoi il me bâtit, comment en portait-elle pour sa part une si grande impression? Et comment encore si couverte, que, quarante-cinq ans après, j'aie commencé à m'en ressentir, seul jusques à cette heure entre tant de frères et de sœurs, et tous d'une mère? Qui m'éclaircira de ce progrès [b], je le croirai d'autant d'autres miracles qu'il voudra; pourvu que, comme ils [c] font, il ne me donne pas en paiement une doctrine beaucoup plus difficile et fantastique que n'est la chose même.

Que les médecins excusent un peu ma liberté, car, par cette même infusion et insinuation fatale, j'ai reçu la haine et le mépris de leur doctrine : cette antipathie que j'ai à leur art m'est héréditaire. Mon père a vécu

---

a. Sensation. — *b*. Processus. — *c*. On fait.

soixante et quatorze ans, mon aïeul soixante et neuf, mon bisaïeul près de quatre-vingts, sans avoir goûté aucune sorte de médecine; et, entre eux, tout ce qui n'était de l'usage ordinaire tenait lieu de drogue. La médecine se forme par exemples et expériences; aussi fait mon opinion. Voilà pas une bien expresse expérience et bien avantageuse? Je ne sais s'ils m'en trouveront trois en leurs registres, nés, nourris et trépassés en même foyer, même toit, ayant autant vécu sous leurs règles. Il faut qu'ils m'avouent en cela que, si ce n'est la raison, au moins que la fortune est de mon parti; or, chez les médecins, fortune vaut bien mieux que la raison. Qu'ils ne me prennent point à cette heure à leur avantage; qu'ils ne me menacent point, atterré comme je suis : ce serait supercherie. Aussi, à dire la vérité, j'ai assez gagné sur eux par mes exemples domestiques, encore qu'ils s'arrêtent là. Les choses humaines n'ont pas tant de constance : il y a deux cents ans, il ne s'en faut que dix-huit, que cet essai nous dure, car le premier naquit l'an mil quatre cent deux. C'est vraiment bien raison que cette expérience commence à nous faillir. Qu'ils ne me reprochent point les maux qui me tiennent asteure *a* à la gorge : d'avoir vécu sain quarante-sept ans pour ma part, n'est-ce pas assez? Quand ce sera le bout de ma carrière, elle est des plus longues.

Mes ancêtres avaient la médecine à contrecœur par quelque inclination occulte et naturelle; car la vue même des drogues faisait horreur à mon père. Le seigneur de Gaujac [16], mon oncle paternel, homme d'Église, maladif dès sa naissance, et qui fit toutefois durer cette vie débile jusques à soixante-sept ans, étant tombé autrefois en une grosse et véhémente fièvre continue, il fut ordonné par les médecins qu'on lui déclarerait, s'il ne se voulait aider (ils appellent secours ce qui le plus souvent est empêchement), qu'il était infailliblement mort. Ce bon homme, tout effrayé comme il fut de cette horrible sentence, si répondit-il : « Je suis donc mort. » Mais Dieu rendit tantôt après vain ce pronostic.

Le dernier des frères, ils étaient quatre, sieur de Bussaguet, et de bien loin le dernier, se soumit seul à

---

a. A cette heure.

cet art, pour le commerce, ce crois-je, qu'il avait avec
les autres arts, car il était conseiller en la cour de parlement, et lui succéda *a* si mal qu'étant par apparence de
plus forte complexion, il mourut pourtant longtemps
avant les autres, sauf un, le sieur de Saint-Michel.

Il est possible que j'aie reçu d'eux cette dispathie *b*
naturelle à la médecine; mais s'il n'y eût eu que cette
considération, j'eusse essayé de la forcer. Car toutes ces
conditions qui naissent en nous sans raison, elles sont
vicieuses, c'est une espèce de maladie qu'il faut combattre, il peut être que j'y avais cette propension, mais je l'ai
appuyée et fortifiée par les discours *c* qui m'en ont établi
l'opinion que j'en ai. Car je hais aussi cettte considération
de refuser la médecine pour l'aigreur de son goût; ce
ne serait aisément mon humeur, qui trouve la santé
digne d'être rachetée par tous les cautères et incisions
les plus pénibles qui se fassent.

Et, suivant Épicure, les voluptés me semblent à
éviter, si elles tirent à leur suite des douleurs plus grandes,
et les douleurs à rechercher, qui tirent à leur suite des
voluptés plus grandes [17].

C'est une précieuse chose que la santé, et la seule
chose qui mérite à la vérité qu'on y emploie, non le
temps seulement, la sueur, la peine, les biens, mais
encore la vie à sa poursuite; d'autant que sans elle la
vie nous vient à être pénible et injurieuse. La volupté,
la sagesse, la science et la vertu, sans elle, se ternissent
et évanouissent; et aux plus fermes et tendus discours
que la philosophie nous veuille imprimer au contraire,
nous n'avons qu'à opposer l'image de Platon étant
frappé du haut mal ou d'une apoplexie, et, en cette
présupposition, le défier de s'aider de ces nobles et riches
facultés de son âme. Toute voie qui nous mènerait à la
santé ne se peut dire pour moi ni âpre, ni chère. Mais
j'ai quelques autres apparences qui me font étrangement
défier de toute cette marchandise. Je ne dis pas qu'il n'y
en puisse avoir quelqu'art; qu'il n'y ait, parmi tant
d'ouvrages de nature, des choses propres à la conservation de notre santé; cela est certain [18].

---

a. Cela lui réussit si mal. — *b.* Aversion. — *c.* Raisonnement.

J'entends bien qu'il y a quelque simple *a* qui humecte, quelque autre qui assèche; je sais, par expérience, et que les raiforts produisent des vents, et que les feuilles du séné lâchent le ventre; je sais plusieurs telles expériences, comme je sais que le mouton me nourrit et que le vin m'échauffe; et disait Solon que le manger était, comme les autres drogues, une médecine contre la maladie de la faim [19]. Je ne désavoue pas l'usage que nous tirons du monde, ni ne doute de la puissance et uberté *b* de nature, et de son application à notre besoin. Je vois bien que les brochets et les arondes se trouvent bien d'elle. Je me défie des inventions de notre esprit, de notre science et art, en faveur duquel nous l'avons abandonnée et ses règles, et auquel nous ne savons tenir modération ni limite.

Comme nous appelons justice le pâtissage *c* des premières lois qui nous tombent en main et leur dispensation et pratique, souvent très inepte et très inique, et comme ceux qui s'en moquent et qui l'accusent n'entendent pas pourtant injurier cette noble vertu, ains condamner seulement l'abus et profanation de ce sacré titre; de même, en la médecine, j'honore bien ce glorieux nom, sa proposition, sa promesse si utile au genre humain, mais ce qu'il désigne entre nous, je ne l'honore ni l'estime.

En premier lieu, l'expérience me le fait craindre; car, de ce que j'ai de connaissance, je ne vois nulle race de gens si tôt malade et si tard guérie que celle qui est sous la juridiction de la médecine. Leur santé même est altérée et corrompue par la contrainte des régimes. Les médecins ne se contentent point d'avoir la maladie en gouvernement, ils rendent la santé malade, pour garder qu'on ne puisse en aucune saison échapper leur autorité. D'une santé constante et entière, n'en tirent-ils pas l'argument d'une grande maladie future? J'ai été assez souvent malade; j'ai trouvé, sans leurs secours, mes maladies aussi douces à supporter (et en ai essayé quasi de toutes les sortes) et aussi courtes qu'à nul autre; et si, n'y ai point mêlé l'amertume de leurs ordonnances. La santé, je l'ai libre et entière, sans règle et sans autre

a. Herbe médicinale. — *b*. Prodigalité. — *c*. L'arrangement.

discipline que de ma coutume et de mon plaisir. Tout lieu m'est bon à m'arrêter, car il ne me faut autres commodités, étant malade, que celles qu'il me faut étant sain. Je ne me passionne point d'être sans médecin, sans apothicaire et sans secours; de quoi j'en vois la plupart plus affligés que du mal. Quoi! eux-mêmes nous font-ils voir de l'heur et de la durée en leur vie, qui nous puisse témoigner quelque apparent effet de leur science?

Il n'est nation qui n'ait été plusieurs siècles sans la médecine, et les premiers siècles, c'est-à-dire les meilleurs et les plus heureux; et du monde la dixième partie ne s'en sert pas encore à cette heure; infinies nations ne la connaissent pas, où l'on vit et plus sainement et plus longuement qu'on ne fait ici; et parmi nous le commun peuple s'en passe heureusement. Les Romains avaient été six cents ans avant que de la recevoir [20], mais, après l'avoir essayée, ils la chassèrent de leur ville par l'entremise de Caton le Censeur, qui montra combien aisément il s'en pouvait passer, ayant vécu quatre-vingts et cinq ans, et fait vivre sa femme jusqu'à l'extrême vieillesse, non pas sans médecine, mais oui bien sans médecin : car toute chose qui se trouve salubre à notre vie, se peut nommer médecine. Il entretenait, ce dit Plutarque [21], sa famille en santé par l'usage (ce me semble) du lièvre; comme les Arcadiens, dit Pline [22], guérissent toutes maladies avec du lait de vache. Et les Libyens, dit Hérodote [23], jouissent populairement d'une rare santé par cette coutume qu'ils ont, après que leurs enfants ont atteint quatre ans, de leur cautériser et brûler les veines du chef et des tempes par où ils coupent chemin pour leur vie à toute défluxion de rhume. Et les gens du village de ce pays, à tous accidents, n'emploient que du vin, le plus fort qu'ils peuvent, mêlé à force safran et épice, tout cela avec une fortune pareille.

Et, à dire vrai, de toute cette diversité et confusion d'ordonnances, quelle autre fin et effet après tout y a-t-il que de vider le ventre? ce que mille simples domestiques peuvent faire.

Et si ne sais si c'est si utilement qu'ils disent, et si notre nature n'a point besoin de la résidence de ses excréments jusques à certaine mesure, comme le vin a de la lie pour sa conservation. Vous voyez souvent des hommes sains tomber en vomissements ou flux de ventre par accident étranger, et faire une grande vidange d'excréments sans besoin aucun précédent et sans aucune utilité suivante, voire avec empirement et dommage. C'est du grand Platon [24] que j'appris naguère que, de trois sortes de mouvements qui nous appartiennent, le dernier et le pire est celui des purgations, que nul homme, s'il n'est fol, doit entreprendre qu'à l'extrême nécessité. On va troublant et éveillant le mal par oppositions contraires. Il faut que ce soit la forme de vivre qui doucement l'alanguisse et reconduise à sa fin : les violentes harpades *a* de la drogue et du mal sont toujours à notre perte, puisque la querelle se démêle chez nous et que la drogue est un secours infiable *b*, de sa nature ennemi à notre santé et qui n'a accès en notre état que par le trouble. Laissons un peu faire : l'ordre qui pourvoit aux puces et aux taupes, pourvoit aussi aux hommes qui ont la patience pareille à se laisser gouverner que les puces et les taupes. Nous avons beau crier bihore *c*, c'est bien pour nous enrouer, mais non pour l'avancer. C'est un ordre superbe et impiteux. Notre crainte, notre désespoir le dégoûte et retarde de notre aide, au lieu de l'y convier ; il doit au mal son cours comme à la santé. De se laisser corrompre en faveur de l'un au préjudice des droits de l'autre, il ne le fera pas : il tomberait en désordre. Suivons, de par Dieu! suivons! Il mène ceux qui suivent ; ceux qui ne le suivent pas, il les entraîne [25], et leur rage et leur médecine ensemble. Faites ordonner une purgation à votre cervelle, elle y sera mieux employée qu'à votre estomac.

On demandait à un Lacédémonien qui l'avait fait vivre sain si longtemps : « L'ignorance de la médecine », répondit-il. Et Adrien l'empereur criait sans cesse, en mourant, que la presse *d* des médecins l'avait tué [26].

Un mauvais lutteur se fit médecin : « Courage, lui dit Diogène, tu as raison ; tu mettras à cette heure en terre ceux qui t'y ont mis autrefois [27]. »

Mais ils ont cet heur, selon Nicoclès [28], que le soleil

---

a. Coups de griffe (mot gascon). — *b.* Auquel on ne peut se fier. — *c.* Hue! (cri des charretiers pour faire avancer les chevaux : c'est un gasconisme). — *d.* Foule.

éclaire leur succès, et la terre cache leur faute; et, outre cela, ils ont une façon bien avantageuse de se servir de toutes sortes d'événements, car ce que la fortune, ce que la nature, ou quelque autre cause étrangère (desquelles le nombre est infini) produit en nous de bon et de salutaire, c'est le privilège de la médecine de se l'attribuer. Tous les heureux succès qui arrivent au patient qui est sous son régime, c'est d'elle qu'il les tient. Les occasions qui m'ont guéri, moi, et qui guérissent mille autres, qui n'appellent point les médecins à leurs secours, ils les usurpent en leurs sujets; et, quant aux mauvais accidents, ou ils les désavouent tout à fait, en attribuant la coulpe au patient par des raisons si vaines qu'ils n'ont garde de faillir d'en trouver toujours assez bon nombre de telles : « Il a découvert son bras, il a ouï le bruit d'un coche;

> *rhedarum transitus arcto*
> *Vicorum inflexu* * ;*

on a entrouvert sa fenêtre; il s'est couché sur le côté gauche, ou passé par sa tête quelque pensement pénible. » Somme, une parole, un songe, une œillade leur semble suffisante excuse pour se décharger de faute. Ou, s'il leur plaît, ils se servent encore de cet empirement, et en font leurs affaires par cet autre moyen qui ne leur peut jamais faillir : c'est de nous payer, lorsque la maladie se trouve réchauffée par leurs applications, de l'assurance qu'ils nous donnent qu'elle serait bien autrement empirée sans leurs remèdes. Celui qu'ils ont jeté d'un morfondement [a] en une fièvre quotidienne, il eût eu sans eux la continue. Ils n'ont garde de faire mal leurs besognes, puisque le dommage leur revient à profit. Vraiment, ils ont raison de requérir du malade une application de créance favorable : il faut qu'elle le soit, à la vérité, en bon escient, et bien souple, pour s'appliquer à des imaginations si malaisées à croire.

Platon disait [29], bien à propos, qu'il n'appartenait

---

a. Rhume de cerveau.

* Martial, *Épigramme*, III : « Le passage des voitures dans les détours étroits des rues. »

qu'aux médecins de mentir en toute liberté, puisque
notre salut dépend de la vanité et fausseté de leurs
promesses [30].

Ésope, auteur de très rare excellence et duquel
peu de gens découvrent toutes les grâces, est plaisant à
nous représenter cette autorité tyrannique qu'ils usurpent
sur ces pauvres âmes affaiblies et abattues par le mal et la
crainte. Car il conte qu'un malade, étant interrogé par
son médecin quelle opération il sentait des médicaments
qu'il lui avait donnés : « J'ai fort sué, répondit-il. —
Cela est bon », dit le médecin. A une autre fois, il lui
demanda encore comme il s'était porté depuis : « J'ai
eu un froid extrême, fit-il, et ai fort tremblé. — Cela
est bon », suivit le médecin. A la troisième fois, il lui
demanda derechef comment il se portait : « Je me sens,
dit-il, enfler et bouffir comme d'hydropisie. — Voilà
qui va bien », ajouta le médecin. L'un de ses domestiques
venant après à s'enquérir à lui de son état : « Certes,
mon ami, répond-il, à force de bien être, je me meurs. »

Il y avait en Égypte une loi plus juste par laquelle le
médecin prenait son patient en charge, les trois premiers
jours, aux périls et fortunes du patient; mais, les trois
jours passés, c'était aux siens propres; car quelle raison
y a-t-il qu'Esculape, leur patron, ait été frappé de la
foudre pour avoir ramené Hélène [31] de mort à vie,

Nam pater omnipotens, aliquem indignatus ab umbris
Mortalem infernis ad lumina surgere vitæ,
Ipse repertorem medicinæ talis et artis
Fulmine Phœbigenam stygias detrusit ad undas *,*

et ses suivants soient absous qui envoient tant d'âmes
de la vie à la mort?

Un médecin vantait à Nicoclès sont art être de grande
autorité : « Vraiment c'est mon [a], dit Nicoclès, qui peut
impunément tuer tant de gens. »

a. Assurément.

* Virgile, *Énéide*, chant VII : « Car le père tout-puissant des
dieux, indigné qu'un mortel soit remonté des ombres infernales à
la lumière de la vie, frappa lui-même de la foudre l'inventeur de
cette médecine prodigieuse, précipitant le fils de Phœbus Apollon
sur les bords du Styx. »

Au demeurant, si j'eusse été de leur conseil, j'eusse rendu ma discipline *a* plus sacrée et mystérieuse; ils avaient assez bien commencé, mais ils n'ont pas achevé de même. C'était un bon commencement d'avoir fait des dieux et des démons auteurs de leur science, d'avoir pris un langage à part, une écriture à part; quoi qu'en sente la philosophie, que c'est folie de conseiller un homme pour son profit par manière non intelligible :

> « *Ut si quis medicus imperet ut sumat :*
> *Terrigenam, herbigradam, domiportam, sanguine cassam* *. »

C'était une bonne règle en leur art, et qui accompagne tous les arts fantastiques, vains et supernaturels, qu'il faut que la foi du patient préoccupe par bonne espérance et assurance leur effet et opération. Laquelle règle ils tiennent jusque-là que le plus ignorant et grossier médecin, ils le trouvent plus propre à celui qui a fiance *b* en lui que le plus expérimenté inconnu. Le choix même de la plupart de leurs drogues est aucunement mystérieux et divin : le pied gauche d'une tortue, l'urine d'un lézard, la fiente d'un éléphant, le foie d'une taupe, du sang tiré sous l'aile droite d'un pigeon blanc; et pour nous autres coliqueux (tant ils abusent dédaigneusement de notre misère), des crottes de rat pulvérisées, et telles autres singeries qui ont plus le visage d'un enchantement magicien que de science solide. Je laisse à part le nombre impair de leurs pilules, la destination de certains jours et fêtes de l'année, la distinction des heures à cueillir les herbes de leurs ingrédients, et cette grimace rébarbative et prudente de leur port et contenance, de quoi Pline même se moque [32]. Mais ils ont failli, veux-je dire, de ce qu'à ce beau commencement, ils n'ont ajouté ceci, de rendre leurs assemblées et consultations plus religieuses et secrètes : aucun homme profane n'y devait avoir accès, non plus qu'aux secrètes cérémonies d'Esculape.

---

a. Art. — *b.* Confiance.
* Cicéron, *De Divinatione*, livre II, chap. LXIV : « Comme si un médecin ordonnait au malade de prendre un enfant de la terre, marchant dans l'herbe, portant sa maison et dépourvu de sang. » Cicéron ajoutait après avoir cité le vers : « au lieu de dire comme tout le monde, un *limaçon*. »

Car il advient de cette faute que leur irrésolution, la
faiblesse de leurs arguments, divinations et fondements,
l'âpreté de leurs contestations, pleine de haine, de jalousie
et de considération particulière, venant à être découverts
à un chacun, il faut être merveilleusement aveugle si
on ne se sent bien hasardé entre leurs mains. Qui vit
jamais médecin se servir de la recette de son compagnon
sans en retrancher ou y ajouter quelque chose? Ils
trahissent assez par là leur art, et nous font voir qu'ils y
considèrent plus leur réputation, et par conséquent
leur profit, que l'intérêt de leurs patients. Celui-là de
leurs docteurs est plus sage, qui leur a anciennement
prescrit qu'un seul se mêle de traiter un malade : car,
s'il ne fait rien qui vaille, le reproche à l'art de la médecine
n'en sera pas fort grand pour la faute d'un homme seul;
et, au rebours, la gloire en sera grande, s'il vient à bien
rencontrer; là où, quand ils sont beaucoup, ils décrient
tous les coups le métier, d'autant qu'il leur advient de
faire plus souvent mal que bien. Ils se devaient contenter
du perpétuel désaccord qui se trouve ès opinions des
principaux maîtres et auteurs anciens de cette science,
lequel n'est connu que des hommes versés aux livres,
sans faire voir encore au peuple les controverses et
inconstances de jugement qu'ils nourrissent et continuent entre eux.

Voulons-nous un exemple de l'ancien débat de la
médecine [33]? Herophilus loge la cause originelle des
maladies aux humeurs; Érasistratus, au sang des artères;
Asclépiade, aux atomes invisibles s'écoulant en nos
pores; Alcméon, en l'exubérance ou défaut de forces
corporelles; Dioclès, en l'inégalité des éléments du
corps et en la qualité de l'air que nous respirons; Straton,
en l'abondance, crudité et corruption de l'aliment que
nous prenons; Hippocrate la loge aux esprits. Il y a l'un
de leurs amis, qu'ils connaissent mieux que moi, qui
s'écrie à ce propos que la science la plus importante qui
soit en notre usage, comme celle qui a charge de notre
conservation et santé, c'est, de malheur, la plus incertaine, la plus trouble et agitée de plus de changements.
Il n'y a pas grand danger de nous mécompter à la hauteur du soleil, ou en la fraction de quelque supputation
astronomique; mais ici, où il va de tout notre être, ce

n'est pas sagesse de nous abandonner à la merci de l'agitation de tant de vents contraires.

Avant la guerre Péloponnésiaque, il n'y avait pas
grandes nouvelles de cette science [34]; Hippocrate la mit
en crédit. Tout ce que celui-ci avait établi, Chrysippus
le renversa; depuis, Érasistratus, petit-fils d'Aristote,
tout ce que Chrysippus en avait écrit. Après ceux-ci
survinrent les Empiriques, qui prirent une voie toute
diverse des anciens au maniement de cet art. Quand
le crédit de ces derniers commença à s'envieillir, Herophilus mit en usage une autre sorte de médecine, qu'Asclépiade vint à combattre et anéantir à son tour. A leur
rang vinrent aussi en autorité les opinions de Themison,
et depuis de Musa, et encore après, celles de Vexius
Valens, médecin fameux par l'intelligence qu'il avait
avec Messaline. L'empire de la médecine tomba du
temps de Néron à Tessalus, qui abolit et condamna tout ce
qui en avait été tenu jusques à lui. La doctrine de celui-ci
fut abattue par Crinas de Marseille, qui apporta de
nouveau de régler toutes les opérations médicinales
aux éphémérides et mouvements des astres, manger,
dormir et boire à l'heure qu'il plairait à la Lune et à
Mercure. Son autorité fut bientôt après supplantée par
Charinus, médecin de cette même ville de Marseille.
Celui-ci combattait non seulement la médecine ancienne,
mais encore le public et, tant de siècles auparavant,
accoutumé usage des bains chauds. Il faisait baigner les
hommes dans l'eau froide, en hiver même, et plongeait
les malades dans l'eau naturelle des ruisseaux. Jusques
au temps de Pline, aucun Romain n'avait encore daigné
exercer la médecine; elle se faisait par des étrangers et
Grecs, comme elle se fait entre nous, Français, par des
Latineurs : car, comme dit un très grand médecin, nous
ne recevons pas aisément la médecine que nous entendons, non plus que la drogue que nous cueillons [35]. Si les
nations desquelles nous retirons le gaïac, la salsepareille
et le bois de squine ont des médecins, combien pensons-
nous, par cette même recommandation de l'étrangeté, la
rareté et la cherté, qu'ils fassent fête de nos choux et de
notre persil ? car qui oserait mépriser les choses recher-
chées de si loin, au hasard d'une si longue pérégrination
et si périlleuse ? Depuis ces anciennes mutations de la

médecine, il y en a eu infinies autres jusques à nous, et le plus souvent mutations entières et universelles, comme sont celles que produisent de notre temps Paracelse, Fioravanti et Argenterius [36], car ils ne changent pas seulement une recette, mais, à ce qu'on me dit, toute la contexture et police du corps de la médecine, accusant d'ignorance et de piperie ceux qui en ont fait profession jusques à eux. Je vous laisse à penser où en est le pauvre patient!

Si encore nous étions assurés, quand ils se mécomptent, qu'il ne nous nuisît pas s'il ne nous profite, ce serait une bien raisonnable composition de se hasarder d'acquérir du bien sans se mettre en danger de perte.

Ésope fait ce conte [37], qu'un qui avait acheté un More esclave, estimant que cette couleur lui fût venue par accident et mauvais traitement de son premier maître, le fit médeciner de plusieurs bains et breuvages avec grand soin; il advint que le More n'en amenda aucunement sa couleur basanée, mais qu'il en perdit entièrement sa première santé.

Combien de fois nous advient-il de voir les médecins imputant les uns aux autres la mort de leurs patients! Il me souvient d'une maladie populaire qui fut aux villes de mon voisinage, il y a quelques années, mortelle et très dangereuse; cet orage étant passé, qui avait emporté un nombre infini d'hommes, l'un des plus fameux médecins de toute la contrée vint à publier un livret touchant cette matière, par lequel il se ravise de ce qu'ils avaient usé de la saignée, et confesse que c'est l'une des causes principales du dommage qui en était advenu. Davantage, leurs auteurs [38] tiennent qu'il n'y a aucune médecine qui n'ait quelque partie nuisible et si celles mêmes qui nous servent nous offensent aucunement, que doivent faire celles qu'on nous applique du tout hors de propos?

De moi, quand il n'y aurait autre chose, j'estime qu'à ceux qui haïssent le goût de la médecine, ce soit un dangereux effort, et de préjudice, de l'aller avaler à une heure si incommode avec tant de contrecœur, et crois que cela essaie [a] merveilleusement le malade en une saison où il a tant besoin de repos. Outre ce que, à considé-

a. Éprouve.

rer les occasions sur quoi ils fondent ordinairement la cause de nos maladies, elles sont si légères et si délicates que j'argumente par là qu'une bien petite erreur en la dispensation de leurs drogues peut nous apporter beaucoup de nuisance.

Or, si le mécompte du médecin est dangereux, il nous va bien mal, car il est bien malaisé qu'il n'y retombe souvent; il a besoin de trop de pièces, considérations et circonstances pour affûter justement son dessein; il faut qu'il connaisse la complexion du malade, sa température, ses humeurs, ses inclinations, ses actions, ses pensements mêmes et ses imaginations; il faut qu'il se réponde des circonstances externes, de la nature du lieu, condition de l'air et du temps, assiette des planètes et leurs influences; qu'il sache en la maladie les causes, les signes, les affections, les jours critiques; en la drogue, le poids, la force, le pays, la figure, l'âge, la dispensation [a]; et faut que toutes ces pièces, il les sache proportionner et rapporter l'une à l'autre pour en engendrer une parfaite symétrie. A quoi s'il faut [b] tant soit peu, si de tant de ressorts il y en a un tout seul qui tire à gauche, en voilà assez pour nous perdre. Dieu sait de quelle difficulté est la connaissance de la plupart de ces parties : car, pour exemple, comment trouvera-t-il le signe propre de la maladie, chacune étant capable d'un infini nombre de signes ? Combien ont-ils de débats entre eux et de doutes sur l'interprétation des urines ! Autrement d'où viendrait cette altercation continuelle que nous voyons entre eux sur la connaissance du mal ? Comment excuserions-nous cette faute, où ils tombent si souvent, de prendre martre pour renard ? Aux maux que j'ai eus, pour peu qu'il y eût de difficulté, je n'en ai jamais trouvé trois d'accord. Je remarque plus volontiers les exemples qui me touchent. Dernièrement, à Paris, un gentilhomme fut taillé [c] par l'ordonnance des médecins, auquel on ne trouva de pierre non plus à la vessie qu'à la main; et là même, un évêque qui m'était fort ami avait été instamment sollicité, par la plupart des médecins qu'il appelait à son conseil, de se faire tailler; j'aidai moi-même, sous la foi d'autrui, à

a. Application. — b. Se trompe. — c. Subit l'opération de la taille.

le lui suader *a* : quand il fut trépassé et qu'il fut ouvert, on trouva qu'il n'avait mal qu'aux reins. Ils sont moins excusables en cette maladie, d'autant qu'elle est aucunement palpable. C'est par là que la chirurgie me semble beaucoup plus certaine, parce qu'elle voit et manie ce qu'elle fait; il y a moins à conjecturer et à deviner, là où les médecins n'ont point de *speculum matricis* qui leur découvre notre cerveau, notre poumon et notre foie.

Les promesses mêmes de la médecine sont incroyables: car, ayant à pourvoir à divers accidents et contraires qui nous pressent souvent ensemble, et qui ont une relation quasi nécessaire, comme la chaleur du foie et froideur de l'estomac, ils nous vont persuadant que, de leurs ingrédients, celui-ci échauffera l'estomac, cet autre rafraîchira le foie : l'un a sa charge d'aller droit aux reins, voire jusques à la vessie, sans étaler ailleurs ses opérations, et conservant ses forces et sa vertu, en ce long chemin et plein de détourbiers *b*, jusques au lieu au service duquel il est destiné par sa propriété occulte; l'autre asséchera le cerveau; celui-là humectera le poumon. De tout cet amas ayant fait une mixtion de breuvage, n'est-ce pas quelque espèce de rêverie d'espérer que ces vertus s'aillent divisant et triant de cette confusion et mélange, pour courir à charges si diverses ? Je craindrais infiniment qu'elles perdissent et échangeassent leurs étiquettes et troublassent leurs quartiers. Et qui pourrait imaginer que, en cette confusion liquide, ces facultés ne se corrompent, confondent et altèrent l'une l'autre ? Quoi, que l'exécution de cette ordonnance dépende d'un autre officier [39], à la foi et merci duquel nous abandonnons encore un coup notre vie ?

Comme nous avons des prépointiers [40], des chaussetiers pour nous vêtir, et en sommes d'autant mieux servis que chacun ne se mêle que de son sujet et a sa science plus restreinte et plus courte que n'a un tailleur qui embrasse tout; et comme, à nous nourrir, les grands, pour plus de commodité, ont des offices distingués de potagiers [41] et de rôtisseurs, de quoi un cuisinier qui prend la charge universelle ne peut si exquisement venir à bout; de même, à nous guérir, les Égyptiens [42]

a. Persuader. — *b.* Obstacles.

avaient raison de rejeter ce général métier de médecin et découper cette profession : à chaque maladie, à chaque partie du corps, son ouvrier; car elle en était bien plus proprement et moins confusément traitée de ce qu'on ne regardait qu'à elle spécialement. Les nôtres ne s'avisent pas que qui pourvoit à tout, ne pourvoit à rien; que la totale police de ce petit monde leur est indigestible. Cependant qu'ils craignent d'arrêter le cours d'un dysenterique pour ne lui causer la fièvre, ils me tuèrent un ami [43] qui valait mieux que tous, tant qu'ils sont. Ils mettent leurs divinations au poids, à l'encontre des maux présents, et, pour ne guérir le cerveau au préjudice de l'estomac, offensent l'estomac et empirent le cerveau par ces drogues tumultuaires et dissentieuses.

Quant à la variété et faiblesse des raisons de cet art, elle est plus apparente qu'en aucun autre art. Les choses apéritives sont utiles à un homme coliqueux *a*, d'autant qu'ouvrant les passages et les dilatant, elles acheminent cette matière gluante de laquelle se bâtit la grave *b* et la pierre, et conduisent contre-bas ce qui se commence à durcir et amasser aux reins. Les choses apéritives sont dangereuses à un homme coliqueux, d'autant qu'ouvrant les passages et les dilatant, elles acheminent vers les reins la matière propre à bâtir la grave, lesquels s'en saisissant volontiers pour cette propension qu'ils y ont, il est malaisé qu'ils n'en arrêtent beaucoup de ce qu'on y aura charrié; davantage, si de fortune il s'y rencontre quelque corps un peu plus grosset qu'il.ne faut pour passer tous ces détroits qui restent à franchir pour l'expeller *c* au-dehors, ce corps étant ébranlé par ces choses apéritives et, jeté dans ces canaux étroits, venant à les boucher, acheminera une certaine mort et très douloureuse.

Ils ont une pareille fermeté aux conseils qu'ils nous donnent de notre régime de vivre : « Il est bon de tomber souvent de l'eau, car nous voyons par expérience qu'en la laissant croupir nous lui donnons loisir de se décharger de ses excréments et de sa lie, qui servira de matière à bâtir la pierre en la vessie; — il est bon de ne tomber point souvent de l'eau, car les pesants excréments qu'elle

a. Souffrant de la gravelle. — *b.* Le gravier. — *c.* Rejeter.

traîne quant et elle, ne s'emporteront point s'il n'y a de
la violence, comme on voit par expérience qu'un torrent
qui roule avec roideur balaie bien plus nettement le lieu
où il passe, que ne fait le cours d'un ruisseau mol et
lâche. Pareillement, il est bon d'avoir souvent affaire
aux femmes, car cela ouvre les passages et achemine la
grave et le sable; — il est bien aussi mauvais, car cela
échauffe les reins, les lasse et affaiblit [44]. Il est bon de se
baigner aux eaux chaudes, d'autant que cela relâche et
amollit les lieux où se croupit le sable et la pierre; —
mauvais aussi est-il, d'autant que cette application de
chaleur externe aide les reins à cuire, durcir et pétrifier
la matière qui y est disposée. A ceux qui sont aux bains [45],
il est plus salubre de manger peu le soir, afin que le
breuvage des eaux qu'ils ont à prendre lendemain matin,
fasse plus d'opération, rencontrant l'estomac vide et
non empêché; — au rebours il est meilleur de manger
peu au dîner pour ne troubler l'opération de l'eau, qui
n'est pas encore parfaite, et ne charger l'estomac si
soudain après cet autre travail, et pour laisser l'office de
digérer à la nuit, qui le sait mieux faire que ne fait le
jour, où le corps et l'esprit sont en perpétuel mouvement
et action. »

Voilà comment ils vont batelant et baguenaudant à
nos dépens en tous leurs discours; et ne me sauraient
fournir proposition à laquelle je n'en rebâtisse une contraire de pareille force.

Qu'on ne crie donc plus après ceux qui, en ce trouble,
se laissent doucement conduire à leur appétit et au
conseil de nature, et se remettent à la fortune commune.

J'ai vu, par occasion de mes voyages [46], quasi tous les
bains fameux de Chrétienté, et depuis quelques années
ai commencé à m'en servir; car en général j'estime le
baigner salubre, et crois que nous encourons non légères
incommodités en notre santé, pour avoir perdu cette
coutume, qui était généralement observée au temps passé
quasi en toutes les nations, et est encore en plusieurs,
de se laver le corps tous les jours; et ne puis pas imaginer
que nous ne vaillons beaucoup moins de tenir ainsi nos
membres encroûtés et nos pores étouppés [a] de crasse.

a. Bouchés.

Et, quant à leur boisson, la fortune a fait premièrement qu'elle ne soit aucunement ennemie de mon goût; secondement, elle est naturelle et simple, qui au moins n'est pas dangereuse, si elle est vaine; de quoi je prends pour répondant cette infinité de peuples de toutes sortes et complexions qui s'y assemble. Et encore que je n'y aie aperçu aucun effet extraordinaire et miraculeux; ains que, m'en informant un peu plus curieusement qu'il ne se fait, j'aie trouvé mal fondés et faux tous les bruits de telles opérations qui se sèment en ces lieux-là et qui s'y croient (comme le monde va se pipant aisément de ce qu'il désire); toutefois aussi n'ai-je vu guère de personnes que ces eaux aient empirées et ne leur peut-on sans malice refuser cela qu'elles éveillent l'appétit, facilitent la digestion et nous prêtent quelque nouvelle allégresse, si on n'y va par trop abattu de forces, ce que je déconseille de faire. Elles ne sont pas pour relever une pesante ruine; elles peuvent appuyer une inclination *a* légère, ou pourvoir à la menace de quelque altération. Qui n'y apporte assez d'allégresse pour pouvoir jouir le plaisir des compagnies qui s'y trouvent, et des promenades et exercices à quoi nous convie la beauté des lieux où sont communément assises ces eaux, il perd sans doute la meilleure pièce et plus assurée de leur effet. A cette cause, j'ai choisi jusques à cette heure à m'arrêter et à me servir de celles où il y avait plus d'aménité de lieu, commodité de logis, de vivres et de compagnies, comme sont en France les bains de Bagnères; en la frontière d'Allemagne et de Lorraine, ceux de Plombières; en Suisse ceux de Bade; en la Toscane, ceux de Lucques, et notamment ceux *della Villa,* desquels j'ai usé plus souvent et à diverses saisons [47].

Chaque nation a des opinions particulières touchant leur usage, et des lois et formes de s'en servir toutes diverses, et, selon mon expérience, l'effet quasi pareil. Le boire n'est aucunement reçu en Allemagne; pour toutes maladies, ils se baignent et sont à grenouiller dans l'eau quasi d'un soleil à l'autre. En Italie, quand ils boivent neuf jours, ils s'en baignent pour le moins trente, et communément boivent l'eau mixtionnée d'autres dro-

---

a. Étayer une déficience.

gues pour secourir son opération [a]. On nous ordonne
ici de nous promener pour la digérer; là on les arrête au
lit, où ils l'ont prise, jusques à ce qu'ils l'aient vidée, leur
échauffant continuellement l'estomac et les pieds.
Comme les Allemands ont de particulier de se faire généralement tous corneter [48] et ventouser avec scarification
dans le bain, ainsi ont les Italiens leurs *doccie* [49], qui sont
certaines gouttières de cette eau chaude qu'ils conduisent
par des cannes [b], et vont baignant une heure le matin et
autant l'après-dînée, par l'espace d'un mois, ou la tête,
ou l'estomac, ou autre partie du corps à laquelle ils ont
affaire. Il y a infinies autres différences de coutumes en
chaque contrée; ou, pour mieux dire, il n'y a quasi
aucune ressemblance des unes aux autres. Voilà comment cette partie de médecine à laquelle seule je me suis
laissé aller, quoiqu'elle soit la moins artificielle, si a-t-elle
sa bonne part de la confusion et incertitude qui se voit
partout ailleurs, en cet art.

Les poètes disent tout ce qu'ils veulent avec plus
d'emphase et de grâce, témoin ces deux épigrammes :

> *Alcon hesterno signum Jovis attigit. Ille,*
> *Quamvis marmoreus, vim patitur medici.*
> *Ecce hodie, jussus transferi ex œde vetusta*
> *Effertur, quamvis sit Deus atque lapis* *.

Et l'autre :

> *Lotus nobiscum est hilaris, cœnavit et idem,*
> *Inventus mane est mortuus Andragoras.*
> *Tam subitœ mortis causam, Faustine, requiris?*
> *In somnis medicum viderat Hermocratem* **.

---

[a]. Augmenter son action. — [b]. Canaux.

* Ausone, *Épigrammes*, poème LXXIV : « Alcon, hier, a touché
la statue de Jupiter. Le dieu, quoique de marbre, a éprouvé la vertu
du médecin. Voici qu'aujourd'hui on le tire de son vieux temple
et qu'on l'enterre, bien qu'il soit dieu et pierre. »

** Martial, *Épigrammes,* livre VI, LIII : « Hier, Andragoras s'est
baigné joyeusement avec nous et a soupé de même; ce matin, on
l'a trouvé mort. Tu demandes, Faustinus, la cause de cette mort
subite? En songe il avait vu le médecin Hermocrate. »

Sur quoi je veux faire contes.

Le baron de Caupène en Chalosse et moi avons en
commun le droit de patronage d'un bénéfice [50] qui est
de grande étendue, au pied de nos montagnes, qui se
nomme Lahontan. Il est des habitants de ce coin, ce
qu'on dit de ceux de la vallée d'Angrougne [51] : ils avaient
une vie à part, les façons, les vêtements et les mœurs
à part; régis et gouvernés par certaines polices et coutumes particulières, reçues de père en fils, auxquelles ils
s'obligeaient sans autre contrainte que de la révérence
de leur usage. Ce petit État s'était continué de toute
ancienneté en une condition si heureuse qu'aucun juge
voisin n'avait été en peine de s'informer de leur affaire,
aucun avocat employé à leur donner avis, ni étranger
appelé pour éteindre leurs querelles, et n'avait-on jamais
vu aucun de ce détroit *a* à l'aumône. Ils fuyaient les
alliances et le commerce de l'autre monde, pour n'altérer
la pureté de leur police : jusques à ce, comme ils récitent,
que l'un d'entre eux, de la mémoire de leurs pères, ayant
l'âme époinçonnée *b* d'une noble ambition, s'alla aviser,
pour mettre son nom en crédit et réputation, de faire
l'un de ses enfants maître Jean ou maître Pierre; et,
l'ayant fait instruire à écrire en quelque ville voisine [52], en
rendit enfin un beau notaire de village. Celui-ci, devenu
grand, commença à dédaigner leurs anciennes coutumes
et à leur mettre en tête la pompe des régions de deçà. Le
premier de ces compères à qui on écorna une chèvre, il
lui conseilla d'en demander raison aux juges royaux
d'autour de là, et de celui-ci à un autre, jusques à ce
qu'il eût tout abâtardi.

A la suite de cette corruption, ils disent *c* qu'il y en
survint incontinent une autre de pire conséquence, par
le moyen d'un médecin à qui il prit envie d'épouser une
de leurs filles et de s'habituer parmi eux. Celui-ci commença à leur apprendre premièrement le nom des
fièvres, des rhumes et des apostumes, la situation du
cœur, du foie et des intestins, qui était une science
jusques lors très éloignée de leur connaissance; et, au
lieu de l'ail, de quoi ils avaient appris à chasser toutes
sortes de maux, pour âpres et extrêmes qu'ils fussent, il

a. District. — *b.* Stimulée. — *c.* On dit.

les accoutuma, pour une toux, ou pour un morfondement [a], à prendre les mixtions étrangères, et commença
à faire trafic, non de leur santé seulement, mais aussi de
leur mort. Ils jurent que, depuis lors seulement, ils ont
aperçu que le serein [53] leur appesantissait la tête, que le
boire, ayant chaud, apportait nuisance [b], et que les vents
de l'automne étaient plus griefs [c] que ceux du printemps ;
que, depuis l'usage de cette médecine, ils se trouvent
accablés d'une légion de maladies inaccoutumées, et
qu'ils aperçoivent un général déchet en leur ancienne
vigueur, et leurs vies de moitié raccourcies. Voilà le
premier de mes contes.

L'autre est qu'avant ma sujétion graveleuse, oyant
faire cas du sang de bouc à plusieurs, comme d'une
manne céleste envoyée en ces derniers siècles pour la
tutelle et conservation de la vie humaine, et en oyant
parler à des gens d'entendement comme d'une drogue
admirable et d'une opération infaillible [54] ; moi, qui ai
toujours pensé être en butte à tous les accidents qui peuvent toucher tout autre homme, pris plaisir en pleine
santé à me garnir de ce miracle, et commandai chez moi
qu'on me nourrît un bouc selon la recette : car il faut
que ce soit aux mois les plus chaleureux de l'été qu'on
le retire, et qu'on ne lui donne à manger que des herbes
apéritives, et à boire que du vin blanc. Je me rendis de
fortune chez moi le jour qu'il devait être tué ; on me
vint dire que mon cuisinier trouvait dans la panse
deux ou trois grosses boules qui se choquaient l'une
l'autre parmi sa mangeaille. Je fus curieux de faire
apporter toute cette tripaille en ma présence, et fis ouvrir
cette grosse et large peau ; il en sortit trois gros corps,
légers comme des éponges, de façon qu'il semble qu'ils
soient creux, durs au demeurant par le dessus et fermes,
bigarrés de plusieurs couleurs mortes ; l'un parfait en
rondeur, à la mesure d'une courte boule ; les autres deux,
un peu moindres, auxquels l'arrondissement est imparfait, et semble qu'il s'y acheminât. J'ai trouvé, m'en étant
fait enquérir à ceux qui ont accoutumé d'ouvrir de ces
animaux, que c'est un accident rare et inusité. Il est vraisemblable que ce sont des pierres cousines des nôtres ; et

a. Rhume. — *b.* Apportait dommage. — *c.* Nocifs.

s'il est ainsi, c'est une espérance bien vaine aux graveleux de tirer leur guérison du sang d'une bête qui s'en allait elle-même mourir d'un pareil mal. Car de dire que le sang ne se sent pas de cette contagion et n'en altère sa vertu accoutumée, il est plutôt à croire qu'il ne s'engendre rien en un corps que par la conspiration et communication de toutes les parties; la masse agit tout entière, quoique l'une pièce y contribue plus que l'autre, selon la diversité des opérations. Par quoi il y a grande apparence qu'en toutes les parties de ce bouc il y avait quelque qualité pétrifiante [55]. Ce n'était pas tant pour la crainte de l'avenir, et pour moi, que j'étais curieux de cette expérience; comme c'était qu'il advient chez moi, ainsi qu'en plusieurs maisons que les femmes y font amas de telles menues drogueries pour en secourir le peuple, usant de même recette à cinquante maladies, et de telle recette qu'elles ne prennent pas pour elles; et si triomphent en bons événements.

Au demeurant, j'honore les médecins, non pas, suivant le précepte [56], pour la nécessité (car à ce passage on en oppose un autre du prophète [57] reprenant le roi Asa d'avoir eu recours au médecin), mais pour l'amour d'eux-mêmes, en ayant vu beaucoup d'honnêtes hommes et dignes d'être aimés. Ce n'est pas à eux que j'en veux, c'est à leur art, et ne leur donne pas grand blâme de faire leur profit de notre sottise, car la plupart du monde fait ainsi. Plusieurs vacations [a] et moindres et plus dignes que la leur n'ont fondement et appui qu'aux abus publics. Je les appelle en ma compagnie quand je suis malade, s'ils se rencontrent à propos, et demande à en être entretenu, et les paye comme les autres. Je leur donne loi de me commander de m'abriter chaudement, si je l'aime mieux ainsi, que d'une autre sorte; ils peuvent choisir, d'entre les poireaux et les laitues, de quoi il leur plaira que mon bouillon se fasse, et m'ordonner le blanc ou le clairet; et ainsi de toutes autres choses qui sont indifférentes à mon appétit et usage.

J'entends bien que ce n'est rien faire pour eux, d'autant que l'aigreur et l'étrangeté sont accidents de l'essence propre de la médecine. Lycurgue ordonnait

---

a. Professions.

le vin aux Spartiates malades. Pourquoi ? parce qu'ils en
haïssaient l'usage, sains : tout ainsi qu'un gentilhomme
mon voisin s'en sert pour drogue très salutaire à ses
fièvres parce que de sa nature il en hait mortellement le
goût.

Combien en voyons-nous d'entr'eux être de mon
humeur ? dédaigner la médecine pour leur service, et
prendre une forme de vie libre et toute contraire à celle
qu'ils ordonnent à autrui ? Qu'est-ce cela, si ce n'est
abuser tout détroussément *a* de notre simplicité ? Car ils
n'ont pas leur vie et leur santé moins chères que nous,
et accommoderaient leurs effets à leur doctrine, s'ils n'en
connaissaient eux-mêmes la fausseté.

C'est la crainte de la mort et de la douleur, l'impatience
du mal, une furieuse et indiscrète soif de la guérison, qui
nous aveugle ainsi : c'est pure lâcheté qui nous rend notre
croyance si molle et maniable.

La plupart pourtant ne croient pas tant comme ils
souffrent. Car je les ois se plaindre et en parler comme
nous ; mais ils se résolvent enfin : « Que ferai-je donc ? »
Comme si l'impatience était de soi quelque meilleur
remède que la patience.

Y a t il aucun de ceux qui se sont laissés aller à cette
misérable sujétion qui ne se rende également à toute
sorte d'impostures ? qui ne se mette à la merci de quiconque a cette impudence de lui donner promesse de sa guérison ?

Les Babyloniens portaient leurs malades en la place [58] ;
le médecin, c'était le peuple, chacun des passants ayant
par humanité et civilité à s'enquérir de leur état et,
selon son expérience, leur donner quelque avis salutaire.
Nous n'en faisons guère autrement.

Il n'est pas une simple femmelette de qui nous n'employons les barbotages et les brevets [59] ; et, selon mon
humeur, si j'avais à en accepter quelqu'une, j'accepterais plus volontiers cette médecine qu'aucune autre,
d'autant qu'au moins il n'y a nul dommage à craindre [60].

Ce qu'Homère et Platon disaient des Égyptiens, qu'ils
étaient tous médecins [61], il se doit dire de tous peuples ;
il n'est personne qui ne se vante de quelque recette,

a. Ouvertement.

et qui ne la hasarde sur son voisin, s'il l'en veut croire.

J'étais l'autre jour en une compagnie, où je ne sais qui de ma confrérie apporta la nouvelle d'une sorte de pilules compilées de cent et tant d'ingrédients de compte fait; il s'en émut *a* une fête et une consolation singulière : car quel rocher soutiendrait l'effort d'une si nombreuse batterie? J'entends toutefois, par ceux qui l'essayèrent, que la moindre petite grave *b* ne daigna s'en émouvoir.

Je ne me puis déprendre de ce papier, que je n'en die encore ce mot sur ce qu'ils nous donnent, pour répondant de la certitude de leurs drogues, l'expérience qu'ils ont faite. La plupart, et, ce crois-je, plus des deux tiers des vertus médicinales consistent en la quintessence ou propriété occulte des simples, de laquelle nous ne pouvons avoir autre instruction que l'usage : car quintessence n'est autre chose qu'une qualité de laquelle, par notre raison, nous ne savons trouver la cause. En telles preuves, celles qu'ils disent avoir acquises par l'inspiration de quelque démon, je suis content de les recevoir (car, quant aux miracles, je n'y touche jamais); ou bien encore les preuves qui se tirent des choses qui, pour autre considération, tombent souvent en notre usage : comme si, en la laine de quoi nous avons accoutumé de nous vêtir, il s'est trouvé par accident quelque occulte propriété dessicative qui guérisse les mules [62] au talon, et si au raifort, que nous mangeons pour la nourriture, il s'est rencontré quelque opération apéritive. Galien récite qu'il advint à un ladre *c* de recevoir guérison par le moyen du vin qu'il but, d'autant que de fortune une vipère s'était coulée dans le vaisseau. Nous trouvons en cet exemple le moyen et une conduite vraisemblable à cette expérience, comme aussi en celles auxquelles les médecins disent avoir été acheminés par l'exemple d'aucunes bêtes.

Mais en la plupart des autres expériences à quoi ils disent avoir été conduits par la fortune et n'avoir eu autre guide que le hasard, je trouve le progrès *d* de cette information incroyable. J'imagine l'homme regardant autour de lui le nombre infini des choses, plantes, animaux, métaux. Je ne sais par où lui faire commencer

a. Produisit. — *b.* Gravier. — *c.* Lépreux. — *d.* Marche.

son essai; et quand sa première fantaisie se jettera sur
la corne d'un élan, à quoi il faut prêter une créance bien
molle et aisée, il se trouve encore autant empêché en sa
seconde opération. Il lui est proposé tant de maladies
et tant de circonstances, qu'avant qu'il soit venu à la certitude de ce point où doit joindre la perfection de son expérience, le sens humain y perd son latin; et avant qu'il
ait trouvé parmi cette infinité de choses que c'est cette
corne; parmi cette infinité de maladies, l'épilepsie;
tant de complexions, au mélancolique; tant de saisons,
en hiver; tant de nations, au Français; tant d'âges, en
la vieillesse; tant de mutations célestes, en la conjonc-
tion de Vénus et de Saturne; tant de parties du corps,
au doigt; à tout cela n'étant guidé ni d'argument, ni de
conjecture, ni d'exemple, ni d'inspiration divine, ains
du seul mouvement de la fortune, il faudrait que ce fût
par une fortune parfaitement artificielle, réglée et métho-
dique. Et puis, quand la guérison fut faite, comment se
peut-il assurer que ce ne fut que le mal fût arrivé à sa
période, ou un effet du hasard, ou l'opération de quelque
autre chose qu'il eût ou mangé ou bu, ou touché ce
jour-là, ou le mérite des prières de sa mère-grand?
Davantage, quand cette preuve aurait été parfaite,
combien de fois fut-elle réitérée? et cette longue cordée
de fortunes et de rencontres renfilée, pour en conclure
une règle?

Quand elle sera conclue, par qui est-ce? De tant de
millions il n'y a que trois hommes qui se mêlent d'enregistrer leurs expériences. Le sort aura-t-il rencontré à
point nommé l'un de ceux-ci? Quoi, si un autre et si
cent autres ont fait des expériences contraires? A l'aventure, verrions-nous quelque lumière, si tous les jugements
et raisonnements des hommes nous étaient connus.
Mais que trois témoins et trois docteurs régentent
l'humain genre, ce n'est pas la raison : il faudrait que
l'humaine nature les eût députés et choisis et qu'ils
fussent déclarés nos syndics par expresse procuration.

A MADAME DE DURAS [63],

Madame, vous me trouvâtes sur ce pas dernièrement
que vous me vîntes voir. Parce qu'il pourra être que ces
inepties se rencontreront quelquefois entre vos mains,

je veux aussi qu'elles portent témoignage que l'auteur
se sent bien fort honoré de la faveur que vous leur ferez.
Vous y reconnaîtrez ce même port et ce même air que
vous avez vus en sa conversation. Quand j'eusse pu
prendre quelque autre façon que la mienne ordinaire et
quelque autre forme plus honorable et meilleure, je ne
l'eusse pas fait; car je ne veux tirer de ces écrits sinon
qu'ils me représentent à votre mémoire au naturel.
Ces mêmes conditions et facultés que vous avez pratiquées et recueillies, Madame, avec beaucoup plus
d'honneur et de courtoisie qu'elles ne méritent, je les
veux loger (mais sans altération et changement) en un
corps solide qui puisse durer quelques années ou quelques jours après moi, où vous les retrouverez quand il
vous plaira vous en rafraîchir la mémoire, sans prendre
autrement la peine de vous en souvenir; aussi ne le
valent-elles pas. Je désire que vous continuiez en moi
la faveur de votre amitié, par ces mêmes qualités par le
moyen desquelles elle a été produite. Je ne cherche
aucunement qu'on m'aime et estime mieux mort que
vivant.

L'humeur de Tibère est ridicule, et commune pourtant, qui avait plus de soin d'étendre sa renommée à
l'avenir qu'il n'avait de se rendre estimable et agréable
aux hommes de son temps [64].

Si j'étais de ceux à qui le monde peut devoir louange,
je l'en quitterais et qu'il me la payât d'avance; qu'elle
se hâtât et amoncelât tout autour de moi, plus épaisse
qu'allongée, plus pleine que durable; et qu'elle s'évanouît
hardiment quand et ma connaissance, et que ce doux
son ne touchera plus mes oreilles.

Ce serait une sotte humeur d'aller, à cette heure que
je suis prêt d'abandonner le commerce des hommes, me
produire à eux par une nouvelle recommandation. Je
ne fais nulle recette des biens que je n'ai pu employer à
l'usage de ma vie. Quel que je sois, je le veux être ailleurs
qu'en papier. Mon art et mon industrie ont été employés
à me faire valoir moi-même; mes études, à m'apprendre
à faire, non pas à écrire. J'ai mis tous mes efforts à
former ma vie. Voilà mon métier et mon ouvrage. Je
suis moins faiseur de livres que de nulle autre besogne.
J'ai désiré de la suffisance pour le service de mes com-

modités présentes et essentielles, non pour en faire magasin et réserve à mes héritiers.

Qui a de la valeur, si le fasse paraître en ses mœurs,
en ses propos ordinaires, à traiter l'amour ou des querelles, au jeu, au lit, à la table, à la conduite de ses
affaires, et économie de sa maison. Ceux que je vois faire
des bons livres sous des méchantes chausses, eussent
premièrement fait leurs chausses, s'ils m'en eussent cru.
Demandez à un Spartiate s'il aime mieux être bon
rhétoricien que bon soldat; non pas moi, que bon
cuisinier, si je n'avais qui m'en servît.

Mon Dieu! Madame, que je haïrais une telle recommandation d'être habile homme par écrit, et être un homme de néant et un sot ailleurs. J'aime mieux encore
être un sot, et ici et là, que d'avoir si mal choisi où
employer ma valeur. Aussi il s'en faut tant que j'attende
à me faire quelque nouvel honneur par ces sottises, que
je ferai beaucoup si je n'y en perds point de ce peu que
j'en avais acquis. Car, outre ce que cette peinture morte
et muette dérobera à mon être naturel, elle ne se rapporte
pas à mon meilleur état, mais beaucoup déchu de ma
première vigueur et allégresse, tirant sur le flétri et le
rance. Je suis sur le fond du vaisseau *a*, qui sent tantôt
le bas et la lie.

Au demeurant, Madame, je n'eusse pas osé remuer
si hardiment les mystères de la médecine, attendu le
crédit que vous et tant d'autres lui donnez, si je n'y
eusse été acheminé par ses auteurs mêmes. Je crois qu'ils
n'en ont que deux anciens Latins, Pline et Celse. Si vous
les voyez quelque jour, vous trouverez qu'ils parlent
bien plus rudement à leur art que je ne fais : je ne fais
que le pincer, ils l'égorgent. Pline se moque [65] entre
autres choses de quoi, quand ils sont au bout de leur
corde, ils ont inventé cette belle défaite de renvoyer les
malades qu'ils ont agités et tourmentés pour néant de
leurs drogues et régimes, les uns aux secours des vœux
et miracles, les autres aux eaux chaudes. (Ne vous cour-
roucez pas, Madame, il ne parle pas de celles de deçà qui
sont sous la protection de votre maison, et qui sont
toutes Gramontaises [66].) Ils ont une tierce défaite pour

a. Vase.

nous chasser d'auprès d'eux, et se décharger des reproches que nous leur pouvons faire du peu d'amendement
à nos maux, qu'ils ont eu si longtemps en gouvernement
qu'il ne leur reste plus aucune invention à nous amuser :
c'est de nous envoyer chercher la bonté de l'air de
quelque autre contrée. Madame, en voilà assez : vous me
donnez bien congé de reprendre le fil de mon propos,
duquel je m'étais détourné pour vous entretenir.

Ce fut, ce me semble, Périclès [67], lequel étant enquis
comme il se portait : « Vous le pouvez, fit-il, juger par là »
en montrant des brevets [a] qu'il avait attachés au col et
au bras. Il voulait inférer qu'il était bien malade, puisqu'il en était venu jusques là d'avoir recours à choses si
vaines et de s'être laissé équiper en cette façon. Je ne
dis pas que je ne puisse être emporté un jour à cette
opinion ridicule de remettre ma vie et ma santé à la
merci et gouvernement des médecins ; je pourrai tomber
en cette rêverie [b], je ne me puis répondre de ma fermeté
future ; mais lors aussi, si quelqu'un s'enquiert à moi
comment je me porte, je lui pourrai dire comme Périclès : « Vous le pouvez juger par là », montrant ma main
chargée de six dragmes [68] d'opiat : ce sera un bien évident
signe d'une maladie violente. J'aurai mon jugement
merveilleusement démanché ; si l'impatience et la
frayeur gagnent cela sur moi, on en pourra conclure une
bien âpre fièvre en mon âme.

J'ai pris la peine de plaider cette cause, que j'entends
assez mal, pour appuyer un peu et conforter la propension naturelle contre les drogues et pratique de notre
médecine, qui s'est dérivée en moi par mes ancêtres, afin
que ce ne fût pas seulement une inclination stupide et
téméraire, et qu'elle eût un peu plus de forme ; et aussi
que ceux qui me voient si ferme contre les enhortements
et menaces qu'on me fait quand mes maladies me pressent,
ne pensent pas que ce soit simple opiniâtreté, ou qu'il y
ait quelqu'un si fâcheux qui juge encore que ce soit
quelque aiguillon de gloire ; qui serait un désir bien
asséné [c] de vouloir tirer honneur d'une action qui m'est
commune avec mon jardinier et mon muletier. Certes,
je n'ai point le cœur si enflé, ni si venteux, qu'un plaisir

a. Formules magiques. — *b.* Folie. — *c.* Placé.

solide, charnu et moelleux comme la santé, je l'allasse échanger pour un plaisir imaginaire, spirituel et aéré [a]. La gloire, voire celle des quatre fils Aymon, est trop cher achetée à un homme de mon humeur, si elle lui coûte trois bons accès de colique. La santé, de par Dieu!

Ceux qui aiment notre médecine peuvent avoir aussi leurs considérations bonnes, grandes et fortes; je ne hais point les fantaisies contraires aux miennes. Il s'en faut tant que je m'effarouche de voir de la discordance de mes jugements à ceux d'autrui, et que je me rende incompatible à la société des hommes pour être d'autre sens et parti que le mien : qu'au rebours, comme c'est la plus générale façon que nature ait suivi que la variété, et plus aux esprits qu'aux corps, d'autant qu'ils sont de substance plus souple et susceptible de plus de formes, je trouve bien plus rare de voir convenir nos humeurs et nos desseins. Et ne fut jamais au monde deux opinions pareilles, non plus que deux poils ou deux grains [69]. Leur plus universelle qualité, c'est la diversité.

a. Fait de vent.

NOTES

LIVRE SECOND

CHAPITRE PREMIER

1. Question déjà posée par Plutarque, *Vie de Marius*, chap. XVI.

2. Cette comparaison curieuse est la traduction de l'épitaphe de Boniface VIII rapportée par Jean Bouchet dans les *Annales d'Aquitaine.*

3. Souvenir de Sénèque, *De Clementia*, livre II, chap. 1.

4. Souvenir de Sénèque, *Lettre 20.*

5. Traduction de Sénèque, *Lettre 52.*

6. Cette comparaison fréquente au XVIᵉ siècle avait déjà été utilisée par Plutarque, qui citait le caméléon et le poulpe.

7. Souvenir de Sénèque, *Lettre 23*; selon que la mer est *en furie ou calme.*

8. Souvenir de Sénèque, *Lettre 52.*

9. Trait emprunté à Diogène Laërce, *Vie d'Empédocle*, livre VIII, chap. LXIII.

10. *Pédale* d'un instrument de musique, d'un orgue, par exemple.

11. Allusion à la nouvelle XX (IIᵉ journée) de l'*Heptaméron* de Marguerite de Navarre.

12. Souvenir de Plutarque, *Vie de Pélopidas*, chap. 1 : « Vous m'avez, Sire, vous-même rendu moins hardi que je n'étais, en me faisant panser et guérir des maux pour lesquels je ne tenais compte de ma vie. »

13. Tiré de Chalcondyle, *Histoire de la décadence de l'Empire grec*, livre VIII.

14. Allusion à la secte des manichéens, dont il est souvent parlé par saint Augustin dans *la Cité de Dieu.*

15. Le célèbre capitaine anglais Talbot, qui combattit long-temps en Gascogne et mourut en 1453 à Castillon-sur-Dordogne, aujourd'hui Castillon-la-Bataille, près de Libourne. De là vient le possessif « notre » Talbot.

16. Sénèque dans la *Lettre 71*.

17. Souvenir de Cicéron, *De Senectute*, chap. VII. Selon la tradition, Sophocle aurait été accusé par son fils d'avoir perdu la raison et se serait défendu en faisant lire aux juges sa dernière pièce, *Œdipe à Colone*.

18. Selon Hérodote, livre V, chap. XXIX.

CHAPITRE II

1. Allusion à l'Allemagne. On peut rapprocher ce passage de l'extrait du *Journal de Voyage* : « Leur vin se sert dans des vaisseaux comme grandes cruches, et est un crime de voir un gobelet vide qu'ils ne remplissent soudain, et jamais de l'eau. » Dans l'essai XXVI du livre I, *De l'institution des enfants*, il écrivait : « Je pensais faire honneur à un seigneur aussi éloigné de ces débordements qu'il soit en France, de m'en quérir à lui, en bonne compagnie, combien de fois en sa vie il s'était enivré, pour la nécessité des affaires du roi en Allemagne... »

2. Traduit de Sénèque, *Lettre 83*.

3. L'historien grec Flavius Josèphe, *De vita sua*, chap. XLIV.

4. Anecdote rapportée par Sénèque, *Lettre 83*.

5. Nouvel emprunt à la *Lettre 83* de Sénèque.

6. D'après Diodore de Sicile, *Histoires*, livre XVI, chap. XXVI.

7. Vraisemblablement la femme de Joseph Aimar, président au parlement de Bordeaux en 1575.

8. Les éditions de 1580 et 1588 ajoutaient : « La vraie image de la vertu stoïque », ce qui dénotait une confusion entre Caton le Censeur et Caton d'Utique.

9. Selon Plutarque, *Vie d'Artaxerxès*, chap. II : « Il disait... qu'il endurait mieux toutes nécessités que lui, qu'il entendait mieux la magie, qu'il buvait plus de vin et le portait mieux.

10. Jacques Dubois, dit Sylvius (1478-1555), mathématicien et médecin illustre. Il fut régent du collège de Tréguier et lecteur en médecine au collège Royal.

11. D'après Plutarque, *Propos de table*, chap. VII et Hérodote, *Histoires*, livre I, chap. CXXXIII.

12. Mesure valant quatre pintes, c'est-à-dire presque quatre litres.

13. *Marc-Aurèle ou l'Horloge des princes*, par Antoine de Guevara, traduit par Bertaut de la Grise en 1531 et par Herberay des Essarts en 1555. Cet ouvrage vulgarisa la philosophie stoïcienne; Montaigne le lut et l'utilisa.

14. En prenant son pouce comme point d'appui, le père de Montaigne sautait par-dessus la table à l'horizontale, et se retrouvait de l'autre côté.

15. L'édition de 1595 comportait l'addition suivante : « Et parce qu'en la vieillesse, nous apportons le palais encrassé de rhume ou altéré par quelque autre mauvaise constitution, le vin nous semble meilleur, à mesure que nous avons ouvert et lavé nos pores. Au moins, il ne m'advient guère que pour la première fois j'en prenne bien le goût. »

16. Selon Diogène Laërce, *Vie d'Anacharsis*, livre I, chap. CIV.

17. Dans les *Lois*, livre II.

18. D'après Diogène Laërce, *Vie de Stilpon*, livre II, chap. CXX.

19. Variante de 1588 : « *Il gémit à la colique, sinon d'une voix vaincue du mal, au moins comme étant en une âpre mêlée.* »

20. Dans la *Vie de Publicola*, chap. III.

21. D'après Diogène Laërce, livre IX, chap. LIX.

22. Citation de Prudence, livre *Des couronnes*, hymne II, vers 401. C'est saint Laurent qui parle.

23. Paraphrase du chapitre VIII de l'histoire des *Macchabées* par Flavius Josèphe. P. Villey remarque que les éditions du XVIe siècle de ce traité avaient comme sous-titre : « De la domination de la raison sur les sens corporels »; la portée morale de l'ouvrage était donc évidente.

24. Exemples tirés des *Lettres 66, 67* et *92* de Sénèque.

25. Tout ce développement est tiré de Sénèque, *De Tranquillitate animi*, chap. XV.

26. Ces théories de Platon sont citées par Sénèque.

27. Dans le *Timée*.

CHAPITRE III

1. Le professeur qui préside à la soutenance d'une thèse : *mon directeur*.

2. Ces quatre exemples, souvent cités par les moralistes du XVIe siècle, sont tirés de Plutarque, *Dits notables des Lacédémoniens*.

3. Exemple tiré de Cicéron, *Tusculanes*, livre V, chap. XIV.

4. Développement tiré de la *Lettre 70* de Sénèque, si souvent utilisé par Montaigne.

5. Réplique tirée des *Annales* de Tacite, livre XIII, chap. LVI.

6. Tout ce passage reprend et développe les idées de Sénèque dans les *Lettres 70* et *77*.

7. La veine du coude, où l'on fait la saignée.

8. Anecdote citée par Pline l'Ancien, *Histoire naturelle*, livre XXV, chap. VI, et Suétone, *De illustribus grammaticis*, chap. II et III.

9. Variante de 1588 : « *Meilleur conseil que de s'appliquer du poison aux jambes, et vécut depuis, ayant cette partie du corps morte.* »

10. D'après Cicéron, *De Finibus*, livre III, chap. XVIII.

11. Anecdotes tirées de Diogène Laërce, *Vie d'Aristippe*, livre II, chap. XCIV et *Vie de Speusippe*, livre IV, chap. III.

11 *bis.* Variante des éditions antérieures : « *Car, outre l'autorité, qui en défendant l'homicide y enveloppe l'homicide de soi-même, d'autres philosophes tiennent...* »

12. Cette condamnation du suicide, exposée par Platon dans le *Phédon*, et Cicéron, dans la *République*, a été développée par les Pères de l'Église, en particulier par saint Augustin, *Cité de Dieu*, livre I, chap. XXII, et son commentateur Vivès souvent cité par Montaigne.

13. Au livre IX.

14. Anecdote citée par Plutarque, *Des vertueux faits des femmes* et par Aulu-Gelle dans les *Nuits attiques*, livre XV, par. II.

15. Anecdote empruntée à Plutarque, *Vie de Cléomène*, chap. XIV.

16. Cité et critiqué par Sénèque dans la *Lettre 70*.

17. Dans son autobiographie, page 635 de l'édition de 1544. En fin de paragraphe, l'édition de 1595 ajoute : « *la journée de Cérisolos Monsieur d'Enghien essaya deux fois de se donner de l'épée dans la gorge, désespéré de la fortune du combat, qui se porta mal en l'endroit où il était ; et cuida par précipitation se priver de la jouissance d'une si belle victoire.* »

18. Dans l'*Histoire naturelle*, livre XXV, chap. III. Variante de 1588 : « *retenue ; la seconde, la douleur d'estomac ; la tierce, la douleur de tête...* »

19. Dans la *Lettre 58*.

20. Souvenir de Tite-Live, *Histoire*, livre XXXVII, chap. XLVI.

21. Anecdote rapportée par Tite-Live, livre XLV, chap. XXVI.

22. Petite île située à l'ouest de Malte ; Guillaume Paradin dans l'*Histoire de son temps* (1575) a rapporté cette anecdote.

23. D'après Flavius Josèphe, dans le *Traité des Macchabées*, page 958 de l'édition de 1544.

24. Exemple emprunté à Sénèque, *Lettre 70*.

25. Au livre des *Macchabées*, II, chap. XIV.

26. Exemple tiré de saint Augustin, *Cité de Dieu*, livre I, chap. XXVI.

27. Allusion, selon Villey, à Henri Estienne qui a développé la même idée dans son *Apologie pour Hérodote*, chap. XV.

28. Allusion à l'épigramme *De oui et nenni*.

« Un doux Nenni, avec un doux sourire,
Est tant honnête... »

29. Exemples tirés de Tacite, *Annales*, livre V, chap. XLVIII, et livre XV, chap. LXXI.

30. Selon Hérodote, *Histoires*, livre I, chap. CCXIII.

31. Anecdote tirée d'Hérodote, *Histoires*, livre VII, chap. CVII. L'Éion est une péninsule entre le Pont-Euxin et le marais Méotide.

32. Le suicide de Ninachetuen est emprunté à l'*Histoire du Portugal* de Goulard, livre IX, chap. XXVII.

33. Les exemples de Sextilia, Paxea et de Cocceius Nerva sont tirés de Tacite, *Annales*, livre VI, chap. XXIX et XXVI.

34. L'histoire de Fulvius est tirée de Plutarque, *Du trop parler*, chap. IX.

35. Tout ce récit est emprunté à Tite-Live, *Histoire* livre XXVI, chap. XIII-XV, qui raconte le suicide de Vibius Virius avant la prise de la ville par les Romains. Capoue avait pris le parti d'Annibal.

36. D'après Quinte-Curce, livre IX, chap. IV.

37. Anecdote empruntée à Tite-Live, *Histoire* livre XXVIII, chap. XXII-XXIII.

38. Autre emprunt à Tite-Live, livre XXXI, chap. XVII-XVIII.

39. Traduit de Tacite, *Annales*, livre VI, chap. XXIX.

40. Épître aux philippiens, I, 23.

41. Épître aux romains, VII, 24 : « Misérable que je suis! qui me délivrera de ce corps de mort? »

42. D'après Cicéron, *Tusculanes*, livre I, chap. XXXIV. Anecdote vulgarisée par les moralistes du XVIᵉ siècle.

43. D'après Joinville, *Vie de saint Louis*, chap. LI : « Jacques du Chastel, évêque de Soissons... lequel voyant que nous étions en chemin, pour nous en aller à Damiette, et que chacun avait désir de retourner en France, il aima mieux demeurer avec Dieu ... »

44. Anecdote tirée de l'*Histoire du royaume de Chine* de Gonçalez de Mendoza, traduit en français en 1585.

45. Jacques du Chastel.

46. D'après Valère Maxime, *Faits et Dits mémorables*, livre II, chap. VI.

47. L'île de Céos dans la mer Égée. Anecdote également tirée du même chapitre de Valère Maxime.

48. D'après Pline l'Ancien, *Histoire naturelle*, livre IV, chap. XII.

CHAPITRE IV

1. Ce titre est emprunté à un opuscule de Plutarque, *Du démon familier de Socrate*.

2. Montaigne a fait de la traduction d'Amyot son livre de chevet. Lors de son séjour à Rome, dînant un jour avec l'ambassadeur de France et l'humaniste Muret, il défendit la traduction d'Amyot à laquelle ses interlocuteurs reprochaient des erreurs de détail. Il maintint du moins que « où le traducteur a failli le vrai sens de Plutarque, il y en a substitué un autre vraisemblable ».

3. Amyot (1513-1593) était donc bien en vie. Il n'existait

pas encore de traduction française des œuvres complètes de Xénophon. Montaigne pouvait utiliser des traductions d'ouvrages isolés, comme celle des *Économiques* par La Boétie ou celle de la *Cyropédie* par Jacques de Ventimille; le plus souvent, il se servait d'une traduction latine.

4. Dans le traité *De la curiosité*, chap. xiv.

5. Anecdote empruntée aux *Mémoires* des frères du Bellay, livre IX, mais l'explication est différente : c'est « par oubliance où pour avoir trop d'affaires », selon les mémorialistes que M. de Boutières n'ouvrit pas la lettre.

6. Dans la *Vie de César*, chap. xvii.

7. Dans le *Démon familier de Socrate*, chap. xxvii.

8. D'après Plutarque, *Propos de table*, livre I, chap. iii. Les éditions antérieures à 1588 ajoutent : « ou pour lui donner quelque avertissement à l'oreille ».

CHAPITRE V

1. Pierre de Montaigne, seigneur de la Brousse (1535-1595).

2. Anecdote empruntée à Plutarque, *Pourquoi la justice divine diffère la punition des maléfices*, chap. viii.

3. Tiré du même traité, chap. ix.

4. Traduction d'une maxime de Sénèque. *Lettre 105.*

5. Exemple tiré de Plutarque, *Pourquoi la justice divine...*, chap. viii.

6. Plutarque, même traité.

7. D'après le témoignage de Sénèque, *Lettre 97.*

8. D'après Plutarque, *Comment on se peut louer soi-même*, chap. v.

9. Cette anecdote et la suivante sont tirées des *Nuits attiques* d'Aulu-Gelle, livre IV, chap. xviii.

10. Dans le livre XXXVIII, chap. lii.

11. Anecdote rapportée par Quinte-Curce, *Histoire d'Alexandre*, livre VI, chap. vii.

12. Raisonnement emprunté au *Commentaire* de Vivès, livre XIX, chap. vi.

13. Ce conte se trouve dans l'*Histoire* de Froissart, livre IV, chap. lxxxvii et dans l'*Apologie pour Hérodote* d'Henri Estienne, livre XVII, chap. ix.

CHAPITRE VI

1. Montaigne a déjà traité ces questions dans les essais xiv et xxxiv du livre I. C'est Cratès qui avait abandonné ses richesses pour s'exercer à la pauvreté.

2. Anecdote empruntée à Sénèque, *De tranquillitate vitæ*, chap. xiv.

3. Allusion à la deuxième guerre de religion (1567) et à la troisième (1569-1570).

4. Le domaine de Montaigne était entouré de seigneuries protestantes. *Moiau* = Milieu.

5. Les protestants.

6. Hortensius, le rival en éloquence de Cicéron : il l'aida dans sa carrière oratoire et politique après les *Verrines*.

7. Montaigne a déjà exposé les mêmes idées dans les essais XXIV et XLVII du livre I.

8. Le mot squelette n'était alors employé qu'en médecine, l'expression courante étant : *anatomie sèche*.

9. Dans la *Morale à Nicomaque*, livre IV, chap. VII.

CHAPITRE VII

1. D'après Suétone, *Vie d'Auguste*, chap. XXV.

2. Institué en 1469 par Louis XI l'ordre fut très considéré jusque sous Henri II, mais la création de nombreux chevaliers sous Charles IX et Henri III le déprécia. Les témoignages de Brantôme, De Thou et Monluc confirment l'opinion de Montaigne. Lui-même, en dépit de ces réserves, était fier d'en faire partie. Cf. B.S.A.M, *quatrième série*, nᵒ 27.

3. Allusion à l'ordre du Saint-Esprit, institué par Henri III en 1578. Les premières éditions ajoutaient cet éloge de Plutarque traduit par Amyot : « Et nous étant si familier par l'air français qu'on lui a donné si parfait et si plaisant. »

CHAPITRE VIII

1. Jusqu'en 1956, on crut que Mᵐᵉ d'Estissac était Louise de la Béraudière, connue à la cour sous le nom de la « Belle Rouet », célèbre pour les passions qu'elle inspira à Antoine de Bourbon, à Charles IX et au futur Henri III. Cette beauté illustre épousa finalement en 1573 M. de Combault, ce qui fit jaser. Les courtisans raillèrent le mari, l'appelant *cornu de Cornouailles* et *Rouet du cocuage*.

On pouvait donc s'étonner de voir Montaigne célébrer la veuve irréprochable et la mère dévouée. *Mais Montaigne ne mentait pas* : M. Roger Trinquet (cf. *La vraie figure de Mme d'Estissac*, *Bibliothèque d'Humanisme et Renaissance*, XVII, 1956) a établi qu'il y avait deux cousines, contemporaines, et portant toutes deux le nom de Louise de la Béraudière, la « vierge sage » et la « vierge folle ». Mᵐᵉ d'Estissac épouse à vingt ans Louis d'Estissac, seigneur de Lesparre, gouverneur de l'Aunis et de La Rochelle. L'opulent baron était veuf et père de deux filles; il eut de Louise de la Béraudière un fils, Charles, et une fille, Claude, qu'il avantagea sur son testament. De là des procès, après sa mort, entre les enfants du premier lit et Mme d'Estissac. Celle-ci plaida pendant quarante ans pour sauvegarder les droits de ses enfants. Charles d'Estissac accompagna Montaigne dans le voyage en Italie (1580-81) et fut tué en duel en 1586. Claude d'Estissac, devenue La Rochefoucauld, lors de la mort de Mme d'Estissac (1608), fit graver sur son tombeau une inscription latine, célébrant, comme Montaigne, le dévouement maternel et la constance de sa mère.

2. Il s'agit des *Essais.*

3. Comparer cette boutade aux développements qu'il a consacrés à la justification des *Essais,* livre II, essai vi, *De l'exercitation,* livre III, essai viii, *De l'art de conférer,* livre III, essai ix, *De la vanité,* etc.

4. Ce passage est inspiré de près de la *Morale à Nicomaque,* livre IX, chap. vii.

5. Dans l'essai xii du livre II, *Apologie de Raimond Sebond,* Montaigne insistera au contraire sur l'intelligence des animaux, supérieure souvent, selon lui, à celle des hommes : les renards de Thrace, l'éléphant d'Alexandrie, les bœufs de Suse, etc.

6. Ce passage a fait souvent taxer Montaigne d'insensibilité. En fait, dans la noblesse d'autrefois, les parents ne s'occupaient eux-mêmes des enfants qu'à partir de l'âge de raison (sept ans).

7. Dans la *Morale à Nicomaque,* livre IV, chap. iii.

8. Montaigne parlera encore de sa fille dans l'essai v du livre III, *Sur des vers de Virgile.* Montaigne perdit quatre filles en bas âge. Léonor, qui seule survécut, était née en 1571. Elle épousa en premières noces François de la Tour (1590), puis devenue veuve, se remaria avec Charles de Gamache. Le sang de Montaigne survit de nos jours dans sa descendante en ligne directe, à la 11e génération, Mme Houdard de la Motte.

9. Aristote, dans les *Politiques,* livre VII, chap. xvi, donne l'âge de trente-sept ans.

10. Dans la *République,* livre V, p. 591, édition de 1546 — Le mariage de Montaigne eut lieu le 23 septembre 1565. Son contrat de mariage, daté de la veille, a été publié dans les *Archives historiques de la Gironde,* t. X, pp. 163, 167 et 171.

11. D'après Diogène Laërce, *Vie de Thalès,* livre I, chap. xxvi.

12. Selon César, *De Bello Gallico,* livre VI, chap. xxi. César signale cette coutume à propos des Germains et non des Gaulois.

13. Exemples tirés de Platon, *Lois,* livre VIII, p. 846 de l'édition de 1546.

14. Muley-Hassan, roi de Tunis. Exemple tiré de Paul Jove, *Histoire de son temps,* livre XXXIII. Mahomet avait eu trente-quatre enfants.

15. Coutume tirée de l'*Histoire générale des Indes* de Lopez de Gomara, livre II, chap. xii.

16. Cette abdication, qui eut lieu en 1555, fut fort admirée au XVIᵉ siècle.

17. Il s'agit peut-être de la maison de Jean de Lusignan, gentil-homme ami de Henri de Navarre et qui rendit visite à Montaigne en 1584 avec celui-ci.

18. Jean d'Estissac, doyen de Saint-Hilaire de Poitiers de 1542 à 1576. Montaigne le fréquenta vraisemblablement en 1574.

19. L'édition de 1595 ajoute cette précision : « J'ai réformé cette erreur en ma famille. » Henri IV était du même avis, qui interdisait à ses enfants de l'appeler *monsieur* et leur recommandait d'employer le terme affectueux *papa*.

20. Peut-être le marquis de Trans, personnage très influent, qui patronna les débuts politiques de Montaigne, mais qui, sur le tard, devint un tyran domestique.

21. Variante de 1588 : « *Surtout haineux et vieils; mais quand c'est en faveur des enfants, elles empoignent ce titre avec gloire. S'ils sont grands et fleurissants, ils subornent incontinent, ou par autorité ou par faveur.* »

22. Maxime identique chez Sénèque, *Lettre 47* : « Autant d'esclaves, autant d'ennemis. »

23. On se souvient que Montaigne a consacré tout un essai à l'amitié, livre I, chap. XXVIII.

24. Blaise de Montluc mourut en 1577. Au cours de son voyage en Italie, Montaigne rencontra son petit-fils, l'orphelin de ce fils regretté, Pierre Bertrand, dit le « capitaine Perot » mort à Madère en 1566. Mme de Sévigné écrivait à sa fille qu'elle ne pouvait lire ces regrets de Montluc « qu'avec les larmes aux yeux ».

25. L'édition de 1595 apporte cette addition lyrique : « O mon ami ! En vaux-je mieux d'en avoir le goût, ou si j'en vaux moins ? J'en vaux certes bien mieux. Son regret me console et m'honore. Est-ce pas un pieux et plaisant office de ma vie, d'en faire à tout jamais les obsèques ? Est-il jouissance qui vaille cette privation ? »

26. Dans le *De Bello Gallico*, livre VI, chap. XVIII.

27. Allusion possible à François de Montmorency, fils aîné du connétable mort à Écouen en 1579.

28. Montaigne est revenu à plusieurs reprises sur sa lenteur d'esprit et sa maladresse physique. Cf. livre I, essai XXVI, *De l'institution des enfants.*

29. Dans les *Lois,* livre XI, p. 886 de l'édition de 1546.

30. Il s'agit de la loi salique. La loi salique prenait à cette époque une importance d'autant plus grande que la succession d'Henri III, sans enfants, se posait. Obéir à la loi salique avait pour conséquence de faire monter sur le trône Henri de Navarre, protestant. La repousser, c'était se déclarer pour les Guise; aussi la légitimité de cet usage fut-elle âprement discutée, ou plaidée avec fougue : Pierre Du Bellay, dans son *Examen du discours contre la loi salique,* défend cette loi du point de vue juridique.

31. Au livre IV des *Histoires,* chap. CLXXX.

32. Dans le dialogue *Phèdre,* p. 456 de l'édition de 1546.

33. Selon Nicéphore Calliste, *Histoire ecclésiastique,* livre XII, chap. XXXIV, Héliodore préféra abandonner son évêché que de brûler son *Histoire éthiopique.*

34. Tout ce passage est traduit de Sénèque le rhéteur, début de la *Cinquième Controverse.* Il est douteux qu'il ait été le fils du lieutenant de César.

35. D'après Tacite, *Annales,* livre IV, chap. XXXIV.

36. D'après Tacite, *Annales,* livre XV, chap. LXX.

37. Anecdote tirée de Cicéron, *De Finibus,* livre II, chap. XXXV. Montaigne a déjà évoqué la mort d'Épicure dans l'essai XVI du livre II.

38. *Les Essais.*

39. Dans la *Morale à Nicomaque,* livre IX, chap. VII.

40. Les victoires de Leuctres et de Mantinée.

CHAPITRE IX

1. L'épaisseur des armures avait doublé ou triplé depuis l'invention des mousquets ; leur poids était excessif : le morion et la cuirasse à demi-brassards du duc de Guise pesaient 32 kilos. Aussi les gentilshommes retiraient-ils leur armure dès qu'ils le pouvaient.

2. D'après Quinte-Curce, *Histoire d'Alexandre,* livre IX, chap. VI et livre IV, chap. XIII.

3. Antithèse tirée de Tite-Live, bataille de Trasimène, *Histoire,* livre XXII, chap. V : *onerati magis iis quam tecti.*

4. Souvenir des *Annales,* livre III, chap. XLIII et XLVI.

5. D'après Plutarque, *Vie de Lucullus,* chap. XIII.

6. D'après Plutarque, *Les Dits notables des anciens rois, princes et grands capitaines.*

7. Plutarque, *ibid.*

8. D'après Xiphilin, *Abrégé de Dion Cassius, Vie de Caracalla.*

9. Dans les *Tusculanes,* livre II, chap. XVI.

10. D'après Plutarque, *Vie de Marius,* chap. IV.

11. D'après Plutarque, *Apophthegmes,* article du second *Scipion.*

12. Ammien Marcellin (330-400), ancien officier qui avait combattu contre les Alamans, puis contre les Perses sous les ordres de l'empereur Julien. Auteur d'une *Histoire* allant de la mort de Nerva (96) à la mort de Valens (378). Les anecdotes suivantes sont tirées des livres XXIV, chap. VII et XXV, chap. I.

13. Montaigne dans l'essai XLVIII du livre a déjà annoncé qu'il traiterait plus amplement de cette arme nouvelle, le pistolet. Finalement il renonça à son projet.

14. Ammien Marcellin, *Histoire,* livre XXIV, chap. VII
15. Livre XXV, chap. I.
16. Dans la *Vie de Démétrius,* chap. VI.

CHAPITRE X

1. On trouve dans l'essai XXVI du livre I, et l'essai XII du livre III, des déclarations analogues. Variante de 1588 : « *Mais j'ai une mémoire qui n'a point de quoi conserver trois jours la munition que je lui aurai donnée en garde : ainsi je ne plévis* (garantis) *aucune certitude, si ce n'est de faire connaître ce que je pense :*
                    Excutienda damus praecordia *
et jusqu'à quel point monte, pour cette heure, la connaissance que j'ai de ce de quoi je traite. Qu'on ne s'attende point aux choses de quoi je parle, mais à ma façon d'en parler, et à la créance que j'en ai. Ce que je dérobe d'autrui, ce n'est pas pour le faire mien ; je ne prétends ici nulle part que celle de raisonner et juger : le demeurant n'est pas de mon rôle. Je n'y demande rien, sinon qu'on voie si j'ai su choisir ce qui joignait justement à mon propos. Et ce que je cache parfois le nom de l'auteur à escient ès choses que j'emprunte, c'est pour tenir en bride la légèreté de ceux qui s'entremettent de juger de tout ce qui se présente, et, n'ayant pas le nez capable de goûter les choses par elles-mêmes, s'arrêtent au nom de l'ouvrier et à son crédit. Je veux qu'ils s'échaudent à condamner Cicéron ou Aristote en moi. De ceci... »
* « C'est mon cœur que je dois expliquer. »

2. Montaigne, comme Rabelais, sépare le jugement du savoir et raille le pédantisme. Cf. le dicton repris par frère Jean : « *Les grands clers ne sont pas les plus grands sages.* »

3. Dans l'essai XXVI du livre I, Montaigne reconnaissait « qu'il n'avait quasi du tout point l'intelligence du grec » et dans l'essai IV du livre II, il précisait « qu'il n'entendait rien au grec ».

4. Le *Décaméron* comprenant dix journées de dix contes chacune fut très goûté, directement dans le texte. La traduction d'Antoine Le Maçon en 1545 fut dédiée à Marguerite de Navarre, qui s'en inspira dans l'*Heptaméron.* Montaigne connaissait fort bien l'œuvre de Boccace. Au cours de son voyage en Italie, il se fit montrer le testament de l'écrivain. Dans l'essai XII du livre II, il fait une allusion à l'un de ces contes.

5. Montaigne lisait Rabelais avec plaisir; certaines expressions familières des *Essais* sont peut-être dues à son influence, par exemple dans l'essai XXV du livre I, *Du pédantisme,* Montaigne reprend la maxime de frère Jean des Entommeures : « *Les grands clers ne sont pas les plus grands sages.* »

6. De son vrai nom Everaerts, né à La Haye en 1511 et mort à Tournai en 1536. En 1535, il prit part à l'expédition de Charles Quint contre Tunis et en revint gravement malade. Poète élégiaque,

il est surtout célèbre par ses dix-neuf *Basia (Les Baisers)*, imités de Catulle. Variante des éditions antérieures : « *Sous ce titre, et des siècles un peu au-dessus du nôtre, l'Histoire Éthiopique* ».

7. Montaigne dans l'essai xxvi du livre I, *De l'institution des enfants*, a déjà manifesté son mépris pour ces sortes de romans : « *Car des Lancelots du Lac*, des *Amadis*, des *Huons de Bordeaux*... je n'en connaissais pas seulement le nom. »

8. Un des auteurs de prédilection de Montaigne pendant sa jeunesse, qui le cite 72 fois dans les *Essais*. Dans l'essai xxvi du livre I, il déclarait : « Le premier goût que j'eus aux livres, il me vint du plaisir des fables de la *Métamorphose* d'Ovide. »

9. Dialogue platonicien attribué à Eschine le socratique ou à Xénocrate de Chalcédoine. Henri Estienne dans sa traduction de 1578 ne le place pas parmi les œuvres authentiques de Platon. Variante de 1588 : « ... *autorité de tant d'autres, meilleurs jugements, ni ne se donne témérairement la loi de les pouvoir accuser.* »

10. Les citations de ces poètes sont extrêmement nombreuses.

11. Le chant V de l'*Énéide* raconte les jeux funèbres en l'honneur d'Anchise, l'incendie de la flotte d'Énée par les Troyennes et la mort de Palinure.

12. Lucain est cité une quarantaine de fois. Il s'agit le plus souvent de maximes stoïciennes tirées de l'épopée *La Pharsale*.

13. Dans l'essai xl du livre I, *Considération sur Cicéron*, Montaigne, faisant l'éloge des œuvres de Térence, les attribue à Scipion et à Lelius. Dans l'essai v du livre III, *Sur des vers de Virgile*, il revient sur la plupart de ces jugements.

14. Cicéron.

15. Horace, *Art poétique*, vers 270. Celui-ci reprochait à Plaute sa grossièreté. Les Classiques pour la même raison préfèrent Térence à Plaute : par exemple La Fontaine dans la *Préface* des *Fables*.

16. *Roland furieux*, épopée de l'Arioste (1474-1533).

17. Allusion aux traductions d'Amyot; les *Vies des hommes illustres* parurent en 1582, les *Œuvres morales* en 1572.

18. Sénèque et Plutarque sont les auteurs préférés de Montaigne. Il en fait l'éloge notamment dans l'essai xxvi du livre I et dans l'essai xxxii du livre II.

19. Sénèque est né à Cordoue en Espagne; Plutarque est d'origine grecque; il aurait été précepteur de Trajan et d'Hadrien. On sait que Sénèque fut précepteur de Néron.

20. C'est surtout après 1586 que Montaigne étudie Platon : il lui fera de nombreux emprunts, et ne le jugera plus « aussi traînant ».

21. Pline l'Ancien, très lu au xvie siècle comme savant et comme philosophe.

22. Montaigne les a critiquées dans l'essai xxxix du livre I et dans l'essai xl du même livre; de nos jours M. Carcopino, de

l'Académie française, a mis en doute la sincérité de Cicéron.

23. Dans l'essai xxxii du livre II, *De la colère*.

24. Les éditions antérieures ajoutent le commentaire suivant : « Si est-ce qu'il n'a pas en cela franchi si net son avantage, comme Virgile a fait en la poésie : car bientôt après lui, il s'en est trouvé plusieurs qui l'ont pensé égaler et surmonter, quoique ce fût à bien fausses enseignes ; mais à Virgile nul encore depuis lui n'a osé le comparer, et à ce propos j'en veux ici ajouter une histoire. »

25. Anecdote tirée des *Suasoriae* de Sénèque, livre VIII.

26. Souvenir du *Dialogue des orateurs* de Tacite, chap. xviii. L'un des interlocuteurs, Sper, défend les orateurs de son temps contre les Anciens et rappelle les critiques de Brutus contre l'éloquence de Cicéron.

27. Métaphore tirée du jeu de balle : la balle qui vient sur la droite est plus facile à renvoyer. Les premières éditions portaient : « *Les historiens sont le vrai gibier de mon étude, car ils sont plaisants et aisés ; et quant et quant et quant la considération des natures et conditions de divers hommes, les coutumes des nations différentes, c'est le vrai sujet de la science morale.* »

28. Les biographies étaient très goûtées au xvie siècle. On peut rapprocher cet éloge de Plutarque de l'essai xxvi du livre I.

29. Diogène Laërce, historien grec du début du iiie siècle. après J.-C. Montaigne lui a fait de très nombreux emprunts.

30. Montaigne sur la page de garde de son exemplaire des *Commentaires* de César avait écrit l'éloge suivant : « Somme, c'est César un des plus grands miracles de Nature. Si elle eût voulu ménager ses faveurs, elle en eût bien fait deux pièces admirables ; le plus disert, le plus net et le plus sincère historien qui fut jamais, car en cette partie il n'en est nul Romain qui lui soit comparable, et suis très aise que Cicéron le juge de même ; — et le chef de guerre en toutes considérations des plus grands qu'elle fît jamais... »

31. Dans le *Brutus,* chap. lxxv.

32. Froissart (1337-1405) auteur des *Chroniques* sur la guerre de Cent ans. Montaigne l'a déjà pris comme exemple d'historien naïf dans l'essai xxvii du livre I, *C'est folie de rapporter le vrai et le faux à notre suffisance*. Dans le texte de 1588, le paragraphe se termine par : « *Dimensions. Ceux-là sont aussi bien plus recommandables historiens qui connaissent les choses de quoi ils écrivent, ou pour avoir été de la partie à les faire, ou privés avec ceux qui les ont conduites.* »

33. Asinius Pollion, historien de l'époque d'Auguste, auteur d'une *Histoire des guerres civiles*. Cette critique figure dans l'édition de César possédée par Montaigne.

34. Toute cette dissertation sur le mérite des historiens est en effet inspirée de Jean Bodin (1529-1596), dont les *Six Livres de la République* constituent un monument historique et juri-

dique. Les remarques de Montaigne sont tirées de l'ouvrage intitulé *Méthode à la connaissance facile des histoires,* publié en 1566 et réédité plusieurs fois de 1572 à 1579.

35. Guichardin, l'auteur de l'*Histoire d'Italie* (1563).

36. Philippe de Commines (1445-1511), auteur de *Mémoires* sur la lutte entre Charles le Téméraire et Louis XI.

37. Martin Du Bellay écrivit les quatre premiers [livres] et les trois derniers des dix livres de ces *Mémoires.* Les livres 5-6-7 ont été rédigés par son frère Guillaume de Langeais : ils faisaient partie de sa cinquième *Ogdoade* racontant les événements de 1536 à 1560. Cette collaboration des deux frères explique que Montaigne emploie tantôt le singulier *Monsieur du Bellay* et tantôt le pluriel *Ces deux seigneurs.*

38. Philippe Chabot, seigneur de Brion, ambassadeur en Angleterre en 1532; général en chef de l'armée opérant en Piémont en 1535, après de brillants succès, il s'arrêta à Verceil, ce que François Ier ne lui pardonna pas. Condamné en 1540 dans un procès de concussion, il fut sauvé par la duchesse d'Étampes, Anne de Pisseleu, favorite du roi.

CHAPITRE XI

1. Au sens juridique : *Sans partie adverse :* sans opposition.

2. Mot d'esprit rapporté par Diogène Laërce. *Vies des Philosophes,* livre IV, chap. XLIII.

3. D'après Cicéron, *De Officiis,* livre I, chap. XLIV; Épaminondas appartenait à la secte pythagoricienne.

4. Le caractère acariâtre de la femme de Socrate, Xanthippe, est rapporté par Plutarque, *Comment on pourra recevoir utilité de ses ennemis,* chap. VIII.

5. Anecdote empruntée à Plutarque, *Vie de Marius,* chap. X.

6. Caton d'Utique. Se reporter à l'essai XXXVII du livre I, qui lui est consacré.

7. César, en tant que destructeur de la république.

8. Après l'évolution sceptique; on peut en effet rapprocher cette remarque du début de l'essai XIII du livre II, *De juger de la mort d'autrui.* Par contre, au temps de sa ferveur stoïcienne, il jugeait la vie d'après la mort, par exemple à la fin de l'essai XIX du livre I, *Qu'il ne faut juger de notre heur qu'après la mort.*

9. Dans l'essai XII du livre III, *De la physionomie,* Montaigne comparera encore Caton et Socrate, en marquant sa préférence pour ce dernier.

10. Souvenir du *Phédon* de Platon : le jour de son exécution, Socrate est délivré de ses fers.

11. D'après Diogène Laërce, *Vie d'Aristippe,* livre II, chap. LXXVI.

12. Socrate et Caton.

13. D'après Diogène Laërce, *Vie d'Antisthène*, livre VI, chap. VII.

14. Anecdote tirée de Diogène Laërce, *Vie d'Aristippe*, livre II, chap. LXVII et LXXVII.

15. D'après Diogène Laërce, *Vie d'Épicure*, livre X, chap. XI.

16. D'après Diogène Laërce, *Vie d'Aristote*, livre V, chap. XXXI.

17. Selon Cicéron, *Tusculanes*, livre IV, chap. XXXVII.

18. D'après Cicéron, *De Fato*, chap. V.

19. Variante de 1588 : « *Je sais qu'on peut aisément gourmander l'effort de ce plaisir, et encore que je lui donne plus de crédit sur moi que je ne devrais, si est-ce que je ne prends pas du tout pour miracle, comme fait la reine de Navarre, Marguerite, en l'un de ses contes.* »

20. Dans le dixième conte de la 3e journée. L'*Heptaméron* fut publié en 1558, neuf ans après la mort de Marguerite de Navarre.

21. Terme de chasse : le bruit que font les rabatteurs.

22. Suétone, dans la *Vie de César*, chap. LXXIV.

23. L'exemplaire de Bordeaux se trouve rogné à cet endroit. L'édition de 1595 permet de combler cette lacune : « Ayant conçu opinion par les apprêts qu'il avait vu faire en la place, qu'on le voulût tourmenter de quelque horrible supplice : et sembla être délivré de la mort pour l'avoir changée. »

24. Ce souvenir du voyage en Italie figure dans le *Journal de Voyage* à la date du 11 janvier : « ... Comme M. de Montaigne sortait du logis à cheval... il rencontra qu'on sortait de prison Catena, un fameux voleur, et capitaine des bannis, qui avait tenu en crainte toute l'Italie... Après qu'il fut étranglé, on le détrancha en quatre quartiers. Ils ne font guère mourir les hommes que d'une mort simple, et exercent leur rudesse après la mort. M. de Montaigne y remarqua ce qu'il a dit ailleurs, combien le peuple s'effraie des rigueurs qui s'exercent sur les corps morts; car le peuple qui n'avait senti de le voir étrangler, à chaque coup qu'on lui donnait pour le hacher, s'écriait d'une voix piteuse. »

25. D'après Plutarque, *Les Dits notables des anciens rois*. Exemple souvent cité au XVIe siècle, en particulier par Jean Bodin et Juste Lipse.

26. D'après Hérodote, *Histoires*, livre II, chap. XLVII.

27. D'après Plutarque, *Propos de table*, livre VIII, chap. VIII.

28. Souvenir de la *Théologie naturelle* de Raimond Sebond : « Qu'il se garde donc de les mépriser; ains qu'il les aime, qu'il ait continuellement devant les yeux la fraternelle ressemblance qu'il a avec elles... » On sait que Montaigne avait traduit cet ouvrage pour son père.

29. D'après César, *De Bello Gallico*, livre VI, chap. XIV.

30. Dans l'opuscule *De Isis et Osiris*, chap. XXXIX.

31. Le bœuf.

32. Le chat.
33. D'après Plutarque, *Les Demandes des choses romaines,*
chap. XCVIII.
34. D'après Plutarque, *Vie de Caton le Censeur,* chap. XIII.
35. D'après Diodore de Sicile, livre XIII, chap. XXVII.
36. D'après Hérodote, *Histoires,* livre II, chap. LXVI et LXVII.
37. D'après Plutarque, *Vie de Caton le Censeur,* chap. III.

CHAPITRE XII

1. Raimond Sebeyde, Sabonde, ou de Sebonde, né à Barce-
lone au XIVe siècle et mort à Toulouse en 1432, où il enseignait
la médecine et la théologie. Auteur de la *Théologie naturelle.*
2. D'après Diogène Laërce, livre VII, chap. CLXV.
3. Né à Toulouse en 1499 et mort à Turin en 1546. Henri
Estienne le considérait comme l'un des plus habiles cicéroniens
de son temps. Il fut précepteur du « bon M. de Pibrac », dont
Montaigne aime à citer les quatrains politiques.
4. La *Théologie naturelle,* ou *Livre des créatures,* ou *Livre de
l'Homme,* fut publiée en 1487 et réimprimée plusieurs fois en
France au XVIe siècle. Montaigne commença à en faire une traduction en 1565, qui parut en 1569, un an après la mort de son père.
Sebonde entreprend de prouver la vérité de la foi catholique en
s'appuyant sur la nature de l'homme.
5. Les doctrines de Luther trouvaient audience chez beaucoup d'intellectuels français : deux des frères de Montaigne étaient
protestants comme probablement sa mère, d'origine juive, « nouvelle chrétienne » convertie au protestantisme.
6. Les éditions antérieures à celle de 1595 ajoutent à cet endroit :
« Avec la nonchalance qu'on voit par l'infini nombre des fautes
que l'imprimeur y laissa, qui en eut la conduite lui seul. » Cette
traduction parut en 1569, à Paris, chez Buon.
7. Adrien Turnèbe ou Tournebeuf (1512-1565), illustre professeur d'éloquence au collège Royal. Montaigne qui l'admirait
beaucoup en fait l'éloge dans l'essai XXV du livre I, *Du pédantisme*
et dans l'essai XVII du livre II, *De la présomption.*
8. Souvenir de Joinville, *Vie de saint Louis,* chap. XIX.
9. Allusion à un conte de Boccace, *Décaméron,* première journée,
deuxième nouvelle, dans lequel un juif se convertit au catholicisme,
pour ce motif.
10. Dans l'évangile selon saint Matthieu, XVII, 20.
11. C'était l'argument invoqué par les protestants. Joseph
Vianey rapproche justement ce passage d'un fragment des *Mémoires*
de l'historien de Thou, première édition traduite du latin en
français, Rotterdam, 1711, page 136 : « Pour la religion, c'est un
beau prétexte pour se faire suivre par ceux de leur parti, mais son

intérêt ne les touche ni l'un ni l'autre [le roi de Navarre et le duc de Guise]; la crainte d'être abandonné des protestants empêche seule le roi de Navarre de rentrer dans la religion de ses pères, et le duc ne s'éloignerait point de la confession d'Augsbourg, que son oncle Charles, cardinal de Lorraine, lui a fait goûter, s'il pouvait la suivre sans préjudicier à ses intérêts. »

12. Proverbe fréquent chez les conteurs du XVIe siècle. On lit dans Rabelais, livre I, chap. XI : « Gargantua faisait gerbe de fouarre. » Il signifie qu'il ne faut pas se moquer de Dieu : les fraudeurs au lieu de la gerbe pleine offraient à la dîme de la paille battue (fouarre).

13. Anecdote empruntée à Diogène Laërce, *Vie d'Antisthène,* livre VI, chap. IV.

14. Autre emprunt à Diogène Laërce, *Vie de Diogène,* livre VI, chap. XXXIX.

15. D'après saint Paul, Épître aux Philippiens, I, 23.

16. Allusion à Cléombrote, qui après une lecture du *Phédon* se jeta dans la mer. Montaigne a déjà rapporté cette anecdote et la citation de saint Paul dans l'*essai 3* du livre II, *Coutume de l'île de Céa.*

17. Allusion au commencement du livre X des *Lois,* que Montaigne a déjà cité dans l'*essai 56* du livre I, *Des Prières.*

18. D'après Diogène Laërce, *Vie de Bion,* livre VI, chap. LIV.

19. Allusion au chap. XXIV de la *Théologie naturelle* traduite par Montaigne : « Tout ainsi que par ce peu de lumière que nous avons la nuit, nous imaginons la lumière du soleil qui est éloigné de nous; de même par l'être du monde que nous connaissons, nous argumentons l'être de Dieu qui nous est caché... ».

20. Traduit de Plutarque, *De la tranquillité de l'âme,* chap. XIX.

21. Épître aux romains, I, 20.

22. Citation d'Hérodote, *Histoires,* livre VII, chap. X. Artaban donne ce conseil de modération à Xerxès. Montaigne a trouvé cette maxime d'Hérodote dans l'*Anthologie* de Stobée.

23. Souvenir du *Timée,* page 715 de l'édition de 1546.

24. Dans *La Cité de Dieu,* livre XXI, chap. V.

25. Souvenir de saint Paul, Épître aux Colossiens, II, 8.

26. Nouvelle citation de saint Paul, Épître première aux Corinthiens, III, 19.

27. Toujours saint Paul, Épître première aux Corinthiens, VIII, 2.

28. *Id.,* Épître aux Galates, VI, 3. Ces deux maximes étaient inscrites sur les travées de la *Librairie* de Montaigne.

29. — Le mouvement éloquent de ce passage a inspiré Pascal dans la célèbre pensée : « *que l'homme considère...* » (*Disproportion de l'homme*) 197, éd. Tourneur.

30. Souvenir de *De Natura Deorum,* livre I, chap. IX.

31. Souvenir de Diogène Laërce, *Vie d'Anaxagoras,* livre II, chap. VIII.

32. Molière, *Femmes savantes,* III, II : Bélise : « Mais j'ai vu des clochers tout comme je vous vois. »

33. Souvenir de Plutarque, *De la face qui apparaît au rond de la Lune,* où se trouve rapportée l'opinion de Platon.

34. L'édition de 1595 ajoute : « Nous nous entretenons de singeries réciproques. Si j'ai mon heure de commencer ou de refuser, aussi a-t-elle la sienne. »

35. Souvenir du *Politique,* page 206 de l'édition de 1546.

36. Souvenir du *Timée.* Montaigne y a fait déjà allusion dans l'*essai 11* du livre I, *Des pronostications.*

37. Ces exemples sont tirés du compilateur Cœlius Rhodiginus, *Antiquarum lectionum libri,* livre XVII, chap. XIII. Scaliger le surnommait le Varron moderne et Montaigne au cours de son voyage en Italie rappelle son souvenir en passant par sa ville natale, Rovigo.

38. D'après Pline l'Ancien, *Histoire naturelle,* livre VI, chap. XXXV.

39. Dans l'*Histoire naturelle,* livre VI, chap. XXX. Dans *Pantagruel,* chap. XIX, Panurge fait quinaud le clerc anglais, « *qui arguait par signe* ». Les occultistes au XVIᵉ s. utilisaient souvent le langage par signes.

40. Selon Plutarque, *Dits notables des Lacédémoniens.*

41. On peut rapprocher tout ce passage de la *Lettre 90* de Sénèque, du mythe de Prométhée et Épiméthée dans le *Protagoras* de Platon. Quant aux plaintes sur l'infériorité de l'homme, elles sont empruntées à Pline l'Ancien, *Histoire naturelle,* début du livre VII.

42. Addition figurant dans les éditions antérieures à 1595 : « La faiblesse de notre naissance se trouve à peu près en la naissance des autres créatures. »

43. Selon Plutarque, *Vie de Lycurgue,* chap. XIII. Rousseau développera cette remarque dans l'*Émile.*

44. Allusion à la découverte du Nouveau Monde; Montaigne a déjà développé cette idée dans l'*essai 31,* du livre I, *Des cannibales.*

45. Ces exemples sont tirés de Plutarque, *Quels animaux sont les plus avisés,* chap. X.

46. Cette sentence de L'Ecclésiaste se trouve déjà au début de l'*essai 26* du livre I, *De l'institution des enfants;* elle était gravée sur l'une des travées de la *Librairie* de Montaigne.

47. L'édition de 1595 ajoute : « Et de plus riches effets des facultés plus riches. »

48. Autre addition de 1595 : « Aussi le tiennent les animaux ou quelque autre meilleure. »

49. Tout ce passage est tiré de Plutarque, *Quels animaux sont les plus avisés,* chap. XIII.

50. Anecdote tirée de Plutarque, *Comment on peut discerner, le flatteur d'avec l'ami,* chap. III.

51. D'après Hérodote, *Histoires,* livre V, chap. V.

52. Montaigne a lu le serment des gladiateurs dans Juste Lipse, *Saturnalium sermonum libri,* livre II, chap. V, qui le cite lui-même d'après Pétrone.

53. D'après Hérodote, *Histoires,* livre IV, chap. LXXI et LXXII.

54. D'après Diogène Laërce, *Vie de Diogène,* chap. VI, § 75.

55. D'après Plutarque, *Que les bêtes usent de la raison,* chap. IV.

56. Importante cité, Amphipolis, colonie athénienne, fut prise par le général spartiate Brasidas pendant la guerre du Péloponnèse.

57. Anecdote tirée de Pline l'Ancien, *Histoire naturelle,* livre X, chap. VIII.

58. D'après le témoignage de Plutarque, *Quels animaux sont les plus avisés,* chap. XXVIII.

59. D'après Plutarque, *Vie de Sylla,* chap. XVI. Les moralistes du XVIᵉ siècle ont souvent commenté la mort de Sylla provoquée par une maladie apportée par les poux.

60. Sorte de petite fougère poussant sur les murailles.

61. Tous ces exemples sont tirés de Plutarque, *Quels animaux sont les plus avisés,* chap. XX.

62. Anecdote tirée de Plutarque ou de Sextus Empiricus, *Hypotyposes,* livre I, chap. XIV.

63. George de Trébizonde, grammairien et logicien du XVᵉ siècle, savant grec réfugié en Italie après la prise de Constantinople par les Turcs.

64. Toujours dans le traité *Quels animaux sont les plus avisés,* chap. XIX et XX, qui fournissent à Montaigne tous ces exemples.

65. D'après Plutarque, *ibid.,* chap. XIX.

66. Arrianus, Arrien de Nicomédie, auteur d'une *Histoire indienne,* chap. XIV.

67. D'après Plutarque, *ibid.,* chap. XII.

68. *Ibid.,* chap. XII.

69. *Ibid.,* chap. XVII.

70. *Ibid.,* chap. XII.

71. Anecdote très connue au XVIᵉ siècle dont l'origine est l'*Histoire générale des Indes* de Lopez de Gomara, livre II, chap. IX.

72. Les éditions antérieures à 1595 ajoutaient : « Nous vivons et eux et nous sous même toit et humons un même air : il y a sauf le plus et le moins, entre nous une perpétuelle ressemblance. »

73. Il s'agit des Indiens du Brésil venus à la cour du roi de France et que Montaigne interrogea sans grand profit. Se reporter à l'essai *Des cannibales,* livre I, chap. XXXI.

74. Anecdote tirée de Plutarque, *Quels animaux sont les plus avisés,* chap. XXIII.

75. Tout ce développement est emprunté au même traité de Plutarque, chap. XI.

76. A la bataille d'Actium (31 av. J.-C.). Le *rémora* possède une sorte de ventouse recouvrant la tête et le cou, qui lui permet de se fixer aux navires et à certains animaux marins. Cette anecdote est tirée de Pline l'Ancien, *Histoire naturelle,* livre XXXII, chap. I.

77. D'après le même traité de Plutarque, chap. XVI.

78. *Ibid.,* Plutarque cite le caméléon, le poulpe et la torpille.

79. Addition des éditions antérieures à 1595 : « Car à nos enfants il est certain que bien avant en l'âge, nous n'y découvrons rien sauf la forme corporelle, par où nous en puissions faire triage. »

80. Anecdotes tirées de Plutarque, *Quels animaux sont les plus avisés,* chap. XIII.

81. Développement tiré de Plutarque, *Que les bêtes brutes usent de raison,* chap. VI.

82. Ces exemples d'amours étranges sont tirés de Plutarque, *Quels animaux...,* chap. XVIII.

83. Dans le poème *De la chasse,* chant I, vers 236.

84. Anecdote tirée du même opuscule de Plutarque, chap. XVI. L'histoire a donné lieu à la fable d'Ésope, dont se souviendra La Fontaine dans *l'Âne chargé d'éponges et l'âne chargé de sel.*

85. Toujours Plutarque, *ibid.,* chap. XI.

86. *Vous* désigne la princesse à qui est dédiée l'*Apologie.* D'après une tradition remontant au XVIIIᵉ siècle, et dont l'origine serait le fils de Montesquieu, on pense que cette princesse serait Marguerite de Valois, femme de Henri de Navarre. Montaigne s'excuse de raconter une histoire scabreuse, intolérable en français, mais que supporte le latin.

87. Pascal dans la célèbre pensée du *Roseau pensant* (pensée 347, éd. Brunschwicg) développe un mouvement analogue.

88. Ce n'est pas Pompée que Sertorius battit par ce moyen, mais les Characitaniens, peuplade espagnole, qui habitait dans de profondes cavernes. Plutarque rapporte le fait dans la *Vie de Sertorius,* chap. VI.

89. D'après Plutarque, *Vie d'Eumène* et *Vie de Marcus Crassus.*

90. Anecdote rapportée par Goulard, *Histoire du Portugal,* livre VIII, chap. XIX.

91. Tout ce développement est tiré de Plutarque, *Quels animaux sont les plus avisés,* chap. XIII.

92. D'après Aulu-Gelle, *Nuits attiques,* livre V, chap. XIV que Montaigne traduit presque littéralement.

93. *De Dacie,* la Roumanie d'aujourd'hui. Androdus est généralement connu sous le nom d'Androclès.

94. Exemples tirés également de Plutarque, *Quels animaux sont les plus avisés,* chap. XXV. Le *scare* (escare) est un poisson de la Méditerranée orientale.

95. *Les barbeaux,* ou *barbillons* (barbiers) sont des poissons de rivière, bien connus des amateurs de pêche.

96. Plutarque, *ibid.,* chap. XXXI.

97. *L'ichneaumon,* variété de mangouste, appelée aussi « rat des Pharaons », qui recherche les marécages. Il fut vénéré par les anciens Égyptiens, qui en ont placé des momies dans leurs nécropoles...

98. *Ibid.,* chap. xxx. Le pinnothère vit souvent en parasite dans les moules.

99. D'après Plutarque, *ibid.,* chap. xv.

100. Anecdote empruntée à Arrien, *Histoire indienne,* chap. xiv.

101. La *clémence* du tigre est tirée de Plutarque, *Quels animaux sont les plus avisés,* chap. xx.

102. Toute l'histoire des alcyons est tirée de Plutarque, *ibid.,* chap. xxxv.

103. Callimaque (315-244) a célébré la naissance d'Apollon à Délos par un hymne. Héra, jalouse de Latone, fixa l'île, mais Zeus récompensa Délos de son hospitalité par une pluie d'or.

104. Ces exemples sont tirés de l'*Histoire générale des Indes* de Lopez de Gomara, livre II, chap. xx et livre IV, chap. iii.

105. Anecdote empruntée à l'Italien Balbi, *Voyage dans l'Inde orientale* (1590), p. 76.

106. Ces coutumes, comme celles de Mexicains citées plus bas, sont extraites de l'*Histoire générale des Indes,* livre IV, chap. iii.

107. Pline l'Ancien dans l'*Histoire naturelle,* livre VI, chap. xiii.

108. Souvenir de Cicéron, *De Natura Deorum,* livre I, chap. x.

109. Platon dans le *Timée* et Cicéron dans le *De Natura Deorum,* livre II, chap. liv.

110. Tout ce développement est tiré de Plutarque, *Des communes conceptions contre les stoïques,* chap. xi.

111. Variante de 1588 : « *C'est donc toute votre perfection que d'être homme, et ce n'est pas vrai discours, mais par une fierté.* »

112. D'après Xénophon, *Mémorables,* livre I, chap. iv, § 12.

113. Souvenir de Corneille Agrippa, *De Incertitudine et vanitate scientiarum,* chap. liv.

114. Les éditions antérieures à 1595 comportaient la variante suivante : « La doctrine est encore moins nécessaire au service de la vie que n'est la gloire... »

115. Peut-être est-ce un souvenir de Plutarque, *Contre l'épicurien Colotès,* chap. xiv.

116. Souvenir de l'*Odyssée,* chant XII, vers 188.

117. Allusion à l'*Enchiridion* d'Épictète, chap. xi.

118. Dans les *Tusculanes,* livre I, chap. xxvi, et livre V, chap. xxxvi.

119. D'après Plutarque, *Des communes conceptions contre les stoïques,* chap. xviii.

120. Allusion à la folie de Lucrèce.

121. Au témoignage de Cicéron, *Académiques,* livre II, chap. XXIII.

122. *Idem, De Finibus,* livre II, chap. XXIII.

123. Selon Plutarque, *Des communes conceptions contre les stoïques,* chap. XXX.

124. Dans la *Lettre 53.*

125. Montaigne a déjà cité cette anecdote dans le livre I des *Essais : que le goût des biens et des maux dépend en bonne partie de l'opinion que nous en avons,* essai 14.

126. Addition des éditions antérieures à 1595 : « Ce n'est que vent et paroles. »

127. Cette anecdote est rapportée par Cicéron, ainsi que celle de Dionisius dans le *De Finibus,* livre V, chap. XXXI.

128. Montaigne reprend cette anecdote déjà citée dans l'*essai 14* du livre I.

129. Entendez des philosophes *sceptiques.*

130. L'édition de 1580 ajoutait ici : « Les hommes engagés au service des Muses m'en sauraient bien que dire. »

131. Toujours les Cannibales chers à Montaigne; ces détails sont tirés de l'*Histoire du Portugal* de Goulard, livre II, chap. XV; « ... ceux qui meurent sont emportés plutôt de vieillesse que de maladie. »

132. Allusion au Tasse, qui fut enfermé comme fou à l'hôpital Sainte-Anne, à Ferrare, de 1574 à 1586. Montaigne le vit dans sa prison, en novembre 1580, lors de son voyage en Italie. Ce développement a été ajouté dens l'édition de 1582. Dans le *Journal de Voyage,* il n'est pas fait allusion à cette entrevue pathétique.

133. La première édition de la *Jérusalem délivrée* parut en 1580; en 1581, un volume de vers et de prose fut publié à Venise.

134. Anecdote citée par Cicéron, *Tusculanes,* livre III, chap. VI.

135. Tout ce passage a été inspiré à Montaigne par Érasme, *Adage Fortunata stultitia,* ainsi que par L'Ecclésiaste.

136. Ce défaut de prononciation avait donné lieu au proverbe latin : « Felices populos quibus vivere est libere » : « Heureux peuples, pour qui vivre, c'est boire. »

137. Souvenir de Plutarque, *Des communes conceptions contre les stoïques,* chap. XIV.

138. D'après Diogène Laërce, *Vie de Cratès,* livre VI, chap. LXXXVI.

139. Dans les *Lettres 54, 62, 64, 98, 108,* etc.

140. Cité par Corneille Agrippa, *De incertitudine et vanitate scientiarum,* chap. I.

141. Il s'agit de l'empereur Valens (IVe siècle après J.-C.). L'erreur vient de Corneille Agrippa que Montaigne a transcrit sans modifier l'orthographe du nom. Valens fut un ennemi de la science et de la philosophie.

142. Montaigne est revenu à plusieurs reprises sur cette idée : au livre I, *essai 31*, au livre III, *essai 13* et dans *l'Apologie* en d'autres passages.

143. Souvenir d'un passage de Varron cité dans Nonius Marcellus, érudit qui vécut à l'époque de Dioclétien et qui avait composé une sorte de dictionnaire intitulé *Compendiosa doctrina*. Le mot de Varron figure à l'article *Cepe*.

144. Idée développée par Corneille Agrippa, *De l'incertitude et de la vanité des sciences,* chap. I.

145. Ce développement est inspiré de Platon, *Apologie de Socrate,* chap. VI.

146. Ces sentences de L'Ecclésiaste étaient gravées sur une des travées de la bibliothèque de Montaigne. La seconde ne figure pas textuellement dans L'Ecclésiaste.

147. Dans le livre VII des *Lois.*

148. Souvenir de saint Paul, Épître aux Corinthiens, I, 19.

149. D'après Diogène Laëce, *Vie de Phérécide,* livre I, chap. CXXII.

150. Variante de 1588 : « *Et qui n'eut autre plus juste occasion d'être appelé sage qu'en cette sienne sentence.* » Il s'agit de Socrate.

151. Dans le *Politique,* chap. XIX.

152. Argument emprunté à Corneille Agrippa, *De l'incertitude et vanité des sciences* sans qu'on sache exactement où celui-ci l'a puisé lui-même.

153. Tout ce développement est emprunté aux *Hypotyposes* de Sextus Empiricus, livre I, chap. I, qui expose les trois formes de la philosophie : la philosophie dogmatique, qui affirme avoir découvert la vérité; la philosophie académique, qui soutient que la vérité est au-dessus de notre intelligence; la philosophie sceptique, qui déclare la chercher sans la trouver.

154. Du verbe grec ἐπέχω, *tenir en suspens.*

155. Tout ce développement est tiré des *Académiques* de Cicéron, livre IV, chap. XLVII.

156. Argument emprunté à Sextus Empiricus, *Hypotyposes,* livre I, chap. XIII.

157. Montaigne aime lui-même suspendre son jugement, il choisit comme emblème une balance dont les plateaux étaient en équilibre.

158. Philosophe stoïcien. Tout ce passage est emprunté au livre II des *Académiques.*

159. Ces maximes sceptiques sont empruntées à Sextus Empiricus. Elles étaient inscrites sur les travées de la bibliothèque de Montaigne dans leur forme grecque.

160. Passage traduit de Sextus Empiricus, *Hypotyposes,* livre I, chap. II.

161. Les premières éditions portaient « *Laertius* » au lieu de

« on », ce qui s'explique, car une vie de Pyrrhon par Diogène Laërce se trouvait en tête des *Hypotyposes* traduits par Henri Estienne (1562). Il est revenu sur l'interprétation du pyrrhonisme dans l'*essai 29* du livre II, *De la vertu.*

162. Tout ce passage est traduit des *Académiques,* livre II, chap. XXXI.

163. Maxime tirée de L'Ecclésiaste, III, 22 et adaptée assez librement; était également écrite sur les travées de la bibliothèque de Montaigne sous sa forme latine.

164. Dans le *Timée* de Platon, page 705 de l'édition de 1546.

165. Dans la traduction que Cicéron fit du *Timée.*

166. Montaigne dans l'*essai 26* du livre I, *De l'institution des enfants,* avait déjà noté : « Épicure au rebours, en trois cents volumes qu'il laissa, n'avait pas semé une seule allégation étrangère. »

167. D'après Cicéron *Académiques,* livre II, chap. XLV.

168. *Le Ténébreux.* Joseph Vianey remarque que Montaigne a reproduit une note de Lambin dans son édition de Lucrèce, chant I, vers 640. Cicéron ne pensait pas que l'obscurité d'Épicure fût volontaire.

169. Dans le *De Officiis,* livre I, chap. VI.

170. Selon le témoignage de Diogène Laërce dans la *Vie d'Aristippe,* livre II, chap. XCII et dans la *Vie de Zénon,* livre VII, chap. XXXII.

171. Dans la *Vie d'Alexandre :* « A la vérité, tout le traité qu'il appelle Métaphysique, c'est-à-dire outre la science naturelle, ne contient rien qui soit utile ni à enseigner, ni à apprendre... » (Traduction d'Amyot, chap. II.)

172. D'après Sextus Empiricus, *Hypotyposes,* livre I, chap. XXXIII.

173. Selon Sénèque, *Lettre 88.*

174. D'après Diogène Laërce, *Vie de Socrate.*

175. Toute cette comparaison est tirée du *Théétète.*

176. En particulier Cicéron dans les *Académiques,* livre II, chap. V. Le texte de 1588 était assez différent : « ... *cadences dogmatistes. Chez qui se peut voir plus clairement que chez notre Plutarque? Combien diversement discourt-il de même chose! Combien de fois nous présente-t-il deux ou trois causes contraires de même sujet, et diverses raisons, sans choisir celle que nous avons à suivre!* »

177. Citation tirée de Plutarque, *Des oracles qui ont cessé,* chap. XXV.

178. Cicéron, *Académiques,* livre II, chap. V, cite ce « refrain » : « Les hommes ne peuvent rien comprendre, rien discerner, en rien découvrir la nature des choses. »

179. Anecdote tirée de Plutarque, *Propos de table,* livre I, chap. X.

180. Montaigne reprend cette idée au début de l'essai II du livre III, *Des boiteux.*

181. Développement tiré des *Académiques*, livre II, chap. XLI.

182. Exemple emprunté à Plutarque, *Que l'on ne saurait vivre joyeusement selon la doctrine d'Épicure*, chap. VIII. — Eudoxe était un célèbre philosophe pythagoricien, contemporain de Platon.

183. Variante de 1588 : « *Car il n'est pas défendu de faire notre profit du mensonge même, s'il est besoin.* »

184. Souvenir de la *République*, fin du livre II et début du livre III.

185. Dans le livre V, page 591 de l'édition de 1546.

186. D'après les Actes des Apôtres, XVII, 23.

187. *Des divinités.*

188. Citation de Ronsard, *Remontrance au peuple de France* (1562). Ronsard s'indigne de voir les crimes et les divisions des chrétiens :

« *Mais qui serait le Turc, le Juif, le Sarrasin,*
Qui voyant les erreurs du Chrétien son voisin
Se voudrait baptiser ?... »

Pour lui, si Dieu n'avait pas mis sa Grâce en lui, il redeviendrait païen et adorerait de préférence le soleil.

189. Développement emprunté à Cicéron, *De Natura Deorum*, livre I, chap. X.

190. Erreur de graphie : Cicéron a écrit *aer* et non *aetas*. Il faut donc comprendre *air* et non pas *âge*.

191. Selon saint Augustin, *Cité de Dieu*, livre XVIII, chap. V.

192. Dans le *De Natura Deorum*, livre I, chap. XXXII et les *Tusculanes*, livre I, chap. XXVI.

193. A la fin du *Gorgias* et dans le livre X de la *République*.

194. Dans la Première Épître aux Corinthiens, II, 9.

195. Au dire de Plutarque, *De la face qui apparaît dedans le rond de la lune*, chap. XXXII, et aussi dans le *Phédon*.

196. Comparer avec ce qu'en dit Montaigne, dans l'*essai* II du livre II; *De la cruauté*. Le texte de 1588 après *Qui touchaient César* ajoute : « *et qu'il souffre pour lui.* »

197. Selon Pline l'Ancien, *Histoire naturelle*, livre X, chap. II.

198. D'après Plutarque, *De la face qui apparaît dedans le rond de la lune*, chap. XXVIII.

199. Plutarque, *Pourquoi la justice divine diffère quelquefois la punition des maléfices*, chap. IV.

200. Exemples tirés de Tite-Live, *Histoire*, livre XLI, chap. XVI et livre XLV, chap. XXXIII. Variante de 1588 : « *bouquets, et par le plaisir d'une sanguinaire vengeance, témoin cette opinion reçue des sacrifices, ce que Dieu eût plaisir au meurtre et au tourment des choses par lui faites, conservées et créées, et qu'il se pût réjouir par le sang des âmes innocentes, non seulement des animaux, qui n'en peuvent mais, ains des hommes; ainsi que plusieurs nations, ce entre autres la nôtre... »*

201. Anecdote rapportée par Diodore de Sicile, livre XVII, chap. CIV.

202. D'après Hérodote, *Histoires,* livre IV, chap. xciv. Montaigne suit d'abord de près le texte d'Hérodote, puis abrège la fin de l'anecdote.

203. D'après Hérodote, *Histoires,* livre VII, chap. cxiv : On trouve la même anecdote chez Plutarque, *De la superstition,* mais le sacrifice ordonné par Amestris a un autre but : prolonger sa vie : « Amestris, la mère du roi Xerxès, enfouit en terre douze hommes vivants, dont elle faisait offrande à Pluton, pour cuider allonger sa vie. »

204. Selon Plutarque, *De la superstition,* chap. xiii.

205. Selon Plutarque, *Les Dits notables des Lacédémoniens.*

206. Anecdote fameuse rapportée par Hérodote, *Histoires,* livre III, chapitres xlii-xliii. Schiller composa sur ce sujet le poème intitulé : *L'Anneau de Polycrate.*

207. Anecdote tirée de Diogène Laërce, *Vie de Stilpon,* livre II, chap. cxvii.

208. Dans le *Timée,* cité par saint Augustin.

209. D'après Diogène Laërce, *Vie de Démocrite,* livre IX, chap. xlv, et *Vie d'Épicure,* livre X, chap. lxxxv. Variante de 1588 : « *comme Platon, Épicure...* »

210. Pline l'Ancien dans son *Histoire naturelle* rapporte la plupart de ces anecdotes étranges, mais il les déclare fausses.

211. Dans le traité, *De la face qui apparaît dedans le rond de la lune.*

212. Montaigne suit Cicéron qui rapporte les opinions d'Anaxagore et de Métrodore de Chios, *Académiques,* livre II, chap. xxiii et xxxi.

213. Ces vers d'Euripide que Montaigne a traduits avant de citer avaient été empruntés par lui à l'*Anthologie* de Stobée. Il les avait inscrits sur sa bibliothèque.

214. Selon Platon dans le *Théétète.* Melissus était un philosophe de Samos.

215. D'après Sénèque, *Lettre 88.* Variante de 1588 : « *... ni corruption en nature. Je ne sais si la doctrine ecclésiastique en juge autrement, et me soumets en tout et partout à son ordonnance.* »

216. D'après Platon, *Parménide.*

217. Dans les éditions antérieures à 1595, Montaigne fait précéder cette phrase de la réserve prudente : « Je ne sais si la doctrine ecclésiastique en juge autrement et me soumets en tout et partout à son ordonnance. »

218. Premier mot de la formule de la consécration dans l'*Eucharistie : Hoc est corpus meum* (en saint Matthieu, xxvi, 26). Allusion aux querelles entre théologies catholique et protestante au sujet de la transsubstantiation.

219. Cet exemple de raisonnement est emprunté à Cicéron, *Académiques,* livre II, chap. xxix.

220. *Avec elle-même.* Cette comparaison est empruntée à Diogène Laërce, *Vie de Pyrrhon,* livre IX, chap. lxxvi.

221. En janvier ou février 1576, Montaigne avait fait frapper une médaille, où était figurée la balance et la devise : « *Que sais-je ?* ». Les deux plateaux en équilibre symbolisent l'incapacité de notre jugement à se décider. Mlle de Gournay plaça la devise en tête de l'édition de 1635.

222. Allusion à Pline l'Ancien, *Histoire naturelle,* livre II, chap. XVII.

223. D'après Sénèque, *Épître 92.*

224. Allusion à Tertullien (150-230), et à son adage : « Quis negat Deum esse corpus, etsi Deus spiritus sic ? » : « Qui peut nier que Dieu soit corps, bien qu'il soit esprit ? »

225. Développement emprunté à Cicéron, *Académiques,* livre II, chap. XXXVIII.

226. Tout ce passage est traduit des *Académiques,* même chapitre.

227. Dans l'Épître aux Romains, I, 22-23.

228. Ces détails semblent avoir été empruntés à un ouvrage de Du Choul, *De la religion des anciens Romains,* qui reproduisait beaucoup de ces médailles.

229. Ironique; Faustine, femme de l'empereur Marc-Aurèle, était fort légère.

230. Anecdote tirée de Plutarque, *Les Dits notables des Lacédémoniens.*

231. D'après le livre intitulé *Pimander* attribué à Hermès Trismégiste. On trouve cette phrase chez saint Augustin, *Cité de Dieu,* livre VIII, chap. XXIV.

232. Montaigne résume fort exactement un développement de Cicéron, *De Natura Deorum,* livres II et III.

233. Le dieu *Anubis.* Anecdote citée par Josèphe, *Antiquités judaïques,* livre XVIII, chap. IV, et souvent rapportée au XVIᵉ siècle, notamment par Corneille Agrippa.

234. Varron (116-27 av. J.-C.), véritable encyclopédiste de l'Antiquité.

235. Cette anecdote a été racontée par Plutarque, *Vie de Romulus,* chap. III, et par saint Augustin, *Cité de Dieu,* livre VI, chap. VII.

236. D'après Diogène Laërce, *Vie de Platon,* livre III, chap. I.

237. Cette légende de Merlin est tirée de Guillaume Postel, *Histoire des Turcs.*

238. D'après Cicéron, *De Natura Deorum,* livre I, chap. XXVII.

239. Montaigne a vraisemblablement pris ce mot d'Eusèbe, *Préparation évangélique,* livre XIII, chap. XIII, chez l'écrivain protestant Duplessis-Mornay, *Vérité de la religion chrétienne.*

240. D'après Hérodote, *Histoires,* livre I.

241. Ce passage est inspiré de saint Augustin qui raille la multiplicité et la futilité des dieux païens, *Cité de Dieu,* livre IV, chap. VIII.

242. Selon Plutarque, *Des communes conceptions contre les stoïques,* chap. XXVII.

243. D'après Xénophon, *Mémorables,* livre IV, chap. VII.

244. D'après Cicéron, *De Natura Deorum,* livre II, chap. XXII.

245. D'après Xénophon, *Mémorables,* livre IV, chap. VII.

246. D'après Cicéron, *Académiques,* livre II, chap. XXXIII. — *Poltronesque :* paresseux.

247. Dans les *Mémorables,* livre IV, chap. VII. Montaigne résume le raisonnement de Xénophon.

248. Dans l'édition de 1546, page 710.

249. Dans la *République,* livre X, chap. XII.

250. Dans le *Second Alcibiade,* chap. X. Montaigne, trompé par la traduction latine qu'il suivait, a fait un sujet de *nature,* qui était un complément de manière : *Est ipsa natura universa poesis aenigmatum plena : toute poésie est de sa nature remplie d'énigmes.* Le texte grec écrit φύσει, ce qui supprime toute confusion.

251. Dans le *Timée,* p. 724 de l'édition de 1546.

252. Expression fréquente au XVIe siècle, le *petit monde,* microcosme s'opposant au *grand monde,* l'univers ou *macrocosme.* Villey rappelle que le sens de ce mot a été expliqué par Corneille Agrippa dans un traité connu de Montaigne, *De philosophia occulta.*

253. Cette comparaison est tirée de Platon dans le *Critias,* page 136 de l'édition de 1546.

254. Anecdote souvent reproduite par les compilateurs du XVIe siècle, notamment par Corneille Agrippa, *De incertitudine et vanitate scientiarum,* chap. XXX, Tahureau, *Dialogues,* etc. La Fontaine, après Ésope, en a tiré la fable *L'Astrologue qui se laisse tomber dans un puits.*

255. Dans le *Théétète,* chap. XXIV, page 149 de l'édition de 1546.

256. Galien, le célèbre médecin grec, qui soigna l'empereur Marc-Aurèle.

257. Les critiques contre la physique d'Aristote sont fréquentes au XVIe siècle, notamment chez Ramus, *Scholae physicae* et Guy de Bruès, dans ses *Dialogues.*

258. Il s'agit de Diogène Apolloniate, dont parle Cicéron dans le *De Natura Deorum,* livre I, chap. X. L'énumération des doctrines contradictoires est habituelle chez tous les sceptiques, antiques ou modernes. P. Villey pense que ce passage est imité surtout de Guy de Bruès.

259. Tout ce passage est traduit du *De incertitudine et vanitate scientiarum* de Corneille Agrippa. Une erreur de lecture de Montaigne lui fait attribuer à Pythagore une opinion des péripatéticiens.

260. Expression tirée de la *République,* livre V : *gens entêtés de leur propre opinion.*

261. D'après Diogène Laërce, *Vie de Thalès,* chap. XXIV.

262. On trouve ce développement dans les *Tusculanes* de Cicéron, livre I, chap. X.

263. Cette définition est rappelée par Cicéron, *Tusculanes,* livre I, chap. X.

264. Professeur d'éloquence et philosophe chrétien de l'époque de Dioclétien.

265. Dans le *Liber de Anima, seu meditationes devotissoniae,* chap. I.

266. D'après Diogène Laërce, *Vie d'Héraclite,* livre IX, chap. VII.

267. Ce développement est imité de Corneille Agrippa, qui rapporte ces localisations de l'âme pour s'en moquer.

268. Petit-fils d'Aristote, philosophe et médecin.

269. Philosophe péripatéticien de Lampsaque.

270. D'après Galien, *De placitis Hippocratis et Platonis,* livre II, chap. II.

271. Passage inspiré de Sénèque (*Lettre 57*), mais l'image est de Montaigne.

272. C'est l'opinion d'Origène qu'exposait saint Augustin dans la *Cité de Dieu,* livre XI, chap. XXIII. Victor Hugo prend à son compte cette doctrine dans *Les Contemplations (Ce que dit la Bouche d'ombre).*

273. Dans la *Vie de Thésée,* chap. I.

274. D'après Diogène Laërce, *Vie de Diogène,* livre VI, chap. XL.

275. La critique de la physique d'Épicure est tirée de Cicéron, *De Finibus,* livre I, et *De Natura Deorum,* livre II, chap. XXXVII qui rapporte l'opinion de Zénon.

276. Variante de 1588 : « *Comme il s'en voit infinis chez Plutarque contre les Épicuriens et Stoïciens, et en Sénèque contre les Péripatéticiens.* »

277. Souvenir de son voyage en Italie. On peut rapprocher ce conseil d'une remarque du *Journal de voyage* : « La langue populaire est une langue qui n'a presque rien de l'italienne que la prononciation; le reste, c'est de nos propres mots. » Stendhal partagera cette opinion.

278. D'après Diogène Laërce, *Vie de Platon,* livre III, chap. XLVII, et plus probablement tiré de *Dialogues contre les nouveaux académiciens (Premier Dialogue),* de Guy de Bruès.

279. Dans le *Phédon,* page 498 de l'édition de 1546.

280. Dans la *République,* livre X, p. 699 de l'édition de 1546.

281. Dans la *Métaphysique,* livre II, chap. I. La comparaison est reprise par Duplessis-Mornay dans son *Traité de la vérité de la religion chrétienne.*

282. Dans les *Tusculanes,* livre I, chap. XVI.

283. Cette remarque est empruntée à Corneille Agrippa, *De incertitudine et vanitate scientiarum,* chap. LII.

284. Dans les *Lois,* livre X, page 878 de l'édition de 1546.

285. D'après Diogène Laërce, *Vie de Pythagore,* livre VIII, chap. V. Montaigne dans l'essai II du livre II, *De la cruauté,* a déjà rappelé cette théorie de la métempsycose et la croyance de Pythagore, en citant Ovide, *Métamorphoses,* livre XV. Variante de 1588 : « *en maison-Socrate, Platon, et quasi tous ceux qui ont voulu croire l'immor*

talité des âmes se sont laissé emporter à cette invention, et plusieurs nations, comme entre autres, la nôtre ».

286. D'après saint Augustin, *Cité de Dieu*, livre XXI, chap. xvi-xvii, qui cite également les théories de Varron et de Chrysippe. Cf. note 272.

287. Dans le *Menon*, p. 19 de l'édition de 1546.

288. Dans le *Timée*, p. 710 de l'édition de 1546.

289. Lucrèce, chant III, vers 768, raille également cette croyance.

290. Il s'agit des théologiens chrétiens, cités par Vivès dans son *Commentaire de la Cité de Dieu* de saint Augustin, livre IX, chap. xi.

291. Dans la *Vie de Romulus,* chap. xiv.

292. Au début du paragraphe sur les « *âneries de l'humaine sapience* », Montaigne a déjà rapproché la philosophie de la poésie (cf. p. 142).

293. Tout le développement qui suit est emprunté textuellement à Corneille Agrippa, *De incertitudine et vanitate scientiarum,* chap. lxxxii.

294. La question, déjà controversée chez les médecins et philosophes antiques, rebondit au xvie siècle. Rabelais dans le *Gargantua,* chap. iii, intitulé : *Comment Gargantua fut onze mois porté au ventre de sa mère,* énumère les anciens qui « ont déclaré non seulement possible, mais aussi légitime, l'enfant né de femme l'onzième mois après la mort de son mari », et il conclut gaillardement « moyennant lesquelles lois, les femmes veuves peuvent franchement jouer du serrecroupière... onze mois après le trépas de leur mari ».

295. D'après Cicéron, *Académiques,* livre II, chap. xlvi, et le *Cratyle* de Platon, p. 308 de l'édition de 1546.

296. D'après Diogène Laërce, *Vie de Thalès,* livre I, chap. xxxvi.

297. Marguerite de Valois.

298. D'après Hérodote, *Histoires,* livre III, chap. lxxiii, cité par Plutarque, *Comment on pourra discerner le flatteur d'avec l'ami,* chap. iv.

299. Anecdote empruntée à Goulard, *Histoire du Portugal,* livre XII, chap. xxiii : « Les prisonniers turcs aimant mieux mourir que vivre esclaves, firent tant avec les clous de fer frottés l'un contre l'autre, que les étincelles en volèrent sur certaines caques de poudre, laquelle brûla vaisseau portugallais, prisonniers et tout... »

300. L'exposé qui suit forme la troisième partie de la démonstration de Montaigne ; il s'attaque maintenant à la raison, instrument de la science et en montre la vanité sous ses divers aspects.

301. D'après Plutarque, *Contre l'épicurien Colotès.*

302. Dans les *Lois*, p. 862 de l'édition de 1546.

303. Variante de 1588 : « *Mais à présent, que nous recevons les arts par autorité et ordonnance, et que notre institution est prescrite et bridée, on ne regarde plus ce que les monnaies pèsent...* »

304. Tout ce passage concernant l'astrologie est inspiré de Guy de Bruès, *Dialogues contre les nouveaux académiciens*, dialogue I, p. 94. Dans le langage des astrologues, *domifier* signifie partager le ciel en douze maisons (domus), pour établir un horoscope.

305. Termes de chiromancie : La *mensale* est une ligne qui traverse le milieu de la main, de l'index *(l'enseigneur)* au petit doigt. Le *tubercule* est la saillie que forme *l'enseigneur.*

306. « Quand elle fait défaut sous le doigt du milieu et que la ligne médiane fait un angle avec la ligne de vie. » L'ironie de Montaigne sur l'astrologie et la chiromancie est d'autant plus remarquable que ces croyances étaient fort répandues au XVIᵉ siècle, même à la cour et dans les milieux cultivés. D'Aubigné dans les *Tragiques* reproche à Catherine de Médicis de *chercher les savants en la noire science* (chant I, *Misères,* vers 962), les Nostradamus, Ruggieri, l'Escot, etc.

307. Paragraphe traduit de Corneille Agrippa, *De incertitudine et vanitate scientiarum*, chap. I.

308. Variante de 1588 : « *L'avis des Pyrrhoniens est plus hardi, et quant et quant beaucoup plus véritable et plus ferme.* » Montaigne a atténué l'éloge du pyrrhonisme.

309. D'après Plutarque, *Les Dits notables des Lacédémoniens :* « Étant travaillé d'une longue maladie, et ne sachant que y faire, il se mit à la fin entre les mains des devins, charmeurs et sacrificateurs, auxquels il ne soulait point ajouter de foi auparavant : de quoi quelqu'un de ses familiers s'émerveillant, il lui dit : de quoi t'émerveilles-tu, car je ne suis plus celui que je soulais être. »

310. P. Villey pense que cette coutume a été remarquée par Montaigne dans *Sérées* de Guillaume Bouchet (livre I, chap. IX), qui la mentionne.

311. Variante de 1588 : « *vertueuses. Au moins ceci ne savons-nous que trop, que les passions produisent infinies et perpétuelles mutations en notre âme, et la tyrannisent merveilleusement. Le jugement d'un homme courroucé ou de celui qui est en crainte, est-ce le jugement qu'il aura tantôt quand il sera rassis.* »

312. Le nom de *Cléanthe* n'est pas sûr, puisqu'il n'y a pas de philosophe de ce nom originaire de Samos. L'erreur, si elle est réelle, vient de Plutarque, non de Montaigne, qui a emprunté ce passage à l'opuscule *De la face qui apparaît dedans le rond de la lune*, chap. VI. Les éditions antérieures à 1595 disaient seulement : « quelqu'un ».

313. D'après Cicéron, *Académiques*, livre II, chap. XXXIX.

314. L'ouvrage de Copernic, *De revolutionibus orbium cælestium*, paru en 1543, fut longtemps sans grande influence sur les intellectuels du XVIᵉ siècle.

315. Paracelse (1493-1541) médecin et alchimiste suisse, commença son cours à l'Université de Bâle en brûlant les œuvres d'Avicenne et de Galien, disant que « les cordons de sa chaussure

en savaient autant qu'eux ». Ses œuvres publiées à Bâle (1575-1589) connurent un vif succès, en particulier l'ouvrage intitulé *Imposture des médecins*.

316. Jacques Peletier du Mans (1517-1587), poète précurseur de la Pléiade, partisan de l'orthographe phonétique. Ronsard publia ses premières odes dans ses *Œuvres poétiques* en 1547. Jacques Peletier était également médecin et mathématicien. Montaigne le reçut dans son château. Dans l'essai XXI du livre I, *De la force de l'imagination*, il rappelle que Peletier lui avait fait cadeau d'une « petite pièce d'or plate, où étaient gravées quelques figures célestes contre le coup de soleil et ôter la douleur de tête ».

317. Il s'agit de l'hyperbole et des asymptotes, qui ne peuvent se toucher, quoiqu'elles s'approchent l'une de l'autre à l'infini.

318. Allusion à l'erreur de Lactance et de saint Augustin (*Cité de Dieu*, livre XVI, chap. IX) qui niaient l'existence des antipodes. Guy de Bruès dans ses *Dialogues*, Pierre de Messie dans le *Dialogue sur la nature du soleil*, La Popelinière dans son traité *Les Trois Mondes* rappellent cette erreur.

319. Montaigne a maintes fois ironisé sur la précarité des systèmes scientifiques, notamment en astronomie. Addition de 1588 : « *disent. Aristote dit que toutes les opinions humaines ont été par le passé et seront à l'avenir, infinies autrefois; Platon qu'elles ont à renouveler et revenir en être, après trente six mille ans.* »

320. Dans le *Politique*, page 205 de l'édition de 1546.

321. D'après Hérodote, *Histoires*, livre II, chap. CXLII et CXLIII.

322. Allusion à l'hérésie d'Origène, citée par Vivès dans son commentaire sur la *Cité de Dieu*.

323. L'école de Platon. Allusion aux théories du *Timée*.

324. D'après Diogène Laërce, *Vie d'Héraclite*, livre IX, chap. VIII.

325. Cette lettre d'Alexandre n'a pas été retrouvée; saint Augustin en fait mention dans la *Cité de Dieu*, livre VIII, chap. V et livre X, chap. X.

326. Tout ce passage a été inspiré à Montaigne par le commentaire de Vivès sur la *Cité de Dieu*.

327. Toutes ces coutumes des peuples du Nouveau Monde sont tirées de l'*Histoire générale des Indes* de Lopez de Gomara, que Montaigne a également mis à contribution dans l'*essai 31* du livre I, *Des cannibales*.

328. Anecdote tirée de Plutarque, *Les Dits notables des anciens rois, princes et grands capitaines*.

329. D'après Xénophon, *Mémorables*, livre I, chap. III. Variante de 1588 : « *C'est pourquoi le Chrétien, plus humble et plus sage, et mieux reconnaissant que c'est que de lui, se rapporte à son Créateur de choisir et ordonner ce qu'il lui faut.* »

330. D'après Platon, *Second Alcibiade*, chap. XI, page 47 de l'édition de 1546.

331. Montaigne a déjà parlé de l'ordre de Saint-Michel au chap. VII du livre II, *Des récompenses d'honneur.*

332. Ces deux exemples sont empruntés à Cicéron, *Tusculanes,* livre I, chap. XLVII, et à Plutarque, *Consolation à Apollonius,* chap. XIV. L'histoire de Cléobis et Biton récompensés d'un acte de piété filiale par la mort est contée tout au long par Hérodote dans l'histoire de Solon.

333. Tiré de Xénophon, *Mémorables,* livre I, chap. III.

334. D'après le témoignage de saint Augustin, *Cité de Dieu,* livre XIX, chap. II.

335. D'après Sextus Empiricus, *Hypotyposes,* livre I, chap. XXXIII.

336. Juste Lipse (1547-1606), humaniste flamand, qui fut en relations épistolaires avec Montaigne et d'autres intellectuels bordelais comme Pierre de Brach et Florimond de Raemond. Montaigne a fait de nombreux emprunts à plusieurs de ses ouvrages, notamment au *De Amphitheatro,* au *Saturnalium sermonum libri,* aux *Politiques.* En revanche, Juste Lipse a subi l'influence de Montaigne dans son *De Constantia.* En 1604, il publia un important traité sur le stoïcisme, *Manuductio ad stoïcam, philosophiam,* qui contribua à répandre le stoïcisme au XVIIe siècle.

337. Adrien Turnèbe (1512-1565), célèbre érudit, dont Montaigne parle toujours avec admiration, en particulier dans l'essai XXV du livre I, *Du pédantisme.*

338. D'après Xénophon, *Mémorables,* livre I, chap. III.

339. *Apollon,* d'après Xénophon, *Mémorables,* livre I, chap. III.

340. Pascal se souviendra de ce développement dans les *Pensées,* section V, nº 294 : « Plaisante justice qu'une rivière borne! Vérité en deçà des Pyrénées, erreur au-delà! »

341. Dans la *République,* livre I, page 535 de l'édition de 1546. Exemple cité par Guy de Bruès dans ses *Dialogues.*

342. Allusion aux *Cannibales* auxquels Montaigne a consacré l'essai XXXI du livre I, et un paragraphe de l'essai XXIII du même livre, intitulé *De la coutume, et de ne changer aisément une loi reçue :* « Ici, on vit de chair humaine; là c'est office de piété de tuer son père en certain âge... »

343. D'après Plutarque, *Vie de Lycurgue,* chap. XIV.

344. Anecdotes tirées de Diogène Laërce, *Vie d'Aristippe,* livre II, chap. LXXVIII.

345. D'après Diogène Laërce, *Vie de Solon,* livre I, chap. LXIII.

346. D'après Diogène Laërce, *Vie de Socrate,* livre II, chap. XXXV. 1588 : « *Il advient de cette diversité de visages que les jugements s'appliquent diversement au choix des choses.* »

347. Sous Henri III, les hommes portaient des boucles d'oreilles.

348. Ces coutumes sont empruntées aux *Hypotyposes,* livre III, chap. XXIV de Sextus Empiricus.

349. Bartole (1313-1357), célèbre professeur de droit à Bologne et à Pise, surnommé « la lanterne du droit ». Ronsard, dans

l'*Élégie à Pierre l'Escot,* supposant que son père lui conseille d'étudier le droit, écrit :

« Hante-moi les palais, caresse-moi Bartole... » Balde (1323-
1400) enseigna le droit à Pavie, Bologne et Padoue. Ces deux
juristes faisaient encore autorité au xvie siècle, bien que s'opposant souvent dans leurs interprétations. Rabelais a lui aussi raillé
les juges (cf. *Tiers Livre,* chap. xxxix, xl, xli, xlii). Le juge
Bridoye joue aux dés l'issue des procès.

350. Souvenir de Plutarque, *Les Contredits des philosophes stoïques,*
chap. xxvii. Variante de 1588 : « *Cérémonies. Chacun a ouï parler de
la déhontée façon de vivre des philosophes cyniques. Chrysippe disait qu'un
philosophe fera une douzaine de culbutes en public, voire sans haut-de-
chausses, pour une douzaine d'olives. Et cette honnêteté et révérence,
que nous appelons de couvrir et cacher aucunes de nos actions naturelles
et légitimes, de n'oser nommer les choses par leur nom, de craindre à dire ce
qu'il nous est permis de faire, n'eussent-ils pas pu dire avec raison que c'est
plutôt une affèterie et mollesse, inventée aux cabinets mêmes de Vénus,
pour donner prix et pointe à ses jeux ? N'est-ce pas un allèchement, une
amorce et un aiguillon à la volupté ? Car l'usage nous fait sentir évidemment
que la cérémonie, la vergogne et la difficulté, ce sont aiguisements et allu-
mettes à ces fièvres-là. C'est ce que disent aucuns...* »

351. Anecdote tirée d'Hérodote, livre VI, chap. cxxix.

352. D'après Diogène Laërce, *Vie de Métroclès,* livre IV,
chap. xciv.

353. Réplique attribuée à Diogène le Cynique, et souvent
citée au xvie siècle. Variante de 1588 : « *des aulx. Solon fut, à ce
qu'on dit, le premier qui donna par ses lois liberté aux femmes de faire
profit public de leur corps. Et celle de toutes les sectes de la philosophie
qui a le plus honoré la vertu, elle n'a, en somme, posé autre bride à l'usage
des voluptés de toutes sortes que la modération.* »

354. Saint Augustin dans la *Cité de Dieu,* livre XIV, chap. xx.

355. Anecdotes empruntées à Diogène Laërce, *Vie de Diogène,*
livre VI, chap. lxix et lviii.

356. Toujours d'après Diogène Laërce, *Vie d'Hipparchia,*
livre VI, chap. xcvi.

357. Variante de 1588 : « *Et plusieurs de ses sectateurs se sont
licenciés d'en écrire et publier des livres hardis outre mesure. Héraclite...* »
D'après Sextus Empiricus, *Hypotyposes,* livre I, chap. xxix et
xxxii.

358. Ce développement se trouve exposé plus largement dans
l'*essai 13* du livre III, *De l'expérience.*

359. Ce personnage serait François de Candale, évêque d'Aire,
auteur d'une traduction du *Pimander,* ouvrage attribué à un
certain Hermès Trismégiste et dont il a été question déjà dans
cet essai.

360. Montaigne a déjà exprimé cette idée dans l'essai ii du livre I,
Des pronostications. — Les écoliers faisaient des cadeaux à leurs

maîtres à l'époque de la foire du Lendit. Celle-ci se tenait dans la plaine Saint-Denis. L'Université s'y approvisionnait en parchemin et donnait congé aux étudiants à cette occasion.

361. Rabelais exprimait le même doute dans le prologue du *Gargantua* : « Croyez-vous en votre foi qu'oncques Homère, écrivant l'*Iliade* et *Odyssée*, pensât ès allégories lesquelles de lui ont calfreté Plutarque, Héraclides Ponticq, Eustatie, etc... » Variante de 1588 : « *considérations diverses. Homère est aussi grand qu'on voudra, mais il n'est pas possible qu'il ait pensé à représenter tant de formes qu'on lui donne. Les législateurs y ont deviné des instructions infinies pour leur fait; autant les gens de guerre, et autant ceux qui ont traité des arts. Quiconque a eu besoin d'oracles...* »

362. D'après Sextus Empiricus, *Hypotyposes*, livre I, chap. xxx.

363. D'après Cicéron, *Académiques*, livre II, chap. xxiv qui fournit à Montaigne ces diverses opinions, les tirant lui-même du *Théétète* et du *Phédon*.

364. Dans les *Académiques*, livre II, chap. xxvii.

365. D'après Plutarque, *Les Contredits des philosophes stoïciens*, chap. x.

366. Le problème philosophique de l'aveugle-né a passionné les sensualistes du xviiie s. (Locke, Condillac, La Mettrie). Diderot a exposé la question dans sa *Lettre sur les aveugles...* (1749).

367. Cf. l'aveugle-né du Puiseause (Diderot, *op. cit.*) : « Le nôtre parle de miroir à tout moment, vous croyez bien qu'il ne sait pas ce que veut dire le mot miroir; cependant il ne mettra jamais une glace à contre-jour. Il s'exprime aussi sensément que nous sur les qualités et les défauts de l'organe qui lui manque. »

368. Exemple emprunté à Sextus Empiricus, *Hypotyposes*, livre I, chap. xiv.

369. Exemples tirés de la *Lettre 3* de Sénèque.

370. Souvenir de Cicéron, *Académiques*, livre II, chap. xxv.

370 bis. Variante de 1588 : « *effet des sens, c'est, disent-ils, de les désavouer, Proinde...* »

371. D'après Cicéron, *Académiques*, livre II, chap. xxxii.

372. D'après Diogène Laërce, *Vie de Zénon*, livre VII, chap. xxiii.

373. D'après Diogène Laërce, *Vie d'Arcésilas*, livre IV, chap. xxxvi.

374. Démocrite. Montaigne a déjà raconté cette anecdote dans l'essai xiv du livre I, *Que le goût des biens et des maux dépend en bonne partie de l'opinion que nous en avons.*

375. Théophraste. D'après Plutarque. *Comment il faut ouïr*, chap. ii.

376. *Flûteur* qui donnait le ton. Le porte-colle ou protocole servait de souffleur. Cet exemple est tiré de Plutarque, *Vie de Gracchus*, chap. i et *Comment il faut refréner la colère*, chap. vi.

377. Les Cimmériens, peuple nordique, enveloppé de ténèbres; *cimmérien* est synonyme de *ténèbres profondes*.

378. Le développement qui suit est tiré de Sextus Empiricus, *Hypotyposes,* livre I, chap. xiv.

379. D'après Plutarque, *Les Opinions des philosophes,* livre IV, chap. x. Montaigne a déjà exprimé cette idée dans l'*essai 54* du livre I, *Des vaines subtilités :* « Démocrite disait que les dieux et les bêtes avaient les sentiments plus aigus que les hommes, qui sont au moyen étage. »

380. D'après Pline l'Ancien, *Histoire naturelle,* livre XXXII, chap. i.

381. Exemple emprunté à Sextus Empiricus, *Hypotyposes,* livre I, chap. xiv.

382. Tout ce développement est emprunté au chapitre xiv des *Hypotyposes.*

383. Souvenir de Sénèque, *Questions naturelles,* livre I, chap. xvi.

384. Le paragraphe suivant est encore emprunté aux *Hypotyposes,* livre I, chap. xiv et livre II, chap. vii.

385. Raisonnement emprunté à Plutarque, *Que signifiait ce mot si,* chap. xii.

386. Dans le *Théétète,* et dans la *Vie de Platon,* livre II, chap. x par Diogène Laërce.

387. D'après Plutarque, *Communes Conceptions contre les stoïques,* chap. xli.

388. D'après Plutarque, *Pourquoi la justice divine diffère quelquefois la punition des maléfices,* chap. xv. Tout ce passage est reproduit textuellement de Plutarque, qui lui-même transcrit le *Timée* de Platon.

389. Sénèque, dans la préface du livre I des *Questions naturelles.*

390. Variante de 1588 : « *Il n'est nul mot en toute sa secte stoïque plus véritable que celui-là* ».

391. Variante de 1588 : « *par la grâce divine mais non autrement.* »

CHAPITRE XIII

1. Ce mot est attribué à Tibère par Suétone; celui qui voulait « étendre la mort » est Caligula. Montaigne a rassemblé les deux traits de cruauté.

2. D'après Lampridius, *Vie d'Héliogabale,* chap. xxxiii.

3. Au lieu de *Prusse,* il faut lire l'Abruzze, que Montaigne appelle *Brusse* dans le *Journal de voyage :* « J'ouïs la nuit un coup de canon dans la Brusse, au royaume et au-delà de Naples. » L'anecdote est tirée de Plutarque, *Vie de César,* chap. x. Il s'agit de la prise de Corfinium.

4. D'après Tacite, *Annales,* livre IV, chap. xxii.

5. *Ibidem,* livre VI, chap. xlviii.

6. D'après Plutarque, *Vie de Nicias,* X. Il s'agit de l'expédition des Athéniens en Sicile.

7. D'après Appien, *De bello Mithridatico,* page 21 de l'édition d'Henri Estienne.

8. D'après Tacite, *Annales,* livre XVI, chap. xv.

9. D'après Xiphilin, *Vie d'Adrien.*

10. D'après Suétone, *Vie de César,* chap. LXXXVII.

11. Dans l'*Histoire naturelle,* livre VII, chap. LIII.

12. Allusion à l'accident de cheval raconté dans l'essai VI du livre II, *De l'exercitation :* « C'eût été sans mentir une mort bien heureuse; car la faiblesse de mon discours me gardait d'en rien juger, et celle du corps d'en rien sentir... »

13. D'après Cornelius Nepos, *Vie d'Atticus,* chap. XXII.

14. D'après Diogène Laërce, *Vie de Cléanthe,* livre VII, chap. CLXXVI.

15. D'après Sénèque, *Lettre 87.*

16. D'après Plutarque, *Vie de Caton d'Utique.*

CHAPITRE XIV

1. D'après Plutarque, *Les Contredits des philosophes stoïques,* chap. XXIV.

2. La question des asymptotes a vivement intéressé Montaigne (cf. *Apologie...* p. 310 et notes 316, 317).

CHAPITRE XV

1. *Les Pyrrhoniens.*

2. Sénèque, *Épître 4.*

3. D'après Plutarque, *Vie de Lycurgue,* chap. XI.

4. D'après Plutarque, *Vie de Pompée,* chap. I.

5. C'est dans la *marche* d'Ancône que se trouve le pèlerinage de Notre-Dame-de-Lorette. On sait que Montaigne y déposa un ex-voto.

6. Saint-Jacques-de-Compostelle, en Espagne.

7. De Spa, près de Liège en Belgique. On peut rapprocher ce passage d'un paragraphe du *Journal de voyage,* où Montaigne rapporte la conversation qu'il eut avec un vieillard de Gravaiolo, près de Lucques. Celui-ci déclarait que « ceux qui demeurent près de la Madone de Lorette y vont rarement en pèlerinage ».

8. Autre souvenir de son voyage à Rome. Le propre frère de Montaigne s'exerça dans une de ces écoles d'escrime.

9. D'après Tacite, *Annales,* livre XIII, chap. XLV.

10. Il s'agit des vertugadins qui donnaient aux robes la forme de cloches.

11. D'après Valère-Maxime, livre II, chap. I.

12. Sénèque, dans le *De Clementia,* livre I, chap. XXIII.

13. D'après Hérodote, *Histoires,* livre IV, chap. XXIII.

14. Exemple tiré de Lopez de Gomara, *Histoire générale des Indes,* livre III, chap. XXX.

15. Depuis les premières guerres de religion, en 1560. Cette addition de l'exemplaire de Bordeaux a suscité l'admiration d'Alain (*Propos de Littérature,* XXXIX) : « *La plus belle page de Montaigne... le fait voir tranquille sur son seuil, et sa porte ouverte au milieu des guerres et pillages.* »

CHAPITRE XVI

1. Tout le développement est emprunté au chap. CXCI de la *Théologie naturelle* de Raimond Sebond.

2. D'après Cicéron, *De Finibus,* livre III, chap. XVII.

3. Souvenir de Cicéron, *De Finibus,* livre III, chap. XVII.

4. Souvenir de Plutarque, de l'opuscule *Si ce mot commun « cache ta vie »,* est bien dit.

5. D'après Sénèque, *Lettre 21.*

6. Tout ce passage est traduit de Cicéron, *De Finibus,* livre II, chap. XXX.

7. Disciple et ami d'Épicure, mort en 277 av. J.-C., avant son maître.

8. Passage emprunté au *De Finibus,* livre II, chap. XXXI.

9. *Ibid.,* livre III, chap. XVII.

10. Dans la *Morale à Nicomaque,* livre II, chap. VII.

11. Anecdote tirée de Cicéron, *De Officiis,* livre III, chap. XVIII.

12. *Ibid.,* chap. XVIII.

13. Toujours d'après le *De Officiis,* chap. XVIII.

14. Variante de 1588 : « *Ceux qui apprennent à nos gens d'avoir l'honneur pour leur but et de ne chercher en la vaillance que la réputation, que gagnent-ils par là, que de les instruire de ne se hasarder jamais, qu'ils ne soient à la vue de leurs compagnons, et de prendre bien garde, s'il y a des témoins avec eux, qui puissent rapporter nouvelles de leur vaillance ?* »

15. D'après Sénèque, *Épître 91.* Démétrius est un philosophe cynique, qui vécut à Rome sous le règne de Néron. Sénèque, qui rapporte ce mot, le compare aux plus grands philosophes de l'Antiquité. De même le marinier ancien est tiré de l'Épître 85.

16. Passage adapté de Tite-Live, *Histoire,* livre LIV, chap. XXII. Paul-Émile raille les stratèges en chambre et entend être le seul responsable des opérations.

17. Variante de 1588 : « *Je veux être riche de mes propres richesses, non des richesses empruntées.* » Ce texte a été corrigé par P. de Brach.

18. L'anneau de Gygès, qui rendait invisible, d'après Platon, *République,* livre II, p. 545 de l'édition de 1546. Cicéron cite l'anneau de Gygès dans le *De Officiis,* livre III, chap. IX.

19. Ce mot est emprunté à Bodin dans son traité *Methodus ad facilem historiarum cognitionem*. Trogue-Pompée, écrivain gaulois, avait composé une *Histoire naturelle* et des *Histoires philippiques,* où il insistait sur le rôle de la Macédoine; le jugement sur Érostrate ne figure pas dans son œuvre. Celui sur Manlius Capitolinus se trouve dans Tite-Live, *Histoire,* livre VI, chap. XI.

20. *Le fil qui est enroulé autour du fuseau,* d'où le sens figuré dans ce passage : *confondra nos affaires.*

21. Joseph Vianey fait remarquer que par *surnom,* on entendait au XVIe siècle, le nom de famille. *Eyquem* était le nom de famille, Michel le prénom et Montaigne le nom de la terre noble. L'auteur des *Essais* semble être le premier à renoncer à porter son nom d'*Eyquem.*

22. Michel.

23. Dans l'*essai 46* du livre I, *Des noms* : « Où asseyons-nous cette renommée que nous allons quêtant avec si grand'peine ? C'est en somme Pierre ou Guillaume qui la porte, prend en garde, et à qui elle touche. »

24. D'après Plutarque, *Les Dits notables des Lacédémoniens.*

25. Dans les *Lois,* p. 899 de l'édition de 1546.

26. Socrate.

27. D'après Diogène Laërce, *Vie de Platon,* livre III, chap. XXVI.

28. D'après Plutarque, *Vie de Numa,* chap. XIV, et *Vie de Sertorius,* chap. XV.

29. Souvenir de Joinville, *Mémoires,* chap. LVI.

CHAPITRE XVII

1. D'après Plutarque, *Comment on pourra discerner le flatteur d'avec l'ami,* chap. VIII et *Vie d'Alcibiade,* chap. I, *Vie de César,* chap. I. Les éditions publiées du vivant de Montaigne ajoutent : « Étant doués d'une extrême beauté, ils s'y aidaient un peu sans y penser, par mignardise. »

2. L'empereur Constance, d'après Ammien Marcellin (330-400 après J.-C.), *Histoire,* livre XXI, chap. XVI.

3. Traduction libre d'une sentence de L'Ecclesiaste, qui figurait dans la bibliothèque de Montaigne. On trouve des maximes analogues dans l'essai XXVII du livre I, *C'est folie de rapporter le vrai et le faux à notre suffisance* et dans l'*essai 12* du livre II, l'*Apologie de Raimond Sebond.*

4. Variante de 1588 : « *Je me connais tant que s'il était parti de moi chose qui me plût, je le devrais sans doute à la fortune.* »

5. Variante de 1588 : « *exploiter. Et en mon imagination même, je ne conçois pas les choses en leur plus grande perfection : ce que je connais par là, que ce que je vois produit par ces riches et grandes âmes du temps passé.* »

6. Variante de 1588 : « *admiration. Je juge très bien leur beauté, je la vois, mais il m'est impossible de la représenter.* »

7. Variante de 1588 : « *contes. Ce que j'ai à dire, je le dis toujours de toute ma force.* »

8. A plusieurs reprises, dans les *Lois*, p. 870 de l'édition de 1546, dans le *Politique*, p. 211 de l'édition de 1546 et dans la dernière partie du *Phédon.*

9. *Dialogue des orateurs,* chap. XXXIX.

10. Variante de l'édition de 1580 : « Je ne sais parler la langue française, encore est-elle altérée. »

11. *Un vrai maître.* Montaigne dans l'essai XXVI du livre I, *De l'institution des enfants,* a conté son éducation latine et comment il avait parlé le latin avant le français.

12. Passage tiré de Cicéron, *De Finibus,* livre IV, chap. XXIV.

13. D'après Végèce, cité par Juste Lipse dans ses *Politiques,* livre V, chap. XII.

14. Célèbre ouvrage de Castiglione (1478-1529), traduit en français en 1537 par Jacques Colin et en 1580 par Gabriel Chappuys. Le passage auquel Montaigne fait allusion est au chap. XX du livre I.

15. Dans la *Morale à Nicomaque,* livre IV, chap. VII.

16. D'après Aristote, dans les *Politiques,* livre IV, chap. XLIV.

17. Dans la *République,* livre VII, p. 626 de l'édition de 1546.

18. Anecdote empruntée à Plutarque, *Vie de Philopœmen,* chap. I.

19. Addition de l'édition de 1580 : « Inclinant un peu sur la grossesse. »

20. Le père de Montaigne mourut à 72 ans. Montaigne a rappelé avec admiration l'adresse et la force du vieux gentilhomme dans l'essai II du livre II, *De l'ivrognerie :* « Je l'ai vu, par-delà soixante ans, se moquer de nos allégresses, se jeter avec sa robe fourrée sur un cheval, faire le tour de la table sur son pouce, ne monter guère en sa chambre sans s'élancer trois ou quatre degrés à la fois. »

21. Montaigne dans l'essai XL du livre I, *Considération sur Cicéron,* a déjà fait des confidences sur sa façon de rédiger et de clore les lettres : « Comme j'aime mieux composer deux lettres que d'en clore et plier une, et résigne toujours cette commission à quelque autre : de même, quand la matière est achevée, je donnerais volontiers à quelqu'un la charge d'y ajouter ces longues harangues, offres et prières que nous logeons sur la fin. »

22. Dans l'édition de 1580 Montaigne avait écrit : « Je ne trouve rien chèrement acheté que ce qui me coûte du soin. »

23. Addition de l'édition de 1595 : « Une occasion pourtant que mille autres de ma connaissance eussent prise, pour planche plutôt à se passer à la quête, à l'agitation et inquiétude. »

24. Texte très remanié. L'édition de 1588 donnait : « *Étant né tel, qu'il ne m'a fallu mettre en quête d'autres commodités, je n'ai eu*

besoin que de la suffisance de me contenter et savoir jouir doucement des biens que Dieu par sa libéralité m'avait mis entre les mains : je n'y ai goûté aucune sorte de travail, et suis très mal instruit à me savoir contraindre : incommode à toutes sortes d'affaires et négociations pénibles, n'ayant jamais guère eu en maniement que moi ; élevé en mon enfance d'une façon molle et libre, et lors même, exempt de sujétion rigoureuse, je suis devenu par là incapable de sollicitude, jusque-là que j'aime qu'on me cache les pertes et les désordres qui me touchent : au chapitre de mes mises, je loge ce que me coûte à nourrir et entretenir ma nonchalance. »

25. Montaigne revient sur cette question dans l'essai I du livre III, *De l'utile et de l'honnête*, et il insiste sur sa loyauté : « Tendre négociateur et novice qui aime mieux faillir à l'affaire qu'à moi! »

26. Dans la *Morale à Nicomaque*, livre IV, chap. VIII.

27. Il s'agit d'Apollonius de Tyane, dont les *Lettres* furent publiées en 1554 à Bâle.

28. Charles VIII.

29. Métellus, vainqueur de la Macédoine. P. Villey rappelle que ce mot a été cité par de nombreux compilateurs du XVIᵉ siècle, entre autres Pierre de Messie, dans ses *Diverses leçons*, livre I, chap. IV, Guillaume Budé, *Institution du prince*, chap. XLIV et Érasme, *Apophtegmes*, livre I, chap. V.

30. Souvenir de Tacite, *Annales*, livre I, chap. XI.

31. Allusion à Machiavel, dont *Le Prince* était très discuté à cette époque.

32. Cet événement eut lieu en 1537.

33. Cette anecdote est tirée de Paul Jove, *Historiarum*, livre XXXVI ou de Machiavel, *Thesoro politico*, livre II, chap. V, qui cite des exemples de déloyauté des Turcs.

34. Montaigne a déjà discuté de cette question dans l'essai IX du livre I, *Des menteurs*, et il y reviendra dans l'essai IX du livre III, *De la vanité*, où il se plaint du manque de mémoire.

35. D'après Diogène Laërce, *Vie d'Aristippe*, livre II, chap. LXVIII.

36. L'édition de 1595, à la place de *concevoir*, dit : *Arrêter en la mémoire.*

37. Montaigne modifie l'anecdote contée par Pline l'Ancien, *Histoire naturelle*, livre VII, chap. XXIV, qui dit seulement que Corvinus oublia son nom.

38. Georges de Trébizonde, Grec réfugié à Rome sous le pape Eugène IV; auteur d'une *Rhétorique*, de traductions et de controverses. Il mourut en 1484, très âgé, après avoir oublié tout son savoir. Montaigne l'a cité dans l'*Apologie*.

39. Cicéron dans le *De Senectute*, chap. VII, avait dit que jamais vieillard ne savait l'endroit où il avait caché sa bourse.

40. Dans l'essai XXVI du livre I, *De l'institution des enfants*, Montaigne a déjà déclaré que la culture était superficielle.

41. Pline le Jeune, *Lettres*, livre III, épître 5, rappelle que son

oncle, Pline l'Ancien, se servait d'un lecteur et d'un secrétaire pour prendre des citations et des notes.

42. *Ni à jet, ni à plume :* ni avec des jetons, ni la plume à la main. Les *jetons* servaient aux commerçants, comptables, etc. pour calculer vite, car ils permettaient de multiples combinaisons arithmétiques.

43. Anecdote tirée d'Aulu-Gelle, *Nuits attiques,* livre V, chap. III, mais Montaigne a fait une confusion de noms; il faut comprendre *Abdère* et non Athènes. C'est lorsqu'il revenait chargé de fagots, d'une campagne voisine d'Abdère, que Protagoras fut remarqué par Démocrite.

44. L'édition de 1580 ajoutait ici la phrase suivante, biffée en 1588 : « Et fais grand doute, quand j'aurais un cheval et son équipage, que j'eusse l'entendement de l'accommoder pour m'en servir. » Or on sait que pendant son voyage en Italie, qu'il fit tout entier à cheval, il faisait des étapes de dix heures et veillait minutieusement sur sa monture.

45. En septembre 1559. Montaigne vit le roi François II, qui conduisait alors en Lorraine Claude de France, sa sœur, mariée à Charles III, duc de Lorraine. Montaigne lors de son grand voyage de 1580 a mentionné qu'il était déjà venu à Bar-le-Duc auparavant. René, duc d'Anjou, comte de Provence (1409-1480), surnommé le bon roi René, à cause de ses droits sur les royaumes de Sicile et de Jérusalem, était amateur de miniatures et il en faisait lui-même.

46. D'après Diogène Laërce, *Vie de Chrysippe,* livre VII, chap. CLXXIX.

47. Montaigne emploie l'image du *glaive double et dangereux* dans l'essai XXV du livre I, *Du pédantisme* et dans l'*Apologie de Raimond Sebond,* livre II, XII.

48. C'est ce que fit Gentillet dans ses *Discours sur les moyens de bien gouverner* (1576).

49. Variante de 1588 : « *Le plus sot homme du monde pense avoir autant d'entendement que le plus habile. Voilà pourquoi on dit communément.* » Descartes se souviendra de ce développement dans le *Discours de la méthode :* « Le bon sens est la chose du monde la mieux partagée : car chacun pense en être si bien pourvu, que ceux-mêmes qui sont les plus difficiles à contenter en tout autre chose n'ont point coutume d'en désirer plus qu'ils n'en ont. »

Première partie.

50. Célèbre juriste, mort en 228 après J.-C.

51. Tout l'essai XXVI du livre I, *De l'institution des enfants,* est consacré à ce sujet.

52. François de Guise, assassiné par Poltrot de Méré au siège d'Orléans.

53. Le maréchal Strozzi mourut au siège de Thionville en 1588. Dans l'essai XXXIV du livre II, *Observations sur les moyens de*

faire la guerre de Jules César, Montaigne félicite le Maréchal d'avoir
« pris à part » les *Commentaires.* Olivier (1457-1560), chancelier
d'Henri II et de François II.

54. Dorat (1508-1588), le célèbre directeur du collège de Coque-
ret, maître de Ronsard, de Baïf, de Du Bellay, etc. Il écrivait surtout
des vers latins, comme Michel de l'Hôpital, connu par ses œuvres
poétiques avant de l'être par son action politique.

55. Théodore de Bèze (1519-1605), auteur d'un recueil de
vers d'amour, les *Juvenilia* (1548), d'une tragédie biblique, *Abraham
sacrifiant* (1550) et d'une *Vie de Calvin* (1563), fut l'un des principaux chefs de la Réforme. Montaigne faisait preuve d'une rare
indépendance d'esprit en louant ses œuvres, ainsi que celles de
Buchanan, autre réformé.

56. Buchanan, né en Écosse en 1506, professeur au collège de
Guyenne de 1539 à 1542. Inquiété pour ses opinions religieuses, il
fut abrité quelque temps au château de Montaigne. Il publia des
vers latins, une histoire de l'Écosse, des pamphlets et des tragédies bibliques jouées au collège de Guyenne. Montaigne en fait
un vif éloge dans l'essai xxvi du livre I, *De l'institution des enfants.*

57. Mondoré, maître des requêtes et bibliothécaire du roi,
mathématicien illustre mort en 1581. Il traduisit et commenta
Euclide, insérant des poèmes latins dans ses commentaires.

58. Turnèbe (1512-1565), célèbre professeur d'éloquence,
dont Montaigne parle avec admiration dans l'essai xxv du livre I,
Du pédantisme, et dans l'essai xii du livre II. Ses poèmes avaient
été publiés en plusieurs recueils séparés.

59. Le célèbre gouverneur des Pays-Bas; après son rappel,
il fut chargé de conquérir le Portugal et remporta la victoire
d'Alcantara en 1580.

60. Le connétable de Montmorency fut tué en 1567 à la bataille
de Saint-Denis, au cours de la seconde guerre de religion; il avait
soixante-quatorze ans.

61. Les *Discours politiques et militaires* de La Noue (1531-1591),
héros de la cause protestante, parurent en 1587.

62. Montaigne rencontra Mlle de Gournay en Picardie, en
1588, pendant le séjour qu'il fit à Paris. L'édition de 1588 ne
mentionne ni La Noue, ni Mlle de Gournay. Celle-ci, dans l'édition
posthume des *Essais* qu'elle donna en 1595, faisait suivre cet
éloge de cette remarque : « Lecteur, n'accuse pas de témérité le
favorable jugement qu'il a fait de moi, quand tu considéreras,
en cet écrit ici, combien je suis loin de le mériter. Lorsqu'il me
louait, je le possédais : moi avec lui, et moi sans lui, sommes absolument deux. » On sait avec quelle piété elle conserva le souvenir
de Montaigne et l'idéal littéraire du xvie siècle; au xviie siècle,
elle prit parti contre Malherbe et les poètes de son école, « les
poètes grammairiens », défendant les poètes d'inspiration comme
Ronsard. Dépassée par l'évolution des genres littéraires, elle devint

la cible des partisans des nouvelles écoles. Saint-Évremond la railla assez cruellement dans sa comédie des *Académistes* (acte II, scène 3). Devant la postérité, son nom reste lié à celui de Montaigne et des *Essais*.

63. Le texte de ce paragraphe est celui de l'édition de 1595.

CHAPITRE XVIII

1. Variante de 1588 : « *les mœurs, la forme, les conditions et les fortunes, le visage...* »

2. Variante de 1588 : « *et de les dédaigner. Un poignard, un harnais, une épée qui leur a servi, je les conserve pour l'amour d'eux autant que je le puis, de l'injure du temps.* »

3. Variante de 1588 : « *Il m'a fallu jeter en moule cette image pour m'exempter la peine d'en faire plusieurs extraits à la main. En récompense de cette commodité que j'ai empruntée, j'espère lui faire ce service d'empêcher :*

> Ne Toga cordyllis, ne penula desit olivis,
> Et laxas scombris saepe dabo tunicas. »

4. Ces vers sont extraits du poème satirique *Le Valet de Marot contre Sagon* de Marot, publié en 1537. Marot suppose que son valet Frippelippes répond à Sagon qui l'avait accusé d'hérésie. La querelle de Marot et de Sagon passionna la cour.

5. Sur la haine de Montaigne contre le mensonge, se reporter au chapitre précédent, pp. 408-409.

6. D'après Plutarque, *Vie de Marius,* chap. LI.

7. Dans la *République,* livre III.

8. Dans le *De Gubernatione Dei,* livre I, chap. XIV.

9. D'après Lopez de Gomara, *Histoire générale des Indes,* livre II, chap. XXVIII. Sur la cruauté de la conquête espagnole, Montaigne s'est étendu au chapitre VI du livre III, *Des coches* : « *Tant de villes rasées, tant de nations exterminées, tant de millions de peuples passés au fil de l'épée, et la plus riche et belle partie du monde bouleversée pour la négociation des perles et du poivre ! Mécaniques victoires...* »

10. Lysandre, d'après Plutarque, *Vie de Lysandre,* chap. IV.

11. D'après Plutarque, *Vie de Pompée,* chap. XVI, et *Vie de Caton d'Utique,* chap. VII.

CHAPITRE XIX

1. Cette anecdote est tirée de Bodin, *Methodus ad facilem historiarum cognitionem,* page 63 de l'édition de 1576. Il ne semble pas que Tacite l'historien fût parent de l'empereur Tacite.

2. L'apologie de Julien l'Apostat est empruntée également de ce traité de Bodin, page 87. Cette réhabilitation de l'empereur païen fut blâmée à Rome comme Montaigne le note dans le *Journal de voyage,* mais le censeur, ajoute-t-il, « remit à ma conscience de rha-

biller ce que je vouais être de mauvais goût ». Julien l'Apostat inspirera à Vigny un projet de drame (cf. *Journal d'un poète*).

3. Ces traits élogieux sont tirés d'Ammien Marcellin (330-400), ancien officier de Julien et devenu son historien. Montaigne lui emprunte la plupart des anecdotes citées.

4. Parmi ces « gens », Sozomène, auteur d'une *Histoire ecclésiastique*, livre V, chap. IV.

5. Ville de Bithynie, à l'entrée du Bosphore de Thrace.

6. Auteur d'une histoire en dix livres; l'allusion est tirée du livre X, chap. VIII.

7. Les éditions antérieures à 1588 ajoutaient ici : « *Aussi ce que plusieurs disent de lui qu'étant blessé à mort d'un coup de trait, il s'écria : " Tu as vaincu ", ou, comme disent les autres : " Contente-toi, Nazaréen ! ", n'est non plus vraisemblable, car ceux qui étaient présents à sa mort et qui nous en récitent toutes les particulières circonstances, les contenances mêmes et les paroles, n'en disent rien ; non plus que de je ne sais quels miracles que d'autres y mêlent.* » Montaigne a allégé ce passage en le reportant deux pages plus loin.

8. L'empereur Constance II, fils de Constantin. Il nomma Julien « César » des Gaules et mourut en se portant à la rencontre de celui-ci proclamé empereur par ses troupes.

CHAPITRE XX

1. Aristippe, philosophe grec né à Cyrène (430 av. J. C.), fondait le bonheur sur le plaisir.

2. Vers d'Épicharme conservé par Stobée dans son *Anthologie*.

3. D'après Platon, *Phédon*, livre III, page 491 de l'édition de 1546.

4. Allusion à la *Lettre 99* de Sénèque, dans laquelle celui-ci attaque l'épicurien Métrodore. Montaigne prend le parti de ce dernier.

5. Dans la *Lettre 63*.

6. Dans le livre IV de la *République*. Montaigne a vraisemblablement puisé cette référence non chez Platon, mais dans le traité de Bodin, *Methodus ad facilem historiarum cognitionem*. L'hydre de Lerne avait sept têtes, qui repoussaient au fur et à mesure qu'on les coupait. Platon emploie déjà la métaphore : « couper l'hydre » pour dire : se débattre dans des difficultés renaissantes.

7. Montaigne a développé cette idée au début de l'essai XXV du livre I, *Du pédantisme* : « *Les voulez-vous faire juges des droits d'un procès, des actions d'un homme ? Ils en sont bien prêts ! Ils cherchent encore s'il y a vie, s'il y a mouvement, si l'homme est autre chose qu'un bœuf...* »

8. Souvenir de Cicéron, *De Natura Deorum*, livre I, chap. XXII. Le roi Hiéron ayant demandé à Simonide de lui définir Dieu,

celui-ci lui demanda un jour de réflexion, puis deux, puis quatre et « après avoir promené son esprit d'opinions en opinions, et cherché vainement la plus probable, désespéra enfin de trouver la vérité ».

CHAPITRE XXI

1. Selon Suétone, *Vie de Vespasien*, chap. XXIV.
2. D'après Spartien, *Verus*, chap. VI.
3. Ces remarques sur les devoirs du prince rappellent les conseils donnés par Ronsard dans l'*Institution du roi Charles IX*.
4. Allusion probable au futur Henri IV.
5. Ces divers exemples sont tirés du *Thesoro politico*, livre II, chap. II. Sélim Ier le Féroce, sultan de Constantinople de 1512 à 1520, conquit l'Égypte et entreprit la conquête de la Perse. Il avait sans doute empoisonné son père Bajazet II, sultan de 1481 à 1512. Amurat III ou Mourad III (1546-1596), sultan en 1574, fut vainqueur des Persans et prit Bagdad.
6. D'après Froissart, *Chroniques*, livre I, chap. CXXIII.
7. D'après Zonaras, *Vie de Julien*.
8. Dans la *Cyropédie*, livre I, chap. II.
9. Dans la *Lettre 88*.
10. Addition de l'édition posthume de 1595 : « *Fortune ne devait pas seconder la vanité des légions romaines, qui s'obligèrent par serment de mourir ou de vaincre. Victor, Marce Fabi, revertar ex acie. Si fallo, Jovem patrem, Gradivumque Martem, aliósque iratos invoco Deos. Les Portugais disent qu'en certain endroit de leur conquête des Indes, ils rencontrèrent des soldats, qui s'étaient condamnés avec horribles exécrations de n'entrer en aucune composition que de se faire tuer ou demeurer victorieux ; et pour marque de ce vœu, portaient la tête et la barbe rases. Nous avons beau nous hasarder et obstiner, il semble que les coups fuient ceux qui s'y présentent trop allégrement ; et n'arrivent volontiers à qui s'y présente trop volontiers et corrompt leur fin. Tel ne pouvant obtenir de perdre sa vie par les forces adversaires, après avoir tout essayé, a été contraint pour fournir à sa résolution d'en rapporter l'honneur ou de n'en rapporter pas la vie : se donner soi-même la mort, en la chaleur propre du combat. Il en est d'autres exemples, mais en voici un. Philistius, chef de l'armée de mer du jeune Dionysius contre les Syracusains, leur présenta la bataille qui fut âprement contestée, les forces étant pareilles. En icelle, il eut du meilleur au commencement, par sa promesse. Mais les Syracusains se rangeant autour de sa galère pour l'investir, ayant fait grands faits d'armes de sa personne pour se développer, n'espérant plus de ressources, s'ôta de sa main la vie, qu'il avait si libéralement abandonnée et frustratoirement aux mains ennemies.* »
11. Tout ce récit est emprunté à l'ouvrage de Ieronimo de Franchi Conestaggio, *Dell'unione del regno di Portogallo alla corona di Castiglia*, paru en 1585. Sébastien, roi de Portugal de 1557 à 1578,

roi-moine, voulut prendre la tête d'une nouvelle croisade. Il fut battu et tué à Alcazar-Quivir par le sultan du Maroc, Mouley Abd-el-Malik.

CHAPITRE XXII

1. Cet exercice : courir la poste.
2. D'après Xénophon, *Cyropédie*, livre III, chap. VI.
3. Dans le *De Bello civili*, livre III, chap. II.
4. Dans la *Vie de César*, chap. LVII.
5. D'après Pline l'Ancien, *Histoire naturelle*, livre VII, chap. XX.
6. Ce paragraphe est tiré de Juste Lipse, *Saturnalium sermonum libri*, livre II, chap. XXVI, qui citait lui-même librement Pline l'Ancien, *Histoire naturelle*, livre X, chap. XXIV et XXXVII.
7. Aujourd'hui *Modène*.
8. Coutume lue chez Lopez de Gomara, *Histoire générale des Indes*, livre V, chap. VII. *A tout des portoires* : avec des brancards.
9. Anecdote tirée de Chalcondyle, *Histoire de la décadence de l'Empire grec*, livre XIII, chap. XIV.
10. Addition de l'édition de 1595 : « comme font assez d'autres. Je n'ai trouvé nul séjour [soulagement] à cet usage. »

CHAPITRE XXIII

1. Ce développement est emprunté au IVᵉ livre de la *République* de Jean Bodin.
2. D'après Froissart, *Chroniques*, livre I, chap. CCXIII : « ... mieux valait et plus profitable était, que ces guerroyeurs et pilleurs se retirassent en le duché de Bretagne... que qu'ils viensissent en Angleterre, car leur pays pourrait en être perdu et volé. » Le traité de Brétigny fut conclu en 1360.
3. Confusion de Montaigne, car Philippe VI est le seul roi de France qui ait eu un fils nommé Jean; or celui-ci ne fit pas d'expédition outre-mer. P. Villey suppose qu'il s'agit de Philippe Auguste, dont le fils Louis commanda, en effet, une expédition en Angleterre en 1215.
4. D'après Plutarque, *Vie de Lycurgue*, chap. XXXI.
5. Tout ce développement est tiré de Juste Lipse, *Saturnalium sermonum libri duo*.

CHAPITRE XXIV

1. Montaigne s'inspire des commentaires de son édition de César, parue à Anvers en 1570.
2. Cicéron, *Lettres*, livre VII, lettre 5.

3. D'après César, *De Bello Alexandrino,* et Cicéron, *De Divinatione,* livre II, chap. XXXVII.

4. Dans la *Vie de César,* chap. LIV.

5. D'après Plutarque, *Vie de Marc-Antoine,* chap. VIII.

6. D'après Tite-Live, *Histoire,* livre XLV, chap. XII et XIII.

7. Passage tiré de Tacite, *Vie d'Agricola,* chap. XIV.

8. Addition de l'édition de 1595 : « Que sa vertu ou celle de ses ancêtres lui avaient acquis. »

CHAPITRE XXV

1. Il s'agit de Geta, anecdote tirée des *Guerres civiles* d'Appien, livre IV.

2. D'après Froissart, *Chroniques,* livre I, chap. XXIX : « Et si avait entre eux plusieurs jeunes bacheliers, qui avaient chacun un œil couvert de drap, afin qu'ils n'en pussent voir : et disait-on que ceux-là avaient voué entre dames de leur pays, que jamais ne verraient que d'un œil, jusqu'à ce qu'ils auraient fait aucunes prouesses de leur corps au royaume de France. »

3. Dans l'*Histoire naturelle,* livre VII, chap. L.

4. Dans l'*essai 21* du livre I, *De la force de l'imagination.*

5. Dans la *Lettre 50.*

CHAPITRE XXVI

1. Dans les *Annales,* livre XII, chap. XLVII. P. Villey pense que Montaigne a pris ces anecdotes dans le commentaire de Suétone par Béroald.

2. D'après Suétone, *Vie d'Auguste,* chap. XXIV.

3. D'après Valère-Maxime, *Les Faits et Dits mémorables,* livre V, chap. III.

4. Philoclès, amiral athénien, dans la guerre du Péloponnèse.

5. D'après Plutarque, *Vie de Lycurgue,* chap. XIV.

6. D'après Valère-Maxime, livre IX, chap. II et Cicéron, *De Officiis,* livre III, chap. XI.

CHAPITRE XXVII

1. Montaigne a emprunté tout ce développement à un ouvrage d'Innocent Gentillet, paru en 1579, destiné à réfuter Machiavel : *Discours sur les moyens de bien gouverner et maintenir en bonne paix un royaume ou autre principauté... contre Nicolas Machiavel, Florentin;* livre III, chap. VIII.

2. D'après Plutarque, *Vie de Pélopidas,* chap. XIV.

3. D'après Plutarque, *Pourquoi la justice divine diffère quelquefois*

la punition des maléfices, chap. II. En fait, c'est Patrocle et non Bias qui « plaignait les Orchoméniens ».

4. Anecdote tirée de Goulard, *Histoire du Portugal,* livre IV, chap. XII.

5. D'après Pline l'Ancien, préface de l'*Histoire naturelle.* Montaigne a dû prendre cet exemple dans le *Commentaire de la Cité de Dieu* par Vivès, livre V, chap. XXVII. Variante de 1588 : « *Nous voulons vaincre, mais lâchement, sans combat et sans hasard. Nos pères se contentaient de revancher...* »

6. Montaigne traduit le mot que Pline prête à Plancus : « *Plancus ubi hoc rescisset, cum mortuis non nisi larvas luctari dixisse.* »

7. D'après Diogène Laërce, *Vie d'Aristote,* livre V, chap. XVIII.

8. Ce fait d'armes eut lieu en 1402, sous le règne de Charles VI. Montaigne l'a lu dans les *Chroniques* de Monstrelet, livre I, chap. IX.

9. D'après Hérodote, *Histoires,* livre I, chap. LXXXII.

10. Le légendaire combat des Horaces et des Curiaces, raconté notamment par Tite-Live, livre I, chap. XXIV.

11. Bertrand de Montaigne, sieur de Mathecolom, né en 1560. Montaigne ne fait pas allusion dans le *Journal de voyage* à ce duel, qui est vraisemblablement postérieur au départ de l'écrivain; il note par contre son goût pour l'escrime et les leçons qu'il prit dans les écoles de Rome. Brantôme dans son *Mémoire touchant les duels* raconte le combat : « Tout ainsi qu'il y a force autres qui ne veulent point de seconds, desquels arrive force inconvénients que je ne veux m'amuser exprimer, sinon un, arrivé par exemple fait à Rome, du temps du pape Grégoire dernier, entre deux autres gentilshommes français, qui étaient La Villate, le baron de Saligny, et Mathecolom et Esparezat, Gascon et écuyer de la grande écurie du roi. Ils s'assignèrent le combat à quatre milles de Rome. Esparezat, auteur de la querelle, se battit contre La Villate, son adversaire; Mathecolom, second d'Esparezat, se battit contre le baron de Saligny; et chacun s'étant mis à part assez loin de l'autre de quelque trente pas, après avoir fait leur devoir, advint que Mathecolom le premier tua son ennemi, et voyant que son second, Esparezat, était long à tuer le sien, encore qu'il fût fort jeune... s'en vint aider à Esparezat, et tous deux tuèrent La Villate, je crois non pas sans grand'peine, encore que le jeune homme criait qu'il n'y avait raison de se mettre deux sur un. Mathecolom répliquait : " Que sais-je aussi ? quand tu aurais tué Esparezat tu me viendrais à tuer si tu pouvais, et me viendrais donner de l'affaire où je ne m'y veux mettre plus que j'y suis et en puis sortir. " » (Chap. VI, page 322.)

12. C'était une des raisons du voyage du frère de Montaigne. La Noue dans ses *Discours politiques,* chap. V, note que chaque année trois à quatre cents gentilshommes français allaient s'exercer dans les écoles italiennes d'escrime.

13. Corlis et Orsua; Tite-Live, *Histoire,* livre XXVIII, chap. XXI.

14. P. Villey cite un grand nombre d'écrivains du XVIe siècle,

qui ont attaqué le duel, entre autres le propre beau-frère de Montaigne, François de la Chassaigne dans son *Cléandre* (1586), Pierre de Messie, *Diverses leçons*, livre IV, chap. IX; Jacques Tahureau, *Dialogues* et La Noue, *Discours politiques* (1587), chap. XII.

15. D'après Valère-Maxime, livre II, chap. III.

16. D'après Plutarque, *Vie de César*, chap. XII.

17. D'après Plutarque, *Vie de Philopœmen*, chap. I.

18. Avec une armure de guerre; addition de l'édition de 1595 : « ni qu'un autre offrît d'y aller avec sa cape au lieu du poignard. »

19. Dans le dialogue *Lachès*, chap. VII, page 292 de l'édition de 1546.

20. Souvenir des *Lois*, page 827 de l'édition de 1546, livre VII.

21. D'après Zonaras, livre III et Gentillet, *Discours sur les moyens de bien gouverner*, etc., livre III, chap. VIII.

22. *Questions litigieuses* (le fil enroulé autour du fuseau).

23. D'après Tite-Live, *Histoire*, livre XL, chap. III.

24. Addition de l'édition de 1595 : « Quand elles sont si riches de leur propre beauté et se peuvent seules trop soutenir, je me contente du bout d'un poil, pour les joindre à mon propos. »

25. Toute cette histoire tragique est traduite librement de Tite-Live, *Histoire*, chap. XL, chap. IV.

26. Dans l'essai XIII du livre II, *De juger de la mort d'autrui*, Montaigne a rappelé les mots cruels de Tibère et de Caligula voulant eux aussi « allonger la mort ».

27. On trouve la même pensée dans l'essai XI du livre II, *De la cruauté*. La censure pontificale lui reprocha cette phrase au dire du *Journal de voyage*.

28. Dans l'*Autobiographie*, vers la fin.

29. Mahomet II. Anecdote tirée de Chalcondyle, *Histoire des Turcs*, livre X, chap. II.

30. Allusion à Jacques de Lavardin, *Histoire de Scanderbeg*.

31. D'après Hérodote, *Histoires*, livre I, chap. XCII et Plutarque, *De la malignité d'Hérodote*, chap. XVIII.

32. Anecdote tirée de Paul Jove, *Historiarum sui temporis libri*, livre XIII.

CHAPITRE XXVIII

1. Texte de 1588 : « *meurtrier de soi-même, font à mon opinion grand honneur au premier : car je les trouve éloignés d'une extrême distance; et ce qu'on dit entre autres choses du Censeur, qu'en son extrême vieillesse...* »

2. D'après Plutarque, *Vie de Caton le Censeur*, chap. I. La plupart des contemporains de Montaigne louent au contraire Caton d'avoir appris le grec en renonçant à son mépris de la culture hellénique.

3. Il faut comprendre plutôt *déféra* (accusa) que *déferra* (ôta le fer : interdire) qui n'aurait pas de sens ici.

4. D'après Plutarque, *Comparaison de Flaminius avec Philopœmen.*

5. D'après Plutarque, *Les Dits notables des Lacédémoniens.*

6. D'après Plutarque, *Vie de Philopœmen,* chap. VIII.

7. Pensée de Sénèque, *Lettre 36.*

8. Expression traduite de Sénèque, *Lettre 36 : « Turpis et ridicula res est elementarius Senex. »*

9. Souvenir de Sénèque, *Lettre 68.*

10. Montaigne traite de la mort de Caton d'Utique dans l'essai XXXVII du livre I, *Du jeune Caton,* et au début de l'essai XI du livre II, *De la cruauté.*

11. Souvenir de Sénèque, *Lettre 71.*

CHAPITRE XXIX

1. Montaigne a développé cette idée dans l'essai I du livre II, *De l'inconstance de nos actions.*

2. D'après Sénèque, chap. VI du *De Providentia.*

3. Développement tiré de Diogène Laërce, *Vie de Pyrrhon,* livre IX, chap. LXII-LXVII.

4. Montaigne, dans l'*Apologie de Raimond Sebond,* livre II, essai XII, a déjà insisté sur le caractère vivant et concret de Pyrrhon : « *Pyrrhon n'a pas voulu se faire pierre ou souche; il a voulu se faire homme vivant, discourant, et raisonnant, jouissant de tous plaisirs et commodités naturelles.* »

5. Cette anecdote figure dans l'*Apologie pour Hérodote* d'Henri Estienne, livre XIV, chap. XIX. Le gentilhomme serait un bâtard de la maison de Campois, près de Romorantin.

6. Coutume rapportée par de nombreux auteurs antiques et modernes, en particulier par Cicéron, *Tusculanes,* livre V, chap. XXVII, et Élien, *Histoires variées,* livre VII, chap. XVIII.

7. On ne sait à qui Montaigne emprunte cette anecdote. Les auteurs des récits de voyage dans le Nouveau Monde racontent des coutumes analogues.

8. Plutarque, *Vie d'Alexandre,* chap. XXI, et Cicéron, *Tusculanes,* livre II, chap. XXII, ont raconté la mort du brahmane Calanus : « Calanus ayant été un peu de temps indisposé de flux de ventre, requit qu'on lui dressât un bûcher tel que l'on fait pour brûler le corps d'un trépassé, là où il alla à cheval, et après avoir fait sa prière aux dieux, épandit sur soi-même les effusions que l'on a accoutumé de répandre aux funérailles des trépassés, et ayant coupé un touffeau de ses cheveux, avant que monter dessus le bûcher, il prit congé de tous les Macédoniens... »

9. Les théologiens.

10. Dans la *Vie de saint Louis,* chap. XXX.

11. Cette controverse originale eut lieu le 7 avril 1498. Montaigne a pu la trouver dans les *Mémoires* de Philippe de Com-

mines, livre VIII, chap. xix, et dans les *Discours* de Gentillet.

12. Anecdote empruntée à Chalcondyle, *Histoire de la décadence de l'Empire grec...*, livre VII, chap. viii.

13. Jean Corvin Huniade, voïvode de Transylvanie, général
des armées de Ladislas, roi de Hongrie, et stratège réputé.

14. Allusion à Henri IV. Addition de l'édition de 1595 : « *Soit
qu'il la croie, soit qu'il la prenne pour excuse à se hasarder extraordinairement, pourvu que la Fortune ne se lasse trop tôt de lui faire épaule.* »

15. Ces deux conspirateurs sont Jehan de Jeaureguy, qui
blessa Guillaume d'Orange à Anvers d'un coup de pistolet le
18 mars 1582, et Balthazar Gérard, qui le tua à Delft, le 10 juillet
1584. L'assassinat du fondateur de la république de Hollande
et le supplice de son meurtrier avaient suscité de nombreux
pamphlets.

16. Montaigne n'avait pas beaucoup de confiance dans les armes
à feu. Dans l'essai xlviii du livre I, *Des destriers,* il écrit : « *Il
est bien plus apparent de s'assurer d'une épée que nous tenons au poing,
que du boulet qui échappe de notre pistolet.* »

17. L'assassinat de François de Guise par Poltrot de Méré
devant Orléans, le 18 février 1563.

18. Balthazar Gérard.

19. Anecdote tirée de l'*Histoire des Rois de France,* de du Haillan.
Cet assassinat eut lieu en 1151. L'édition de 1595 comportait
l'addition suivante : « *Et pareillement Conrad, marquis de Montferrat,
les meurtriers conduits au supplice, tous enflés et fiers d'un si beau chef-
d'œuvre.* » Conrad fut assassiné à Tyr le 24 avril 1192.

CHAPITRE XXX

1. Les écrivains du xvie siècle s'intéressaient beaucoup aux
monstres; on peut citer en particulier Bouaystuau, *Histoires
prodigieuses,* chap. vi, *Histoire notable de deux filles, engendrées de
notre temps, qui étaient collées ensemble par les têtes.* La plupart des
auteurs interprétaient ces monstres comme un signe de la colère
divine. Sur ce point comme sur beaucoup d'autres, Montaigne fait
preuve d'une indépendance d'esprit remarquable.

2. D'après Aristote, *Rhétorique,* livre III, chap. xii.

CHAPITRE XXXI

1. Développement tiré de Plutarque, *Comparaison de Lycurgue
et de Numa :* « Quant à ordonner de la nourriture des enfants, qu'ils
fussent élevés, instruits et enseignés sous mêmes maîtres et gouverneurs, qui eussent l'œil à les faire boire, manger, jouer et exercer
honnêtement et règlement ensemble, Numa n'y pourvut... mêmement à comparaison de Lycurgue... »

2. Dans la *Morale à Nicomaque,* livre X, chap. IX, où il cite le passage d'Homère sur les Cyclopes, *Odyssée,* chant IX, vers 114.

3. Montaigne emploie souvent l'adjectif *crétense* (du latin *cretensis*) au lieu de *crétoise.*

4. D'après Plutarque, *Comment il faut réfréner la colère,* chap. VI, qui inspire l'ensemble de l'*essai.*

5. Montaigne proteste contre l'impunité accordée aux « bourreaux d'enfants », moins par compassion pour les victimes que dans l'intérêt de la société.

6. Tout ce passage est tiré de Plutarque, *Comment il faut réfréner la colère.*

7. Dans la *Vie de César,* chap. XII. L'édition de 1595 porte *Caius Rabirius* au lieu de *Saturninus.*

8. Ces deux exemples sont empruntés à Plutarque, *Les Dits notables des Lacédémoniens.*

9. D'après Plutarque, *Comment il faut ouïr,* chap. VII.

10. Paragraphe inspiré d'Aulu-Gelle, *Nuits attiques,* XVIII.

11. Tout ce conte est tiré d'Aulu-Gelle, *Nuits attiques,* I, chap. XXVI.

12. Anecdote citée par Cicéron, *Tusculanes,* livre IV, chap. XXXVI, et Valère-Maxime, *Les Faits et Dits mémorables,* livre IV, chap. I.

13. D'après Plutarque, *Dits notables des anciens rois.*

14. D'après Sénèque, *De Ira,* livre I, chap. XVIII.

15. D'après Sénèque, *De Ira,* livre III, chap. VIII.

16. D'après Plutarque, *Instruction pour ceux qui manient affaires d'État,* chap. XIV.

17. D'après Diogène Laërce, *Vie de Diogène,* livre VI, chap. XXXIV.

18. *Une gifle,* Montaigne se défend d'en user ; cependant, dans le *Journal de voyage,* son secrétaire rapporte qu'il gifla son cocher italien, et qu'il le regretta fort, craignant sa vengeance.

19. D'après Sénèque, dans le *De Ira,* livre I, chap. VII.

CHAPITRE XXXII

1. Pour se faire une idée de ces comparaisons injurieuses, il suffit de relire les *Tragiques* d'Agrippa d'Aubigné. Les catholiques sont généralement nommés des *Caïns.*

2. Dion Cassius, *Historiarum romanorum libri LXI,* chap. X, XII, XX.

3. Dans les *Annales,* livre XIII, chap. I, livre XIV, chap. LIII, LIV, LV; livre XV, chap. LX, LXIV.

4. Argument déjà présenté par Jean Bodin, *Methodus ad facilem historiarum cognitionem,* chap. IV.

5. Jean Bodin (1529-1596), célèbre jurisconsulte d'Angers,

auteur de la *Méthode* déjà citée et des *Six Livres de la République*, ouvrage dont l'ampleur et la solidité font songer à l'*Esprit des lois* de Montesquieu.

6. Dans le chap. IV. Montaigne traduit exactement Bodin, qui écrivait : « *Sæpe incredibilia et plane fabulosa narrat.* »

7. Dans la *Vie de Flaminius*, Hannibal donne le premier rang parmi les généraux à Alexandre; dans la *Vie de Pyrrhus*, c'est Pyrrhus qui l'emporte.

8. Passage traduit du chap. IV du *Methodus...*

9. Dans la *Vie de Pyrrhus*, chap. XII.

10. Dans les *Tusculanes*, livre II, chap. XIV.

11. Ammien Marcellin, dans son *Histoire*, livre XXII, chap. XVI.

12. Anecdote tirée de Tacite, *Annales*, livre IV, chap. XLV. Il s'agit de l'assassin du gouverneur de la province, Pison, qui se suicida plutôt que de dénoncer ses complices.

13. *Ibid.*, livre XV, chap. LVII.

14. Addition de l'édition de 1595 : « *Du jour précédent.* »

15. Agrippa d'Aubigné dans le chant I des *Tragiques*, intitulé *Misères*, cite des exemples analogues de tortures pratiquées par les deux camps. Le souvenir de Montmoreau, saccagé par les reîtres allemands, alliés des protestants, le hante :

> « *Là de mille maisons on ne trouve que feux,*
> *Que charognes, que morts ou visages affreux.*
> *La faim va devant soi, force est que je la suive.*
> *J'oy d'un gosier mourant une voix demi-vive...*
> " *Les reîtres m'ont tué par faute de viande :*
> *Ne pouvant ni fournir ni ouïr leur demande.*
> *D'un coup de coutelas l'un d'eux m'a emporté*
> *Ce bras que vous voyez près du lit à côté*
> *J'ai au travers du corps deux balles de pistolle...* " »

Toutes ces atrocités ne parvenaient pas toujours à faire parler les victimes.

16. Ce conte très connu en Italie et en France au XVIᵉ siècle se trouve dans les *Facéties* de Pogge (1380-1459), également auteur d'une *Histoire florentine*.

17. Dans l'essai XXVII du livre I, *C'est folie de rapporter le vrai et le faux à notre suffisance.*

18. Addition de l'édition de 1595 : « *Selon elle, il faut régler toutes les autres. Les allures qui ne se rapportent aux siennes sont feintes et fausses. Lui propose-t-on quelque chose des actions et facultés d'un autre ? La première chose qu'il appelle à la consultation de son jugement, c'est son exemple. Selon qu'il en va chez lui, selon cela va l'ordre du monde. O l'ânerie dangereuse et insupportable !* »

19. Variante de 1588 : « *Moi, je considère aucunes de ces âmes anciennes, élevées jusqu'au ciel au prix de la mienne ; et encore que je reconnaisse clairement mon impuissance à les suivre, je ne laisse pas de juger les ressorts qui les haussent ainsi et élèvent. J'admire...* »

20. A Athènes, on bannissait en inscrivant le nom de l'exilé sur une coquille (ostracisme); à Sparte et dans les pays doriens, on remplaçait la coquille par une feuille d'olivier, d'où le nom de *pétalisme*. L'exil à Sparte était limité à cinq ans.

21. Les éditions du vivant de Montaigne ajoutaient : « *Et Scipion encore à Épaminondas, qui était aussi de son rôle.* »

22. Dans la comparaison de Pompée et Agésilas.

23. Dans la comparaison de Sylla avec Lysandre.

CHAPITRE XXXIII

1. Vraisemblablement Louis de Bourbon, duc de Montpensier (1513-1582) que Montaigne rencontra en 1574 au camp de Sainte-Hermine.

2. D'après Diogène Laërce, *Vie de Xénocrate,* livre IV, chap. VII.

3. D'après Suétone, *Vie de César,* chap. XLV, d'où sont tirées les anecdotes qui suivent.

4. L'amant de Clytemnestre, épouse d'Agamemnon.

4 *bis.* Mahomet II.

5. L'histoire de Ladislas était connue au XVIe siècle. Montaigne peut l'avoir lue dans l'*Histoire de Scanderbeg* de Lavardin, dans l'*Histoire* de Paul Jove et dans l'*Histoire de la décadence de l'Empire grec* de Chalcondyle, livre V, chap. II. Ladislas ou Lancelot régna de 1386 à 1414.

6. D'après Suétone, *Vie de César,* chap. LIII.

7. D'après Plutarque, *Vie de Caton d'Utique,* chap. VII.

8. Montaigne cite également ce proverbe dans l'*essai* 5 du livre III, *Sur des vers de Virgile.* Le texte latin est : « *Sine Cerere et Baulis friget Venus.* »

9. Par exemple Magius et Vibullius Rupus.

10. Toutes ces anecdotes sont tirées de Suétone, *Vie de César.*

11. Anecdote tirée de Valère-Maxime, livre IV, chap. V. Cet exemple avait été repris déjà par Boccace, *De Casibus illustrium virorum,* chap. IV. L'anecdote fut transposée aussi par Marguerite de Navarre dans l'*Heptaméron* (Histoire de Floride) et par Honoré d'Urfé dans l'*Astrée* (Histoire de Céladée) comme l'a exposé M. R. Lebègue.

CHAPITRE XXXIV

1. Montaigne revient sur cette question dans l'essai XXXVI du livre II, *Des plus excellents hommes,* dont tout le début est consacré à l'éloge d'Homère.

2. D'après Cicéron, *Tusculanes,* livre II, chap. XXVI.

3. D'après Plutarque, *Vie de Brutus,* chap. I.

4. Montaigne a emprunté cette opinion de Charles Quint de Bodin, *Préface* de la *Methodus ad facilem historiarum cognitionem.*

5. Montaigne a évoqué le souvenir du maréchal Strozzi, Florentin au service de la France, tué au siège de Thionville en 1558, dans l'essai xvii du livre II, *De la présomption.*

6. Tous les détails concernant César et son armée sont tirés de la *Vie de César* de Suétone.

7. Ce souvenir de Xénophon est tiré du *Commentaire* sur Suétone, de Béroald.

8. D'après le *De Bello Gallico,* livre I, chap. vii. L'exode des Helvètes eut lieu en 58 avant J.-C.

9. Traduction du latin *Commilitones.*

10. Passage tiré de Suétone, *Vie de César,* chap. lxix.

11. Ce mémorable passage du Rhin est exposé par César dans le livre IV, chap. xvii *du De Bello Gallico.*

12. *Ibid.,* livre II, chap. xxi.

13. D'après Plutarque, *Vie de César,* chap. v.

14. *Bourges.* César a raconté ce siège célèbre dans le livre VII, chap. xxiv du *De Bello Gallico.*

15. Dans le *De Bello Civili,* livre I, chap. lxxii.

16. Dans le *De Bello Gallico,* livre II, chap. xxv.

17. D'après Suétone, *Vie de César,* chap. lviii.

18. D'après Plutarque, *Les Dits notables des anciens princes.*

19. Dans le *De Bello Gallico,* livre VII, chap. lxxvi. Mais César dit *huit mille* au lieu de cent neuf, erreur de lecture des chiffres romains, IIX ayant été pris pour CIX. L'erreur de Montaigne explique l'étonnement admiratif : *maniacle confiance* (folle confiance).

20. D'après Plutarque, *Vie de Lucullus,* chap. xiii.

21. Dans la *Cyropédie,* livre II, chap. ii.

22. D'après Chalcondyle, *Histoire de la décadence de l'Empire grec,* livre III, chap. xi.

23. D'après Lavardin, *Histoire de Scanderberg.*

24. Les éditions parues du vivant de Montaigne ajoutent la précision : *dit Suétone.*

25. Dans le *De Bello Gallico,* livre I, chap. xlvi.

26. D'après Suétone, *Vie de César,* chap. lxv.

27. D'après Suétone, *Vie de César,* chap. lxiv.

28. Chefs d'une troupe de cent hommes : centurions. Cf. dans l'Évangile, le centenier de Capharnaüm.

29. L'amiral de Coligny, seigneur de Châtillon-sur-Loing, assassiné à la Saint-Barthélemy, le 24 août 1572. D'Aubigné, dans son *Histoire universelle,* insiste sur le dévouement des compagnons de Coligny.

30. Anecdote tirée de Tite-Live, *Histoire,* livre XXIV, chap. xviii.

31. D'après Plutarque, *Vie de César,* chap. v.

32. Passage tiré du *De Bello Civili,* livre IV, chap. ix.

CHAPITRE XXXV

1. Montaigne a développé cette idée dans l'essai VIII du livre II, *De l'affection des pères aux enfants,* dans lequel il rappelle les confidences de Montluc et cite l'exemple du fils du connétable de Montmorency.

2. La satire des femmes est traditionnelle dans notre littérature; cf. La Fontaine, *La Jeune Veuve* (VI, 21).

3. Dans ses *Lettres,* livre VI, lettre 24.

4. L'histoire d'Arria est traduite de Pline le Jeune, *Lettres,* livre III, lettre 16.

5. Citation de Pline le Jeune, que Montaigne traduit aussitôt après.

6. Exemple emprunté à Tacite, *Annales,* livre XV, chap. LXI-LXIV.

7. L'édition de 1580 ajoutait : « Car il avait alors environ cent quatorze ans. »

8. Montaigne a traduit fidèlement Tacite, en supprimant toutefois le doute exprimé par l'historien sur la fermeté de Pauline : *incertum an ignara : on ignore si c'est à son insu...*

9. Dans la *Lettre 104.*

CHAPITRE XXXVI

1. Virgile. Dans l'*Apologie de Raimond Sebond,* livre II, Essai XII. Montaigne a fait de fortes réserves sur Homère.

2. D'après Plutarque, *Des oracles de la prophétesse Pythie,* chap. VIII.

3. D'après Plutarque, *Vie d'Alexandre,* chap. II, et Pline l'Ancien, dans son *Histoire naturelle,* livre V, chap. XXIX.

4. D'après Plutarque, *Les Dits notables des Lacédémoniens.*

5. Dans son traité *Du trop parler,* chap. V : « Homère est seul au monde qui n'a jamais saoulé, ni dégoûté les hommes. »

6. D'après Plutarque, *Vie d'Alcibiade,* chap. III.

7. D'après Plutarque, *Les Dits notables des anciens rois...*

8. D'après le témoignage de Cicéron, *Tusculanes,* livre I, chap. XXXII.

9. Anecdote tirée de Gentillet, *Discours sur les moyens de bien gouverner,* livre III, chap. I.

10. Ces anecdotes sont empruntées de Plutarque, *Vie d'Alexandre* ou de Quinte-Curce, *Histoire d'Alexandre le Grand,* livre I, chap. XI.

11. Addition des éditions antérieures à 1588 : « Car on tient entre autres choses que sa sueur produisait une très douce et suave odeur. »

12. D'après Guillaume Postel, *Histoire des Turcs :* « Ils laissent

en petite estime les histoires et principalement les nôtres et les
étranges, pour ce qu'ils disent qu'on n'oserait, vivant un prince,
écrire de lui la vérité, qui ne fût tout en louange, et après sa mort
la mémoire s'en perdre; dont ce qu'il y a d'histoires, ils les ont
quasi pour fausses, fors qu'ils en ont bien quelqu'unes traduites
du grec, qu'ils appellent Scander, c'est-à-dire Alexandre. »

13. D'après Diodore de Sicile, livre XV, chap. xxiv.

14. D'après Plutarque, *De l'esprit familier de Socrate,* chap. xxiii,
et *Comment il faut ouïr,* chap. iii.

15. D'après Diodore de Sicile, livre XV, chap. x, et Cicéron,
De Officiis, livre I, chap. xliv.

16. C'est l'opinion même de Diodore de Sicile, traduit par
Amyot : « en celui-ci étaient jointes ensemble toutes les qualités
et vertus... »

17. Amyot, dans la *Préface* de sa traduction des *Vies,* rappelle
qu'il n'a pu trouver le parallèle de Scipion et d'Épaminondas :
« Ayant fait toute diligence à moi possible de les chercher ès
principales librairies de Venise et de Rome, je ne les ai pu recouvrer. »

18. D'après Plutarque, *Que l'on ne saurait vivre joyeusement selon
la doctrine d'Épicure,* chap. xiii.

19. Anecdotes tirées de Plutarque, *De l'esprit familier de Socrate,*
chap. iv.

20. D'après Diodore de Sicile, livre XV, chap. xix.

CHAPITRE XXXVII

1. Montaigne a raconté ce vol dans l'essai ix du livre II, *Des
armes des Parthes.*

2. Ce renseignement permet de dater cet essai, qui a dû être
écrit entre mars 1579 et mars 1580.

3. Il commença à souffrir de la pierre en 1578.

4. D'après Diogène Laërce, *Vie d'Antisthène,* livre VI, chap.
xviii.

5. Les éditions antérieures à 1588 ajoutaient : « et inepte ».

6. Variante de 1588 : « *Comme si elle dressait les hommes aux actes
d'une comédie, ou comme s'il était en sa juridiction d'empêcher les mouvements et altérations que nous sommes naturellement contraints de recevoir ? Qu'elle empêche donc Socrate de rougir d'affection ou de honte,
de cligner les yeux à la menace d'un coup, de trembler et suer aux secousses
de la fièvre ; la peinture de la poésie, qui est libre et volontaire, n'ose priver
des larmes même les personnes qu'elle veut représenter accomplies et
parfaites,*

> *Et se n'aflige tanto
> Che si morde le man, morde le labbia
> Sparge le guancie di continuo pianto* *

elle devrait laisser cette charge à ceux qui font profession de régler notre maintien et nos mines : qu'elle s'arrête à gouverner... »

* L'Arioste, *Roland furieux*, XLVI, 27 : « Son affliction est si grande qu'il se mord les mains, qu'il se mord les lèvres, et que sa joue est sans cesse inondée de pleurs. »

7. Variante de 1588 : « *Qu'elle lui ordonne ses pas et le tienne en bride et en office ; qu'aux efforts de la colique, elle maintienne l'âme capable de se reconnaître, de suivre son train accoutumé, combattant la douleur et la soutenant, non se prosternant honteusement à ses pieds ; émue et échauffée du combat, non abattue pourtant et renversée. Voilà sa charge : du dehors, il importe peu, et en accidents si extrêmes, c'est cruauté de requérir de nous une démarche si réglée. Pourvu que nous ayons beau jeu, c'est tout un que nous ayons mauvaise mine. C'est bien assez que nous soyons tels que nous avons accoutumé en nos pensées et actions principales ; quant au corps, s'il se soulage en se plaignant... »*

8. Entre autres, Laurent Joubert, qui publia ses *Erreurs populaires au fait de la médecine* en 1578 chez Millanges, l'imprimeur des *Essais*.

9. Variante de l'édition de 1595 : « *Et me contente de gémir sans brailler.* »

10. Variante de 1588 : « *mais je n'en viens pas au désespoir et à la rage ; et aux intervalles... »*

11. Variante des éditions publiées du vivant de Montaigne : « *Je devise, je ris, j'étudie, sans émotion et altération.* »

12. Ambroise Paré a exposé le problème de l'hérédité d'une façon analogue dans le *Traité des monstres*, chap. XIII. De nos jours, les généticiens justifient cette doctrine par l'examen des chromosomes ; lire notamment les travaux de M. Jean Rostand.

13. Anecdote tirée de Pline l'Ancien, *Histoire naturelle*, livre VII, chap. XII.

14. D'après Plutarque, *Pourquoi la justice divine diffère quelquefois la punition des maléfices*, chap. XIX.

15. Dans l'essai VIII du livre II, *De l'affection des pères aux enfants*. Montaigne cite une coutume analogue, qu'il a trouvée dans les *Histoires* d'Hérodote, livre IV, chap. CLXXX : « *On s'y mêle aux femmes indifféremment, mais que l'enfant, ayant force de marcher, trouve son père celui vers lequel, en la presse, la naturelle inclination porte ses premiers pas, il y a souvent du mécompte.* »

16. Pierre de Montaigne, seigneur de Gaujac, oncle du philosophe et parrain de sa fille Léonor, mourut en 1573.

17. D'après Diogène Laërce, *Vie d'Épicure*, livre X, chap. CXXIX.

18. Variante des éditions antérieures à 1588 : « *Mais je dis ce qui s'en voit en pratique, il y a grand danger que ce soit pure imposture, j'en crois leurs confrères Fioravanti et Paracelse.* »

19. Pensée de Solon, citée par Plutarque dans le *Banquet des sept sages*, chap. XIX.

20. D'après Pline l'Ancien, livre XXIX, chap. I, que Joubert citait dans ses *Erreurs populaires*.

21. Dans la *Vie de Caton le Censeur*, chap. XII.

22. Dans l'*Histoire naturelle*, livre XXV, chap. VIII. Montaigne a pris ce renseignement dans le *De incertitudine et vanitate scientiarum* de Corneille Agrippa, chap. LXXXIII, qui cite et commente Pline l'Ancien.

23. Dans ses *Histoires*, livre IV, chap. CLXXXVII.

24. Dans le *Timée*.

25. Sentence de Sénèque, *Lettre 107*.

26. Exemples empruntés à Corneille Agrippa, *De incertitudine et vanitate scientiarum*.

27. Ce mot de Diogène est tiré de Diogène Laërce, *Vie de Diogène*, livre VI, chap. LXII.

28. La boutade de Nicoclès se trouve dans le chap. CXLVI de la *Collection des moines Antonius et Maximus*, imprimée à la suite de Stobée.

29. Dans la *République*, livre III, page 558 de l'édition de 1546.

30. Allusion à la fable XIII, *le Malade et le Médecin*. Montaigne dans l'essai X du livre II, *Des livres*, a jugé les *Fables* d'Ésope en ces termes : « *La plupart des* Fables *d'Ésope ont plusieurs sens et intelligences. Ceux qui les mythologisent en choisissent quelque visage, qui cadre bien à la fable ; mais, pour la plupart, ce n'est que le premier visage et superficiel ; il y en a d'autres plus vifs, plus essentiels et internes, auxquels ils n'ont su pénétrer : voilà comme j'en fais.* »

31. D'après Pline l'Ancien, *Histoire naturelle*, livre XXIX, chap. I. D'autres légendes disent *Hippolyte* et non *Hélène*. Montaigne a tiré cet exemple de Corneille Agrippa.

32. Dans l'*Histoire naturelle*, livre XXIX, chap. I. Corneille Agrippa avait repris tous ces remèdes pittoresques pour s'en moquer.

33. Les exemples sont tirés également de Pline et de Corneille Agrippa.

34. Cette histoire de la médecine est empruntée à Pline l'Ancien, *Histoire naturelle*, livre XXIX, chap. I.

35. Variante des éditions antérieures : « ... *plus que nous ne saurions donner aux drogues que nous connaissons : si elle ne nous est inconnue, si elle ne vient d'outre-mer, si ne nous est apportée de quelque lointaine région, elle n'a point de force.* » Le *gaïac* est un arbre du Mexique ; la *salsepareille*, famille des smilacées, voisine des liliacées est un dépuratif ; la *squine* est la racine d'un jonc des Indes.

36. Montaigne a déjà signalé la révolution accomplie en médecine par Paracelse dans l'*Apologie de Raimond Sebond*, livre II, essai *12* : « *On dit qu'un nouveau venu, qu'on nomme Paracelse, change et renverse tout l'ordre des règles anciennes, et maintient que jusques à cette heure, elle n'a servi qu'à faire mourir les hommes.* » Paracelse (1493-1541) commença ses cours à Bâle en brûlant les ouvrages de

ses devanciers. — Léonard Fioravanti, né à Bologne, mort en 1588, était un médecin et un alchimiste célèbre. Il a écrit plusieurs ouvrages, dont le *Trésor de la vie humaine*, l'*Abrégé des secrets rationnels concernant la médecine, la chirurgie et l'alchimie*, le *Miroir de la science universelle*, etc. — Jean Argentier (1513-1572), né à Quiers dans le Piémont et mort à Turin, attaqua également les préceptes de Galien.

37. Dans la fable 86, l'*Éthiopien*.

38. D'après Corneille Agrippa, *De incertitudine et vanitate scientiarum*, chap. LXXXIII.

39. Le chirurgien ou l'apothicaire.

40. L'artisan qui fabriquait exclusivement les pourpoints. Nous avons encore les giletiers, spécialisés dans la confection des gilets. Le *chaussetier* taillait seulement les bas et les hauts-de-chausses.

41. Cuisiniers spécialisés dans les viandes bouillies.

42. D'après Hérodote, *Histoires*, livre II, chap. LXXXIV.

43. Allusion à La Boétie.

44. Importante variante de l'édition de 1580 : « *Somme, ils n'ont nul discours qui ne soit capable de telles oppositions. Quant au jugement de l'opération des drogues, il est autant ou plus incertain. J'ai été deux fois boire des eaux chaudes de nos montagnes, et m'y suis rangé, parce que c'est une potion naturelle, simple et non mixtionnée, qui au moins n'est point dangereuse, si elle est vaine ; et qui de fortune s'est rencontrée n'être aucunement ennemie de mon goût (il est vrai que je la prends selon mes règles, non selon celles des médecins), outre ce que le plaisir des visites de plusieurs parents et amis, que j'ai en chemin, et des compagnies qui s'y rendent et de la beauté de l'assiette du pays, m'y attire. Ces eaux-là ne font nul miracle sans doute, et tous les effets étranges qu'on en rapporte, je ne les crois pas. Car, pendant que j'y ai été, il s'est semé plusieurs tels bruits que j'ai découvert faux, m'en étant informé un peu curieusement. Mais le monde se pipe aisément de ce qu'il désire. Il ne leur faut pas ôter aussi qu'elles n'éveillent l'appétit et ne facilitent la digestion, et ne nous prêtent quelque nouvelle allégresse, si on n'y va du tout abattu de forces. Mais moi, je n'y ai été ni ne suis délibéré d'y aller que sain et avec plaisir. Or quant à ce que je dis de la difficulté, qui se présente au jugement de l'opération, en voici l'exemple. Je fus premièrement à Eaux-Chaudes : de celles-là, je n'en sentis nul effet, nulle purgation apparente, mais je fus un an entier, après en être revenu, sans aucun ressentiment de colique, pour laquelle j'y étais allé. Depuis, je fus à Bagnères : celles-ci me firent vider force sable, et me tinrent le ventre longtemps après fort lâche. Mais elles ne garantirent ma santé que deux mois, car après cela j'ai été très mal traité de mon mal. Je demanderais sur ce témoignage, auxquelles mon médecin est d'avis que je me fie plus, ayant ces divers arguments et circonstances pour les unes et pour les autres. Qu'on ne crie donc plus après ceux qui, en cette incertitude, se laissent gouverner à leur appétit et au simple conseil de nature. Or ainsi, quand ils nous conseillent une chose plutôt*

qu'une autre, quand ils nous ordonnent les choses apéritives, comme sont les eaux chaudes, ou qu'ils nous les défendent, ils le font d'une pareille incertitude, et remettent sans doute à la merci de la fortune l'événement de leur conseil, n'étant en leur puissance ni de leur art de se répondre de la mesure des corps sableux, qui se couvent en nos reins là où une bien légère différence de leur grandeur peut produire en l'effet de notre santé des conclusions contradictoires. Par cet exemple, l'on peut juger de la forme de leurs discours. Mais pour les presser plus vivement, il ne faudrait pas un homme si ignorant comme je suis de leur art. Les poètes... » Montaigne après son voyage en Europe (1580-81) remplaça les considérations sur Eaux-Chaudes et Bagnères-de-Bigorre par les souvenirs plus variés des stations thermales qu'il avait fréquentées. Le *Journal de voyage* confirme tout le chapitre et donne des détails pittoresques sur les diverses thérapeutiques pratiquées au XVIᵉ siècle.

45. Souvenir des régimes contradictoires que Montaigne avait vu recommander par les médecins au sujet de la gravelle. Il a noté dans le *Journal de voyage* l'opposition de deux médecins, Donati et Franciotti, à propos des bains della Villa. *« Je viens de voir un médecin imprimé, parlant de ces eaux, nommé Donati, qui dit qu'il conseille de peu dîner, et mieux souper : je crois que ma conjecture lui sert ; son compagnon Franciotti est au contraire comme en plusieurs autres choses. »*

46. Allusion au grand voyage que Montaigne fit à travers la France, l'Allemagne et l'Italie et aux cures qu'il suivit dans les différentes stations thermales ; à force de boire les eaux les plus diverses, il devint un véritable dégustateur, capable de reconnaître la composition de l'eau d'après son goût, ainsi que le montre le docteur Jean le Geard, dans son *Montaigne hydrologue*.

47. On trouvera dans le *Journal de voyage* les détails concernant ces différentes stations. Montaigne fit deux séjours aux bains della Villa, dont le site pittoresque lui plaisait.

48. Ventouser à l'aide d'un cornet. Dans le *Journal de voyage*, Montaigne raconte qu'à Bade, les baigneurs *« se font corneter et saigner si fort, qu'il a vu parfois les deux bains publics qui semblaient être de pur sang »*.

49. *Douches*. On peut comparer ce passage au *Journal* : *« Il y a aussi certain égout, qu'ils nomment la doccia ; ce sont des tuyaux par lesquels on reçoit l'eau chaude en diverses parties du corps, et notamment à la tête, par des canaux qui descendent sur vous sans cesse, et vous viennent battre la partie, l'échauffent et puis l'eau se reçoit par un canal de bois, comme celui des buandières, le long duquel elle s'écoule. »*

50. Montaigne et le baron de Caupène, apparenté à Montluc, étaient en procès depuis 1570 à propos de leurs droits sur le village de Lahontan, situé dans le canton de Salies, arrondissement d'Orthez (Basses-Pyrénées). Jeanne d'Albret venait de fonder à Orthez une Université réputée, où la médecine et la jurisprudence étaient enseignées, ce qui explique l'introduction des notaires dans ce

bourg isolé. D'après Lespy, *Dictons du pays de Béarn* (Pau, 1875), on dit encore : « notaire de Lahontan, médecin de Lahontan » pour désigner les notaires et médecins plus préoccupés de leurs honoraires que de leurs clients.

51. Aux sources de la Durance.

52. Allusion probable à Orthez.

53. *Humidité du crépuscule.* Voir Molière, *Le Malade imaginaire*, acte I, scène 6 : Toinette : « Et celui-ci pour vous garder du serein ! »

54. P. Villey rapproche cette croyance du passage suivant, tiré des *Erreurs populaires au fait de la médecine* de Laurent Joubert, IIᵉ partie : « Nous usons bien heureusement du sang de bouc à dissoudre et mettre en pièces le calcul de l'homme. C'est quand on a nourri le bouc âgé de trois à quatre ans durant les jours caniculiers de toutes les herbes saxifrages (c'est-à-dire rompantes la pierre) qu'on lui peut faire manger, l'abreuvant de vin blanc, et le faisant tous les jours fort courir. Son sang emprunte, acquiert et retient la vertu desdites herbes, tout ainsi que le moût vineux qu'on prépare à même effet. » Laurent Joubert, né en 1529 à Valence (Dauphiné), était conseiller et médecin ordinaire des rois de France et de Navarre. Montaigne peut l'avoir rencontré à la cour ou à Bordeaux. Les *Erreurs populaires...* furent d'ailleurs publiées par son premier éditeur Simon Millanges.

55. Addition des éditions publiées du vivant de Montaigne : « Et si cette bête est sujette à cette maladie, je trouve qu'elle a été mal choisie pour nous y servir de médicament. »

56. Dans L'Ecclésiaste, xxxviii, 1 : « *Honora medicum propter necessitatem.* »

57. Dans les *Paralipomènes*, livre II, chap. xvi, § 12 : « *Nec in infirmitate sua quaesivit Dominum, sed magis in mediorum arte confisus est.* » Montaigne a trouvé ces deux sentences dans l'ouvrage de Joubert. Asa, roi de Juda (910-870 av. J.-C.).

58. D'après Hérodote, *Histoires*, livre I, chap. cxcvii.

59. *Barbotage* est pris au sens de « marmotage ». Les *brevets* sont des billets suspendus au cou en guise d'amulettes.

60. Corneille Agrippa soutenait la même idée, préférant les simples aux médicaments des apothicaires.

61. D'après Diogène Laërce, *Vie de Platon*, livre III, chap. vii.

62. Il s'agit des engelures.

63. Marguerite d'Aure de Gramont, veuve de Jean de Durfort, seigneur de Duras, qui fut tué près de Libourne. Madame de Duras était dame d'honneur de la fameuse reine Margot, et confidente de ses intrigues. *Cf.* Alex. Nicolaï, *Les Belles Amies de Montaigne.*

64. D'après Tacite, *Annales*, livre VI, chap. xlvi.

65. Pline l'Ancien, dans l'*Histoire naturelle*, livre XXIX, chap. i.

66. Addition de l'édition de 1580 : « Les montagnes où elles sont assises ne tonnent et ne retentissent rien que Gramont. »

67. D'après Plutarque, *Vie de Périclès,* chap. XXIV.

68. La *dragme* est la huitième partie de l'once; l'*opiat* est une mixture à base d'opium.

69. Images empruntées à Cicéron, *Académiques,* livre II, chap. XXVI.

Impression Brodard et Taupin
à La Flèche (Sarthe),
le 20 mai 1985.
Dépôt légal : mai 1985.
1er dépôt légal dans la collection : février 1973.
Numéro d'imprimeur : 6278-5.
ISBN 2-07-036290-6 / Imprimé en France

35832